Das Buch

Der Titel des Bandes ist pr[...]
ler Bezüge zum politische[...]
kommenden Jahren, das heißt zur deutschen Wiedervereinigung
und zur künftigen politischen Einigung Europas. Die Verzahnung
der deutschen mit der europäischen Entwicklung, die wechselvol-
len gegenseitigen Einflüsse und Abhängigkeiten werden jedoch
durchaus historisch dargelegt. Der Rückblick auf vierzehn, jeweils
für die Geschichte Mitteleuropas aufschlußreiche Stationen und
Probleme bietet Argumente und Erkenntnisse, die für unsere künftige Politik wichtig sein können.
Der Band enthält die Texte einer vielbesuchten Vorlesung für Hörer
aller Fakultäten an der Albert-Ludwigs-Universität in Freiburg im
Breisgau, im Wintersemester 1990/91. Die Autoren lehren an dieser
Universität.

Deutschland in Europa
Ein historischer Rückblick

Herausgegeben von Bernd Martin

Deutscher
Taschenbuch
Verlag

Originalausgabe
April 1992
© Deutscher Taschenbuch Verlag GmbH & Co. KG,
München
Umschlaggestaltung: Celestino Piatti
Gesamtherstellung: C. H. Beck'sche Buchdruckerei,
Nördlingen
Printed in Germany · ISBN 3-423-11499-1

Inhalt

Vorwort

Am 22. Oktober 1990, knapp drei Wochen nach der am 3. Oktober vollzogenen deutschen Einheit, eröffnete der Herausgeber dieses Bandes an der Freiburger Universität eine historische Ringvorlesung zur deutschen Frage. In den nunmehr in überarbeiteter Form vorliegenden Beiträgen wurden Bezüge auf den ursprünglichen Vortragscharakter einer akademischen Lehrveranstaltung gestrichen, um den Aussagen einen allgemeineren, nicht nur zeitbedingten Ausdruck zu verleihen. Um jedoch an den aktuellen Anlaß dieser, sowohl von der studentischen als auch von der städtischen Öffentlichkeit sehr beachteten Ringvorlesung zu erinnern, sollen die einführenden Worte zu dieser Veranstaltung in unveränderter Form wiedergegeben werden:

Magnifizenz, meine sehr verehrten Damen und Herren!

Die deutsche Frage hat uns alle überrollt, fast genauso, wie unsere Väter und Großväter einst von der »nationalen Revolution« der Nationalsozialisten 1933 überrollt wurden. Keiner konnte die heutige Entwicklung zur vollendeten staatlichen Einigung noch vor einem halben Jahr voraussehen. Wer, wie ich, einige Tage nach dem 9. November in studentischer Examensrunde auch nur anzudeuten wagte, mit der Öffnung der Mauer sei die deutsche Frage wieder auf dem Tisch, wurde mitleidig als »Spinner« oder politisch als Reaktionär angesehen und entsprechend attackiert. Auch am 30. Januar 1933 konnte keiner ahnen, wo das Deutsche Reich in zwölf Jahren, am 8. Mai 1945, stehen würde und welche Schuld die Deutschen durch millionenfachen Mord auf sich laden würden.

Womit hängt diese Blindheit, diese Ahnungslosigkeit zusammen, die auch den professionellen Interpreten geschichtlicher Abläufe, den Historikern und Politikwissenschaftlern, anhaftet, damals wie heute? Eine banale Erklärung mag dahin gehen: Historiker sind eben auch nicht besser als andere denkende Menschen und genau wie diese in ihre Zeit eingebunden, und das erlaubt ihnen keine kontrafaktische Betrachtungsweise. Gewiß, die Geschichtswissenschaftler können und sollen nicht die Polit-Astrologen der Nation sein. Unser Fach muß, wenn es ernsthaft betrieben wird, den Ereignissen immer hinterherlaufen und deren Wurzeln aufdecken. Doch ein wenig selbstkritisch sollten wir schon fragen, ob nicht methodische Beschränktheit, eine ausschließlich historische Sicht vor 1933 wie vor 1989, uns dazu verleitet hat, nur Teile der Wirklichkeit wahrzunehmen, andere hingegen zu verdrängen. Eine nationalkonservative Geschichtswissenschaft, methodisch der Devise »Männer machen Geschichte« verhaftet, mußte vor 1933 blind für die soziale Situation und sozialgeschichtliche Deutungsversuche sein. Man denke nur an die Verfemung des Historikers Eckart Kehr durch die etablierte Zunft, als dieser es gewagt hatte, vom Primat der Innenpolitik auszugehen.

Waren wir westdeutschen Historiker nicht umgekehrt zwischen 1949 und 1989 genauso blind, indem wir, vom vermeintlich sicheren Boden der deutschen Teilung aus, uns zu einseitig mit sozial- und regionalgeschichtlichen Fragen, der von den angloamerikanischen Besatzungsmächten noch dazu verordneten *social history,* beschäftigten und darüber geneigt waren, das Verhältnis der Deutschen zu ihren Nachbarn auf das deutsch-französische einzuengen, aber z. B. die Polen oder südosteuropäische Staaten völlig zu vergessen? Um es noch konkreter zu sagen, Seminare zur Außenpolitik waren im Fach Geschichte nicht gern gesehen, sie galten methodisch und inhaltlich als überholt. Dies hat sich geändert und wird sich ändern, wenn Deutschland, in der Mitte Europas gelegen, nun wieder internationale Politik ohne den Schutzschirm von Siegermächten betreiben muß.

Diese Ringvorlesung soll den Irrtum der Historiker nicht beschönigen, sondern im Grunde eingestehen und durch ihre Formulierung »Deutschland in Europa« in die neue und richtige Richtung weisen. Nicht im Wiederaufleben des deutschen Nationalstaates des 19. Jahrhunderts, des Bismarckschen Reiches, liegt unsere Zukunft, diese liegt allein in Europa, in einem verträglichen Verhältnis der Deutschen zu ihren unmittelbaren und mittelbaren Nachbarn. Die Geschichte der Deutschen und der deutschen staatlichen Einheit bietet zahlreiche Beispiele für dieses geglückte Neben- und Miteinander, nicht zuletzt die Universalmonarchie römischen bzw. hochmittelalterlichen Zuschnitts. Nicht die innerdeutsche Entwicklung, die gern selbstmitleidige nationale Nabelschau, wird daher im Zentrum der Themen dieser Ringvorlesung stehen, aber auch nicht ausschließlich die außenpolitische Komponente, sondern die Verzahnung von innerer Entwicklung und deren Ausstrahlung nach außen, bzw. die Reaktion der Angrenzer, der Anrainer Deutschlands sollte die Leitfrage sein.

Bernd Martin

Universalmonarchie und partikulare Gewalten.
Die Germanen in und nach dem Imperium Romanum
von JOCHEN MARTIN

Das Römische Reich ist nicht Europa, und schon gar nicht sind die
Germanen Deutschland. Aber es bestand einmal ein Heiliges Römisches Reich deutscher Nation. Zumindest da hatte also das Römische Reich irgend etwas mit den Deutschen zu tun. Der Althistoriker freilich muß noch weiter zurückgehen. Sein Thema ist nicht das
Heilige Römische Reich, sondern schlicht das Imperium Romanum, und nicht die deutsche Nation, sondern die germanischen Stämme der Goten, Vandalen, Burgunder und Franken. Eine Frage dieses Beitrags wird also sein, inwieweit im Imperium Romanum selber und im Verhältnis der Germanen zu ihm die Bedingungen dafür
grundgelegt sind, daß es zu einem Heiligen Römischen Reich deutscher Nation kommen konnte. Daneben kann ich aber auch der Versuchung nicht widerstehen, das zu schaffende Europa per analo-
giam mit dem Imperium Romanum zu konfrontieren. Niemand
will Europa als ein Reich mit einem Kaiser an der Spitze. Die Frage
ist aber, ob das im Römischen Reich praktizierte Zusammenleben
unterschiedlichster Völker und Kulturen ganz irrelevant ist für die
Form, in der wir uns ein Europa der Zukunft wünschen.

1. Die Germanen und das Römische Reich

In der Spätantike haben wir es genau mit der Umkehrung der heutigen Situation zu tun: Geht es heute darum, daß Nationen ihre Souveränität – oder einen Teil ihrer Souveränität – zugunsten eines vereinigten Europa aufgeben, so bestand in der Spätantike ein Reich, das in
verschiedene germanische Teilreiche zerfiel. Westgoten, Vandalen,
Burgunder, Franken und Ostgoten bildeten auf dem Boden des ehemaligen Imperium Romanum eigenständige Reiche, und die Frage,
was den Untergang des Weströmischen Reiches bewirkte, gehört seit
Jahrhunderten zu den meistdiskutierten Fragen der Althistorie. Mir
geht es aber heute nicht um dieses Problem, sondern darum, wie sich
das Verhältnis zwischen den Germanen und Rom gestaltete [1]. Ich dis-
kutiere dieses Problem zunächst von der germanischen Seite her

[1] Vgl. jetzt zu diesem Problem H. Wolfram, Das Reich und die Germanen. Zwischen
Antike und Mittelalter. Berlin 1990 (mit weiterführender Literatur).

und beginne mit einem berühmten Ereignis und einem noch berühmteren Text.

Im Januar 414 fand in Narbonne eine aufsehenerregende Hochzeit statt. Athaulf, der Nachfolger Alarichs als König der Westgoten, heiratete Galla Placidia, die Tochter Kaiser Theodosius' des Großen und Schwester des regierenden Westkaisers Honorius. Als die Goten 410 Rom eroberten, war sie von ihnen als Geisel mitgeführt worden. Die Hochzeit hatte in allem römischen Zuschnitt, angefangen damit, daß Athaulf in der Uniform eines römischen Heermeisters auftrat. Der spanische Presbyter Orosius, der bald darauf auf Anregung des Augustinus eine Weltgeschichte aus christlicher Sicht, die ›Historiae adversum paganos‹, verfaßte, schreibt dem Einfluß der Galla Placidia folgende programmatische Äußerung zu, die Athaulf oft wiederholt haben soll und die Orosius während seines Palästina-Aufenthalts gehört haben will, als ein Gewährsmann aus Narbonne sie dem heiligen Hieronymus berichtete (ich setze den Text in die direkte Rede): »Ich habe zunächst leidenschaftlich begehrt, den Namen Roms vergessen zu lassen und das ganze römische Imperium zu einem allein der Goten zu machen, damit die Gothia sei, was die Romania gewesen ist, und ich, Athaulf, zu dem werde, der Caesar Augustus einst war. Aber aufgrund langer Erfahrung habe ich erkannt, daß weder die Goten wegen ihrer zügellosen Barbarei auf irgendeine Weise den Gesetzen gehorchen können noch die Gesetze der res publica aufgehoben werden dürfen, ohne die eine res publica eben keine res publica ist. Deshalb habe ich mich dafür entschieden, wenigstens meinen Ruhm darin zu suchen, mit den Kräften der Goten den römischen Namen makellos wiederherzustellen und zu erhöhen und bei den Nachkommen als Restaurator Roms zu gelten, wenn ich schon nicht dessen Nachahmer sein konnte.« [2]

Die Passage steht fast am Schluß des Werkes (VII 43, 5–6). Sie paßt nur zu gut in die Geschichtstheologie des Orosius, als daß man nicht geneigt sein könnte, sie Orosius selbst zuzuschreiben. Entsprechend ist das Problem der Authentizität der Worte Athaulfs tausendfach diskutiert worden. Herwig Wolfram bemerkt dazu in seinem bekannten Gotenbuch lapidar: »Der Streit um die Echtheit der Geschichte ist müßig, da der Gotenkönig seine römische Politik ganz in ihrem Sinne änderte.« [3] Wolfram hat recht: Seien die Worte gesprochen oder nicht – sie stehen für eine Realität, die wir nicht nur bei Athaulf, sondern auch bei anderen Germanenkönigen beobachten können: Für die Ausbildungsphase des germanischen König-

[2] Orosius VII 43, 5–6.
[3] H. Wolfram, Die Goten. München 3. Aufl. 1990, S. 170.

tums war die Anlehnung an die kaiserliche Gewalt und an Institutionen des Reiches außerordentlich wichtig. Dazu gehörte z. B. die Ernennung zum Heermeister, die Verleihung des Patriziats (eine hohe römische Würde, die vor allem die Nähe einer Person zum Kaiser betonen sollte), dazu gehörten auch die Zusammenarbeit mit römischen Militärbeauftragten und ferner Verträge, welche die Modalitäten der Ansiedlung regelten. Dies alles mag nicht erstaunlich sein und könnte noch primär unter machtpolitischen Gesichtspunkten interpretiert werden. Erstaunlicher sind aber die Phänomene, die wir nach dem Untergang des Weströmischen Kaisertums im Jahre 476 beobachten können: Kein germanischer Herrscher setzt sich an die Stelle des weströmischen Kaisers. Odoaker schickt 476 die Kaiserinsignien nach Konstantinopel und erklärt, ein Kaiser genüge für beide Reichsteile; er will selber nur zum Patricius ernannt und mit der Verwaltung Italiens beauftragt werden. Theoderich läßt sich 497 vom Ostkaiser Anastasius einen Königsornat schicken und herrscht seitdem als »Flavius Theodoricus rex« über Italien – mit dem Namen »Flavius« wird eine Beziehung zur kaiserlichen Familie hergestellt. Er erläßt keine *leges* (Gesetze), sondern nur Edikte im Rahmen der weitergeltenden römischen Gesetze. 508 läßt sich der Frankenherrscher Chlodwig von Kaiser Anastasius die Würde eines Exkonsuls verleihen und einen Königsornat übersenden. In einem feierlichen Staatsakt in Tours wird, wie Karl Hauck sagt, »aller Welt sichtbar der neue Bund zwischen dem Kaiser und dem Heerkönig in Gallien verkündet«[4]. In der Regel respektieren die Germanenherrscher das kaiserliche Privileg, Goldmünzen mit dem eigenen Bildnis zu prägen, sie respektieren die den Kaiserurkunden vorbehaltene Purpurtinte und Kanzleischrift, ganz zu schweigen vom Titel Imperator. Verträge werden so stilisiert, als ob der Kaiser Privilegien gewähre. Wie ist dieses Verhalten der Germanen zu erklären, die sich auch nach 476 noch auf das Reich bezogen?

Die Germanen des 2. Jahrhunderts konnten dem Reich zwar schweren Schaden zufügen, aber sie hatten von den sozialen, politischen, administrativen Voraussetzungen her keine Möglichkeit, stabile politische Gebilde im Gegensatz zum Reich aufzubauen. Wenn es zu Ansiedlungen auf Reichsgebiet kam, dann so, daß die Germanen in den Reichsverband eingegliedert und den römischen Gesetzen unterworfen wurden. Das änderte sich erstmals in dem berühmten Vertrag, den Theodosius der Große 382, vier Jahre nach der katastrophalen römischen Niederlage von Adrianopel, mit den Goten

[4] K. Hauck, Von einer spätantiken Randkultur zum Karolingischen Europa. In: Ders., Frühmittelalterliche Studien, Bd. 1 (1967), S. 3–93, hier S. 30.

schloß. Die Goten erhielten ein geschlossenes Siedlungsgebiet in Niedermösien (im Gebiet des heutigen Bulgarien), sollten unter eigenen Herrschern und Gesetzen leben und den Römern Waffenhilfe leisten. Hier begann sich nicht nur die Reichskonzeption zu ändern – ich komme gleich noch darauf –, sondern der Vertrag ist auch Ausdruck der Tatsache, daß die Germanen sich verändert hatten: Die soziale Differenzierung hatte zugenommen, die innere Organisation und Kohäsion einzelner germanischer Gruppen hatte einen Grad erreicht, der es dem Kaiser unmöglich machte, die gotischen Krieger als einzelne oder in kleinen Gruppen im Reich anzusiedeln. Der Grund für diese Veränderungen lag zum einen in der Begegnung und Auseinandersetzung mit dem Römischen Reich: Viele Germanen dienten als Soldaten im römischen Heer, manche stiegen bis zu den höchsten Kommandospitzen auf; es fand ein dauernder Austausch von Waren statt; seit den Zeiten Konstantins wurden auch Versuche der Missionierung der Germanen unternommen; zum anderen spielten auch, etwa für die soziale Differenzierung, Faktoren wie die Übernahme des Reiterkampfes eine Rolle. So entstanden also erst die Bedingungen, auf deren Basis dann seit 418 die germanischen Reiche der Westgoten, Vandalen, Burgunder, Ostgoten und Franken ins Leben traten.

Freilich, in allen diesen Reichen bildeten lange Zeit die Germanen die Minderheit der Bevölkerung. Sie konnten ohne die romanische Bevölkerung gar nicht existieren. Das begann schon bei der Ernährung, die nur mit Hilfe von Sklaven und römischen Bauern gesichert werden konnte. Das ging weiter mit der Administration, für die man die Hilfe der römischen Oberschicht benötigte. Auch die Stellung der Könige war prekär: Sie herrschten jetzt nicht nur über die Personalverbände ihrer Krieger, sondern auch über die römische Bevölkerung; aus dieser Beherrschung eines Territoriums wuchsen ihnen nicht nur neue Aufgaben zu, sondern auch neue Anforderungen der Legitimation. Verstärkt wurden diese Anforderungen noch, wenn es zur Konkurrenz unter germanischen Herrschern kam. Chlodwig z. B. wollte sich nicht in das Bündnissystem Theoderichs einbinden lassen, und ihm gelang es, von Konstantinopel eine ähnliche Legitimation zu erlangen wie Theoderich selber (vgl. oben zum Tag von Tours).

In vielen Bereichen wirkte auch das römische Recht weiter. So übte die Kirche, die ihre Bischöfe zumindest in Gallien, aber wohl auch in Norditalien aus der römischen Senatorenschicht zog, erheblichen Druck auf die germanischen Herrscher aus, damit ihre Stellung entsprechend den römischen Gesetzen gesichert blieb. Die Ansiedlung von Germanen wurde entsprechend den Verträgen mit Rom vorgenommen; die Ländereien, die den Germanen zunächst zur Nutzung überlassen wurden, gingen dann nach 476 mit Hilfe des römischen Rechtsinstituts der Verjährung in das Eigentum von Germanen über [5]. Römisches Recht spielte bei der Abfassung der germanischen Gesetze eine große Rolle, ebenso wie die Stellung des Königs unter Rekurs sowohl auf die römische Herrschaftradition als auch auf die Vergangenheit der einzelnen Ethnien neu bestimmt wurde – eine Vergangenheit, die übrigens vielfach gerade im Hinblick auf die veränderte Situation der germanischen Völker neu modelliert wurde.

Alle diese Momente wirkten mit, um keinen radikalen Kontinuitätsbruch zwischen dem Römischen Reich und den germanischen Reichen entstehen zu lassen. Die germanischen Könige konnten nach 476 vielfach gar nicht anders, als in die Fußstapfen der römischen Herrscher zu treten. Könnte man also die Kontinuität römischer Institutionen mit politischen Notwendigkeiten begründen, so bleibt doch die Frage, ob damit schon das Weiterleben des Reiches, des Kaisertums, der Stadt Rom als Ideen, als immer wieder wirksame Ordnungsvorstellungen erklärt werden kann. Politische Gebilde sind auch sonst in der Weltgeschichte verschwunden, ohne große Nachwirkung zu haben. Warum war das beim Römischen Reich nicht so? Ich behandle deshalb in einem zweiten Schritt jetzt die Frage, wie es in der Spätantike zu einer transferierbaren Vorstellung vom Reich, vom Kaiser und von Rom kam.

2. Die Vorstellungen vom Imperium Romanum und deren Veränderungen

Die Herrschaft der römischen Kaiser war klar auf ein Territorium, das Römische Reich, bezogen. Schon seit republikanischen Zeiten wurde in Anlehnung an hellenistische Vorbilder römische Herrschaft aber auch immer wieder als Herrschaft interpretiert, die sich auf den ganzen Erdkreis, die ganze bewohnte Erde, bezog. Diese

[5] Seit dem Buch von W. Goffart, Barbarians and Romans. A. D. 418–584. The techniques of accomodation. Princeton 1980, hat die Auffassung an Boden gewonnen, die Germanen hätten bei ihrer Ansiedlung von den römischen Grundbesitzern nicht Land, sondern Steueranteile zur Verfügung gestellt bekommen; vgl. H. Wolfram u. A. Schwarcz, Anerkennung und Integration. Zu den wirtschaftlichen Grundlagen der Völkerwanderungszeit (400–600). Denkschriften der Österr. Akad. d. Wiss. 193. Wien 1988; J. Durliat, Les finances publiques de Dioclétien aux Carolingiens (284–889). Sigmaringen 1990. Die im Text wiedergegebene Auffassung wird von R. Krieger in einer Freiburger Dissertation vertreten: Die Ansiedlung und Landnahme der Westgoten, Burgunder und Ostgoten. Bern 1991.

Vorstellung verband sich zum einen mit der Stadt Rom, dem *caput orbis,* zum anderen seit Augustus mit der Herrscheridee: der Kaiser ist Vater und Lenker des *orbis,* bringt ihm Glück und Frieden.

Alle diese Vorstellungen dienten nicht als Legitimation für Eroberungen. Weltherrschaftssymbolik und der Rat des Augustus, die Grenzen des Reiches nicht zu erweitern, waren durchaus miteinander verträglich. Der Rekurs auf Weltherrschaftsideen war vielmehr Ausdruck der Tatsache, daß sich eine solche Herrschaft wie die Roms kaum anders denn als universal begründen ließ, daß ferner im Zusammenhang mit der Rezeption hellenistisch-philosophischer Ideen die römische Herrschaft mit einer kulturellen, sich auf die ganze Menschheit auswirkenden Mission verbunden wurde. Dieses Bewußtsein fand seinen beredtesten Ausdruck bei Aelius Aristides, der um die Mitte des 2. Jahrhunderts das Römische Reich als kulturelle Einheit feierte, und zwar so, daß sich alle Reichsbewohner als Römer fühlen konnten.

In der Folgezeit wurde die Reichsidee gleichsam weiter aufgeladen. Der christliche Gelehrte Origenes verbindet bald nach 200 die Genese des Christentums mit der Errichtung der Monarchie in Rom und der Befriedung des Römischen Reiches durch Augustus. Diese sei die Voraussetzung für die christliche Mission gewesen. Noch viel schärfer wird die heilsgeschichtliche Funktion des römischen Kaisers und des Reichs von Eusebius von Caesarea, der unter Konstantin schrieb, herausgearbeitet. Die Einheit des Reiches wird als Überwindung nicht nur der Vielstaaterei, sondern auch des Polytheismus gedeutet, die Monarchie des Kaisers mit der Monarchie Gottes parallelisiert. Konstantin der Große verstand sich selber als von Gott erwähltes Werkzeug, und als solches hat ihn auch Eusebius dargestellt. Der Kaiser wiederhole die Taten Christi; dieser habe nach der Inkarnation die Herrschaft an den Kaiser delegiert. Für den schon genannten Orosius schließlich nehmen im Laufe der Weltgeschichte mit zunehmender Nähe zur Inkarnation die Übel der Welt immer mehr ab. Mit der Inkarnation beginnt eine Sondergeschichte, die sich im 4. nachchristlichen Jahrhundert durchsetzt, so daß es jetzt nur noch die Geschichte des christlichen Imperiums gibt[6].

Das Reich also als zwar nicht universale, aber universal begründete Herrschaft, als Raum kultureller Einheit, als Raum für die christliche Mission zunächst, dann als Ort der christlichen Weltgeschichte

---

[6] Zu Origines: E. Peterson, Der Monotheismus als politisches Problem. Leipzig 1935. Zu Eusebius und Orosius: J. Martin, Spätantike und Völkerwanderung. München 1987, S. 27f., 115, 157f., 202ff. (mit weiterführender Literatur).

selber; der Kaiser als Abbild Gottes, als von Gott erwählter Herrscher, der die Taten Christi fortsetzt – ein wahrhaft überwältigendes Instrumentarium, das freilich unter den Bedingungen des 4. und 5. Jahrhunderts nochmals verändert wurde.

Diokletian und Konstantin haben auf Probleme, die das Reich im 3. nachchristlichen Jahrhundert erschütterten, dadurch geantwortet, daß sie die Handlungskapazitäten des Reiches durch den Ausbau des Verwaltungsapparats und durch Zentralisierung zu steigern versuchten. Der Kaiser wurde zu einem allmächtigen Herrscher, der Zugriff des Staates reichte nun bis zu jedem einzelnen Reichsbewohner, die Städte wurden zu bloßen Lastenträgern des Reiches. Im 4. Jahrhundert konnten auf diese Weise Kräfte mobilisiert werden, die nochmals zu einer Konsolidierung des Reiches führten. Aber ebenfalls schon im 4. Jahrhundert begann auch ein gegenläufiger Prozeß: Die ungeheure Überdehnung der Kaisermacht, der Aufgaben des Kaisers und der Verwaltung, die Verlegung des Herrschaftszentrums von Rom nach Konstantinopel und die Einbrüche der Germanen hatten zur Folge, daß sich Vorstellungen vom Kaiser, vom Reich und von Rom ausbildeten, die als kulturelle Größen gleichsam ein Leben für sich, neben der politischen Realität, führen konnten.

Der Kaiser wird in der Spätantike zu einem, der nicht mehr als Handelnder erscheint[7]. Nicht nur wird die Person gleichsam institutionalisiert, so daß Personen austauschbar sind und sogar Kinder Kaiser werden können; der Kaiser wird vielmehr allem Irdischen entrückt. Abgeschirmt durch Leibwachen und *silentiarii* residiert er in seinem Palast, der ebenso ein *sacrum palatium* ist, wie alles »heilig« ist, was mit dem Kaiser in Zusammenhang steht; die Römer verbinden mit dem Begriff *sacer* die Vorstellung göttlichen Eigentums. Im Palast vollzieht sich alles in zeremoniellem Schweigen, der »Wink« wird zum Ausdruck der höchsten Macht. Seit der Mitte des 4. Jahrhunderts wird die Abgeschiedenheit des Herrschers noch durch Vorhänge *(vela)* betont, die zunächst im Thronsaal, dann überall im Palast den Kaiser vor den Blicken aller übrigen Sterblichen trennen. Erscheinen der Kaiser und die Kaiserin in der Öffentlichkeit, dann wird durch ihren Ornat fast jede Individualität erdrückt. Als lebende Bilder werden sie in die Architektur oder in Szenen (z. B. Prozessionen) eingeordnet. Die Kaiser sprechen nicht selber in der Öffentlichkeit, sondern andere sprechen für sie. Der Umgang mit dem Kaiser ist durch ein genaues Zeremoniell geregelt.

[7] Ich habe diesen Abschnitt aus meinem Buch ›Spätantike und Völkerwanderung‹, S. 99 f. übernommen.

In allen diesen Charakteristika des Hofes und des Zeremoniells wird deutlich, daß der Kaiser »durch sein eigenes Wesen [also nicht durch sein Handeln] ... theoretisch vollkommen unabhängig den Bestand des Reiches« verbürgte[8]. Der Kaiser übte nicht so sehr Macht aus, als daß er sie darstellte, symbolisierte, durch seine Beziehungen zu Gott, seine Stellung als Stellvertreter Gottes auf Erden begründete. Er war ein unbewegter Beweger, und erst diese Stellung machte es möglich, daß er – wie Gott – als allgegenwärtig, als überall anwesend gedacht werden konnte.

Ebenso wie die Vorstellung vom Kaiser wandelte sich die vom Reich. Wir haben schon gesehen, daß 382 Goten im Reich angesiedelt wurden, aber nicht mehr der unmittelbaren Verwaltung des Reiches unterstanden. Dies wiederholte sich in der Folgezeit und führte dazu, daß das Imperium nicht mehr identisch war mit einem fest umrissenen Territorium, das dem Kaiser direkt unterstand. Ursula Asche hat in den Quellen zwei Konzeptionen des Reiches ausgemacht: zum einen das Reich als fest umschriebenen Herrschaftsbereich, der unter unmittelbarer Verwaltung des Kaisers steht; er werde in den Quellen als *res publica* oder *politeia* bezeichnet; zum anderen das Reich als eine Ordnung, die alle mit dem Kaiser irgendwie in Verbindung stehenden Einheiten umfaßt; dieses als *imperium* bezeichnete Reich ist also nicht an Grenzen gebunden, ist kein Herrschaftsverband, sondern eine Ordnungsvorstellung, die tendenziell universal ist[9].

Was schließlich die Stadt Rom angeht, so haben nach den Katastrophen von 378 und 410 heidnische Senatoren und deren christliche Gegner gemeinsam ein neues Rombild formuliert, das gegen alle Erfahrungen der jüngsten Vergangenheit von der Überzeugung lebte, Rom werde auch in Zukunft nicht untergehen. In diesem Bild wurde freilich die römische Vergangenheit nicht als Verpflichtung für politisches Handeln in der Gegenwart, sondern als kulturelles Erbe, als Inbegriff der Zivilisation interpretiert. Die Stadt Rom war darin nicht mehr politischer Mittelpunkt eines Weltreiches, sondern überragte durch die Schönheit und Großartigkeit ihrer Bauten alle anderen Städte des Imperiums. Schließlich unterschied sich auch die Religion, die für das Selbstverständnis der Senatorenschicht eine so wichtige Rolle spielte, von der alten römischen: Ihre Konturen waren unscharf geworden, monotheisti-

[8] O. Treitinger, Die oströmische Kaiser- und Reichsidee nach ihrer Gestaltung im höfischen Zeremoniell. Jena 1938, Ndr. Darmstadt 1956, S. 85.
[9] J.C.U. Asche, Roms Weltherrschaft und Außenpolitik der Spätantike im Spiegel der Panegyrici Latini. Diss. Bonn 1983.

sche Vorstellungen hatten sich auch im Heidentum ausgebreitet. Die christlichen Schriftsteller übernahmen den Lobpreis Roms, das sie fest mit dem Christentum verbanden. Und selbst das Heidentum lebte bei ihnen fort, freilich nicht als Religion, sondern als Ausdruck einer kulturellen Tradition; christliche Dichter gebrauchten es als Medium der Bildung und der künstlerischen Produktion, so daß manchmal schwer zu entscheiden ist, ob ein Dichter Christ war oder nicht.

Aus all dem ergibt sich: Die Goten oder andere Germanen konnten gegen Rom als Stadt vorgehen, aber damit war Rom als Bezugspunkt für die Identität der Senatsaristokratie und der Christen nicht ausgelöscht; man konnte einen Kaiser bekriegen, und Heermeister konnten Kaiser auswechseln, aber damit ging das Kaisertum als Idee nicht unter; man konnte das Reich als *res publica* bekämpfen, aber das Reich als Imperium, als Ordnungsvorstellung blieb erhalten. Und auf die genannten Abstraktionen, wenn ich sie so nennen darf, haben sich die Germanen nach 476 bezogen. Sie verstanden sich nicht so, als seien sie dem Kaiser unterstellt, ins Reich eingegliedert und als sei Rom Herrschaftsmittelpunkt. Aber sie respektierten die mit den Begriffen Kaiser und Imperium vermittelten Vorstellungen und die durch die Stadt Rom evozierten Traditionen.

Auch dies war alles andere als selbstverständlich. Es macht nur die Form klar, in der die Stadt Rom, das Reich und das Kaisertum transferiert werden konnten. Obwohl die Germanen selbständige Reiche schufen, die Romanen beherrschten und deren Land in Besitz nahmen, blieben Rom, Kaisertum und Reich auch in den neuen Herrschaften gegenwärtig. Warum?

3. Die »Authentizität« des Reiches

Haben die Römer schlicht Glück gehabt, daß ihr Name mit der folgenden europäischen Geschichte so lange verbunden blieb? Glück z.B., weil in ihrer Zeit jener Jesus von Nazareth geboren wurde, den Lukas am Beginn des Weihnachtsevangeliums sofort mit dem Kaiser Augustus und einem Zensus der ganzen Oikumene zusammenbringt, der nie stattgefunden hat (schon mit Lukas begann also die Reichstheologie)? Gegenüber solchen doch nur rhetorischen Fragen scheint mir C. Courtois auf den Kern des Problems aufmerksam gemacht zu haben: Nach ihm hat sich im Laufe der Jahrhunderte soviel an *authenticité,* soviel an menschlichen Hoffnungen mit dem Kaisertum verbunden, daß es unabhängig von seiner konkreten Existenz unverzichtbar zu sein schien[10]. Obwohl eine solche Aussage mit Recht der Apologie verdächtigt werden kann, halte ich sie für geeignet, um von ihr aus nach den Gründen für die Fernwirkung des Römischen Reiches zu fragen.

Dieses Reich ist im wesentlichen durch Krieg und Eroberung zustande gekommen. Im letzten Jahrhundert der Republik wurden die Provinzen maßlos ausgebeutet und in die furchtbaren Bürgerkriege hineingezogen, aus denen Augustus als Sieger hervorging. Die Ordnung, die er errichtete, hatte für lange Zeit Bestand und brachte dem Reich eine Periode beispielloser Prosperität, eine Periode, in der es fast keine Aufstände gab, obwohl in vielen Provinzen überhaupt kein Militär stand. Noch wichtiger ist wohl ein weiteres Phänomen: Der Senat, also das Gremium der Führungsschicht des Reiches, wurde schon im 1. Jahrhundert n. Chr. durch viele Senatoren der Westprovinzen aufgefüllt, seit dem 2. Jahrhundert kamen auch viele aus dem Osten hinzu. Ende des 1. Jahrhunderts wurde erstmals ein Provinzialrömer Kaiser. Und bis zum Beginn des 3. Jahrhunderts erlangten alle Provinzialen das römische Bürgerrecht. Diese Fähigkeit Roms, sein eigenes Bürgerrecht auszubreiten – sie unterscheidet Rom deutlich von jeder griechischen Polis –, ist in der Republik grundgelegt und wesentlich dadurch bedingt, daß die römische *res publica* nicht als Herrschaftssystem verstanden wurde; Begriffe mit den Bestandteilen *kratos* und *arché* wie Demokratie, Aristokratie, Monarchie fehlen in der römischen Selbstreflexion. In ein Herrschaftssystem konnte man nur über politische Teilnahme integriert werden, und das machte in der Antike, z. B. in der Attischen Demokratie, ebensolche Schwierigkeiten wie heute die Gewährung des Stimmrechts an Ausländer. Die Römer verstanden ihre *res publica* vielmehr als Ordnungssystem. Man wurde Mitglied dieser *res publica,* indem man in soziale Bindungsverhältnisse, z. B. die Klientel, eintrat. Und dieser Eintritt vermittelte in den meisten Fällen nicht politische Teilnahme, sondern einen Rechtsstatus. (Als sich z. B. der Apostel Paulus auf seinen Status als römischer Bürger berief, hatte das sofort Konsequenzen für das Rechtsverfahren.) Die Voraussetzung dafür war, daß in Rom immer der Adel die bestimmende Schicht blieb und daß dieser Adel konsequent mit den Oberschichten der Städte und Provinzen kooperierte. Dies alles hat, wie schon erwähnt, die Ausbeutung von Provinzen nicht verhindert, aber diese Ausbeutung verdankte sich in der späten Republik der Konkurrenz innerhalb der Aristokratie (man denke an

---

[10] C. Courtois, Les Vandales de l'Afrique. Paris 1955, S. 248.

die Machtkämpfe zwischen Caesar und Pompeius, Octavian – Augustus und Antonius), nicht einem zentralisierten Herrschaftssystem. Der Herrschaftsapparat (einschließlich des Militärs) der ersten beiden Jahrhunderte der Kaiserzeit war geradezu lächerlich angesichts der Größe des Reiches.

Sowohl die *res publica* als Ordnungssystem als auch der Status der römischen Bürger als Rechtsstatus waren, wenn ich mich so ausdrücken darf, fast unbegrenzt universalisierbar, und die Römer kannten von vornherein keine Barrieren für das Bürgerrecht, die etwas mit Nation, Rasse oder Ethnos zu tun gehabt hätten. Sie kannten auch nicht, wie die Griechen, einen kulturell geprägten Barbarenbegriff, anders ausgedrückt: Was immer an kulturellen Möglichkeiten im Imperium sich darbot, konnte ebenso aufgenommen werden wie die verschiedensten Götter und Religionen. (Das Judentum und das Christentum haben von sich aus den Polytheismus bekämpft.) Die Römer haben also das Kunststück fertiggebracht, die Einheit des Reiches mit der Besonderheit, der Individualität seiner einzelnen Bestandteile zu verbinden. Das Reich repräsentierte eine Oikumene, die alles andere als gleichförmig war. Um das an einem Beispiel zu verdeutlichen: Die Städte und Provinzen des Reiches waren mit dem Kaiser über den Kaiserkult verbunden. Trotzdem gab es keine offizielle Religion. Bis um 250 n.Chr. mußte sich niemand am Kaiserkult beteiligen. Und vor allem: Der Kaiserkult machte *eine* religiöse Aktivität unter anderen aus. Viel wichtiger für viele Städte war die Verehrung bestimmter Stadtgottheiten, z.B. der Artemis in Ephesos. Und niemand hat die Städte daran gehindert, hier ihre eigenen Aktivitäten zu entfalten. Das gleiche gilt für viele andere Bereiche des städtischen Lebens.

In der Spätantike veränderten sich allerdings die Bedingungen. Ein riesiger bürokratischer Apparat wurde über Städten und Provinzen errichtet, dessen Wirksamkeit aber vielfach unterlaufen wurde. Der Presbyter Salvian von Marseille berichtet um die Mitte des 5. Jahrhunderts, die gallischen Bauern seien wegen des Steuerdrucks lieber zu germanischen Herren übergelaufen als bei den römischen Gutsbesitzern geblieben. Auf der anderen Seite steht das Faktum, daß es auch in der Spätantike kaum zu Aufständen gegen das Reich gekommen ist. In der Regel wollten die Provinzen trotz aller Schwierigkeiten lieber beim Reich bleiben, als sich dem Risiko einer anderen Herrschaft zu unterwerfen.

Denn das Römische Reich hatte jahrhundertelang eine universal begründete Ordnung vermittelt, ohne den einzelnen Provinzen eine einzige Lebensform zu oktroyieren. Es hatte selbst im 4. Jahrhundert noch einen großen Raum inneren Friedens gesichert. Darin lag, um auf Courtois zurückzukommen, seine »Authentizität«, lag die Bedingung dafür, daß Rom, das Reich und das Kaisertum zu von der konkreten Ordnung abstrahierten Vorstellungen werden und diese Vorstellungen ihre Wirkung in der europäischen Geschichte entfalten konnten.

4. Die Nationalstaaten und Europa

Erst am Ende des Heiligen Römischen Reiches deutscher Nation hat sich das europäische Bürgertum in Nationalstaaten inkarniert, obwohl es sein Selbstverständnis universal formulierte. »Man hatte«, so drückt das Joseph Roth aus, »im 19. Jahrhundert bekanntlich entdeckt, daß jedes Individuum einer bestimmten Nation oder Rasse angehören müsse, wollte es wirklich als bürgerliches Individuum anerkannt werden. ›Von der Humanität durch Nationalität zur Bestialität‹ – hatte der österreichische Dichter Grillparzer gesagt.« [11] Der Versuch, den Nationalstaat zum Universale zu machen, hat zu zwei furchtbaren Weltkriegen und zum Völkermord geführt. Aber wie werden wir den Nationalstaat wieder los?

Angesichts der jüngsten Veränderungen im Osten Europas hat Jacques Derrida einen Beitrag mit dem Titel ›Kurs auf das andere Kap – Europas Identität‹ veröffentlicht [12]. Er tritt dafür ein, daß Überlegenheit nur noch beansprucht werden dürfe »im Namen eines Vorrechts auf Verantwortung und Gedächtnis des Universellen, also Trans-Nationalen, ja sogar Trans-Europäischen und schließlich Transzendentalen, eines ›Um so nationaler, da europäisch, um so europäischer, da transeuropäisch, kosmopolitisch und international‹. In der Logik dieses … Diskurses läge das Eigene dieser oder jener Nation, dieses und jenes Idioms darin, ein Kap für Europa zu sein, und das Eigene Europas darin, ein Kap für das universelle Wesen der Menschheit zu sein.«

Diese Ausführungen Derridas berühren sich mit Gedanken, die Gerhard Kaiser unter dem Titel ›Wir sind ein Volk. Sind wir auch eine Nation?‹ geäußert hat [13]. Kaiser erinnert an den Gedanken Schleiermachers, jedes Volk sei »eine besondere Seite des göttlichen Ebenbildes darzustellen bestimmt«, und das bedeutet wie bei Derrida, daß jedes Volk nur es selbst sein kann unter Bezug auf ein Universales.

[11] J. Roth, Die Erzählungen. Köln 1981, S. 173.
[12] Liber (Beilage zur FAZ) Nr. 3, Oktober 1990.
[13] Badische Zeitung vom 10. Oktober 1990.

Das Problem beginnt, wenn man weiter fragt, ob solche Gedanken nur eine Spielerei von Intellektuellen sind, bestenfalls sogar ein Konsens unter europäischen Intellektuellen, oder ob sie auch politisch und organisatorisch zur Darstellung gebracht werden können. Ich habe die These vertreten, daß dies im Römischen Reich der Fall war, und Derrida zitiert in seinem Beitrag auch Paul Valéry, dessen Gedanken zur Krise der europäischen Identität ganz aus dem Geist der griechisch-römischen Mittelmeerwelt geschrieben worden seien.

Aber die Antike kannte den Nationalstaat nicht. Nach Gerhard Kaiser ist »die welthistorische Perspektive an der Jahrtausendwende gewiß ein Souveränitätsabbau der Nationalstaaten, letzten Endes der Staatlichkeit als politischer Organisationsform überhaupt. Aber gerade stabile Staaten« – und damit meint Kaiser auch das wiedervereinigte Deutschland – »werden diesen Abbau mit der größten Energie vorantreiben können.«

In Rom mußte nicht »abgebaut« werden. Der Bereich dessen, was allgemeinen (»staatlichen«) Regelungen unterlag, war außerordentlich eng. Die organisatorischen Regelungen erlaubten es, daß Städte und Provinzen ihr eigenes Leben lebten und sich dennoch zum Reich als ganzem in Beziehung setzten. Voraussetzung dafür war eine patriarchalische oder patronale Ordnung, wie sie bezeichnenderweise auch der Graf Morstin in der oben zitierten Erzählung von Joseph Roth vertritt. Als in der Spätantike versucht wurde, den Bereich allgemeiner Regelungen erheblich auszuweiten, wurden die alten sozialen Bindungsverhältnisse dysfunktional. An ihre Stelle trat aber nicht die soziale Gleichheit, sondern traten neuartige Bindungsverhältnisse, die im Westen die politische Organisation des Reiches sprengten, so daß in den germanischen Reichen politische Autorität gleichsam von unten her neu aufgebaut werden mußte. Dabei spielte aber, wie ich deutlich zu machen versucht habe, die Erinnerung an die vergangene, universal begründete Autorität von Kaisertum und Reich eine große Rolle.

Im Zuge der nationalstaatlichen Entwicklung sind die Menschenrechte formuliert, ist die neuzeitliche Demokratie geschaffen worden. Es kann deshalb nicht darum gehen, diese Entwicklung einfach zu ignorieren. Um noch einmal Derrida zu zitieren: »Die Einzigkeit des anderen Heute muß als das Unvorsehbare, das Nichtbeherrschbare, das Nichtidentifizierbare erwartet werden, als dasjenige, von dem man noch kein Gedächtnis hat. Unser altes Gedächtnis sagt uns dennoch, daß der Kurs auch antizipiert und gehalten werden muß; denn im Motiv – das ein Slogan werden kann – des Unvorsehbaren oder des gänzlich Neuen kann das Gespenst des Schlimmsten wiederkehren, was wir bereits identifiziert haben.«

Angesichts der internationalen Verflechtung fast aller Probleme können wir uns Europa heute kaum anders denn als einen »Überstaat« vorstellen; die Souveränität, auf die einzelne Staaten verzichten, wird auf Brüssel oder Straßburg übertragen. Geht man mit Kaiser von einem Abbau der Staatlichkeit überhaupt aus, dann müßten die Modelle für ein zukünftiges Europa ganz anders aussehen.

Es ist dieser Kontext, in dem die Beschäftigung mit dem Imperium Romanum ihren Sinn hat. Dessen Form ist unserem Gedächtnis ebenso eingeschrieben wie die des Nationalstaats. Es gibt zwar kein Zurück, aber für die Antizipation des anderen Heute können wir nicht genug an geschichtlichem Gedächtnis herbeizitieren.

Bibliographischer Hinweis
Für das behandelte Thema ist einschlägig: H. Wolfram, Das Reich und die Germanen. Zwischen Antike und Mittelalter. Berlin 1990. Für weitere Literatur und einen Forschungsüberblick verweise ich auf mein Buch: Spätantike und Völkerwanderung. München 2. Aufl. 1990.

Karl der Große – barbarischer Eroberer oder Baumeister Europas?
von HUBERT MORDEK

»Kaiser Karl, mit Recht von allen Völkern der Große genannt, hinterließ bei seinem Tode ganz Europa erfüllt mit allem Guten. Denn er war ein Mann, der ... die Menschen seiner Zeit so überragte, daß er allen Bewohnern der Erde furchtbar *(terribilis),* liebenswürdig und bewundernswert zugleich erschien ... Das aber ... verdient vor allem Bewunderung, daß er die wilden und eisernen Herzen der Franken und Barbaren, und zwar er allein, durch gemäßigten Schrecken *(moderato terrore)* so bändigte, daß sie offen in seinem Reiche nichts zu unternehmen wagten, als was mit dem allgemeinen Wohl und Besten *(publicae utilitati)* sich vertrug.«

So positiv sprach einst ein Enkel über seinen Großvater – Nithard über Karl den Großen [1]. Die Passage, mit der Nithard seinen Rückblick auf die Zeit vor dem großen fränkischen Bruderkrieg der Jahre 840/842 begann, bietet wichtige Hinweise für unser Thema: Von Europa ist da die Rede, ganz Europa, von allen Bewohnern der Erde – universale Aspekte, die es zu prüfen gilt auf ihre Stichhaltigkeit hin in der Karolingerzeit. Da ist die Rede vom segensreichen Wirken Karls des Großen, von seinem persönlichen Charme und verantwortungsvollen Handeln zum Wohl des Gemeinwesens, da fallen aber zugleich Vokabeln wie wild und eisern, Furcht und Schrecken, Terror, um das lateinische Wort aufzunehmen, als gleichberechtigtes Instrument der Herrschaftsausübung – spannungsvolle Polarität, die – wie ich meine – wesentlich zur frühmittelalterlichen Welt des Abendlandes gehört und die sich daher wie ein roter Faden durch meine Ausführungen hindurchziehen wird:

Karl der Große – barbarischer Eroberer oder Baumeister Europas?

Europa – die Schwierigkeiten beginnen schon beim simpel Scheinenden, der Erklärung des Namens. Lassen wir die esoterischen Gelehrtengefechte der Etymologen beiseite, die für Europa indogermanische, semitische oder neuerdings gar allgemein vorgriechische Wurzeln ans Licht ziehen wollen, so steht fest, daß der im Deutschen zum Neutrum abgesunkene Name Europa zuerst als Femininum begegnet, als Eigenname einer Dame der griechischen Sagenwelt, der phönizischen Königstochter Europe. In Europes Gestalt lebten alte

---

[1] Nithard, Historiae I, 1. Hg. von Ernst Müller (MGH Scriptores rer. Germ. in usum schol. [44]) 3. Aufl. 1907, S. 1 f.

Erdgottheiten fort, und so dürfte es nahegelegen haben, aus ihrem Namen die Bezeichnung für einen ganzen Kontinent abzuleiten. Die geographische Bedeutung von Europa, wie sie auch heutigem Denken noch am geläufigsten scheint, fassen wir also schon in der Antike, mit der damals wie heute gebliebenen Schwierigkeit, die Grenzen eindeutig zu klären, Europa, das ja im Osten deutlich der maritimen Umschließung entbehrt und von daher gut und gern auch als Appendix des Riesen Asien angesehen werden kann.

Ursprünglich auf ein relativ kleines Gebiet beschränkt, den hellenisch besiedelten Teil der Balkanhalbinsel, dann auch die Balkanhalbinsel als Ganzes umfassend, weitete sich der geographische Begriff Europa immer mehr aus, ergriff bei den Römern das ganze nördlich mediterrane Anland und stieß unter Caesar und Augustus nach Gallien und Britannien vor bis nach Skandinavien (damals noch als Insel angesehen). Süden, Westen und Norden, durch Meere begrenzt, waren ohne besondere Schwierigkeit bestimmt, die eigentliche Crux blieb der Osten. Wohin z. B. gehört Rußland, wohin die Türkei? Moderne Fragen, die den Franken damals natürlich wie Chiffren von einem anderen Stern erschienen wären.

Das Mittelalter stellte sich die Welt sehr einfach vor. Zwar war die Kugelgestalt der Erde nie vergessen; dafür sorgten schon Macrobius und Martianus Capella, deren bescheidene Werke eifrige Leser fanden. Meist aber dachte man sich die Erde als Scheibe mit Asien als großem Komplex im Osten in der Position unseres Nordens und den zwei kleineren Kontinenten Europa im NW und Afrika im SW – nach Augustinus im Verhältnis 2:1:1 –, alles umflossen vom Ozean. Die Karten gaben die Welt als Rad oder Kreis wieder mit Jerusalem im Zentrum, dem Mittelmeer und den Flüssen Don (Tanais) und Nil als Grenzen der Kontinente. Auf geographisch genaue Wiedergabe kam es diesen mehr theologisch ausgerichteten Karten im T-O-Schema nicht an, zumal sie nur die Ökumene, d. h. den bewohnten Teil der Erde, erfaßten.

Karl der Große besaß einen kostbaren Tisch in der Form dreier Kreise, in die Weltkarten eingelassen waren, Orbis, Sterne und Planeten, *totius mundi descriptio,* wie es bei Einhard heißt [2], ein vollmundiges Wort, wenn wir die Realität der erhaltenen Karten damit vergleichen. Das Kunstwerk muß aber damals großen Eindruck gemacht haben, denn es war das einzige Stück, das Ludwig der Fromme aus der riesigen Erbmasse seines Vaters für sich beanspruchte.

[2] Einhard, Vita Karoli Magni, c. 33. Hg. von Oswald Holder-Egger (MGH Scriptores rer. Germ. in usum schol. [25]) 6. Aufl. 1911, S. 40.

Vorsicht wäre freilich geboten bei der Annahme, aus der am Hofe hochgeschätzten Welttafel sei auf eine universale Herrschaftskonzeption Karls oder gar seines Sohnes zu schließen.

Immerhin wissen wir aus einem Gedicht des Ermoldus Nigellus, daß Karl sich an den Wänden der Ingelheimer Königshalle in erlauchter Gesellschaft darstellen ließ, u.a. mit Kyros von Persien, Alexander, Augustus, Konstantin[3]. Karl der Große – ein zweiter Alexander der Große, wie uns manch neuerer Biograph suggerieren will, ein barbarischer Eroberer, der die Menschen unter seine Herrschaft zwang?

Fast scheint es so. Wenn Karl der Große einmal keinen Krieg führte, dann war das für den Chronisten Anlaß genug, eine eigene Notiz einzurücken – er hatte in 45 Jahren nur zweimal Gelegenheit dazu[4]. Der blutige Kampf gehörte eben – von der durch die Natur erzwungenen Winterruhe abgesehen – zu den täglichen Berufsaufgaben des Herrschers nach dem Motto: *Nullus annus sine pugna.* Verfolgen wir kurz, wie sich das fränkische Reich im 8. Jahrhundert zu einem Großreich entwickelte.

Karl und sein nur drei Jahre mitregierender Bruder Karlmann waren nach dem Tode ihres Vaters Pippin 768 in ein bedeutendes Erbe eingerückt: Austrien mit dem Nordgau und Hessen, Thüringen, Neustrien, Aquitanien, Gascogne, Septimanien, Provence, Burgund, Elsaß, Alemannien und, mit Einschränkungen, Bayern gehorchten den Franken. Um seine Herrschaft zu stabilisieren, hatte sich Pippin mit einer optimalen Abrundung des fränkischen Kernlandes begnügt; Karl ging weiter, und zwar zielbewußt in die Offensive. Nicht, daß er mit seinen überlegenen Panzerreiterheeren wild nach allen Seiten hin losgeschlagen hätte. Die Quellen berichten von Hilferufen, die Karl quasi zum Eingreifen legitimierten, in Wirklichkeit natürlich meist Vorwände, wie sie Aggressoren bis in die jüngste Zeit für sich zu reklamieren belieben – die guten Starken, die für Ordnung sorgen.

Dabei wurde als Motiv gern die christliche Religion und Kirche ins Feld geführt, für die es zu streiten gelte, und die Chronisten werden nicht müde, Karls Erfolge auf die Hilfe Gottes zurückzuführen – *auxiliante Domino.* Kriege konnten so unversehens zu heiligen

---

[3] Text und Rekonstruktion bei Walther Lammers, Ein karolingisches Bildprogramm in der Aula Regia von Ingelheim. In: Festschrift für Hermann Heimpel. 3 Bde. Göttingen 1972, S. 226–289, wiederabgedruckt in: Ders., Vestigia Mediaevalia. Wiesbaden 1979, S. 219–283.

[4] 790 und 792.

Kriegen werden – ob zu Recht oder Unrecht, sei dahingestellt. Alle Gewalt aber mit dem Mantel mittelalterlicher politischer Religiosität zudecken und so quasi rechtfertigen zu wollen, geht nicht an. Zu genau wußte auch ein Karl der Große, daß Schwerthiebe eben keine Gebete sind und daß ihm der Kampf für die Kirche nicht nur innen-, sondern auch außenpolitische Vorteile brachte. Um was ging es konkret? Einige Andeutungen nur.

Karls erster außenpolitischer Erfolg in Italien war zugleich der problematischste. Anders als sein Vater ließ er es nicht bei einer Befriedung der den Papst bedrängenden Langobarden bewenden. Skrupellos trennte er sich von seiner langobardischen Frau, als es ihm politisch opportun schien, zog mit Militärmacht nach dem Süden, zwang die Hauptstadt und damit den Gegner nach monatelanger Belagerung in die Knie und machte sich selbst zum *rex Langobardorum.* Italien und das Frankenreich waren in Personalunion vereinigt. Das erst bedeutete den entscheidenden Einschnitt in der fränkischen Politik und nicht die südlichen Vorgeplänkel unter Pippin. Denn damit erst hatten sich die Franken auf Dauer in Italien festgesetzt, waren sie ins Herz des Römerreiches vorgestoßen und hatten jene Italienpolitik qua Eroberung legitimiert, die ihnen die kleindeutsch-nationale Geschichtsschreibung des 19. und 20. Jahrhunderts so heftig zum Vorwurf machen sollte. Nicht nur das Kaisertum war für den *patricius Romanorum* Karl in greifbare Nähe gerückt; auch die Verbindung mit dem Papsttum hatte sich zu einer außenpolitischen Aufgabe ersten Ranges ausgeweitet.

Welche Verluste der Italienzug gekostet hat, wissen wir nicht. Keine nennenswerten Probleme scheint es bei den Feldzügen gegen die Aquitanier im Süden und gegen die Bretonen am Nordwest-Rand Galliens gegeben zu haben. Ein Debakel, das einzige seiner Feldherrnlaufbahn übrigens, erlebte Karl aber in Spanien. Ohne lange zu prüfen, glaubte er den Vorspiegelungen einiger Unzufriedener und meinte, christliches wie mohammedanisches Spanien rasch seiner Herrschaft einverleiben und so reiche Beute machen zu können. Karl scheiterte, nicht zuletzt an der Passivität, ja Feindschaft der dortigen Christen, hat aber mit der ihm eigenen Zähigkeit, ein einmal gestecktes Ziel doch noch irgendwie zu erreichen, in den nächsten Jahrzehnten wenigstens eine Mark jenseits der Pyrenäen errichtet zwischen Barcelona und über Pamplona hinaus und den fränkischen Einflußbereich schließlich bis zum Ebro vorgeschoben.

Weniger spektakulär, da unblutig, vollzog sich die Beseitigung des letzten Stammesherzogtums in Bayern. Damit grenzten die

Franken nun unmittelbar an die einst gefürchteten heidnischen Awaren – nicht von ungefähr werden sie in den Quellen auch als Hunnen apostrophiert –, deren Schlagkraft im 8. Jahrhundert aber erheblich nachgelassen hatte. Wieder wurde die christliche Propagandatrommel gerührt, permanente Grenzkonflikte als unerträglich dargestellt, kurzum: »Der Frankenkönig suchte den *casus belli*; er wollte« – wie zu Recht betont wird – »den Awarenkrieg, für den er stärker gerüstet hatte und noch zu rüsten bereit war als für jeden anderen seiner vielen Kriege«[5]. »Wie viele Schlachten geschlagen, wieviel Blut vergossen wurde, wird« – in Einhardscher Übertreibung – »dadurch bezeugt, daß Pannonien ganz unbevölkert ist und der Ort, wo vormals des Kagans Königsburg lag, jetzt so verödet ist, daß sich keine Spur menschlicher Behausung mehr findet. Der gesamte Adel der Hunnen« – so immer noch unsere Quelle – »kam um, ihr ganzer Ruhm ging unter«[6]. Das ist natürlich maßlos und einseitig, eine unhaltbare Pauschalisierung aus panegyrischer Sicht, aber immerhin: Karl mußte nur ein einziges Mal selbst gegen die Awaren zu Felde ziehen, um sie zu besiegen, und zwar so, daß sie nach einigen weiteren Zusammenstößen, obwohl weder ihre gentile Verfassung zerstört noch ein besonderer missionarischer Druck ausgeübt wurde, bald für immer aus der Geschichte verschwanden. Karls Reich dehnte sich nun weit nach Osten aus, bis nach Pannonien, ins heutige Ungarn hinein, auch hier an die Slawen grenzend, gegen die er im Norden (Wilzen) und im mittleren Osten (Böhmen, Sorben) zwar keine großen Angriffskriege führte, die ihn aber immerhin als ihren Oberherrn anerkannten, so daß auf das fränkische Wort zeitweise bis zur Oder gehört wurde.

Bleibt das Drama des Nordens, die Unterwerfung der Sachsen im – wie wiederum Einhard sagt – »langwierigsten, grausamsten und für das Frankenvolk anstrengendsten Krieg, den es je geführt hat«[7], die Unterwerfung der Sachsen, die mit Westfalen, Ostfalen, Engern und Transalbingiern ein riesiges Gebiet bewohnten, das im Osten bis zur Elbe und Saale, im Westen fast bis an den Rhein reichte. Bisherige Versuche einer friedlichen Bekehrung waren gescheitert. Da hatte auch die prophetische Drohung des angelsächsischen Missionars Lebuin nichts bewirkt, wenn sie denn nicht als *vaticinatio ex eventu* zu deuten ist: (Wenn ihr euch nicht bekehrt) – »im Nachbarland steht ein König bereit, in euer Land einzudringen, es zu plün-

---

[5] Herwig Wolfram, Die Geburt Mitteleuropas. Geschichte Österreichs vor seiner Entstehung 378–907. Wien 1987, S. 255.
[6] Einhard, Vita Karoli Magni, c. 13, S. 16.
[7] Ebd. c. 7, S. 9.

dern und zu verwüsten …«[8] 772 war es soweit. »Totschlag, Raub und Brandstiftung«, im fränkisch-sächsischen Grenzgebiet an der Tagesordnung[9], hatten das Faß zum Überlaufen gebracht. Die Art und Weise freilich, wie Karl Ruhe schaffen wollte, konnte von den Betroffenen nur als Provokation empfunden werden: Die Zerstörung ihres religiösen Zentrums und Stammessymbols, der als Weltensäule verehrten Irminsul, mußte einfach zu sächsischen Gegenschlägen führen. Die Stimmung schaukelte sich auf, zumal die Sachsen bald vor die Alternative gestellt wurden: Taufe und Unterwerfung oder Tod[10]. Die Kriegshandlungen verdichteten sich, trotz wiederholter Friedensschlüsse und Geiselstellungen, bis zum traurigen Höhepunkt des Jahres 782: Niedermetzelung einer fränkischen Elitetruppe am Süntel und – als Reaktion – Hinrichtung von angeblich 4500 Sachsen in Verden. Karl tobte. In der ›Capitulatio de partibus Saxoniae‹ bedrohte er die Sachsen mit drastischen Strafen: »Wer gewaltsam in eine Kirche eindringt und aus ihr etwas raubt oder stiehlt oder wer die Kirche in Brand steckt, der sterbe des Todes.« Oder: »Wenn jemand nach heidnischer Sitte den Leichnam eines Verstorbenen verbrennt und seine Gebeine in Asche verwandelt, der werde mit dem Tode bestraft.« Oder: »Wenn sich zukünftig im Sachsenvolk ein noch Ungetaufter verbergen möchte und sich weigert, zur Taufe zu kommen, weil er Heide bleiben will, dann sterbe er des Todes«[11] usw.

Auge um Auge, Zahn um Zahn, ja schlimmer noch! Man hat darauf verwiesen, daß Karl nur strenge Gesetze übernahm, die unter heidnischen Vorzeichen schon lange bei den Sachsen in Geltung waren. Als Christen entschuldigt ihn das nicht. Wie sollten die Heiden im Christentum etwas Besseres und damit Erstrebenswertes erkennen, wenn es mit den gleichen Methoden arbeitete wie ihre eigenen Priester, und dies gegen die ausdrückliche Lehre seines Gründers, dessen revolutionäres Wort »Liebet eure Feinde« an den Franken offenbar vorbeigegangen war? »Mit eiserner Zunge«[12] brach Karl den

[8] Vita Lebuini antiqua. Hg. von Adolf Hofmeister (MGH Scriptores 30, 2) 1934, S. 794.

[9] Einhard, Vita Karoli Magni, c. 7, S. 9.

[10] Annales qui dicuntur Einhardi. Hg. von Friedrich Kurze (MGH Scriptores rer. Germ. in usum schol. [6]) 1895, S. 41 zum Jahr 777: … *aut victi christianae religioni subicerentur aut omnino tollerentur;* vgl. auch Poeta Saxo I, 177 ff. Hg. von Paul von Winterfeld (MGH Poetae Latini 4, 1) 1899, S. 11.

[11] Capitulatio de partibus Saxoniae, cc. 3, 7 und 8. Hg. von Alfred Boretius (MGH Capitularia regum Francorum 1) 1883, S. 68 ff.

[12] Translatio Sancti Liborii, c. 5. Hg. von Georg Heinrich Pertz (MGH Scriptores 4) 1841, S. 151: … *ferrea quodammodo lingua (Karolus) praedicavit.*

Widerstand, endgültig erst, als sich die sächsische Zentralfigur Widukind taufen und somit aus dem politischen Geschehen eliminieren ließ. Massendeportationen, schon damals ein probates Mittel, ganze Landstriche zu befrieden, taten ein übriges, neuen Rebellionen vorzubeugen. Auch Sachsen fiel unter die fränkische Herrschaft. Wieder einmal hatte sich gezeigt, daß der nicht immer siegreiche, aber »unbesiegbare« Karl[13] vor nichts zurückschreckte, um doch noch den Sieg an seine Fahnen zu heften.

Karl der Große und die Franken – barbarische Eroberer Europas?

Wer den grausamen Zug gewaltsamer territorialer Expansion unter den frühen Karolingern verharmlosen wollte, die über den einzelnen hinwegschritt um des angeblich höheren Zweckes willen, der würde der damaligen Wirklichkeit nicht gerecht. Karls Wesen und seine – sei es nun mit oder ohne besondere Strategie vollendete – Reichsbildung tragen bei aller unbestreitbar persönlichen Frömmigkeit des Herrschers und der christlichen Grundausrichtung seines Reiches auch dunkle Züge. Man fühlt sich an Schlossers Dictum erinnert, daß die Macht böse sei an sich. Ist das die Antwort auf die Frage nach dem Warum?

Wir wissen es nicht. In der rauhen Welt des Frühmittelalters, die Hunger und Krankheit, Katastrophen und Gewalt zu einem täglichen Kampf ums Überleben werden ließen, konnte wohl auch der Kampf mit dem Schwert als etwas unabwendbar Natürliches erscheinen. Sieger und damit Herr war immer der Stärkere. Wo aber die weltliche Gewalt dominiert, da muß das christlich-missionarische Moment ins Sekundäre absinken. Karl dem Großen hätten sich im heidnischen Norden und Osten oder im islamischen Süden weite Möglichkeiten geboten zu einem apostolischen Wirken; sich darauf einzulassen, kam ihm gar nicht in den Sinn. Nur vice versa empfand er es wohl als unerträglich und mit seiner Aufgabe als Schützer und Mehrer der Kirche unvereinbar, wenn der allerchristlichste König und Kaiser die Heiden nur besiegt, nicht auch bekehrt hätte. Daher sein heißes Bemühen um Christianisierung und Verchristlichung der Völker innerhalb, nicht außerhalb des Reiches.

Normannen und weitgehend auch Slawen, Araber, Griechen und Perser, sie alle konnten ruhig sein: Von Weltherrschaft dürfte Karl nicht einmal geträumt haben, da er kein Träumer war. Das universa-

<hr>

[13] Notker der Stammler, Taten Kaiser Karls des Großen (Gesta Karoli Magni imperatoris) I, 26 und öfters. Hg. von Hans F. Haefele (MGH Scriptores rer. Germ., Nova series 12) 1980, S. 35.

le Kaisertum blieb eine Idee, deren Realisierung nie angestrebt wurde. Ob vor oder nach 800: Schon der byzantinische Basileus sah sich in der Nachfolge der römischen Kaiser und bot so ausreichend Gewähr für die eschatologisch wichtige Fortdauer des Imperium Romanum als des vierten und letzten Reichs der Weltgeschichte, dessen Ende das Ende der Welt bedeutete. Karls Kaisertum war ein fränkisches, auch wenn es römische Tradition in sich aufnahm. Anders als Alexander hat Karl der Große die Grenzen des Möglichen stets scharf im Auge behalten und bei allem Ausgreifen in die Ferne sich nicht in nebuloser Unendlichkeit verloren. Er bestand auf der Rückkopplung mit der Heimat; im – nur peu à peu zu erweiternden – Frankenland sah er das eigentliche Zentrum seiner Macht, aus ihm bezog er die Kraft für all seine kriegerischen Unternehmen.

Und es bleibt festzuhalten, daß Karl in der Gewalt – hier Alexander dem Großen ähnlich – nicht allein ein Mittel sah, anderen seinen Willen aufzuzwingen. Zerstörung war niemals Karls letztes Wort; ihr folgten stets Phasen des Neuaufbaus. Man könnte das Epitheton Baumeister wörtlich nehmen: Pfalzen und Dome wuchsen aus der Erde; zu ihrem Bau gaben Rom, Ravenna, Jerusalem zwar Anregungen, nie aber wurden deren Vorbilder einfach imitiert, vielmehr durchweg in den Dienst eines eigenen Ideals gestellt; Schiffe tummelten sich an der Küste, wo der alte, auf den römischen Kaiser Caligula zurückgeführte Leuchtturm von Boulogne-sur-Mer nach gründlicher Restauration wieder seinen Betrieb aufnahm; Straßen und Brücken, neue und überholte, belebten das Land – die hölzerne Mainzer Rheinbrücke, »von ganz Europa in gemeinsamer, aber wohlverteilter Arbeit« in zehn Jahren erbaut [14], in wenigen Stunden noch zu Karls Lebzeiten abgebrannt, muß ein wahres Wunderwerk der Technik gewesen sein (High-Tech-Renaissance!) –, und natürlich der berühmte Karlsgraben, die Fossa Carolina, jener gigantische Versuch, um dessen Vollendung wir heute noch ringen, Main und Donau, umfassender gesagt Nordsee und Schwarzes Meer durch einen Kanal miteinander zu verbinden, damals den Rezat-Altmühl-Kanal – alles erstaunlich kühne, jedenfalls energische Unternehmen, die Infrastruktur des heterogenen Reiches zu verbessern.

Doch Karls Interessen reichten weiter und tiefer. Als Herr eines polygentilen Großreichs war er bemüht, die unterschiedlichen Stämme miteinander zu versöhnen und so einer neuen Einheit zuzuführen. Der territorialen Erweiterung folgte der Versuch, das Reich nicht nur durch militärische Stärke und durch die Errichtung zahl-

[14] Notker I, 30, S. 40 f., weitere Quellen S. 40, Anm. 5.

reicher Grenzmarken zu sichern. Ein dichtes Netz von Grafschaften, deren Inhaber immediatisiert, d. h. nach Wegfall der Herzogsgewalten der Zentrale direkt verantwortlich und von hohen Beamten, den *missi dominici,* kontrolliert waren, überzog das Land. Auch die geistlichen Immunitäten gerieten durch Einführung des Vogtzwanges wieder stärker unter königliche Aufsicht. Für alle galten neue und genau genormte Münzen, Maße und Gewichte.

Karl wollte – um es bei diesen exemplarischen Hinweisen zu belassen – den riesigen Raum auch herrschaftlich durchdringen, zum einen durch gezielte stammes-, sprach- und raumübergreifende Maßnahmen von der Zentrale aus, zum anderen durch Förderung der regionalen Kräfte, die freilich nie so mächtig werden durften, daß sie die Spitze hätten gefährden können. Von Anfang an stehen wir bei dem Reich vor der Tatsache, daß zentrale Führung und partikulare Gewalten in einem teils offenen, teils versteckten, teils befruchtenden, teils lähmenden Antagonismus um die Macht begriffen waren, wobei gerade von den stärksten Teilen die zentrifugalste Wirkung ausging. Die im 9. Jahrhundert zunehmend hervortretende Mitwirkung der Großen, der *consensus fidelium,* konnte ebenso integrierend wie desintegrierend wirken. Das Ringen zwischen Zentral- und Regionalgewalt, zwischen König und Fürsten, in der Völkerwanderung angelegt, von Karl mit ins fränkische Großreich übernommen, wird kennzeichnend für die Entwicklung auch im späteren Deutschen Reich.

Fehlgeschlagen ist Karls für mittelalterliche Verhältnisse geradezu sensationeller Versuch, aus Aachen etwas Besonderes zu machen, das nicht zufällig an die Metropolen der Welt erinnerte: Es *sollte* mit ihnen in Verbindung gebracht werden, Aachen ihnen ebenbürtig werden als die Hauptstadt, als die neue Residenz des westlichen Kaisers, die *Roma secunda* [15]. Hier lebte Karl der Große in den letzten einenhalb Jahrzehnten seiner Regierung, wann immer er konnte, von hier aus regierte er das Riesenreich mit seinen Ministern, nach Aachen berief Karl Reichstage und Synoden, von hier nahmen wichtige Reformen ihren Ausgang, hier bildete sich jener berühmte internationale Kreis von Gelehrten, den man als »Hofakademie« bezeichnet hat – Akademie nicht im heutigen Sinn als Versammlung meist betagter Herren, die sich intern mit ihrer Wissenschaft beschäftigen, sondern Akademie als Kreis politisch-dynamischer Persönlichkeiten, die zwar auch im engeren Zirkel wirkten, darüber hinaus aber allenthal-

[15] Karolus Magnus et Leo papa. Ein Paderborner Epos vom Jahre 799. Hg. und übersetzt von Franz Brunhölzl, mit Beiträgen von Helmut Beumann u. a. Paderborn 1966, S. 66 (Vers 94).

ben Impulse gaben für die Bildung im Gesamtreich: Europa-Akademie wäre ein durchaus treffender Name.

Hier in Aachen konnte sich Karl als jener Baumeister betätigen, der über das brüchige Mosaik politischer Einheit hinaus das Fundament langlebiger europäischer Entwicklungen legte. Ich gehe im folgenden nur auf wenige Punkte ein.

Iustitia et pax, Recht und Frieden zu sichern, zählt fraglos zu den vornehmsten Aufgaben des Herrschers. Und es war schon damals so: Je mehr gerüstet und Krieg geführt wurde, desto eindringlicher sprach man vom Frieden – mit Grund, denn ein König, der bei der Rechtssicherung Erfolge verbuchen und so gesellschaftliche Konflikte entschärfen konnte, mußte beim Volk populärer sein als ein uneinsichtiger Haudegen, der rücksichtslos über Leichen ging. So ist es gewiß kein Zufall, daß man Karl auf dem Ingelheimer Fresko en face als weisen Herrscher mit der Krone bewundern konnte, der die sächsischen Kontrahenten nicht nur besiegt, sondern zähmt *(domitat)* und seinem Recht unterstellt *(ad sua iura trahit)* [16]. Eines der wenigen erhaltenen Bildnisse Karls, die Gesetzgeberminiatur im ›Liber legum‹ des Lupus von Ferrières, zeigt ihn in ernstem, aber friedlichem Disput mit seinem Sohn Pippin, König von Italien, beide den Richterstab in der Linken, das Schwert in der Scheide – nicht gezückt [17]. Eine auch nur annähernd zeitgenössische Darstellung des Königs im Kampf etwa nach Art des berühmten Mosaiks der Alexanderschlacht sucht man bei Karl dem Großen vergebens.

Recht sprechen, Recht durchsetzen, Gerechtigkeit üben – und zwar unparteiisch, auch, wenn es sein mußte, gegen die eigene Klientel – gerät schon in den Anekdoten Notkers von St. Gallen zum typischen Wesenszug Karls. Nur so gelang es ihm, wir hörten es eingangs, die »wilden und eisernen Herzen der Franken und Barbaren« auf die *publica utilitas* hin auszurichten. Die fränkischen Herrschererlasse, von Karl permanent promulgiert, sind ja gemeinhin nicht mehr personales, sie sind territoriales Recht, oft gültig für das Gesamtreich und damit der erste und für lange Zeit letzte Versuch, europäisches Recht (im Rahmen des fränkischen Einflußbereiches) zu schaffen, auch wenn die Effektivität dieser Kapitularien manch-

---

[16] Ermoldus Nigellus, In honorem Hludowici Christianissimi Caesaris Augusti elegiacum carmen. Hg. von Ernst Dümmler (MGH Poetae Latini 2) 1884, S. 66 (IV, Vers 279ff.) und Edmond Faral (Les classiques de l'histoire de France au moyen âge 14) 1932, S. 164 (Vers 2160ff.). Siehe auch oben Anm. 3.
[17] Percy Ernst Schramm, Die deutschen Kaiser und Könige in Bildern ihrer Zeit 751–1190. Neuauflage hg. von Florentine Mütherich. München 1983, S. 285 Abb. 9.

mal zu wünschen übrigließ. Wußte doch selbst der große Karl gegen Ende seines Lebens nicht so recht Bescheid über die reale Geltung seiner immer und immer wieder erlassenen normativen und belehrenden Texte. Ob Karl ein großer Gesetzgeber war, ist umstritten. Das Mittelalter hat ihn jedenfalls dafür gehalten und sogar mit manchem Gesetzeswerk in Verbindung gebracht, mit dem er objektiv gar nichts zu tun hatte.

Und Karl war – von Einzelfällen abgesehen – kein Rechtsdespot. Er konnte, wie etwa in der sächsischen Gesetzgebung, seinen Standpunkt revidieren, zumal dann, wenn er überholt schien, und es dürfte mit dieser Sinn für das Machbare gewesen sein, der ihn davor bewahrte, seinen Untertanen ein exklusives Einheitsrecht aufzudrängen, ohne jedes Ansehen ihrer Stammeszugehörigkeit. Rechtsnovellierung und -ergänzung hielten sich in Grenzen. Zu einer Überwindung der schreienden sozialen Rechtsungleichheit zwischen Adligen, Freien, Halb- und Unfreien, zwischen Mann und Frau gab es freilich auch unter Karl nicht einmal Ansätze. Neben den Kapitularien, die für das Gesamtreich bestimmt waren, blieben die Leges der Franken, Bayern, Alamannen und Burgunder mit ihren kasuistischen Bestimmungen weitgehend in Geltung, ja, das Recht der Sachsen, Thüringer und Friesen ließ Karl eigens neu aufzeichnen. Es war dieser Rechtspluralismus oder Rechtsföderalismus, der sich im mittelalterlichen Europa durchsetzen sollte, nicht der Absolutismus des römischen Kaiserrechts.

Ähnlich im kirchlichen Recht: Vom Papst hatte Karl eine Kirchenrechtssammlung erhalten, in die neben den *Canones apostolorum* die anerkannten Autoritäten der alten griechischen Konzile und päpstliche Dekretalen aufgenommen waren. Diese Dionysio-Hadriana erfreute sich im Frankenreich großer Beliebtheit, und es mögen gewisse Kreise agiert haben, »römische Neuerer«, wie es heißt[18], die ihr ausschließliche Geltung verschaffen wollten. Die Zentrale hat solche Bestrebungen freilich nie aktiv unterstützt. Wie es unter Karl kein amtliches weltliches Gesetzbuch gab, so gab es auch keinen offiziellen *Liber canonum*. Es wird den Karolingern verdankt, wenn die kirchliche Praxis bis ins Hochmittelalter ein breites Spektrum von Kirchenrechtsautoritäten bewahrt hat, historisch geordnete Sammlungen wie systematische, universales Recht der ökumenischen Konzile, der Kirchenväter, der Päpste und parti-

---

[18] Agobard von Lyon, Adversus legem Gundobadi regis Burgundionum, c. 12. Hg. von Ernst Dümmler (MGH Epistolae 5), 1898–1899, S. 163 und Lieven Van Acker (Corpus Christianorum. Continuatio Mediaevalis 52) 1981, S. 26.

kulares Recht gallischer, germanischer, spanischer, italischer und angelsächsisch-irischer Synoden. All diese Rechtsformen und Rechtsbestimmungen sind eingeflossen ins ›Corpus iuris canonici‹ und haben so nachgewirkt bis in unser Jahrhundert. Von einer absoluten Gesetzgebungsgewalt des Papstes in der Kirche war man damals jedenfalls noch weit entfernt.

Auch dem Einfluß des weltlichen Herrschers in Staat und Gesellschaft, über deren Oberschicht wir schon vorhin kurz gesprochen haben, waren Grenzen gesetzt, die großen Potenzen ließen sich nur schwer bewegen. Karl wirkte nicht und wollte wohl auch gar nicht sozialrevolutionär wirken. Die Standesunterschiede blieben ebenso wie die Rechtsungleichheit, verfestigten sich. Ja, die Kluft vergrößerte sich zwischen den Herren und der Masse des Volkes, vor allem der Bauern, die als Freie vielfach den militärischen Anforderungen des Staates nicht mehr gewachsen waren und so in die Halb- oder Unfreiheit absanken. Da scheint auch die Reduzierung der Thing-Pflicht auf drei ordentliche Gerichtsversammlungen im Jahr und für die übrige Zeit die entlastende Einsetzung von lebenslang tätigen Schöffen – in der Karolingerzeit liegt also der Ursprung der Schöffengerichtsbarkeit – wenig genutzt zu haben. Das Lehnrecht erhielt mit der besonderen Betonung der persönlichen Treue und seiner jetzt dominierenden Verbindung von Vasallität und Benefizialwesen seine weitere Vertiefung und wurde gezielt für den Aufbau von Staat und Gesellschaft eingesetzt, ohne daß sich die spätere Feudalisierung der Ämter dadurch hat verhindern lassen. Die Überwindung des auf der Grundherrschaft beruhenden mittelalterlichen Feudalismus rechnet sich die Neuzeit als Verdienst an, doch sei nicht verkannt, daß das Geflecht unzähliger lehns- und grundherrlicher Bindungen auch menschenverbindend wirkte, den einzelnen mit hineinnahm in den Kreis der Gemeinschaft, so daß nicht von ungefähr ein allgemeineres Bewußtsein des Eigenwertes, zugleich aber auch der Vereinsamung des Individuums im sozialbezogenen Rahmen erst der nachmittelalterlichen Welt zugeschrieben wird.

Nicht nur Verhaltensregeln für einzelne Gruppen wie für das ganze Volk, sondern ein richtungsweisendes Grundsatzprogramm der Regierung für eine neue Zukunft bot die Aachener ›Admonitio generalis‹ von 789, ein zentrales Dokument der karolingischen Geschichte – merkwürdige Koinzidenz der Endzahlen: 789, 1789, 1989. Die ›Admonitio generalis‹ rückt Karl mit seinem Prinzip, »Irrtümer zu korrigieren, Überflüssiges zu beschneiden und zu rechtem Handeln zu ermutigen«, in die Nachfolge des alttestamentlichen Königs Josias, der gleichfalls danach gestrebt hatte, das ihm von Gott anvertraute Reich durch persönlichen Einsatz, Bessern und Mahnen zum Dienst des wahren Gottes zurückzuführen, d. h. zu reformieren [19]. Andere feierten Karl als den neuen David, die siegreichen Franken als das auserwählte Gottesvolk. Priestertum und Staatsdienst schlossen sich nicht aus, die Kirche stand nicht neben dem Staat, ganz im Gegenteil: Beide waren aufs engste miteinander verknüpft, an der Spitze ebenso wie in den unteren Bereichen des Volkes. Beide arbeiteten Hand in Hand beim Ausbau der Kirchenorganisation, bei der Errichtung neuer Metropolitanverbände und – in Sachsen – neuer Bistümer.

Als führendem König Europas und stärker noch seit 800 als Kaiser des Römischen Reiches fiel Karl die Schutzherrschaft über Papst und Kirche zu. Er hat sie derart genutzt, daß die Meinung aufkommen konnte, Rom sei nichts anderes gewesen als eine der vielen Kirchenprovinzen des Reiches. Es ist noch gar nicht so lange her, daß sich Napoleon in der Nachfolge Charlemagnes sah als *l'épée de l'église*, als Schwert der Kirche – eine uns ferngerückte Vorstellung.

Karl hatte nicht nur den Missionskampf auf seine Fahnen geschrieben, er fühlte sich zugleich als Wächter der Orthodoxie und Streiter gegen alle Abweichler und Ketzer. Einen Sturm der Entrüstung würde heute jede Regierung hervorrufen, zumindest jede westliche, die etwa Fragen der Gottessohnschaft Christi und der religiösen Bilderverehrung staatlich dekretieren wollte, so wie es Karl ungeniert getan hat. Sein Inquirieren und Insistieren in Glaubensfragen zielte aber – von der frühen Sachsenphase abgesehen – auf Belehrung und Einsicht der Betroffenen, nicht auf letale Inquisition. Es hat nur weitläufig zu tun mit seinem unstillbaren Wissensdurst, mit dem er etwa von dem armen Iren Dungal wissen wollte, was denn konkret das Nichts sei und was der Schatten [20] – schwierige Fragen in der Tat!

Nein, als von Christus erwählter und sakral legitimierter Führer sah er sich in der Gesamtverantwortung für das christliche Volk, für das Seelenheil des einzelnen ebenso wie für dessen irdisches Wohlergehen. Und nur der rechte Glaube bot die Garantie für die rechte Effizienz eines christlichen Lebens. Da war es nicht mehr nur von untergeordnet pädagogischer oder philologischer Bedeutung, es traf vielmehr ins Existentielle, welche religiösen Texte bereitstanden: möglichst authentische waren gefragt. Überall im Reich sollte der

[19] Admonitio generalis. Hg. von Alfred Boretius (MGH Capitularia regum Francorum 1) 1883, S. 54.
[20] Brief Karls an Dungal. Hg. von Ernst Dümmler (MGH Epistolae 4) 1895, S. 552.

gleiche korrekte Bibeltext gelesen werden, aus Montecassino forderte Karl eigens eine Kopie der Benediktregel des Ordensgründers selbst an, aus Rom wünschte er ein verbindliches Meßbuch, die Metzer Schule sollte den liturgischen Gesang im Reich vereinheitlichen. Das Streben nach Unifikation, nicht irgendeiner, sondern der an der höchsten Norm ausgerichteten Unifikation gerade im kirchlichen Bereich war gewiß nicht voll erfolgreich; es leistete aber einen nicht zu unterschätzenden Beitrag zur Angleichung und damit zum geistigen Zueinanderkommen der im Reiche Karls zusammengeschlossenen Völker, so daß *ein* Reich, *eine* Kirche, *ein* Glaube eben mehr bedeuteten als nur einen äußerlichen Slogan. Denkweisen näherten sich an, die Menschen im Frankenreich konnten sich an allen Orten zu Hause fühlen als Glieder des einen Corpus Christi.

Die christliche Kirche als eine ganz gewiß übernationale und so reichsfördernde Einrichtung, der im Frühmittelalter das fast alleinige Bildungsmonopol zukam, hat nun ihrerseits in ihren gelehrten Klerikern und ihren unermüdlich tätigen Mönchen für das Bewahren der Tradition und für die Neuschöpfung und Weiterentwicklung einer spezifisch abendländischen Kultur unendlich viel getan. Schon die Karolinger stuften ihre Leistung nicht gering ein; selbstbewußt stellte man sich über die Alten, da jenen etwas Entscheidendes gefehlt habe: die christliche Religion und mit ihr die Erleuchtung durch die sieben Gaben des Heiligen Geistes.

Die Franken haben nicht nur antikes – vor allem spätantikes, aber auch klassisches – Geistesgut in Literatur und Philosophie gepflegt und so für uns Spätere gerettet. Wir wissen heute, daß in Karls Hofbibliothek neben viel Theologischem und Juridischem u. a. auch wichtige Werke der Medizin, Astronomie, Grammatik und Dialektik standen, das volle Lehrgut der *septem artes liberales,* mit dem das Wesen der Welt, seine inneren Gesetze zu ergründen waren. Und dieses Wissen sollte an breitere Schichten weitergegeben werden, daher die Einrichtung neuer Kathedral- und vor allem Klosterschulen, die Forderung einer Minimalbildung von Klerus und Volk.

Und nicht zu vergessen die Schrift (unsere gängige Normalschrift ist ja nichts anderes als die ligierte karolingische Minuskel, die durch einen Humanistenirrtum als *Littera antiqua* wiedereingebürgert wurde): einfach, klar, wohlproportioniert, in ihrer ästhetischen Vollendung gut lesbar, zeigt sie alle Elemente, die sie für den Dienst in der überregionalen Bildungs- und Kirchenreform prädestinierte. Es ging Karl vor allem darum, das, was er seinem Volk vermitteln wollte, auch verständlich zu machen. Daher sein Einsatz für eine gut lesbare Schrift, für korrekte Texte und – nicht zuletzt – über das gehobene Gelehrtenlatein hinaus für eine Sprache, die auch das Ohr des einfachen Volkes erreichte. Unter diesem pädagogischen Aspekt verstehen sich viele Übertragungen gerade religiöser Texte ins Althochdeutsche.

Von der Grammatik seiner Muttersprache, die er nach Einhard in Angriff nahm, haben wir aber ebensowenig sicheres Zeugnis wie von den *barbara et antiquissima carmina* der alten Könige, deren Sammlung er veranlaßte, und nicht einmal die von ihm angeregten fränkischen Namen für die zwölf Winde und Monate, bislang *partim latinis, partim barbaris nominibus* bezeichnet, haben sich durchgesetzt[21]. Es mag wie beim weltlichen und kirchlichen Recht gewesen sein oder in der Liturgie: Sollte es auch im volkssprachlichen Bereich partielle Bestrebungen einer Vereinheitlichung gegeben haben, eine Direktive von der Zentrale aus läßt sich nicht nachweisen. Karls Sinn war viel zu sehr auf das Praktische gerichtet, als daß er nicht als großes Ziel erkannt hätte: die Versöhnung von Germanen und Romanen in einem multinationalen christlichen Reich, in dem jedem Teil die Chance zur Entfaltung seiner Eigenart geboten sein sollte. Selbst von seinen zahlreichen Frauen (dies nur nebenbei – die noch zahlreicheren Konkubinen bleiben diskret im Hintergrund) kamen nur zwei aus dem gleichen Stamm, aus Alamannien.

Von »deutsch«, lateinisch *theodiscus* oder, klassisch veredelt in Anlehnung an den alten Germanenstamm der *Teutones, teutonicus,* wäre demnach noch keine Rede gewesen? Immerhin taucht das Wort *theodiscus* erstmals unter Karl dem Großen auf, präzis im Jahre 786, freilich an bemerkenswert un-deutscher Stelle. In einem offiziellen Brief an den Papst, geschrieben von einem päpstlichen Legaten in England, dokumentiert der Beleg ein *theodiscus,* das sich auf die angelsächsische, nicht auf die deutsche Sprache bezieht: *tam latine quam theodisce, quo omnes intellegere potuissent,* seien die Synodalbeschlüsse in Anwesenheit König Offas und vieler seiner Großen verlesen worden[22].

Daß Bischof Georg von Ostia, der Verfasser des Schreibens, als schon von Karls Vater Pippin geschätzter Berater und als Bischof auch des westfränkischen Amiens, mit dem Wortschatz der Franken, besonders mit der offiziellen Sprachregelung des Hofes, vertraut gewesen sein dürfte, läßt sich auch an einem anderen Beispiel

[21] Einhard, Vita Karoli Magni, c. 29, S. 33 f.
[22] Legationsbericht Georgs von Ostia an Papst Hadrian I. Hg. von Ernst Dümmler (MGH Epistolae 4) 1895, S. 28.

belegen: Georg verwendet in demselben Schreiben den neuesten fränkischen Begriff für Gesetz, Edikt, Verordnung, das im Frankenreich erstmals sieben Jahre zuvor auftretende Wort *capitulare*[23]. Und wie er unserem *theodisce* eine Sinnvariante unterschob, die später so nicht mehr belegt ist, eben die einer insularen, nicht kontinentalen germanischen Sprache, so greift er das Wort *capitulare* unter Voraussetzungen auf, die Karl für sich niemals hätte gelten lassen: Die Legaten formulieren per »Kapitular«, was Rom bestimmt, und die Könige Englands dürfen, nebst ihren Bischöfen und Herzögen, nur noch unterschreiben. Fast scheint es, als seien die typisch fränkischen Begriffe *theodisce* und *capitulare*, gerade erst geschmiedet, noch zu weich und formbar, als daß sie nicht von einem frankisierten Italiener wie Georg umgebogen werden konnten. Das hieße aber: Wir hätten ein neues Indiz für die erst jüngst wieder vorgebrachte These, der Ursprung unseres späteren Volksnamens läge in der Zeit Karls des Großen, vielleicht sogar in Karls Hof- und Gelehrtenkreis selbst.

Richtig ist jedenfalls, daß das Wort *theodiscus* im sprachlichen, nicht im politischen oder ethnisch umfassenden Sinn in die Geschichte eintritt. Aus einer so gesinnten Existenz des Wortes auf die Präexistenz des deutschen Volkes schließen zu wollen, scheint mir denn doch gewagt. Mehr als vermuten können wir in jener Zeit nur die Möglichkeit zu einer Identität bei den einzelnen ostfränkischen Stämmen, wie sie neben anderen unter dem Dach des fränkischen Großreiches zusammengeschlossen waren, nicht bei einem erst im Werden begriffenen deutschen Volk.

Das Deutsche Reich, das erste Reich der Deutschen, hat sich erst aus dem Zerfall des fränkischen Großreiches gebildet in einem längeren, wesentlich vom hohen Adel geförderten Prozeß, für den die Jahre 843, 887/888, 911 und 936 wichtige Marksteine darstellen. Neuerdings wird verstärkt argumentiert, von einer deutschen Geschichte könne erst seit dem 11. Jahrhundert die Rede sein, und in der Tat hat sich ja der Name *Regnum Teutonicorum* erst im 11. Jahrhundert durchgesetzt, wie man denn auch erstmals im endenden 10./beginnenden 11. Jahrhundert von *terra teutonica, terra theotisca* sprach, von Deutschland oder – so der Verfasser des Annoliedes einige Generationen später im Plural – von *diutsche lande*.

Wenn Johannes Haller wörtlich meint, »daß es ohne die Unterwerfung der Sachsen eine deutsche Nation heute nicht geben wür-

[23] Ebd., S. 21.

de«[24], oder jüngst noch Wolfgang Braunfels konstatierte: »Durch seine Sachsenkriege hat Karl Deutschland geschaffen«[25], so wird damit unterstellt, das deutsche Volk und Land habe sich nur so und nicht anders entwickeln können. Für eine derartige Behauptung fehlt aber jeder Beweis. Die Sachsen haben zwar in der Tat im 10. Jahrhundert Wesentliches zum Werden des Deutschen Reiches und Volkes beigetragen, und Karl der Große hat für diese Entwicklung, für das Zusammenwachsen der verschiedenen *gentes* zum deutschen Volk, fraglos wichtige Voraussetzungen geschaffen – aber das ist ein historisches Statement, das zur Zeit Karls des Großen ebenso als Prophetie gegolten hätte wie die Feststellung, mit der dauerhaften Gewinnung und Bindung Aquitaniens ans Reich hätten Karls Vater und er selbst die gleiche Leistung für das künftige Frankreich vollbracht.

Von da her wäre es nicht weniger anachronistisch, den von den Humanisten bis ins 20. Jahrhundert immer wieder geführten Streit erneut aufleben zu lassen, ob Karl nun Deutscher gewesen sei oder Franzose. Als Sproß östlichen Adels im Westen erzogen und daher zweisprachig, romanischem wie germanischem Wesen verwandt, hätte er aber ganz gewiß nichts dagegen gehabt, als ihrer beider Urahn zu gelten und so zum dauernden Mahnmal zu werden für ihre familiäre (Wieder-)Vereinigung.

Damit lenken wir zum Schluß zurück auf unser eigentliches Thema, auf das karolingische oder enger karlische Europa.

Das durch die Wirren der Völkerwanderung und den Einbruch des Islam an den Rand des Chaos gestürzte Europa verdankte der Energie der Franken eine geradezu sensationell rasche und gründliche Konsolidierung. Wir sahen, wie Karl der Große sein Reich zu einer noch nie gekannten Machtfülle emporführte – barbarischer und bewunderter Eroberer einerseits *und* (nicht oder) in vielem zugleich Wegbereiter, plastischer gesagt eben Baumeister, ephemerer und doch wirkungsvoller Baumeister eines künftig neuen Hauses Europa.

Politisch formte er ein völkerübergreifendes und -integrierendes zentraleuropäisches Reich, mit dem, ungeachtet seines baldigen Zerfalls, die Basis geschaffen war für die Entstehung des deutschen und des französischen Volkes, darüber hinaus auch für später grenzüberschreitende Wirkungen, im Hochmittelalter etwa die spanische Re-

---

[24] Johannes Haller, Der Eintritt der Germanen in die Geschichte. Berlin 1939, S. 87, beibehalten in der von Heinrich Dannenbauer besorgten dritten Auflage 1957.
[25] Wolfgang Braunfels, Karl der Große. Reinbek 1972, S. 43.

conquista und die deutsche Ostbewegung. Das Kaisertum, die Klammer des späteren Deutschen Reiches, sah in Karl stets Gründer und Vorbild zugleich.

Völkisch war ihm jedes Rassendenken fremd, im Gegenteil, er liebte es, sich mit Menschen verschiedener Herkunft, verschiedener Sprachen zu umgeben.

Administrativ sorgte er für einheitsfördernde Maßnahmen in Staat und Kirche, für jene enge Verbindung beider europäischen Potenzen, zu der neuzeitlich-aufgeklärtes Denken freilich zunehmend auf Distanz geht.

Religiös setzte er sich als Führer des monotheistischen Christentums und seiner damals alleinigen Institution, der katholischen Kirche, Grenzen in der dogmatischen Toleranz, Grenzen, die seinen wachen Sinn für Humanität in der Regel aber nicht tangierten.

Kulturell im weitesten Sinne des Wortes ließ er Gewachsenes gewähren und vermittelte doch allen auch eine neue Gemeinsamkeit, sei es etwa im Recht oder in der Kunst, ein Gemeinsames, das – wie immer wieder und zu Recht betont wird – germanische und romanische Elemente in christlicher Synthese überformte, aufhob. Und dieser kulturelle Einfluß machte auch vor den fränkischen Reichsgrenzen nicht halt, er erreichte wahrhaft europäische Dimensionen, wie ihn schon wahrhaft europäischer Geist gezeugt hatte. »Das Imperium Carls« – resümierte Jacob Burckhardt – »hatte den großen Segen mit sich, die europäischen Völker zu einem Culturganzen zusammenzugewöhnen, welchem seither ... das Principat der Welt gehört, und welches schon damals gegenüber Byzantinismus und Islam sich ideal zusammenfassen und zusammenfühlen mußte. So kurz die Einheit dauerte, so war doch der Eindruck von idealer Seite sehr groß und von realer Seite dadurch wichtig, daß carolingische Einrichtungen dann auch in den Einzelstaaten als selbstverständlich weiterlebten und die Homogeneität des Zerrissenen aufrechthielten.«[26]

Karl der Große, »dieser Koloß« – so in der Nachfolge Karl Hampes ein amerikanischer Frankophile[27] –, »der, einen Fuß in der Antike, den andern im Mittelalter, breitbeinig den Grenzfluß der Geschichte überbrückt«, ihm wurden schon zu Lebzeiten weltweite Ehrun-

[26] Jacob Burckhardt, Über das Studium der Geschichte. Der Text der ›Weltgeschichtlichen Betrachtungen‹ auf Grund der Vorarbeiten von Ernst Ziegler nach den Handschriften hg. von Peter Ganz. München 1982, S. 130f.
[27] Richard Winston, Karl der Große. Ins Deutsche übertragen von Jutta und Theodor A. Knust. Stuttgart 1956, S. 7.

gen zuteil, die er gern akzeptierte, Ehrungen aus Irland, Spanien, Afrika, Byzanz, Jerusalem, Bagdad. Zeitgenossen apostrophierten ihn als »Ruhm des Reiches Europa« *(gloria regni Europae)*[28], als »verehrungswürdige Zier Europas« *(Europae venerandus apex),* als »ehrwürdigen Leuchtturm Europas« *(Europae veneranda pharus),* ja, im engsten Hofkreis wurde ihm der Ehrentitel zuteil *pater Europae,* »Vater Europas«[29].

So nimmt es nicht wunder, daß die Zeit Karls des Großen als der erste Aufbruch einer europäischen Idee angesprochen wurde, und in der Tat scheint uns damals der Hauch einer Ahnung anzuwehen von einem Gallia, Francia, Germania und Italia Übergreifendem, das Europa sein konnte. Aber dieser Europa-Gedanke war, wenn es ihn überhaupt gab, auf einen kleinen Kreis von Intellektuellen, meist am Hofe des Königs, beschränkt, und bei allem Positiven, vor allem eben der tatsächlichen Vereinigung der zentralen Kernländer Europas unter *einer* Führung, ist nicht zu übersehen: England, Skandinavien, Teile Italiens und fast ganz Spanien lagen außerhalb der Machtsphäre Karls, im Osten bildeten praktisch schon Elbe und Saale die Grenze. Das Europa Karls war ein Rumpf-Europa, »die sich in ihm spiegelnde Einheit« – wie Geoffrey Barraclough sagt – »eine partielle Einheit, kleiner als die europäische Einheit«[30]. Und das Europa Karls des Großen war das Ergebnis jahrhundertelanger gewaltsamer Expansion der Franken, deren Machtdrang die Völker unter ihre Herrschaft zwang – keine Spur von einem irgendwie spontanen Aufbruch zu einem europäischen Zusammenschluß, kein Anzeichen einer freiwillig sich einenden europäischen Gemeinschaft. Im Vordergrund stand nicht der Wille nach einem politischen Ganzen Europa, sondern die Schaffung eines Großreiches unter fränkischer Führung, dem einfach großzügig der geographische Name Europa beigelegt wurde, ohne daß die Realisierung einer auch inhaltlich gefüllten Europa-Idee angestrebt oder auch nur als Ziel erkannt worden wäre. Noch ein Millenium später hören wir Bismarck, von einem Ausländer darauf hingewiesen, sein Handeln könne das Mißfallen Europas erregen, voller Verachtung replizieren: »Europa? Wer ist denn das?«

Darüber, glaube ich, muß man sich vollkommen im klaren sein: Weder Antike noch Mittelalter oder gar Neuzeit liefern uns ein histori-

[28] Brief Cathwulfs an Karl. Hg. von Ernst Dümmler (MGH Epistolae 4) 1895, S. 503.
[29] Karolus Magnus et Leo papa, S. 66, 70 und 94 (Verse 93, 169 und 504).
[30] Geoffrey Barraclough, Die Einheit Europas als Gedanke und Tat. Göttingen 1964, S. 14.

sches Vorbild, das geeignet wäre, die Anläufe unserer Zeit zu einer politischen Integration Europas zu rechtfertigen. Die Rechtfertigung einer solchen politischen Integration Europas kann allein aus den Bedürfnissen *unserer* Gegenwart kommen. Nach einem neuen Karl dem Großen zu rufen, einem neuen Napoleon, einem neuen Hitler, wäre töricht und verfehlt. Ihr Leben war Krieg: Karl gegen die Sachsen, gegen die Langobarden, gegen die Awaren usw., Napoleon und Hitler gegen die Völker Europas, der Welt. Auf ihre Fahnen schrieben sie den Kampf für Europa; im Kampf *für* Europa aber kämpften sie in Wahrheit *gegen* Europa und für sich selbst, für ihr Volk, ihre Nation, deren Oberherrschaft zu etablieren sie aus waren.

So steht der heute erstrebte Versuch einer freiwilligen, von den Völkern, den Menschen selbst gewollten Vereinigung Europas, sollte er gelingen, als absolute Novität da, ohne historisches Beispiel. Alle andersartigen Versuche sind gescheitert, welche die historisch gewachsene europäische Vielfalt in eine gleichmacherische Einfalt zwingen wollten. Vielfalt und Einheit – das war schon, nach seinen Eroberungen, eine grundlegende Einsicht Karls des Großen vor über 1000 Jahren – müssen sich keineswegs widersprechen, können sich vielmehr ideal ergänzen. Wie sagte doch Sertillanges, als er Europa mit einem Organismus verglich? »Ein Organismus vereinheitlicht sich um so eher, je mehr die Unterscheidung fortschreitet und die Funktionen sich vervielfältigen, vorausgesetzt freilich, daß diese Differenzierung nicht von außen, sondern aus dem inneren Prinzip herstammt ... Der Mensch ist viel mehr eine Einheit als die Auster oder das Urtierchen. Der Beweis: ein zerschnittenes Urtierchen bleibt lebendig. Man versuche aber, einen Menschen entzweizusägen.«[31]

Übertragen auf Europa würde das heißen: Nur die Achtung der Verschiedenheit bietet die Möglichkeit für eine dauerhafte Einheit. Wenn wir wenigstens diese Erkenntnis aus der Zeit Karls des Großen und seiner Franken mit in unsere Gegenwart hineinnähmen, hätten wir allen Grund, der Zukunft Europas optimistischer entgegenzusehen.

---

[31] Zitiert nach Gonzague de Reynold, Die Tragik Europas. Deutsch von W. Grossenbacher. Luzern 1935, S. 373f.

Quellen- und Literaturhinweise

Kritische lateinische Editionen zu Karl dem Großen und seiner Zeit in den verschiedenen Reihen der Monumenta Germaniae Historica (MGH). Deutsche Übersetzungen in: Die Geschicht(s)schreiber der deutschen Vorzeit und – jünger, aber nicht immer besser – in den Quellen zur karolingischen Reichsgeschichte. Hg. von Reinhold Rau, 3 Bde (Freiherr vom Stein-Gedächtnisausgabe A, 5–7) 1955–1960; öfters nachgedruckt. Hilfreich als Wegweiser durch das diverse Material: Johann Friedrich Böhmer, Die Regesten des Kaiserreichs unter den Karolingern 751–918. Neu bearbeitet von Engelbert Mühlbacher, vollendet von Johann Lechner (Regesta imperii 1). Innsbruck 2. Aufl. 1908; ergänzt von Carlrichard Brühl und Hans H. Kaminsky. Hildesheim 1966. Zu einzelnen Personen und Werken: Wilhelm Wattenbach, Wilhelm Levison, Heinz Löwe, Deutschlands Geschichtsquellen im Mittelalter. Heft 2, mit Beiheft von Rudolf Buchner. Beide Weimar 1953, und die Artikel im noch unvollständigen Lexikon des Mittelalters. Zürich, München 1980 ff.

Europa: Heinz Gollwitzer, Zur Wortgeschichte und Sinndeutung von »Europa«. In: Saeculum 2 (1951), S. 161–172; Oskar Halecki, Das europäische Jahrtausend. Salzburg 1966; Nascita dell'Europa ed Europa carolingia: un'equazione da verificare (Settimane di studio del Centro italiano di studi sull'alto medioevo 27, Spoleto 1981); Spezialstudie für die abendländische Frühzeit, die wichtigen Textstellen aber leicht überinterpretierend: Jürgen Fischer, Oriens – Occidens –Europa. Begriff und Gedanke »Europa« in der späten Antike und im frühen Mittelalter. Wiesbaden 1957.

Geographisches Weltbild: Konrad Miller, Mappae mundi. Die ältesten Weltkarten. 6 Bde, Stuttgart 1895–1898; Anna-Dorothee von den Brincken, Kartographische Quellen. Welt-, See- und Regionalkarten (Typologie des sources du moyen âge occidental 51). Turnhout 1988.

Karl der Große und sein Wirken: Ausführliche Bibliographie bei Reinhard Schneider, Das Frankenreich. München 2. Aufl. 1990; in ihrer Quellennähe unübertroffen die Darstellungen von Sigurd Abel, Bernhard Simson, Jahrbücher des Fränkischen Reiches unter Karl dem Großen. Bd. 1, 2. Aufl. 1888, Bd. 2, 1883, und Engelbert Mühlbacher, Deutsche Geschichte unter den Karolingern. Stuttgart 1896; Neuausgaben Darmstadt 1959 u. ö.; grundsätzlich als Standardwerk heranzuziehen das zahlreiche, aber nicht alle Bereiche erfassende Kompendium (z. B. fehlt das kirchliche Recht) Karl der Große. Lebenswerk und Nachleben. Hg. von Wolfgang Braunfels. 4 Bde und Registerbd. Düsseldorf 1965–1968; wichtig auch der vielseitige Katalog zur Aachener Ausstellung: Karl der Große – Werk und Wirkung. Düsseldorf 1965; gerade in seiner Zeitgebundenheit höchst aufschlußreich: Karl der Große oder Charlemagne? Acht Antworten deutscher Historiker. Berlin 1935; von französischer Seite, in einem ersten Entwurf gleichfalls noch vor dem Zweiten Weltkrieg niedergeschrieben: Louis Halphen, Charlemagne et l'empire carolingien. Paris 2. Aufl. 1968; einige monographische Studien: Donald A. Bullough, Karl der Große und seine Zeit. Wiesbaden 1966; dazu Ders., Europae Pater. In: The English Historical Review 85 (1970), S. 59–105; Friedrich Heer, Karl der Große und seine Welt. Wien u. a. 1977; Josef Fleckenstein, Karl der Große. Göttingen 3. Aufl. 1990.

Schwerpunktthemen (dazu die Beiträge im oben genannten vierbändigen Karlswerk):

Jörg Jarnut, Geschichte der Langobarden. Stuttgart 1982; Coloquios de Roncesvalles. Zaragoza 1956; mit Beiträgen von Ramón de Abadal, Rita Lejeune u. a.; Walter Pohl, Die Awarenkriege Karls des Großen 788–803. Wien 1988; Die Eingliederung der Sachsen in das Frankenreich. Hg. von Walther Lammers (Wege der Forschung 185). Darmstadt 1970; Hans-Dietrich Kahl, Karl der Große und die Sachsen. Stufen und Motive einer historischen »Eskalation«. In: Herbert Ludat, Rainer Christoph Schwinges (Hg.), Politik, Gesellschaft, Geschichtsschreibung. Köln, Wien 1982, S. 49–130; Reinhard Schneider, Karl der Große – politisches Sendungsbewußtsein und Mission. In: Kirchengeschichte als Missionsgeschichte. Bd. II/1. München 1978, S. 227–248; Ordinamenti militari in occidente nell'alto medioevo (Settimane di studio del Centro di studi sull'alto medioevo 11). Spoleto 1968; Friedrich Prinz, Klerus und Krieg im früheren Mittelalter. Stuttgart 1971.

Zum Kaisertum Karls des Großen. Hg. von Gunther Wolf (Wege der Forschung 38). Darmstadt 1972; Heinz Löwe, Von den Grenzen des Kaisergedankens in der Karolingerzeit. In: Ders., Von Cassiodor zu Dante. Berlin, New York 1973, S. 206–230 (ND von 1958); Arnold Angenendt, Kaiserherrschaft und Königstaufe. Berlin, New York 1984; Peter Classen, Karl der Große, das Papsttum und Byzanz. Sigmaringen 3. Aufl. 1985.

François Louis Ganshof, Was waren die Kapitularien? Darmstadt 1961; Hubert Mordek, Karolingische Kapitularien. In: Ders. (Hg.), Überlieferung und Geltung normativer Texte des frühen und hohen Mittelalters. Sigmaringen 1986, S. 25–50; zu den Leges die Artikel im Handwörterbuch zur deutschen Rechtsgeschichte, Bd. 2, 1978.

Carlo de Clercq, La législation religieuse franque de Clovis à Charlemagne (507–814). Löwen, Paris 1936; Hubert Mordek, Kirchenrechtliche Autoritäten im Frühmittelalter. In: Peter Classen (Hg.), Recht und Schrift im Mittelalter. Sigmaringen 1977, S. 237–255.

Hans K. Schulze, Grundstrukturen der Verfassung im Mittelalter. 2 Bde. 1985/86; Jürgen Hannig, Consensus fidelium. Stuttgart 1982; Étienne Delaruelle, Charlemagne et l'église. In: Revue d'histoire de l'église de France 39 (1953), S. 165–199; Eugen Ewig, Das Zeitalter Karls des Großen (768–814). In: Handbuch der Kirchengeschichte. Hg. von Hubert Jedin, Bd. III/1. Freiburg i. Br. u. a. 1966, S. 62–118; John Michael Wallace-Hadrill, The Frankish Church. Oxford 1983.

Heinrich Fichtenau, Das karolingische Imperium. Soziale und geistige Problematik eines Großreiches. Zürich 1949; Percy Ernst Schramm, Karl der Große. Denkart und Grundauffassungen. In: Ders., Kaiser, Könige und

Päpste. Bd. 1, Stuttgart 1968, S. 302–341; Josef Fleckenstein, Die Bildungsreform Karls des Großen als Verwirklichung der norma rectitudinis. Bigge/Ruhr 1953; Dieter Schaller, Das Aachener Epos für Karl den Kaiser. In: Frühmittelalterliche Studien 10 (1976), S. 134–168; Peter Godman, Poets and emperors. Frankish politics and Carolingian poetry. Oxford 1987; Pierre Riché, Die Welt der Karolinger. Stuttgart, 2. Aufl. 1984; Rosamond McKitterick, The Carolingians and the written word. Cambridge 1989; Wolfgang Braunfels, Die Welt der Karolinger und ihre Kunst. München 1968.

Der Volksname Deutsch. Hg. von Hans Eggers (Wege der Forschung 156). Darmstadt 1970; für einige Überlegungen zum Wort *theodiscus* immer noch nützlich die Stellensammlung von Fritz Vigener, Bezeichnungen für Volk und Land der Deutschen vom 10. bis zum 13. Jahrhundert. Heidelberg 1901; ND 1976; zuletzt: Heinz Thomas, Die Deutschen und die Rezeption ihres Volksnamens. In: Werner Paravicini (Hg.), Nord und Süd in der deutschen Geschichte des Mittelalters. Sigmaringen 1990, S. 19–50 und Carlrichard Brühl, Deutschland – Frankreich. Die Geburt zweier Völker. Köln, Wien 1990, S. 181 ff. mit langem Quellen- und Literaturverzeichnis S. XVff.

Ferdinand Lot, Naissance de la France. Neu bearbeitet und hg. von Jacques Boussard. Paris 1970; Karl Ferdinand Werner, Die Ursprünge Frankreichs bis zum Jahr 1000 (Geschichte Frankreichs, Bd. 1). Stuttgart 1989.

Das »Erste Reich«
Imperium Romanum und regnum Teutonicum in
ottonisch-salischer Zeit
von Thomas Zotz

1. Vorbemerkung

Erstnumerierungen in der Geschichte haben eine unterschiedliche
Logik. Wir sprechen vom »Zweiten« und vom »Dritten Rom«, ohne
daß das vorbildliche Rom am Tiber selbst eine Ordnungszahl erhalten würde. Anders verhält es sich bei der nachträglichen
Numerierung gleichartiger Ereignisse: Der Weltkrieg von 1914/18
wurde vor dem Hintergrund des späteren, des »Zweiten Weltkriegs«, zum »Ersten«. Auch handelnde Personen haben sich selbst
in der Regel nicht als Nummer Eins ihres Namens bezeichnet oder bezeichnen lassen; erst der zweite und die folgenden Namensträger taten dies, um als Glied in einer langen Kette zu erscheinen, und wenn
König Friedrich Barbarossa (1152–1190) in einigen Urkunden aus
seinem ersten Regierungsjahr »Friedrich der Erste« heißt, so erklärt
sich dies daraus, daß er hier direkt auf seinen Vorgänger König Konrad III. (1138–1152) Bezug nimmt, der an entsprechender Stelle
»Konrad der Zweite« genannt wird. Woher rührt diese Divergenz
der Zählung? Der Staufer Konrad strebte seit seiner Wahl zum König
nach der Kaiserwürde, die er im Unterschied zu seinen Vorgängern jedoch nie erlangen konnte. Seinen Anspruch drückte er darin aus, daß
er sich in der Nachfolge Konrads II. (1024–1039), der der erste Kaiser
dieses Namens war, als den zweiten Konrad bezeichnen ließ, obwohl
es einen dritten König Konrad, den »Ersten«, (911–918) gegeben hatte. So viel kann die Ordnungszahl im Titel eines Herrschers aussagen!

Kaisertum und Königtum – damit sind bereits wesentliche Stich-
worte dieses Beitrags genannt, die sich mit den im Titel gewählten lateinischen Reichsbegriffen *imperium* und *regnum* inhaltlich eng berühren. Doch begegnen diese beide hier in erweiterter Form, nämlich als *imperium Romanum* und als *regnum Teutonicum*. Inwiefern
erläutern sie, umschreiben sie das »Erste Reich«? Steht *imperium
Romanum* für »Römisches Reich« und *regnum Teutonicum* für
»Deutsches Reich«? Mag auch diese Übersetzung einfach über die
Lippen gehen, so stutzt man doch angesichts der inhaltlichen Verbindung. Was war daran römisch, was deutsch? Von wem und zu
welcher Zeit wurde das Reich so oder so gesehen?

Noch einmal, und zugespitzt, zum Thema der Erstnumerierung: Was bedeutet es oder was kann es bedeuten, wenn wir nun vom »Ersten Reich« sprechen? Indem wir dieses Reich in die Reihe des Zweiten, des Bismarckschen, und des Dritten, des Hitlerschen, stellen, assoziieren wir zwei wirklich und schließlich mit allen furchtbaren Konsequenzen »rein« deutsche Reiche und laufen Gefahr, diesen Aspekt auf das mittelalterlich-frühneuzeitliche Imperium zu übertragen. Die deutsche Geschichtswissenschaft des 19. Jahrhunderts hat dies getan und hat zugleich auch die deutsche Geschichte in frühen Zeiten wurzeln lassen: So beginnen die ›Jahrbücher der deutschen Geschichte‹ mit den Anfängen des karolingischen Hauses, der Zeit Karls des Großen und Ludwigs des Frommen als Geschichte des fränkischen Reiches, dem dann die Zeit des ostfränkischen Reiches von Ludwig dem Deutschen bis zu Konrad I. folgt, wiederum abgelöst durch die Geschichte des deutschen Reiches seit König Heinrich I. Hier werden klare und eindeutige Zäsuren an Ereignissen der politischen Geschichte, der Geschichte des Königtums, festgemacht, ganz noch in der Tradition mittelalterlicher Denkweisen, wie zu zeigen sein wird.

Und auch bis um die Mitte dieses Jahrhunderts hielt man zumeist nach solchen Daten Ausschau, mit denen die deutsche Geschichte oder das deutsche Reich begonnen habe: 843 der Vertrag von Verdun und Ludwig der »Deutsche« als Begründer des ostfränkisch-deutschen Reiches, die Absetzung Kaiser Karls III. und die Erhebung Arnulfs von Kärnten im Jahre 887, verbunden mit der Frage nach einem Einheitsbewußtsein der deutschen Stämme, 911 als Datum des Übergangs der Königswürde von dem letzten ostfränkischen Karolinger auf Konrad I., 919, das Jahr der Erhebung des sächsischen Herzogs Heinrich zum König, 936, der Übergang der ungeteilten Königsherrschaft an Heinrichs Sohn Otto, 962, das Jahr der Kaiserkrönung dieses Königs. Alle diese Daten wurden für die Entstehung des deutschen Reiches oder, wie noch in den 60er Jahren formuliert worden ist, für die »Geburt des ersten deutschen Staates« mehr oder weniger punktuell in Anspruch genommen. Doch andererseits begann man bereits seit den 30er Jahren – und hier ist der Name Gerd Tellenbachs zu nennen – mit zunehmendem Erfolg, eher auf die Anfänge der deutschen Geschichte als langgestreckten Vorgang zu achten, der sich nach Meinung mancher auch noch bis in das beginnende 11. Jahrhundert hingezogen hat. Und neuerdings sucht man im Rahmen des Forschungsprojekts ›Nationes‹ die Ansätze und die Diskontinuität deutscher Nationsbildung oder besser Ethnogenese im frühen Mittelalter.

Vor diesem breitgefächerten Hintergrund der Forschung möchte ich einige Beobachtungen zur Geschichte von Reich und Königtum in ottonisch-salischer Zeit machen, bezogen auf die Problematik, die um die Begriffe »deutsch«, die »Deutschen«, das »Reich« und deren Inhalt kreist. Dabei setze ich bereits in der Karolingerzeit ein, weil sich die Entwicklungstendenzen in der ottonisch-salischen Zeit auf diese Weise besser sichtbar machen lassen. Es wird zu fragen sein, wie sich die Auffassungen von Königtum, Kaisertum und Reich zu dem verhalten, mit dem vertrugen, was man als deutsche Ethnogenese, als Formung Deutschlands, in dieser Zeit bezeichnen kann. Der hier in den Blick genommene Zeitraum soll andererseits durch das Ende der salischen Dynastie begrenzt sein, durch ein politisches Datum also, über dessen Relevanz man sich streiten kann. Aber indem wir das »Reich« zum Thema des Vortrags machen, haben solche politischen Grenzziehungen wohl auch wieder ihren guten Grund. Im übrigen sei es erlaubt, ein wenig in die staufische Ära vorzudringen, genauer gesagt bis zum Jahre 1157, als zum ersten Mal seit karolingischer Zeit wieder der Begriff *sacrum imperium* begegnet, ein Begriff, der später in der Wendung »Heiliges Römisches Reich deutscher Nation« voll entfaltet wurde. 1157 kann aber noch aus einem anderen Grund als sinnvolles Abschlußdatum dieses Beitrags gelten. Denn damals beendete Otto von Freising seine ›Historia de duabus civitatibus‹, jene berühmte Chronik, in der er seine und anderer Meinung zur Eigenart des mittelalterlichen Imperiums vortrug. Es dürfte den Zugang zu den damit verbundenen Problemen erleichtern, wenn wir uns zunächst seine Darstellung vor Augen führen.

2. Das Reich und die Deutschen in ottonisch-salischer Zeit

Nach der Auffassung Ottos von Freising ist das zu seiner Zeit bestehende Reich noch das *Imperium Romanum,* das letzte der vier Weltreiche, *principalia regna,* nach dem babylonischen, medisch/persischen und griechischen. Diese vier Reiche seien aufeinander gefolgt, hätten aber in sich Wandlungen erlebt, und zwar das letzte, das römische, die Wandlung zu den Griechen und von dort zu den Franken, nämlich durch die Kaiserkrönung Karls des Großen im Jahre 800. Für Otto von Freising existiert also noch Mitte des 12. Jahrhunderts das *regnum Francorum,* das Reich der Franken: Das *regnum Teutonicorum* oder, wie er an anderer Stelle sagt, das *regnum Teutonicum* ist für ihn ein Teil des fränkischen Reiches, nämlich sein östlicher, und er wendet sich gegen gewisse Leute, die der Meinung sind, daß mit 919, mit dem Übergang der Königswürde von Konrad I. auf Heinrich I., dieses Reich der Franken zu Ende gegangen sei und das Reich der Deutschen begonnen habe [1]. Diese Leute behaupten weiter, daß deshalb, weil Heinrich die vom Papst angebotene Würde – gemeint ist die Salbung zum König – abgelehnt habe, sein Sohn Otto als erster König der Deutschen gelte.

Wir sehen also, daß bereits im 12. Jahrhundert um Daten und Zäsuren in der Geschichte des Reiches gestritten wurde. Hier seien nur zwei Aspekte aus Ottos Argumentation hervorgehoben, die für unsere Beschäftigung mit der ottonisch-salischen Zeit wichtig sind: Otto versteht die *Teutonici* als *orientales Franci*, als östliche Franken, und er sieht die Bedeutung Ottos des Großen darin, daß er das *imperium,* die Kaiserwürde, an die *Teutonici Franci* zurückgebracht habe; deshalb sei er vielleicht (wie der Chronist formuliert) erster König der Deutschen genannt worden.

In diesem Streit ging es um zwei politische Konzeptionen, eine traditionalistische, die auf die Kontinuität von Frankenreich und damit verbundener Kaiserwürde abhebt und die *Teutonici* und ihr *regnum* als inzwischen üblich gewordenen Begriff zwar akzeptiert, aber eben traditionell deutet, und eine, wenn man so will, moderne Auffassung, die mit der fränkischen Tradition bricht und damit auch den Anspruch auf imperiale Herrschaft der Könige im Reich zurückweist. Hinter diesen »gewissen Leuten« stehen niemand anders als reformpäpstlich gesinnte Leute in der Tradition Papst Gregors VII., des Gegenspielers Heinrichs IV. im Investiturstreit des späten 11. und frühen 12. Jahrhunderts, also am Ausgang der Salierzeit. Wir können diese Leute auch genauer im Kloster Admont lokalisieren. Was bei Otto von Freising also nachklingt, ist eine politische Auseinandersetzung ersten Ranges, in die Begriffe wie *Teutonici* und *Teutonicum regnum* hineinverwoben waren. Wenn aber noch im 12. Jahrhundert ein Wort wie *teutonicus* als »ostfränkisch« verstanden wurde oder verstanden werden konnte, dann wird klar, wie schwierig das Unterfangen ist, gerade entlang der Geschichte dieses Begriffes die Anfänge der deutschen Geschichte zu verfolgen.

Gehen wir nun zu diesen Anfängen oder besser, den Voraussetzungen dieser Anfänge, d.h. in die karolingische Zeit; dabei sind Leitlinien unseres hier einsetzenden und bis zum Ende der salischen Zeit reichenden Überblicks zum einen die Frage nach dem *imperium* als Kaiserwürde bzw. Reich und nach seinem Rombezug und

---

[1] Otto von Freising, Chronica VI/17. Hg. von A. Hofmeister (MGH Scriptores rerum Germanicarum) 1912, S. 276f.

zum anderen die Frage nach den Wurzeln von *teutonicus* und *Teutonicum regnum*.

Zunächst ein paar Bemerkungen zur Karolingerzeit: Karl der Große, im Jahre 800 zum Kaiser gekrönt, ließ sich folgendermaßen titulie-
ren: *augustus a deo coronatus magnus pacificus imperator Romanum
gubernans imperium qui et per misericordiam Dei rex Francorum et
Longobardorum*: Hehrer, von Gott gekrönter großer und friedferti-
ger, das Römische Reich lenkender Kaiser, der auch durch Gottes
Barmherzigkeit König der Franken und Langobarden ist [2]. Zweierlei
ist an diesem Titel auffällig: zum einen die Erwähnung von Rom, aber
nicht in der gewöhnlichen Formel *imperator Romanorum* – dies mit
Rücksicht auf den oströmischen Kaiser –, und zum anderen die Addi-
tion von Kaiser- und Königswürde. Beides verschwindet mit Karls
Nachfolger Ludwig dem Frommen für lange Zeit aus der Titulatur.
Nach dem Ausgleich mit Byzanz nannten sich fortan der *basileus* »basileus ton Romaion« (Kaiser der Römer) und der westliche Kaiser
schlicht *imperator augustus,* und die Königswürde wurde von der
Kaiserwürde im Titel gleichsam absorbiert, wie wir dies auch in der
Folgezeit durchgehend beobachten können. Das heißt, das *imperium* wurde nicht als additives Element der Herrschaft gesehen, sondern war in das Frankenreich integriert, es wurde zur Bezeichnung
dieses Reiches, die *unitas imperii,* die Einheit des Reiches, zum politischen Programm, angestrebt in der kaiserlichen Oberherrschaft des
ältesten Bruders über die jüngeren, die lediglich *reges* waren, und in
dem Mitkaisertum und der späteren Nachfolge des ältesten Sohnes.
Bekanntlich scheiterte dieses Konzept, das Kaisertum kehrte, wie
man formuliert hat, 850 nach Italien und Rom und damit an den Papst
zurück, und das *regnum Francorum* wurde dauerhaft aufgeteilt, zum
ersten Mal 843 in Verdun zwischen Karl dem Kahlen, Ludwig dem
Deutschen und Lothar I. Dieser Vereinbarung waren die Straßburger Eide, ein Bündnis zwischen den beiden erstgenannten Herrschern, vorausgegangen. Beide Könige sprachen den Eidestext bekanntlich in der Sprache des anderen, um von den Gefolgsleuten des
Partners verstanden zu werden, Ludwig der Deutsche *lingua Romana,* Karl der Kahle *lingua Teudisca* [3].

Diese für die karolingische wie nachkarolingische Geschichte entscheidenden Ereignisse geben Anlaß, auf das Wort *teudiscus* zu sprechen zu kommen, den zweiten roten Faden unserer Darstellung ne-

---

[2] So in den Urkunden seit 801, z. B. MGH Die Urkunden der Karolinger 1. Bearb. von
E. Mühlbacher, 2. Aufl. 1956, Nr. 197, S. 265.
[3] Nithard, Historiae III/5. Hg. von E. Müller (MGH Scriptores rerum Germanicarum) Nachdr. 1956, S. 35.

ben den Fragen um *imperium* und *regnum*. Das Wort bedeutete bei seinem ersten Auftreten zu Ende des 8. Jahrhunderts so viel wie »nichtromanisch-volkssprachlich« (gebildet von ahd. *diot*, »Volk« und insofern wohl eine Ersatzbildung zu *gentilis*, das damals die Bedeutung von »heidnisch« angenommen hatte und sich deshalb nicht mehr zur Bezeichnung der Volkssprache eignete). So konnte noch im 11. Jahrhundert die frühere Sprache der Langobarden als *lingua Todescha* bezeichnet werden. Doch ist andererseits, z. B. bei Otfrid von Weißenburg etwa um die Mitte des 9. Jahrhunderts, zu beobachten, daß *teudiscus* im Rahmen des *regnum Francorum* sich auf die Bedeutung von *frenkisk*, fränkisch, verengte und so auch noch im 10. Jahrhundert gebraucht wurde. Neben *teudiscus* wurde um 830 vermutlich in Tours das von den Teutonen abgeleitete Adjektiv *teutonicus* in den gleichen Wortsinn umgedeutet; es meinte im 9. Jahrhundert ebenfalls das Fränkische, etwa im Werk Notkers von St. Gallen.

Von daher kann man die *lingua Teudisca* der Straßburger Eide sicher nicht als das Ostfränkische der *lingua Romana* als dem Westfränkischen gegenüberstellen oder gar von einem Beleg für die deutsche Sprache reden. Gleichwohl sieht die Forschung in der Regierungszeit Ludwigs des Deutschen manche Anzeichen einer politischen Integration der *regna orientalia*, der *ostarrichi*, die Ludwig als *rex in orientali Francia* regierte [4]. Die *Germania*, ursprünglich als rein geographischer Begriff die Gebiete östlich des Rheins bezeichnend, scheint damals vor allem in kirchlicher Hinsicht (Mainzer Primat) eine politische Konnotation erhalten zu haben. Lag die Chance zur politischen Integration, zu der wohl auch die Förderung der Volkssprache gehörte, darin begründet, daß Ludwigs Herrschaft die imperiale Weite fehlte und damit das desintegrierende Eigenbewußtsein des das Imperium tragenden Volkes? Man hat dies zumindest als These mit Blick auf das 10. und 11. Jahrhundert und auf die Sonderrolle der Sachsen als der neuen Träger des imperialen Königtums formuliert.

Wie dem auch sei, es gibt seit der Mitte des 9. Jahrhunderts gesicherte *Teutonia-*, *Teutones-* und *teutonicus/teutiscus-*Belege mit eindeutig politisch-ethnischer Bedeutung; sie stammen allerdings ausschließlich aus Frankreich und aus Italien, wo 845 in einer Gerichtsurkunde *vassi... tam Teutisci quam et Langobardi* auftreten [5]. Dies gilt auch für ein Wort wie *Germania*, wenn z. B. Ludwig der Deut-

---

[4] So die Wendung im Eschatokoll von Ludwigs Urkunden seit 833, z. B. MGH Die Urkunden der deutschen Karolinger 1. Bearb. von P. Kehr, 2. Aufl. 1956, Nr. 13, S. 16.

[5] I placiti del »Regnum Italiae«. Hg. von C. Manaresi, 1 (Fonti per la storia d'Italia 92) 1955, Nr. 49, S. 160 ff.

sche und später auch Karl III. in westfränkischen Quellen *rex Germaniae* genannt werden. Es zeigt sich hier wie auch in der weiteren Entwicklung der Terminologie im 10. und 11. Jahrhundert, daß es gerade die Ränder des Imperiums oder auswärtige Gebiete sind, die eine politische Sammelbezeichnung prägen und benutzen. Die Betroffenen selbst ziehen in dieser Hinsicht erst mit einiger zeitlicher Verschiebung nach.

Wenn wir uns nun der Ottonenzeit zuwenden, so sind zunächst wiederum einige Bemerkungen zur Vorstellung von Königtum, Kaisertum und Reich, danach zur Problematik *teutonicus*/deutsch zu machen. Wandlungen zeigen sich bisweilen nicht direkt, sondern indirekt. Wenn wir z. B. auf die Titulatur des westfränkischen Königs Karls des Einfältigen in seinen Urkunden blicken, so stellen wir fest, daß er auf die Erhebung des Nichtkarolingers Konrad zum König in den östlichen Reichen im November 911 prompt und mit dauerhafter Wirkung reagiert hat: Er setzte nämlich zu dem bloßen *rex*-Titel, wie ihn alle fränkischen Könige seit Ludwig dem Deutschen geführt haben, die Angabe *Francorum*[6]. Dies sollte so bis in das 13. Jahrhundert bleiben, als sich allmählich der neue Titel *rex Franciae* durchsetzte. Konrad I. aber nannte sich, ebenso wie sein Nachfolger Heinrich und alle späteren Herrscher im Ostteil des ehemaligen Gesamtreiches, schlicht *rex* – in gut fränkischer Tradition. Und fränkisch oder karolingisch sind bekanntlich auch andere Elemente des frühottonischen Königtums; es sei nur daran erinnert, daß sich Otto in fränkischer Tracht 936 in Aachen auf den Thron erheben ließ. Doch waren bei aller fränkischen Traditionspflege nun die Sachsen neuer gentiler Träger des Königtums geworden, und so kam die Formel *Francia et Saxonia,* vereinzelt in Königsurkunden, häufiger in der Geschichtsschreibung auf – zur Bezeichnung der Verbindung von Altem und Neuem. Wenn der sächsische Geschichtsschreiber Widukind von Corvey dabei rühmend betont, daß diejenigen, welche einst Bundesgenossen und Freunde der Franken waren, nun Brüder seien und daß aus Sachsen und Franken gleichsam ein Volk aus dem christlichen Glauben geworden sei, dann ist angesichts der zahlreichen Zeugnisse einer sächsischen Sonderstellung und eines Sonderbewußtseins allerdings Vorsicht bei der Bewertung dieser die Integration beschwörenden Formulierung am Platze[7].

Nur kurz kann hier auf das ottonische Kaisertum eingegangen

---

[6] Vgl. Recueil des Actes de Charles III le Simple. Hg. von Ph. Lauer, 1940, Nr. 56, S. 148f. und Nr. 57, S. 150ff.
[7] Widukind von Corvey, Res gestae Saxonicae I/15. Hg. von H. E. Lohmann und P. Hirsch (MGH Scriptores rerum Germanicarum) 1935, S. 25.

werden: Otto I. befand sich auch hier auf karolingischen Spuren mit dem nach der Unterwerfung der Langobarden kurzfristig geführten Titel *rex Francorum et Langobardorum.* Im Kaisertitel knüpfte er an die von Ludwig dem Frommen begonnene Tradition an, indem er die Wendung *imperator augustus* ohne römischen Bezug verwandte; sein gesamter Herrschaftsbereich wird als *imperium* begriffen, für dessen Zustand er beten läßt. Daneben kommt *imperium* in der Bedeutung von Kaisertum vor. Dem hinzugewonnenen italischen *regnum* gewährte der Kaiser durch die Einrichtung einer eigenen Kanzlei ein gewisses Eigenleben.

Änderungen in der Auffassung vom Kaisertum zeigen sich erst unter seinem gleichnamigen Sohn, zu Lebzeiten des Vaters Mitkaiser, wie wir es von den Karolingern als letztlich byzantinische Gewohnheit kennen. Auch die eheliche Verbindung Ottos II. mit der byzantinischen Prinzessin Theophanu hatte Konsequenzen für sein Kaisertum, noch viel mehr aber für deren Sohn Otto III. In den Kaisertitel fand nun erstmals der Zusatz *Romanorum* Eingang, also dem oströmischen Titel des basileus ton Romaion nachgebaut, und bekanntlich stand Ottos III. Kaisertum ganz im Zeichen Roms und der *renovatio imperii Romanorum.*

Blicken wir parallel nun wieder auf die »Volksbezeichnungen« in ottonischer Zeit! In Urkunden Ottos I. aus den 60er Jahren, die in Lothringen bzw. Italien mit jeweils regionalem Bezug geschrieben worden sind, wird der Herrscher als *rex Lothariensium, Francorum et Germanensium* tituliert, bzw. es werden nebeneinander *Franci* und *Teutonici* genannt [8]. Wer ist mit den *Germanenses* in dieser gentilen Titulatur des Königs gemeint? Sicher kein »Reichsvolk« im Sinne einer supragentilen Bezeichnung (denn die Lothringer gehörten ja auch zum Reich!); vielleicht steht das Wort für die Sachsen, wie wir es aus anderen Quellen kennen. Dann wäre es ein Beleg für das in der ottonischen Zeit vorkommende Nebeneinander von *Francia* und *Saxonia,* vielleicht steht es aber auch für die Bewohner östlich des Rheins, die *Transrhenenses,* wie sie in westlichen Quellen dieser Zeit mitunter heißen.

Gegen Ende des 10. und zu Beginn des 11. Jahrhunderts gibt es dann eindeutige Zeugnisse für *Teutones* im Sinne eines deutschen Volkes, wobei die ostfränkische Komponente gerade wegen des politischen Aspekts (die *Francia* als Herrschaftsbasis) noch weiter mitgeschwungen haben dürfte. Die Zeugnisse stammen wiederum von den Rändern des Imperiums, aber nicht nur: Wenn in einer Verone-

[8] MGH Die Urkunden der deutschen Könige und Kaiser 1: Die Urkunden Konrad I., Heinrich I. und Otto I., 2. Aufl. 1956, Nr. 210, S. 289f., Nr. 371, S. 508ff.

ser Gerichtsurkunde von 993 der bayerische Herzog Heinrich der Zänker mit einigen *comites Teutiski* auftritt, dann fassen wir hier doch offenbar eine politische Sammelbezeichnung für Personen bayerischer Herkunft[9]. Aus italienischer Perspektive überwog deren Einschätzung als »deutsche Grafen«! Und hierzu paßt, daß in Verdun um 1045 ein Mönch von Saint-Vannes rückblickend auf das 10. Jahrhundert von einem Bischof Wicfrid, *de Bavariorum partibus, vir Teutonicus,* schrieb[10].

Doch ist ebenso unverkennbar, daß nun um die Jahrtausendwende der Begriff »deutsch« auch bei den »Deutschen« selbst in Gebrauch kam: Bekannt sind die Worte Bruns von Querfurt über die *Theutonum tellus* oder über Magdeburg als die *nova metropolis Theutonum,* die neue Metropole der Deutschen, womit aber nicht »Hauptstadt«, sondern »Sitz eines Erzbischofs« gemeint ist[11]. Weiter ist auf Notker den Deutschen aus St. Gallen zu verweisen, der in seinen Übertragungen lateinischer Texte ins Deutsche (die ihm seinen Beinamen einbrachten) formulierte: »Wir *Teutones* sagen«. Und schließlich sei an die in der Bernwards-Vita überlieferte Rede Kaiser Ottos III. an die aufständischen Römer, »seine Römer«, wie er sie nennt, erinnert: »Euretwegen habe ich die *patria* und die Verwandten verlassen, aus Liebe zu Euch habe ich meine Sachsen und alle *Theotisci,* mein Blut, verschmäht.«[12] Denn hier zeigt sich wiederum die Vorstellung von einem Nebeneinander von Sachsen, dem Stamm der *stirps regia* oder gar *stirps imperialis,* und allen »Deutschen«; man geht wohl nicht fehl, hierin den Ausdruck mangelnder Integration von »Deutschland« zu sehen, wie sie auch noch im späten 11. Jahrhundert gerade bei sächsischen Autoren zu fassen ist.

Das 10. Jahrhundert, die Ottonenzeit, hält nun aber auch, wenngleich in seinem Quellenwert äußerst umstritten, einen Beleg für die Wendung *regnum Teutonicorum* bereit, die zu unserem Thema des *regnum Teutonicum* unmittelbar hinführt. Gemeint ist die berühmte und vielfach interpretierte Mitteilung der sogenannten größeren Salzburger Annalen zum Jahre 919, daß die Bayern sich freiwillig Herzog Arnulf ergeben hätten *et regnare eum fecerunt in regno Teutonicorum*[13]. So steht es in der im 12. Jahrhundert angelegten Admonter Handschrift, in welcher ein älterer Text kopiert worden ist.

[9] I placiti del »Regnum Italiae«. Hg. von C. Manaresi, 2 (Fonti per la storia d'Italia 96) 1957, Nr. 218, S. 302ff.

[10] Gesta episcoporum Virdunensium, Continuatio cap. 3. In: MGH Scriptores 4, S. 46.

[11] Brun von Querfurt, Vita secunda s. Adalberti cap. 4 und 9. In: MGH Scriptores 4, S. 596, 598.

[12] Thangmar, Vita Bernwardi episcopi cap. 25. In: MGH Scriptores 4, S. 770.

[13] MGH Scriptores 30/2, S. 742.

Dabei befindet sich der Beginn des Wortes *Teutonicorum* zwar auf Rasur, und dies hat die Forschung anfangs dazu veranlaßt anzunehmen, daß in der Vorlage *Bavariorum* gestanden habe. Doch nachdem man dem Versehen des Schreibers mit dem durchdringenden Licht einer Quarzlampe zu Leibe gerückt war, klärte sich, daß damals kein erster Versuch in diese, bayerische Richtung gemacht worden war.

Wie ist dieses Quellenzeugnis nun zu deuten und zu werten? Die Forschungsmeinungen gehen hier weit auseinander. Natürlich hat die Tatsache hellhörig gemacht, daß die Handschrift in Admont im 12. Jahrhundert geschrieben wurde, jenem Admont, das, wie wir eingangs gehört haben, ein Hort gregorianischer Gesinnung und also auch der Auffasung war, daß 919 das *regnum Teutonicorum* begonnen habe. Was liegt da näher als anzunehmen, daß diese Wendung der Schreiberhand entstammte? Aber der paläographische Befund spricht dagegen, daß der Schreiber etwas anderes abzuschreiben begonnen hatte und sich dann plötzlich des in Admont gepflegten gregorianischen Geschichtsbildes besonnen hätte. Auch der Vorschlag, daß in dem Original *in regno eorum* gestanden habe, scheidet nach dem nun geklärten Handschriftenbefund aus.

Kommt man dem Problem, wo die Bayern den Arnulf haben herrschen lassen, vielleicht vom Inhaltlichen näher? Herzog Arnulf war aus Bayern vertrieben worden, 917 aber wieder dorthin zurückgekehrt. So lesen wir es auch bei dem gut unterrichteten, um die Mitte des 10. Jahrhunderts schreibenden Liutprand von Cremona, einem zum Hof Ottos I. gehörenden Autor: Von Ungarn zurückkehrend, sei er von den Bayern und von den *orientales Franci* ehrenvoll empfangen worden. Denn sie hätten ihn nicht nur aufgenommen, sondern ihm auch heftig zugeredet, *ut rex fiat*, daß er König werde [14]. Man hat an dem Zeugnis der Salzburger Annalen ausgesetzt, daß die Bayern 919 Herzog Arnulf gar nicht zum »König im deutschen Reich« machen konnten. Liutprand teilt uns nun aber mit, daß auch östliche Franken an diesem Unterfangen beteiligt waren. Dies bedeutet, daß Vertreter der *Francia* einer solchen Königserhebung Legitimität verschafft hätten – und in Fritzlar, wo es zur selben Zeit um die Erhebung des sächsischen Herzogs Heinrich zum König ging, war es im übrigen angesichts der Teilnahme von Sachsen und Franken nicht viel besser bestellt. Nur daß der sächsische Geschichtsschreiber Widukind von Corvey uns den Vorgang später in gefälliger Weise darstellte. Ein Gegenkönigtum Arnulfs also? Oder

[14] Liutprand von Cremona, Antapodosis II/21. Hg. von J. Becker (MGH Scriptores rerum Germanicarum) 1915, S. 47.

vielleicht ein Gegenkönigtum Heinrichs? Wir wissen aus der allgemeinen Überlieferung dieser Zeit nichts Genaues über die Chronologie der Ereignisse, wer zuerst handelte und wer darauf reagierte, und wir wissen auch nicht, worauf Arnulf Anspruch erhob, ob auf das ganze Reich oder nur auf einen Teil. Die seltsame Formulierung *regnare in regno Teutonicorum*, herrschen im Reich der *Teutonici*, deutet vielleicht auf einen Teilanspruch hin, und in die gleiche Richtung weist die Formulierung Widukinds von Corvey, wenn er den sterbenden König Konrad seinem Bruder Eberhard das ganze *regnum* angelegen sein läßt.

Wie immer man dieses merkwürdige Quellenzeugnis einschätzt, eines ist klar festzustellen: Es geht in ihm nicht um das Königtum im »Deutschen Reich«, wie vielerorts zu lesen ist, sondern in *regno Teutonicorum*. Und das ist etwas ganz anderes. Nach allem, was wir bisher gesehen haben, stehen die *Teutonici* im Sprachgebrauch des 9. und frühen 10. Jahrhunderts für die *orientales Franci,* und gerade der erwähnte Liutprand von Cremona spricht übrigens austauschbar in gleichen Sachzusammenhängen von *Teutonici Franci* und *orientales Franci.* Wenn wir uns vergegenwärtigen, daß es gerade die Ränder des Reiches sind, an denen von *Teutonici* in diesem Sinn die Rede ist, dann gewinnt auch das vielleicht von Italien her begrifflich beeinflußte Zeugnis der Salzburger Annalen an Konturen: Es ging 919 noch eher um das Reich der östlichen Franken, nicht um das Reich der Deutschen und schon gar nicht um das deutsche Reich, und Arnulf hätte seinen Anspruch auf das diesbezügliche Königtum wegen der Beteiligung von Franken an seiner Erhebung nicht weniger gut legitimieren können als der sächsische Herzog Heinrich.

Kehren wir nun zur späten Ottonenzeit, zur Jahrtausendwende zurück, um von hier aus die Salierzeit in den Blick zu nehmen! Wiederum zunächst ein paar Worte zur Konzeption von Kaisertum und Reich. Heinrich II. (1002–1024), der, aus Bayern kommend, die Bahn der sächsischen Tradition der *tres Ottones* betrat, wandte sich programmatisch von der romkonzentrierten Herrschaftskonzeption seines Vorgängers Ottos III. ab, indem er in Anspielung auf eine Bullenlegende Karls des Großen sein Königtum unter den Leitgedanken einer *renovatio regni Francorum* stellte. Dies hinderte ihn allerdings keineswegs daran, den um *Romanorum* erweiterten Kaisertitel wie seine beiden Vorgänger zu tragen, und so werden es auch seine Nachfolger tun. Schon früh richtete Heinrich seine Aufmerksamkeit auf das Königreich Burgund und dessen Angliederung an das Reich, also in seinem Verständnis an das *regnum Francorum,* zu dem es ja auch einmal gehört hatte. Dieses Vorhaben hat sein Nachfolger Konrad II., der Begründer der salischen Dynastie, dann verwirklichen können.

Das Reich verstanden als Fränkisches Reich – diese Auffassung beschränkte sich damals nun keineswegs auf den Königshof und auf die königliche Kanzlei, sondern wurde offensichtlich auch von den führenden Persönlichkeiten im Reich aufgegriffen. Dafür bietet jedenfalls ein Brief des Abtes Bern von der Reichenau an den Bischof Alberich von Como nach dem Tod Kaiser Heinrichs II. im Juli 1024 einen Anhaltspunkt: Der Reichenauer Abt bittet den Adressaten, dafür zu sorgen, daß in der damaligen politischen Situation in Italien keine überstürzten Beschlüsse gefaßt werden, sondern die für den September angesetzte Wahlversammlung abgewartet werde, damit die Einheit des Reiches, die bisher keine Rauheit der Alpen stören konnte, nicht gefährdet sei: *Te inclitam, o Italia, soror salutat Francia suadens unitatis foedera*: Dich, berühmtes Italien, grüßt die *Francia* und rät zum Bündnis der Einheit [15]. Ganz offensichtlich wird hier das nordalpine Reich mit der aus der Karolingerzeit stammenden politischen Vokabel bezeichnet.

Es ist nun der Beachtung wert, daß uns eben zur Zeit Heinrichs II., nämlich bei dem Chronisten Thietmar von Merseburg, auch die Wendung *imperium Romanum* als aktuell gemeinter politischer Begriff seit der Karolingerzeit uns erstmals wieder begegnet. Er gebraucht ihn interessanterweise nur in bezug auf die Herrschaft Ottos II. und Ottos III., also gerade jener beider Kaiser, welche die »Römer« wieder in die Kaisertitulatur aufgenommen haben. Dabei ist wesentlich, daß der Begriff *imperium Romanum* in doppelter Weise gebraucht wird, zur Bezeichnung sowohl des Gesamtreiches oder der Gesamtherrschaft als auch des italischen Reichsteils, wenn etwa Thietmar über Otto III. schreibt, er habe, nachdem er bei den *Transalpini* – man beachte die »farblose« geographische Bezeichnung! – alles gut geregelt hatte, das *imperium Romanum* besucht [16]. Hier scheint das Romkonzept Ottos III. nachzuschwingen, nämlich die Herrschaft über Rom als ein Reichselement neben anderen. So nannte sich dieser Kaiser denn auch in einer zu Rom 1001 ausgestellten Urkunde für das Bistum Hildesheim *Otto tercius Romanus Saxonicus et Italicus, apostolorum servus, dono dei Romani orbis im-*

[15] Die Briefe des Abtes Bern von Reichenau. Hg. von F.-J. Schmale (Veröffentlichungen der Kommission für geschichtliche Landeskunde in Baden-Württemberg A 6) 1961, Nr. 10, S. 36f.
[16] Thietmar von Merseburg, Chronicon IV/47. Hg. von R. Holtzmann (MGH Scriptores rerum Germanicarum, nova series 10) 2. Aufl. 1955, S. 186.

perator augustus: Otto der Dritte, Römer, Sachse und Italiker, Knecht der Apostel, durch Gottes Gabe hehrer Kaiser des Römischen Erdkreises[17]. Wie Hartmut Hoffmann vor kurzem gezeigt hat, geht diese Formulierung unmittelbar auf den Herrscher zurück, spiegelt mithin sein Selbstverständnis.

Unter Konrad II. fand der Begriff des *imperium Romanum,* nun verstanden als Römisches Reich in universalem Sinne, Eingang in die Urkundensprache, wurde also »offiziell«. Es sind bezeichnenderweise zunächst gerade Diplome für italienische und burgundische Empfänger, in denen *imperium Romanum* vorkommt, also, um mit Bern von der Reichenau zu sprechen, für Gebiete, die der *Francia* freundschaftlich oder gar verwandtschaftlich verbunden waren. Sein Sohn und Nachfolger Heinrich III. (1039–1056) ging hier einen Schritt weiter und wandte diese Nomenklatur auch gegenüber deutschen Empfängern an, wenn er z.B. in Urkunden für die Bischofskirchen von Freising, Bremen oder Eichstätt von *omnes ecclesiae Romani imperii,* also allen »Reichskirchen« spricht[18]. In ähnlicher Weise gebrauchen die Urkunden Heinrichs IV. und Heinrichs V. den Begriff.

Über Kaisertum und Romgedanke in salischer Zeit ausführlich zu sprechen ist hier nicht der Raum; doch sei wenigstens kurz darauf verwiesen, daß Konrads II. Kaiserbulle die Umschrift »Roma caput mundi tenet orbis frena rotundi« enthielt, daß der Titel *rex Romanorum* für den künftigen *imperator* in salischer Zeit Usus wurde und daß auch auf dem Feld der politischen Literatur z.B. ein Anselm von Besate dem Gedanken einer Erneuerung römischer Herrschaft durch Heinrich III. beredten Ausdruck verlieh: Die *Francia* (damit ist Frankreich gemeint) erwarte ihren König, die *Britannia,* also England, den *imperator,* womit auf Bündnisse Heinrichs III. mit den Königen von Frankreich Ende der 40er Jahre des 11. Jahrhunderts angespielt wird[19].

Es ist bekannt, daß auf die Regierungszeit Kaiser Heinrichs III., der 1046 auf der Synode von Sutri Päpste ab- und einsetzte, auf eine Regierungszeit, die in der Forschung als Kulmination mittelalterlicher Kaiserherrschaft gilt, die aber auch schon Anzeichen der Krise erkennen läßt, nun wirklich die große Krise mit der Zeit Hein-

[17] MGH Die Urkunden der deutschen Könige und Kaiser 2/2. 2. Aufl. 1957, Nr. 390, S. 820ff.

[18] MGH Die Urkunden der deutschen Könige und Kaiser 5. Hg. von H. Breßlau und P. Kehr, 2. Aufl. 1957, Nr. 230, S. 306, Nr. 235, S. 312, Nr. 306, S. 415f.

[19] Anselm von Besate, Rhetorimachia. Hg. von K. Manitius. In: MGH Quellen zur Geistesgeschichte des Mittelalters 2, 1958, S. 98.

richs IV. und Heinrichs V. folgte, die wir auch die Zeit des sogenannten Investiturstreits nennen. Von Heinrichs IV. großem Gegenspieler Papst Gregor VII. war bereits eingangs die Rede im Zusammenhang mit den Problemen um das *regnum Teutonicorum,* und hieran ist im Augenblick, wo wir die Darstellung bis in die spätsalische Zeit geführt haben, wieder anzuknüpfen. *Rex Teutonicorum – regnum Teutonicum:* Die Wendungen lagen bereit, nun, in der politischen Auseinandersetzung, gewannen sie neuen politischen Stellenwert.

Inwiefern und wo lagen die Wendungen bereit? Vom allerdings strittigen Zeugnis der Salzburger Annalen über das *regnum Teutonicorum* war bereits die Rede; im frühen 11. Jahrhundert, jener Zeit, in der sich der Gebrauch der *Teutones/Teutonica terra*-Begriffe spürbar ausbreitete und festigte, finden sich auch für die eben genannten Charakterisierungen von König und Reich sichere Belege: In einer für die Brixener Bischofskirche ausgestellten Urkunde von 1020 erscheint Heinrich II. als *rex Teutonicorum imperator augustus Romanorum* [20]. Empfängerausfertigung Italien! Nichts Neues also, zumal ja der Kaisertitel alle Zweifel an Heinrichs Status beseitigt. Aber interessant ist schon die Sichtweise vom Nebeneinander des Königs der Deutschen und des Kaisers der Römer – ein anderes Konzept als das imperiale, nach welchem die Königswürde durch die Kaiserwürde absorbiert ist. Und aus dem Italien des frühen 11. Jahrhunderts stammen denn auch die ersten historiographischen Belege für *regnum Teutonicum,* gebildet offenbar, wie der Zusammenhang ergibt, in Analogie zu *regnum Italicum.* So weit, so harmlos!

Doch mit Gregor VII. und seiner Auffassung von Kirche und kirchlicher Weltherrschaft erhielten die besagten Begriffe einen neuen Stellenwert. In seinen Briefen spricht der Papst ab der Mitte der 70er Jahre von Heinrich IV. als *rex Teutonicorum,* und da Heinrich damals König und noch nicht Kaiser war, mußte dies – anders als im Falle der eben erwähnten Brixener Urkunde mit ihrem Nebeneinander von deutschem Königs- und römischem Kaisertitel – als herausfordernde Gegenformulierung zu *rex Romanorum,* der von den Saliern eingeführten Bezeichnung des Noch-nicht-Kaisers, gelten. Ebenso ist bei Gregor VII. in der entscheidenden Phase der Auseinandersetzung vom *regnum Teutonicorum* die Rede, während es bei ihm bis 1077 durchaus Belege für *imperium Romanum* gibt. Als 1079 Gregor an den Gegenkönig Rudolf schrieb, der zwei Jahre zuvor mit päpstlicher Unterstützung in Forchheim erhoben worden

[20] MGH Die Urkunden der deutschen Könige und Kaiser 3. 2. Aufl. 1957, Nr. 424, S. 538f.

war, sprach er vom *regnum Teutonicorum, hactenus inter omnia mundi regna nobilissimum*[21] – eine interessante Formulierung, wird hier doch auf die Lehre der Weltreiche Bezug genommen, unter denen das Reich als edelstes gilt in den Augen Gregors. Also doch Anerkennung der Universalität, nur nicht im römischen Sinn?

Wie brisant die Begriffe *rex Teutonicorum* und *regnum Teutonicorum* geworden waren, wird gerade an der Wirkungsgeschichte der gregorianischen Neuerung sichtbar: Die Nachfolger auf dem Stuhl Petri, Victor III. und Urban II., vermieden sie und sprachen nur unverfänglich von *rex* und *regnum*; der Bezugspunkt der Herrschaft, der gleichzeitig der Dollpunkt war, blieb ausgespart. (Denn das Wort *regnum* konnte immer auch als Reich im Sinne von Großreich, Weltreich benutzt werden!) Erst die Päpste Paschalis II. und Calixt II. gebrauchten wieder – in einer neuen Phase der Auseinandersetzung zwischen weltlicher und kirchlicher Herrschaft – den besagten Zusatz, und sie taten dies nun in einer abgewandelten Form, die inzwischen im Schrifttum nördlich der Alpen in Gebrauch gekommen war, nämlich mit der Wendung *regnum Teutonicum.* Hier ist es, das »Deutsche Reich«, auf den Begriff gebracht – erst hier, wie ich betonen möchte.

Worin liegt nun das Neue und zugleich Folgenreiche dieses so gebildeten Begriffs? Wir können dies besonders gut bei dem in den späten 70er Jahren schreibenden Lampert von Hersfeld, aber auch bei anderen nordalpinen, sagen wir nun ruhig: deutschen Schriftstellern dieser Zeit sehen. In Lamperts Werk erscheint das *regnum Teutonicum* als Institution, gleichsam über König und Fürsten stehend, oder von den Fürsten getragen, die er an anderer Stelle als Säulen des Reiches bezeichnet. Was wir hier beobachten können, ist ein Vorgang der Institutionalisierung von Begriffen, die noch zu Beginn unseres Beobachtungsfeldes starke personale und funktionale Bedeutung hatten. Solange einem Begriff wie *regnum* ein Genitiv folgte, ob *Francorum* oder *Italiae,* schwang noch der Aspekt der »Herrschaft über …« mit, bei *regnum Teutonicum* – wie auch bei *imperium Romanum* – ist dies nicht der Fall. So möchte ich die These aufstellen: Sprachlich ist *regnum Teutonicum* eine Analogiebildung zu *regnum Italicum,* konzeptionell ein Gegenentwurf zu *imperium Romanum,* in politisch kontroverser Zeit in die Diskussion gebracht.

Die letzte Phase des sogenannten Investiturstreits ist bekanntlich von Verträgen, von Vertragsentwürfen, die verworfen wurden, und

---

[21] Quellen zum Investiturstreit 1: Ausgewählte Briefe Papst Gregors VII. Hg. von F.-J. Schmale (Ausgewählte Quellen zur deutschen Geschichte des Mittelalters 12a) 1978, Nr. 138, S. 402 ff.

schließlich vom Wormser Konkordat des Jahres 1122 gekennzeichnet. Die hier in unmittelbaren Kontakt kommenden Parteien taten sich schwer mit der Reichsterminologie, waren doch die verschiedenen Termini Ausdruck ganz verschiedener politischer Auffassungen. In den Dokumenten und Quellen zu den Verträgen des Jahres 1111 erscheint Heinrich V. einmal schlicht als *rex,* ein anderes Mal, kurz vor der Kaiserkrönung, als *Teutonicorum rex et per Dei omnipotentis gratiam Romanorum imperator*[22]. Diese Anrede muß die Billigung Heinrichs V. gefunden haben, sie wurde gewissermaßen Protokollbestandteil. Wie brisant der *rex Teutonicorum* gleichwohl gewesen sein dürfte, geht daraus hervor, daß seit 1106 Heinrich V. sich selbst konsequent als *rex Romanorum* betiteln ließ.

Den Abschluß der Querelen um die Investitur bildet dann das Wormser Konkordat: Die beiden Urkunden von kaiserlicher wie päpstlicher Seite zeigen gerade für unsere Frage bemerkenswerte Nuancen[23]. Heinrich spricht von *omnes ecclesiae quae in regno vel imperio meo sunt* – offene, indefinite Formulierungen, Calixt II. von den Bischöfen und Äbten *Teutonici regni qui ad regnum pertinent* und später von den übrigen *partes imperii* (in denen die Bischofserhebung anders geregelt sein soll). Hier treffen wir also auf das Nebeneinander von *Teutonicum regnum* und *imperium* (ohne Zusatz), wie es die päpstliche Seite sah. Ähnlich aufschlußreich ist aber auch das Nebeneinander von *Teutonicum regnum* als Deutschem Reich, in dem die Bischöfe und Äbte ihre Wirkungsstätte haben, und von *regnum* als Königtum, als Königsherrschaft, zu der sie als Pertinenz gehören. Wir nennen sie Reichsäbte und Reichsbischöfe, Reichsfürsten im Unterschied zu jenen geistlichen Würdenträgern, die nicht zum »Reich« gehören, obgleich sie im Reich leben.

Regnum erhielt im übrigen zu jener Zeit noch eine weitere Bedeutung, die in die Zukunft weist: Auf der Würzburger Beratung von 1121, im Vorfeld des Wormser Konkordats, wurde die *controversia inter dominum imperatorem et regnum,* der Streit zwischen dem Herrn Kaiser und dem Reich, beigelegt[24]. Was ist hier mit Reich gemeint? *Regnum* steht an dieser Stelle für die das »Reich« repräsentierenden Fürsten. Das spätere Gegenüber »Kaiser und Reich«, charakteristisch für das deutsche Spätmittelalter, wirft seine Schatten voraus.

Wie wurde nun damals zu Beginn des 12. Jahrhunderts die neue Reichskonzeption des *regnum Teutonicum* geistig bewältigt? Es

[22] MGH Constitutiones 1. Hg. von L. Weiland, 1893, Nr. 96, S. 144f.
[23] Constitutiones, Nr. 107f., S. 159ff.
[24] Constitutiones, Nr. 106, S. 158.

war bereits davon die Rede, daß Kaiser Heinrich V. sie im Wormser Konkordat zur Kenntnis nahm, nehmen mußte. Aber die kaiserliche Seite in Deutschland hat durchaus, wenn man so sagen darf, aus der Not eine Tugend gemacht. Zeuge für dieses Verhalten ist der Autor der sogenannten Kaiserchronik, 1112/13 abgefaßt und mit einem Widmungsschreiben an Heinrich V. versehen. Hier, in der Vorrede, entwickelt der Verfasser die These, daß das *Romanum imperium* und das *Teutonicum regnum* von Karl dem Großen vereinigt worden seien[25]. Die Anfänge des deutschen Reiches schon um 800, genauer gesagt schon vor 800, auf jeden Fall mit dem glänzenden Namen Karls des Großen geschmückt – so war das neue gregorianische Konzept vom Reich auch für die Anhänger des Kaisers und wohl auch für ihn selbst als den Adressaten dieser Gedanken akzeptabel, übertrumpfte man doch damit jene, die das *regnum Teutonicorum,* wir hörten es, erst nach dem *regnum Francorum* beginnen lassen wollten. Die Formulierung *orbis tam Romanus quam Teutonicus* im Eingang der Kaiserchronik weist einmal mehr auf das neu gefundene Selbstwertgefühl der *Teutonici* hin.

Anders sah dies alles der päpstlich eingestellte Ekkehard von Aura, der zur selben Zeit in Bamberg schrieb. Für ihn stand das *regnum* für Deutschland und das *imperium* für Deutschland, Italien und Burgund. Dem *regnum* kam nicht mehr, wie bisher und auch noch in der Kaiserchronik, die Funktion und Bedeutung der überwölbenden Königsherrschaft zu. Derselbe Ekkehard ist uns nun aber auch ein wertvoller Zeuge für das verstärkte »Nationalbewußtsein«, das mit dieser neuen Reichsauffassung einherging, und hier scheint vor allem der erste Kreuzzug vom Ende des 11. Jahrhunderts nationbildend oder nationfestigend gewirkt zu haben in der Begegnung der verschiedenen und verschiedenartigen *gentes* (wie später vergleichsweise die Universitäten). Ekkehard spricht von »Wir«, von den »Unsrigen«, von *nostra gens, nostrum regnum,* abgesetzt beispielsweise gegen die *Gallici caballarii,* die französischen Ritter auf dem Kreuzzug, welche die wilde Kühnheit der Deutschen mit Unverständnis und Argwohn betrachtet hätten[26]. Der *impetus teutonicus* – er wurde von einem Deutschen wie Ekkehard ebenso wie im Ausland, in Frankreich, etwa vom Abt Suger von

---

[25] Frutolfs und Ekkehards Chroniken und die anonyme Kaiserchronik. Hg. von F.-J. Schmale und I. Schmale-Ott (Ausgewählte Quellen zur deutschen Geschichte des Mittelalters 15) 1972, S. 212.
[26] Ekkehard von Aura, Chronica, S. 158.

Saint-Denis, damals wahrgenommen[27]. Das Zeitalter der nationalen Vorurteile begann; auch hierin spiegelt sich die Formierung Deutschlands in Europa.

3. Schluß

Das »Erste Reich« als *imperium Romanum* und/oder *regnum Teutonicum* – seit wann gab es diese Sichtweise? Gehen wir von den Begriffen in ihrer Verfestigung und damit ihrer gegenseitigen strikten Zuordnung aus, dann läßt sich dies erst im späten 11. Jahrhundert beobachten. Für die Zeit davor wird man seit dem späten 10. Jahrhundert von einem »Reich der Deutschen« sprechen können, das über Deutschland hinausgriff und nicht hierauf beschränkt blieb wie das »Deutsche Reich«. Und wie wäre, wenn wir den Begriff »Reich der Deutschen« auflösen, nach der Beziehung zwischen beiden Bestandteilen, hier dem »Reich«, dort den »Deutschen«, zu fragen? Wo gab es Impulse für »nationales« Bewußtsein, woher kamen sie? Langfristig gesehen bleibt festzuhalten, daß es vom 9. bis zum 11. Jahrhundert einen Wandel von der Fremd- zur Eigenbezeichnung dessen, was deutsch ist, was Deutsche sind, gab, von den Rändern des Reiches, von Italien vor allem, und vom Ausland Frankreich hin zur Selbstbezeichnung der Deutschen im reichsgeschichtlichen wie kulturell-sozialgeschichtlichen Sinn.

Zum Schluß sei zugespitzt formuliert, daß es im 10. und 11. Jahrhundert wohl zwei Schübe der Nationsbildung, der Formierung der Deutschen und Deutschlands gab: der eine gegen Ende des 10. und zu Beginn des 11. Jahrhunderts, der andere um 1100. Vielleicht schon vorbereitet und verstärkt durch die Rom-Orientierung der späten Ottonen, kam es damals um 1000 zu einer Konsolidierung und Integration der *Transalpini* zu *Teutones* oder, anders gesagt, zum neuen Verständnis der *Teutones* nicht mehr wie bisher als *orientales Franci,* sondern eben als *Diutischi liute,* wie das Annolied vom späten 11. Jahrhundert dann die »Deutschen« auf den volkssprachlichen Begriff bringen wird[28]. Die Rückbesinnung unter Heinrich II. auf das *regnum Francorum* scheint dabei eine wichtige integrative Funktion gehabt zu haben – nach der in dieser Hinsicht wohl eher

---

[27] Suger von Saint-Denis, Vita Ludovici Grossi regis. Hg. von H. Waquet (Les classiques de l'histoire de France au moyen âge 11) 2. Aufl. 1964, cap. 10, S. 56.
[28] Das Annolied. Hg. von M. Roediger, in: MGH Deutsche Chroniken 1/2, Nachdr. 1984, v. 474, S. 125.

hemmenden Phase der sächsischen Kaiserzeit mit ihrem Nebeneinander von *Francia* und *Saxonia,* im christlichen Glauben zwar ver-
eint, aber nicht unbedingt im Gedanken der Reichseinheitlichkeit,
hatte sich doch de facto die Trägerschaft des *regnum* von den seit
der Karolingerzeit traditionell legitimierten Franken auf die Sachsen verlagert. Die Refrankisierung des Reiches, bereits von dem die
Weite des Reiches umspannenden »bayerischen Liudolfinger« Heinrich II. begonnen und dann von Konrad II. und seinen Nachfolgern
als salischer, also fränkischer Dynastie verstärkt, dürfte die Formierung Deutschlands aus letztlich (ost-)fränkischer Wurzel entscheidend gefördert haben.

Daneben aber und zur gleichen Zeit treffen wir das Verständnis
des Reiches als *imperium Romanum* an als einen seit demselben
Konrad II. festen und üblichen Begriff in den Urkunden, auch dies
wohl ein Rückgriff auf Karl den Großen und sein Verständnis von
Rom und vom Römischen Reich, wie seine lange und ausgeklügelte
Titulatur uns lehrt. In der Konkurrenz zwischen dem Reich und
dem sich neu orientierenden und artikulierenden Papsttum in der
zweiten Hälfte des 11. Jahrhunderts wurde das *regnum Teutonicorum* politisch von päpstlicher Seite als restriktiver Begriff in der Propaganda eingesetzt und auf die Fahne der Gregorianer geschrieben;
gleichwohl bewirkte diese Reduktion von außen offenbar eine Konsolidierung im Innern, nicht nur politisch, sondern auch kulturell,
eine, wenn man so sagen darf, Identität der *Teutonici,* die nun in diesem zweiten Schub der »Nationsbildung«, der durch die europäische Kreuzzugsbewegung noch intensiviert und geklärt wurde, von
ihrer *gens,* von ihrem *regnum* sprachen.

Quellen- und Literaturhinweise

Den besten Überblick über die ottonisch-salische Zeit geben neuerdings:
Eduard Hlawitschka, Vom Frankenreich zur Formierung der europäischen
Staaten- und Völkergemeinschaft 840–1046. Ein Studienbuch zur Zeit der
späten Karolinger, der Ottonen und der frühen Salier (1986); Helmut Beumann, Die Ottonen. (2. Aufl. 1991); Hagen Keller, Zwischen regionaler Begrenzung und universalem Horizont. Deutschland im Imperium der Salier
und Staufer 1024 bis 1250. (Propyläen Geschichte Deutschlands 2) 1986 (darin S. 13–53 das einführende Kapitel über ›Die Deutschen und ihr Reich‹; Johannes Fried, Die Formierung Europas 840–1046 (Oldenburg Grundriß der

Geschichte 6) 1991; Hans K. Schulze, Hegemoniales Kaisertum. Ottonen und Salier (Das Reich und die Deutschen 12) 1991; Stefan Weinfurter, Herrschaft und Reich der Salier. Grundlinien einer Umbruchzeit (1991). Eine kritische Stellungnahme zu den zahlreichen »Deutschen Geschichten« der jüngsten Zeit findet sich bei Johannes Fried, Deutsche Geschichte im früheren und hohen Mittelalter. Bemerkungen zu einigen neuen Gesamtdarstellungen. In: Historische Zeitschrift 245 (1987), S. 625–659. Zur Problematik von den Anfängen Deutschlands informativ Karl Ferdinand Werner, Art. Deutschland A. Begriff. In: Lexikon des Mittelalters 3 (1986), Sp. 781–789. Zusammenfassend zur deutschen Geschichte der Ottonen- und Salierzeit Tilman Struve, Art. Deutschland B. Ottonenzeit, C. Salierzeit, Kirchenreform und Investiturstreit. Ebenda, Sp. 790–815.

Die ältere Literatur zum Thema, seit wann es das Deutsche Reich gibt, ist am besten greifbar bei Hellmut Kämpf (Hg.), Die Entstehung des Deutschen Reiches (Wege der Forschung 1) 2. Aufl. 1963. Neuere Diskussionsbeiträge: Carlrichard Brühl, Die Anfänge der deutschen Geschichte. In: Sitzungsberichte der Wissenschaftlichen Gesellschaft an der Johann-Wolfgang-Goethe-Universität Frankfurt/Main 10 (1972), Nr. 5, S. 147–181; Jörg Jarnut, Gedanken zur Entstehung des deutschen Reiches. In: Geschichte in Wissenschaft und Unterricht 32 (1981), S. 99–114; Josef Flekkenstein, Über die Anfänge der deutschen Geschichte (Gerda Henkel Vorlesung) 1987; Eduard Hlawitschka, Von der großfränkischen zur deutschen Geschichte. Kriterien der Wende. (Sudetendeutsche Akademie der Wissenschaften und Künste. Geisteswissenschaftliche Klasse, Sitzungsberichte, Jg. 1988, H.2). Carlrichard Brühl, Deutschland – Frankreich. Die Geburt zweier Völker (1990).

Die Beschäftigung mit dem Thema des *regnum Teutonicum* wurde eröffnet mit dem grundlegenden Werk von Eckhard Müller-Mertens, *Regnum Teutonicum.* Aufkommen und Verbreitung der deutschen Reichs- und Königsauffassung im früheren Mittelalter (1970). Dazu vergleiche man die große Rezension von Helmut Beumann, *Regnum Teutonicum* und *rex Teutonicorum* in ottonischer und salischer Zeit. In: Archiv für Kulturgeschichte 55 (1973), S. 215–223. Jüngst hat sich noch einmal Eckhard Müller-Mertens, Romanum imperium und regnum Teutonicorum. Der hochmittelalterliche Reichsverband im Verhältnis zum Karolingerreich. In: Jahrbuch für Geschichte des Feudalismus 14 (1990), S. 47–54, geäußert.

Die Problematik der deutschen Sprache in der Frühzeit wird diskutiert bei Heinz Thomas, Der Ursprung des Wortes Theodiscus. In: Historische Zeitschrift 247 (1988), S. 295–331 und ders., Zur Geschichte von theodiscus und teutonicus im Frankenreich des 9. Jahrhunderts. In: Beiträge zur Geschichte des Regnum Francorum (Beihefte der Francia 22) 1990, S. 67–95.

Zu Fragen der deutschen Ethnogenese vgl. jetzt Joachim Ehlers, Schriftkultur, Ethnogenese und Nationsbildung in ottonischer Zeit. In: Frühmittelalterliche Studien 23 (1989), S. 302–317, und ders., Die Deutsche Nation des Mittelalters als Gegenstand der Forschung. In: Ansätze und Diskontinuität deutscher Nationsbildung im Mittelalter (Nationes 8) 1989, S. 11–58.

Zum komplexen Thema »Königtum, Kaisertum und Reich« sei hier nur verwiesen auf Helmut Beumann, Die Bedeutung des Kaisertums für die Entstehung der deutschen Nation im Spiegel der Bezeichnungen von Reich und Herrscher. In: Aspekte der Nationenbildung im Mittelalter (Nationes 1) 1978, S. 317–365; ders., Der deutsche König als »Romanorum rex«. In: Sitzungsberichte der Wissenschaftlichen Gesellschaft an der Johann-Wolfgang-Goethe-Universität Frankfurt/Main 17 (1981) Nr. 2, S. 39–84, und Reinhard Schneider, Das Königtum als Integrationsfaktor im Reich. In: Ansätze und Diskontinuität (wie oben), S. 59–82.

Über die Aussagekraft von Titulaturen und Bezeichnungen im Mittelalter, die einen Großteil der Quellenbasis dieser Studie ausmachen, informieren die drei Bände: Herwig Wolfram, Intitulatio I. Lateinische Königs- und Fürstentitel bis zum Ende des 8. Jahrhunderts. 1967; ders. (Hg.), Intitulatio II. Lateinische Herrscher- und Fürstentitel im neunten und zehnten Jahrhundert. 1973; und ders. und Anton Scharer (Hg.), Intitulatio III. Lateinische Herrschertitel und Herrschertitulaturen vom 7. bis zum 13. Jahrhundert. 1988.

Vom Sacrum Imperium zum Heiligen Römischen Reich Deutscher Nation
Mittelalterliche Reichsgeschichte und deutsche Wiedervereinigung
von MICHAEL BORGOLTE

Zu den auffälligsten Erscheinungen der neuesten Historiographie gehört eine Schwemme von Nationalgeschichten. Mindestens fünf westdeutsche Verlage haben, konzentriert seit den frühen achtziger Jahren, mehrbändige Werke herausgebracht, die allesamt als ›Deutsche Geschichte‹ oder ›Geschichte Deutschlands‹ betitelt sind. Eine befriedigende Erklärung für dieses Phänomen gibt es bisher nicht, zumal es auch außerhalb Deutschlands seine Parallelen hat. Sicher erscheint nur, daß kein Ereignis von nationalgeschichtlichem Rang die unerwartete Bücherflut in der Bundesrepublik ausgelöst hat, und vor allem, daß die wissenschaftliche Produktion sowie die breite Rezeption gar nichts zu den wahrhaft weltgeschichtlichen Ereignissen der Jahre 1989/90 beitrugen. Schon darin unterscheidet sich die neue deutsche Einigung von früheren Analogien, etwa der Reichsgründung von 1871. Denn das »Zweite Reich« der Deutschen hatten nicht zuletzt Literaten und Historiker durch ihre Glorifizierung des untergegangenen »Heiligen Römischen Reiches« vorbereitet. Und als das Bismarck-Reich entstanden war, konnte der Hohenstaufe Friedrich Barbarossa in Dichtung und Kunst, Geschichtsschreibung und Schulbuchliteratur zum Vorläufer des Hohenzollern Wilhelms I. werden, den man mit einem bezeichnenden Wortspiel als »Barbablanca« titulierte. Sowenig also ereignisgeschichtliche Impulse für die Handbuchpublikationen des letzten Jahrzehnts verantwortlich gemacht werden können, sowenig lassen sich diese auf innerwissenschaftliche Momente und auf reine Forschungsmotive zurückführen. Für die mediävistischen Werke in den neuen Reihen haben jedenfalls durchaus wohlwollende Kritiker konstatiert, daß eine klare Bestimmung dessen, was die deutsche Geschichte im Mittelalter sei, fehle. Was sollte eigentlich geschildert werden: »Geschicke einer Nation, eines amorphen Volkes, des Reiches als des ›staatlichen‹ Rahmens des Geschehens, der Könige und der Kaiser als der Repräsentanten« oder die »Verfassung« bzw. die »›Strukturen‹ der Geschichte?«[1] Offensichtlich fehlte im Einzelfall und erst recht im allgemeinen eine in sich schlüssige Kon-

---

[1] František Graus. In: Historische Zeitschrift 247 (1988), S. 399.

zeption. Natürlich lagen die Ursachen dafür in der deutschen Geschichte des Mittelalters selbst, die erheblich größere Darstellungsprobleme aufwirft, als es bei den europäischen Nachbarn der Fall ist. Gleichwohl führt kein Weg an der Feststellung vorbei, daß das überraschende Verlags- und also auch Publikumsinteresse an deutscher Geschichte die westdeutsche Mediävistik unvorbereitet getroffen hat. Viel näher lag ihr offenkundig – und das im deutlichen Kontrast zur gleichzeitigen Historie der DDR – die europäische Perspektive, die trotz der engeren Titelvorgaben in allen Bänden gesucht worden ist.

Unter den großen Mittelalter-Darstellungen fällt ein Werk wegen seines ungewöhnlichen Zeitrahmens auf: Der Göttinger Mediävist Hartmut Boockmann schrieb über ›Stauferzeit und spätes Mittelalter‹ und begrenzte seine Epochen 1125, mit dem Todesjahr des letzten Saliers, und 1517, mit dem traditionellen Eckdatum der Reformation. Boockmann war sich darüber im klaren, welche Irritationen sein Ansatz auslösen würde, und deswegen hat er diesen in einem ausführlichen Vorwort begründet. Stauferzeit und spätes Mittelalter weckten als Zeitalterbegriffe Assoziationen, die sich nicht miteinander zu vertragen schienen. Seit dem 19. Jahrhundert habe man sich daran gewöhnt, »das Ende der Stauferzeit als einen der tiefsten Einschnitte der deutschen Geschichte zu verstehen. In der Mitte des 13. Jahrhunderts endeten die mehr als drei Jahrhunderte der ›deutschen Kaiserzeit‹. Damals begann«, so referiert Boockmann die Wertungen früherer Generationen, »das Elend des deutschen Partikularismus und mit ihm ein Zeitalter, in dem das Reich immer wieder von seinen stärkeren Nachbarn bedrängt wurde und Grenzgebiete sich von ihm trennten.« Seinen Gegenentwurf einer Stauferzeit und spätes Mittelalter übergreifenden historischen Erzählung begründete der Autor unter dezidiertem Bezug auf Erfahrungen in der jüngeren Vergangenheit: »Sucht man die tieferen Gründe dafür, warum die Deutschen in ihrer langen Geschichte nur ein Dreivierteljahrhundert lang – von 1871 bis 1945 – in der Form des Nationalstaates politisch organisiert waren und weshalb viele innerhalb der Grenzen dieses Nationalstaates lebten, die sich nicht als Deutsche betrachteten, während eine weitaus größere Zahl von Deutschen außerhalb dieser Grenzen blieb, so muß man sich jenen Jahrhunderten zuwenden, von denen dieses Buch handelt. Die namentlich nach der Katastrophe von 1945 immer wieder aufgeworfene Frage nach dem deutschen ›Sonderweg‹ durch die Geschichte wurde in einem eigentümlichen Ghetto diskutiert. Die Überlegungen blieben auf das 19. und 20. Jahrhundert beschränkt. – Tatsächlich läßt sich aber nicht sinnvoll darüber nachdenken, was die deutsche Geschichte von der englischen, der französischen, aber auch von der Geschichte Polens und der skandinavischen Länder ... deutlich zu unterscheiden scheint, wenn man nicht in jene Jahrhunderte zurückgeht, in denen sich entschied, daß die Mitte Europas nicht nationalstaatlich verfaßt sein, daß Deutschland ein Reich bleiben und kein Staat werden und daß sich Staatlichkeit in Deutschland in den Territorialstaaten ausbilden sollte.«[2] Wohl selten zuvor ist die Konzeption einer historischen Gesamtdarstellung durch zeitgeschichtliche Vorgänge so schnell in Frage gestellt worden, wie in diesem Falle. Zwar kann man darüber streiten, ob die deutsche Einigung vom 3. Oktober 1990 die Nationalstaatsidee gewissermaßen objektiv oder auch im Sinne des 19. Jahrhunderts erfüllt hat; aber es besteht doch kein Zweifel, daß ihr die überwältigende Mehrheit der jetzt lebenden Deutschen genau diesen Rang zuschreibt. Im Einigungsvertrag der Bundesrepublik und der DDR, dem beide frei gewählten deutschen Parlamente mit großer Mehrheit zugestimmt haben, wurde überdies festgelegt, daß weitere Beitritte zum Geltungsbereich des Grundgesetzes künftig ausgeschlossen bleiben sollen. Die Prämisse, die Boockmann 1987 aufstellte, daß nämlich über die nationalstaatliche Verfassung Deutschlands entschieden, und zwar negativ entschieden sei, ist damit empfindlich getroffen, wenn nicht gar widerlegt. Diese Feststellung schließt keinerlei Kritik am Autor ein. Niemand wird doch so töricht sein, gegen ihn den Vorwurf zu erheben, er habe nicht mit Ereignissen gerechnet, die – als sie in den letzten Monaten eintraten – jedermann vollkommen überraschten. Und nachdrücklich ist auch Boockmanns Forderung zu unterstützen, der Historiker müsse »sich Rechenschaft darüber« geben, »daß Geschichte nicht bloß eine Universitätsdisziplin ist, eines von vielen akademischen Fächern, sondern ein Teil unserer Welt und eine Dimension unseres Lebens« und dementsprechend handeln[3]. Wie anders sollte denn Geschichtsschreibung ihr Publikum finden? Selbstverständlich geht es dabei nicht um einen plumpen Perspektivismus, der Zustände und Vorgänge der Gegenwart als unvermeidliches Ergebnis vergangener Geschichte hinstellen möchte, sondern um den Zusammenhang von Wissenschaft und Leben, in dem Geschichte als Forschung ohnehin steht und den es nur in klarer Reflexion zu vollziehen gilt.

[2] Hartmut Boockmann, Stauferzeit und spätes Mittelalter. Deutschland 1125–1517. Berlin 1987, S. 7.
[3] Ebd., S. 11.

Stauferzeit und spätes Mittelalter bilden auch den Gegenstand der heutigen Vorlesung[4]. Die Begriffe »Sacrum Imperium« und »Heiliges Römisches Reich Deutscher Nation« im Titel weisen schon darauf hin. Was hat es mit diesen Formeln auf sich? Den Ausdruck »sacrum imperium« gebrauchte die Reichskanzlei erstmals im Jahr 1157, um den Herrschaftsbereich Friedrichs I. zu bezeichnen: »Weil Wir durch die Gnade göttlicher Vorsehung die Regierung der Stadt (Rom) und des Erdkreises halten«, heißt es in einem Brief des Herrschers, »müssen Wir Uns bei verschiedenen Ereignissen und Zeitläufen um das ›heilige Reich‹ und den ›göttlichen Staat‹ kümmern.«[5] In antikisierender Weise, aber mit christlichem Sinngehalt, wird das »sacrum imperium« mit der »diva res publica« parallelisiert. Die aus der Zeit Barbarossas stammende Wendung wurde im Spätmittelalter weiter gebraucht; sie wechselte aber mit dem Reichstitel »Romanum imperium« ab. 1254 tauchte erstmals die kombinierende Neubildung »sacrum Romanum imperium« auf. Bevor aber die »deutsche Nation« zum »Heiligen Römischen Reich« treten konnte, nannte man Deutschland im späten Mittelalter die »deutschen Lande«. In dem Plural spiegelte sich die Regionalisierung und territorialstaatliche Vielfalt des nordalpinen Reiches wider. Während des 15. Jahrhunderts kam – unter dem Eindruck humanistischer Studien – die Bezeichnung »natio germanica« auf, und bald überlagerte die Benennung »Teutsche Nation« den Ausdruck »deutsche lande«. Auch von Deutschland in der Einzahl sprach man seit der Mitte des 15. Jahrhunderts. Die politische Struktur des Reiches hatte sich deshalb aber nicht verändert; von einem Zuwachs an Einheitlichkeit ließe sich nur im Hinblick auf einen gleichförmigeren Entwicklungsstand der nach wie vor zahlreichen Territorien sprechen. 1512, also unter Kaiser Maximilian I., wurde der Titel »Heiliges Römisches Reich Deutscher Nation« erstmals als offizielle Titulatur des Reiches verwendet. Wie das gemeint war, ist undeutlich und in der Forschung noch nicht ausdiskutiert. Vermutlich besagte der Titel in erster Linie, daß das Römische Reich der deutschen Nation zugeordnet wurde, weniger dagegen, daß man Reich und Nation teilweise oder gar vollständig identifizierte. Die Begriffe »Sacrum Imperium« und »Heiliges Römisches Reich Deutscher Nation« markieren also die Pole eines Spannungsbogens, unter dem die politische Geschichte des Reiches, auch im Hinblick auf seine Nachbarn, dargestellt werden könnte. Dabei müßte freilich neben

[4] In diesem Falle ist das genaue Datum nicht unwichtig: 12. 11. 1990.
[5] Die Urkunden Friedrichs I. 1152–1158. Hg. v. Heinrich Appelt. Hannover 1975, S. 280, Nr. 163.

der Heiligkeit des Reiches vom einzigartigen Glanz des Kaisertums sowie von der Gottunmittelbarkeit der Könige die Rede sein, die sich im Investiturstreit hatte behaupten können und bis weit in die Neuzeit hinein die christlichen Monarchien prägen sollte. Die Problematik des staufischen Weltherrschaftsgedankens wäre ebenso zu erörtern wie die Überforderung des spätmittelalterlichen deutschen Wahlkönigtums. Zu allen angesprochenen Themen hat die Forschung der letzten Jahrzehnte exzellente Studien vorgelegt, die sich hier zu einem facettenreichen Bild der mittelalterlichen Reichsgeschichte zusammenfassen ließen. Trotzdem soll der Geschichte der Reichsidee, des Kaiser-und des Königtums nicht näher nachgegangen werden. Die Begründung dafür ergibt sich aus der zeitgeschichtlichen Lage. Könnte uns denn ein Blick auf das mittelalterliche Reich und seine Repräsentanten helfen, uns in einer so schnell verwandelten politischen Lage zu orientieren? Die Frage läßt sich kaum bejahen, wenn man daran denkt, daß Reich, Königtum und Kaisertum religiöse Wurzeln und Zwecke hatten, daß sie diesseitig und transnatural zugleich waren. Umgekehrt muß man diese Andersartigkeit mittelalterlicher deutscher Staatlichkeit kaum deshalb betonen, weil es darum ginge, den Legitimationsversuch für eine unerwünschte politische Entwicklung zu vereiteln. Ein »Viertes Reich« droht doch zweifellos nicht, so verständlich die Ängste sein mögen, die in verschiedenen Ländern Europas gegen eine solche Möglichkeit laut geworden sind. Weder stand die Einigung von 1989/90 unter der Leitidee des Reiches, noch ist erkennbar, daß bei der Lösung der neuen politischen, sozialen und wirtschaftlichen Probleme auf sie zurückgegriffen werden könnte.

Weder der Reichsgedanke noch der spätmittelalterliche Territorialstaat im Sinne Boockmanns scheinen also überzeugende Anknüpfungspunkte zu bieten, um unter Bezug auf die Ereignisse der letzten zwei Jahre über deutsche Geschichte des 12. bis 15. Jahrhunderts zu sprechen. Was aber bleibt dann übrig? Ein dritter Ansatz läßt sich vielleicht finden durch eine Analyse des zurückliegenden Geschehens und der Aufgaben, die zu lösen uns bleiben. Was wir erleben, ist die Integration eines östlichen deutschen Teilstaates durch einen westlichen. Beide Staaten waren bei ihrer Genese wesentlich, wenn auch nicht ausschließlich, bestimmt durch äußere, also transnationale Faktoren und Zwänge. Während die Bevölkerung im Westen die neue Staatsform akzeptiert, ja sich zu eigen gemacht hatte, konnte sie im Osten nur unter Gewalt aufrechterhalten werden, die durch andere europäische Mächte unterfangen und immer neu gespeist wurde. Als diese äußeren Stützen wegfielen, kam es zu einem

Zusammenbruch des Systems, teils durch Selbstaufgabe der Machteliten, teils durch revolutionäre Bewegung. Die Bevölkerung des Ostens entschied sich für den Beitritt zum Weststaat, dem dieser zustimmte, und damit für die hier im Westen herrschende Lebensordnung. Nachdem die staatliche Integration weitgehend vollzogen wurde, ist jetzt ein Ausgleich auf allen Gebieten und Ebenen der Verfassung und Gesellschaft, der Wirtschaft und der Kultur gefordert. Im einzelnen bleiben folgende Fragen zu beantworten: Kommt es zu einer vollständigen Verwestlichung des Ostens, oder kann dieser Eigentraditionen in seine neue Lebenswelt einbringen? Wie verändert sich das politische Gesamtgefüge des erweiterten Gemeinwesens? Ist auf allen Gebieten des Lebens ein relativer Gleichstand der Entwicklung zu erreichen, und wann könnte dies der Fall sein? Schließlich: Wie fügen sich diese Vorgänge in die Geschichte der Außenwelt, besonders Europas, ein?

Legen wir diese – notwendigerweise abstrakte und auch sehr allgemeine – Bestimmung der gegenwärtigen Lage in Deutschland zugrunde für unseren Blick aufs Mittelalter, dann fragt es sich, wann, wo und in welcher Form es dergleichen auch in jenen Jahrhunderten gegeben hat. Selbstverständlich kann es aber nicht um Kohärenzprobleme und Integrationsprozesse überhaupt gehen, die alle Gesellschaften in Bewegung, so auch die mittelalterliche, ständig kennzeichnen. Vielmehr müssen wir uns auf die spezielle West-Ost-Problematik konzentrieren. Der wichtigste Vorgang in der deutschen Geschichte des Mittelalters war, unter diesem Aspekt betrachtet, die deutsche Ostsiedlung. Die Ostsiedlung setzte etwa mit dem Beginn der Stauferzeit ein und lief an der Wende zum 15. Jahrhundert, also im Spätmittelalter, aus. Sie betraf also beide im Titel des Beitrags angesprochenen Epochen der deutschen Geschichte und kann auch nur mit Rücksicht auf Stauferzeit und Spätmittelalter adäquat erfaßt werden. Daneben scheint die deutsche Ostsiedlung derjenige Themenbereich aus dem Mittelalter zu sein, an dem sich die Reflexion über unsere gegenwärtige Lage im Medium historischen Stoffes am besten entfalten läßt.

In geographischer Hinsicht betraf die Ostsiedlung, sehr vereinfacht gesagt, Gebiete und Länder östlich der Elbe und Saale, des Böhmerwaldes und der Enns. Sie erschloß also unter anderem fast den gesamten Raum der untergegangenen DDR, mit Ausnahme des jetzigen Bundeslandes Thüringen und des Westens von Sachsen-Anhalt. Die Wanderungsbewegung begann um 1100 und drang in mehreren Wellen vom Westen nach Osten vor. Zuerst erfaßte sie die Landschaften an der Elbe und Holstein sowie Meißen und Österreich, im 13. Jahrhundert dann Mecklenburg und Pommern, Brandenburg, Böhmen, die Sudeten, Ungarn, Schlesien und Polen, schließlich im 14. Jahrhundert die Landstriche unterhalb der Karpaten und Preußen. Sie hat bis ins Baltikum ausgegriffen und ist erst an der sogenannten preußischen »Wildnis« zur Ruhe gekommen. Der politischen Struktur nach waren von ihr ganz unterschiedliche Räume betroffen. Da gab es die Marken an Elbe und Saale sowie östlich von Bayern, die in ottonische und sogar in karolingische Zeit zurückreichten; sie waren der eigentlichen Reichsgrenze vorgelagert und erfüllten Schutzfunktionen, der König vergab sie als Lehen. Nördlich der Mark Lausitz waren die Nordmark und die Billunger Mark zwischen Elbe und Oder im großen Slawenaufstand des Jahres 983 zerstört worden, so daß hier einheimische Fürsten über die Völkerschaften der Heveller, Lutizen und Obodriten herrschten. Südlich der Mark Meißen, in Böhmen, regierten Herzöge, seit der Wende zum 12. Jahrhundert sogar Könige, die aber zum Reich gehörten. Ungarn und Polen waren dagegen seit spätottonischer Zeit selbständige Staaten. Die schlesischen Herzöge waren den polnischen Piasten eng verbunden, wenn sie sich auch seit 1163 stärker an das Reich angelehnt hatten. Pommern zu beiden Seiten der Odermündung unterstand ebenfalls eigenen Herzögen, die aber Lehensleute des deutschen Königs waren. Nur noch weiter östlich, bei dem ostseefinnischen Volk der Liven sowie bei den Prussen zwischen Weichsel und Memel, ging der Siedlung eine militärische Unterwerfung unmittelbar voraus. Der Deutsche Orden und andere Ritterorden hatten diese Völker in regelrechten Kreuzzügen niedergerungen, die auch die gewaltsame Bekehrung zum Christentum einschlossen. »Staatsrechtlich« gehörte das Ordensland Preußen zwar nicht zum Reich, es blieb jedoch stets auf das Kaisertum orientiert und rückte dem Imperium gegen Ende des Mittelalters politisch wieder näher. An dieser Stelle muß freilich gleich dem Mißverständnis vorgebeugt werden, die Ostsiedlung hätte von vornherein auf eine Expansion des Reiches, also auf Eroberung gezielt. Zwar steht fest, daß sich Deutschland durch die mittelalterliche Ostsiedlung um große Gebiete erweitert hat, wohl um mehr als ein Drittel des Gesamtraumes; aber das war das Ergebnis zahlloser kleinräumiger Bewegungen, nicht Resultat einer planmäßigen oder gar zentral gelenkten Politik. Charakteristisch ist dafür die Geschichte Schlesiens, das nicht aufgrund seiner deutschen Besiedlung, sondern durch dynastische Ambitionen des Hauses Luxemburg um 1300 an Böhmen und damit auch ans Reich fiel. Der deutsche König und römische Kaiser war überhaupt an der Ostsiedlung kaum beteiligt; politische Maßnahmen, die Kaiser Lothar III. nördlich und östlich der Elbe ergriff, haben sich aus seinem Aufstieg vom Herzogtum Sachsen ergeben. Hochwichtig war die Ostsiedlung dagegen für die Geschichte der Territorialstaaten. Deutsche Adelsfamilien konnten im Neusiedlerland zukunftsreiche Landesherrschaften errichten: die Schauenburger in Holstein, die Askanier in der Mark Brandenburg, die Wettiner in der Lausitz und in Meißen, die Babenberger in der Ostmark.

Insgesamt aber war die Ostsiedlung weniger ein Phänomen der Politik-, als der Wirtschafts-, Sozial- und Bevölkerungsgeschichte. Die deutschen und nichtdeutschen Landesherren jenseits von Elbe und Saale strebten nach Herrschaftssicherung und -erweiterung durch Urbarmachung unbesiedelter Gebiete und Umwandlung der Dorf- und Stadtwirtschaft. Die Siedlung »pro melioracione terre« zielte auf Weiterentwicklung der eigenen Wirtschaft, Hebung der Steuerkraft und nicht zuletzt auf Sicherung der territorialen Grenzen. Die Verwandlung des agrarisch verwertbaren Bodens vollzog sich im Flachland durch Entsumpfung und Deichbau, im Gebirge durch Entsteinung, vor allem aber durch Rodung des Waldes. Die Siedler aus dem Westen wurden benötigt, weil der weiter zurückreichende Landesausbau im Altsiedelland durch eine Reihe von Neuerungen erfolgreich war, die man mit dem Begriff einer »agrartechnologischen Revolution« zusammenfassen kann. Zu den Innovationen gehörten »die sparsamere Ausnutzung des Landes durch Vermessung und Bildung gleich großer Hufen, die Einführung moderner Arbeitstechniken wie der Dreifelderwirtschaft, des (schweren) Wendepfluges (statt des vorher gebräuchlichen Hakenpfluges), der (langstieligen) Sense, des pflugziehenden Pferdes statt des Ochsenpaares, die Benützung von Maschinen wie Wasser- und Windmühlen, und nicht zuletzt eine Verbesserung der Rechtslage, die dem natürlichen Freiheitswillen des Bauern entsprach und seine Arbeitsenergie freisetzte.«[6] Wichtig ist die sogenannte »Vergetreidung«, d.h. die Verdrängung der Viehweiden durch Getreidefelder. Auch der Weinbau verbreitete sich im Nordosten Europas, und zwar vor allem im Kontext der Christianisierung. So ließ der Missionsbischof Otto von Bamberg 1128 einen Wagen voll Reben nach Pommern bringen, um den Anbau von Wein zu ermöglichen, der für das Meßopfer unentbehrlich war. Und zur Veredelung des Weins im Deutschordensland holte der Hochmeister Winrich von Kniprode (1351–1382) Winzer aus Süddeutschland und aus Italien herbei. Die Ankömmlinge im Osten, die sich in Dörfern ansiedel-

[6] Walter Kuhn. In: Die deutsche Ostsiedlung des Mittelalters als Problem der europäischen Geschichte. Sigmaringen 1975, S. 215.

ten, waren zins- und abgabenpflichtig, mußten also ihre Produkte auf Märkten verkaufen. So entstand ein dichtes Netz von Dörfern und Städten, und in dem engen Zusammenhang von dörflicher und städtischer Siedlung hat man geradezu das typische Charakteristikum der deutschen Ostsiedlung ausgemacht, das sie von vorangegangenen und nachfolgenden Kolonisationswellen unterschied. In Schlesien beispielsweise sind durch die Siedlung des 13. Jahrhunderts rund 1200 Dörfer und 120 Städte neu entstanden. Was die Neusiedler an Verfassungs-, Rechts- und Wirtschaftsformen mitbrachten, waren allerdings keine spezifisch deutschen Errungenschaften. Gefragt waren sie im Osten auch nicht wegen ihrer Nationalität, sondern wegen ihrer Kenntnisse und Fähigkeiten. Wie italienische Weinbauern in Ostpreußen, so waren Flamen und Holländer überall dort willkommen, wo sie ihr Wissen über die Entwässerung des Bodens und den Deichbau anwenden konnten. Sehr bezeichnend sind in diesem Zusammenhang die Aufrufe gewesen, die Graf Adolf II. von Schauenburg 1143 für die Besiedlung Holsteins und Markgraf Albrecht der Bär nach 1157 für die Kolonisation Brandenburgs in den Westen ergehen ließen. Darüber berichtet ausführlich der zeitgenössische Prediger Helmold, der in Bosau am Plöner See die Siedelvorgänge nördlich und östlich der Elbe genau beobachtet hat: Als Graf Adolf die Burg Segeberg an der Grenze von Holstein und Wagrien errichtet hatte, schickte er, da das Land verlassen war, »Boten in alle Lande, nämlich nach Flandern und Holland, Utrecht, Westfalen und Friesland, daß jeder, der zu wenig Land hätte, mit seiner Familie kommen sollte, um den schönsten, geräumigsten, fruchtbarsten, an Fisch und Fleisch überreichen Acker nebst günstigen Weidegründen zu erhalten (...). Daraufhin brach eine zahllose Menge aus verschiedenen Stämmen auf, nahm Familien und Habe mit und kam zu Graf Adolf nach Wagrien, um das versprochene Land in Besitz zu nehmen. Und zwar erhielten zuerst die Holsten Wohnsitze in dem am besten geschützten Gebiet westlich Segebergs (...). Das Darguner Land besiedelten die Westfalen, das Eutiner die Holländer und Süsel die Friesen. Das Plöner Land aber blieb noch unbewohnt. Oldenburg und Lütjenburg sowie die anderen Küstengegenden ließ er von den Slawen besiedeln, und sie wurden ihm zinspflichtig.« [7] Markgraf Albrecht der Bär sandte, wie Helmold schreibt, ebenso »nach Utrecht und den Rheingegenden, ferner zu denen, die am Ozean wohnen und unter der Gewalt des Meeres zu leiden hatten, den Holländern, Seeländern und Flamen, zog von dort viel

[7] Helmold von Bosau, Slawenchronik. Neu übertragen und erläutert von Heinz Stoob. Darmstadt 4. Aufl. 1973, S. 211/213, cap. 57.

Volk herbei und ließ sie in den Burgen und Dörfern der Slawen wohnen. Durch die eintreffenden Zuwanderer wurden auch die Bistümer Brandenburg und Havelberg sehr gekräftigt, denn die Kirchen mehrten sich, und der Zehnt wuchs zu ungeheurem Ertrage an. Zugleich begannen die holländischen Ankömmlinge aber auch, das südliche Elbufer zu besiedeln; von der Burg Salzwedel an besetzten Holländer das ganze Sumpf- und Ackerland (…) mit vielen Städten und Dörfern bis hin zum böhmischen Waldgebirge.« [8]

Wenn man von »deutscher« Ostsiedlung spricht – und das ist durchaus nicht falsch –, muß man sich also darüber im klaren sein, daß sie weder die Erweiterung eines deutschen Nationalstaates bezweckte, noch daß alle Siedler Deutsche waren oder die im Osten bewirkte Akkulturation eine exklusiv deutsche Leistung war. Die deutsche Ostsiedlung war, wie kürzlich formuliert worden ist, nicht mehr, aber auch nicht weniger als »der nach Umfang, Intensität und Wirkung weitaus wichtigste Teil einer allgemeinen Entwicklungsbewegung, die Europa von Schweden bis zum Mittelmeerraum betroffen hat« [9]. Parallele Erscheinungen zeigten sich etwa in Frankreich. Der Abt und Staatsmann Suger, ein Zeitgenosse des Helmold von Bosau, rief bespielsweise Gäste (hospites) nach Paris, um die Gegenden von Saint-Denis zu besiedeln. Und ebenso machten sich Bretonen und Leute aus dem Limousin daran, das linke Ufer der Creuse zu kultivieren. Wie soll man diese gesteigerte Mobilität und Kolonisation in Europa während des Hochmittelalters erklären?

Die meisten Gelehrten suchen die Erstursache in einer ungewöhnlichen Bevölkerungsvermehrung, die zwischen die Seucheneinbrüche des 6. und des 14. Jahrhunderts zu datieren sei und die Europa insgesamt gekennzeichnet habe. Viele von ihnen nehmen überdies an, daß sich der demographische Zuwachs seit der Jahrtausendwende beschleunigt hat. Als Zeugnis für eine solche Entwicklung ließe sich etwa Otto von Bamberg benennen, der am Beginn des 12. Jahrhunderts die Übervölkerung anprangerte und seine Zeitgenossen zu einem mönchischen Leben mahnte, »weil die Menschen sich anschicken, sich grenzenlos zu vermehren« [10]. Manche wissenschaftlichen Schätzungen setzen für das Reich und Skandinavien um das Jahr 1000 4 Millionen, für das Jahr 1340, den Vorabend der Großen Pest, aber ca. 12 Millionen Menschen an; andere Berechnungen liegen eher noch höher. Mit der Zunahme der Population seien wirt-

[8] Ebd., S. 313, cap. 89.
[9] Peter Moraw, Von offener Verfassung zu gestalteter Verdichtung. Das Reich im späten Mittelalter 1250 bis 1490. Berlin 1985, S. 38.
[10] Charles Higounet, Die deutsche Ostsiedlung im Mittelalter. München 1990, S. 50.

schaftlicher Aufschwung, Rodung, Landesausbau und Stadtbewegung einhergegangen, aber auch gewerbliche Differenzierung, Handelsintensivierung, Monetarisierung aller Bereiche von Gesellschaft, Wirtschaft, Herrschaft und Kirche, gesteigerte Bautätigkeit, religiöse Bewegungen, Pilgerzüge, Häresien, Kreuzzüge usw. Alle diese Erscheinungen faßt man neuerdings mit dem Bild »Europa« bzw. »Deutschland im Aufbruch« zusammen, und die Fachhistoriker sind sich darüber einig, daß in diesem hochmittelalterlichen »Aufbruch« die neuzeitliche Weltkultur überhaupt wurzelt. Die Ostsiedlung gehörte ohne Zweifel zu diesem weltgeschichtlichen Strukturwandel; sie nahm ja im Hochmittelalter ihren Ausgang, wenn sie sich auch erst mit einer gewissen Phasenverschiebung in Ostmitteleuropa entfalten sollte. Die Annahme eines dramatischen Zuwachses der Bevölkerung in West-, Mittel- und Südeuropa hat nun oft zu der Vermutung geführt, daß ein demographischer Überdruck im Osten ein Ventil gesucht habe. Dementsprechend kann man noch in neuesten Publikationen zur Ostkolonisation von »Siedlerströmen« lesen oder gar – mit ganz irreführenden militärischen Konnotationen – von »großen Marschsäulen« oder vom »großen Sturmangriff« der deutschen Kolonisten. Vermutlich gibt es indessen für derlei Vorstellungen keine Grundlage. Nach neueren Berechnungen ist anzunehmen, daß während des 12. Jahrhunderts rund 200 000 Menschen in das Land jenseits von Elbe und Saale gezogen sind und im 13. Jahrhundert noch einmal so viele. Legt man für die gleiche Zeit in Altdeutschland eine Gesamtpopulation von 10 Millionen Einwohnern zugrunde, dann würde das eine Abwanderung von 2000 pro Jahr oder 0,02 Prozent bedeuten. Selbstverständlich sind derartige Zahlen bei aller methodischen Umsicht, durch die sie zustande kamen, recht hypothetisch, und andere Forscher haben größere Fluktuationen errechnet. Aber es scheint sich doch zu ergeben, daß die Ostsiedlung innerhalb einer für das 12. Jahrhundert ganz gewöhnlichen Mobilität lag oder – anders gesagt – daß sie die normale Mobilität teilweise abschöpfte, die sonst in Binnensiedlung oder Städtegründungen strömte. Die demographischen Berechnungen werden immerhin durch den Quellenbefund gestützt, daß von der Ostsiedlung nur die Chronisten der Neusiedelgebiete Kenntnis genommen haben, während sie in den Geschichtswerken diesseits der Elbe gar nicht erwähnt wird. Die Ursachen für die Ostsiedlung dürften also weniger im Altsiedelland gelegen haben; eher ist aus der Perspektive des Ostens nach den Ursachen der Zuwanderung zu fragen, und da mag vieles zusammengekommen sein. Die vorteilhaftere Rechtsstellung, die weiten Entfaltungsmöglichkeiten und nicht zuletzt der Reiz des Exotischen waren attraktiv für die Siedler, das Interesse an wirtschaftlichem Aufschwung und staatlicher Konsolidierung für die Landesherren.

In den Neusiedelgebieten kam es zu einer enormen Bevölkerungsvermehrung. Zeitweilig scheint sich die Bevölkerung hier in rund 25 Jahren verdoppelt zu haben. Aus diesen Kolonistenfamilien, und nicht aus dem neuerlichen Zuzug aus Altdeutschland, speiste sich die schrittweise weiter nach Osten vordringende Siedlung in erster Linie. Im heutigen Sachsen dürfte sich die Bevölkerungszahl zwischen 1100 und 1300 etwa verzehnfacht haben; die Bevölkerungsdichte lag wohl bei 23 Personen je Quadratkilometer. Ähnliche Werte erhält man um 1300 auch für Böhmen und die Lausitzen. Im Bistum Breslau, das praktisch mit Schlesien identisch war, ergibt sich ein Wert von elf Personen pro Quadratkilometer, das ist aber immer noch fünfmal soviel, wie das von der deutschen Ostsiedlung kaum erfaßte polnische Bistum Posen (2,1). Wie groß die Unterschiede im Reich trotzdem noch waren, zeigt ein Vergleich mit dem dichtbesiedelten Nordwesten. Für das Herzogtum Brabant kann man, allerdings erst zum Jahr 1435, eine Bevölkerung von 45 Menschen je Quadratkilometer errechnen.

Die Neusiedler hatten im Osten zwar meist kein siedlungsleeres, aber doch ein siedlungsarmes Land vorgefunden. Sie mußten sich gleichwohl mit der einheimischen Bevölkerung, zumeist mit Slawen, auseinandersetzen. Wie diese Vorgänge zu verstehen seien – ob also mehr von Gewalt, Unterwerfung und Verlust, oder mehr von friedlichem Ausgleich, Verschmelzung und Symbiose die Rede sein müsse –, hat während der letzten zweihundert Jahre Publizisten und Historiker auf beiden Seiten, in Deutschland und bei den Slawen, aufs stärkste gefangengenommen und auch gegeneinander aufgebracht. Ein Leitmotiv hatte schon 1803 Ernst Moritz Arndt angeschlagen, als er die These von der »germanischen Mission« des deutschen Volkes in Europa aufstellte, und wenige Jahrzehnte später haben die Panslawisten gegen den deutschen »Drang nach Osten« polemisiert. Es ist an dieser Stelle nicht möglich, die durch nationalpolitische Wertungen gesteuerte oder beeinflußte wissenschaftliche Debatte im einzelnen zu verfolgen, doch scheint es erforderlich zu sein, wenigstens an der jüngeren Entwicklung zu zeigen, daß offenbar jede nationalgeschichtliche Epoche sich ein eigenes Bild von der Ostsiedlung machen muß. In der deutschen Mittelalterforschung des 20. Jahrhunderts hat lange Zeit der Begriff der deutschen »Ostbewegung« im Vordergrund gestanden. Er geht wohl auf den bedeutenden Historiker Karl Lamprecht zurück, der in seiner

›Deutschen Geschichte‹ von 1893 davon gesprochen hat, daß »Kolonisation« und »Germanisierung« »Grundtatsachen unserer Geschichte« seien. Im Unterschied zum begrenzteren Begriff »Ostsiedlung« meinte also »Ostbewegung« eine umfassende Eindeutschung: eine Ausdehnung politischer Herrschaft ebenso wie Christianisierung durch deutsche Missionare; Siedlung und Verbreitung westlicher Verfassungs-, Rechts- und Wirtschaftsformen im deutschen Gewande, aber auch Ausbreitung abendländischer Wissenschaft, Dichtung und Kunst. Niemanden wird es überraschen, daß der schon ältere Begriff der »Ostbewegung« während des »Dritten Reiches« weiter popularisiert wurde; aber beklemmend zu lesen ist doch, wie ein angesehener Historiker 1937 die Geschichte der deutschen Ostbewegung feierte, als deren Initiator er Karl den Großen sah und deren durchgehenden Zusammenhang bis zur Gegenwart er betonte. Auch nach dem Krieg hat sich die westdeutsche Mediävistik schwer damit getan, den Begriff »Ostbewegung« aufzugeben. Noch Mitte der fünfziger Jahre wurde er für unproblematischer gehalten als »Kolonisation«, und erst am Beginn der siebziger Jahre erkannte man seine ideologische Färbung und verwarf ihn. Zur selben Zeit hatte man allerdings längst begonnen, nach den slawischen Voraussetzungen der Ostsiedlung zu forschen und den nichtdeutschen Anteil an ihr zu würdigen; umgekehrt fanden sich slawische, insbesondere polnische Gelehrte zu einer von nationalen Vorurteilen befreiten Wertung der Vorgänge bereit. Auch in der DDR wandte man sich damals verstärkt der Geschichte der »Slawen in Deutschland« zu. Die marxistische Prämisse, nach der bei der Auseinandersetzung von Deutschen und Slawen die Aggression der deutschen Feudalherren von der friedlichen Tätigkeit der Bauern und Handwerker zu trennen sei, prägte aber noch einen 1970 publizierten Sammelband über ›Geschichte und Kultur der slawischen Stämme westlich von Oder und Neiße vom 6. bis 12. Jahrhundert‹. Der Herausgeber Joachim Herrmann schrieb in seinem Vorwort: »Bis zum 12. Jahrhundert waren es deutsche Feudalherren und feindliche Heere, die erobernd und plündernd in slawisches Land einbrachen, aber von den sich erhebenden Stämmen in erbittertem Abwehrkampf zurückgeschlagen wurden. Lediglich die elbnahen Gebiete und die Lausitz konnten sie unterwerfen. Während dieser Kämpfe bildete sich bei den slawischen Stämmen die Klassengesellschaft aus, frühe Staaten entstanden und vermochten sich zeitweise zu behaupten. Im großen und ganzen gelang es jedoch der slawischen Oberschicht nicht, ihre Herrschaft im Innern zu festigen und einen erfolgreichen Kampf gegen den deutschen Feudalstaat zu führen (...). Der Klassenkampf wurde im Innern der Stämme und frühen Staaten für die unteren Schichten, vor allem für die große Masse der Bauern, gleichzeitig zum Abwehrkampf gegen fremde, vorwiegend deutsche Eroberer.«[11] Man darf sich fragen, inwieweit eine solche Urteilsdisposition, die natürlich auch auf die wissenschaftlichen Beiträge des Sammelwerkes selbst durchgeschlagen hat, eine nüchterne Analyse der deutsch-slawischen Begegnung im Osten überhaupt zuließ. Der wirkliche wissenschaftliche Durchbruch wurde auf diesem Forschungsfeld erst in der zweiten Hälfte der siebziger Jahre erzielt. An der Freien Universität Berlin fand sich damals eine interdisziplinäre Arbeitsgruppe von Allgemeinhistorikern, Rechtshistorikern, Ortsnamenforschern, Siedlungsgeographen, Mittelalterarchäologen, Kunstgeschichtlern und Ethnologen zusammen, um unter dem Titel »Germania Slavica« »die Fragen der wechselseitigen Durchdringung von slawischem und deutschem Ethnikum im Bereich der mittelalterlichen deutschen Ostsiedlung« zu untersuchen[12]. Die Forschergruppe war sehr erfolgreich, legte eine Reihe von wichtigen Publikationen vor und ist mit ihrem Programm noch keineswegs zu einem Ende gekommen. Weder war der Ort ihres Zusammentritts – Berlin – ein Zufall, noch die Zeit – die der westöstlichen Entspannung – ohne Auswirkungen auf ihre Dynamik. Und die Ereignisse der letzten Jahre sollten den Fortgang der Studien weiter begünstigen.

Was ist heute schon über Begegnung und Austausch der verschiedenen Kulturen auf dem Boden Ostmitteleuropas zu sagen? Zunächst kann es gar keinen Zweifel daran geben, daß im Kontext der Kolonisation auch Gewalt geübt wurde. Helmold von Bosau berichtet für die Zeit Heinrichs des Löwen immer wieder von Flucht und Vertreibung der Slawen aus Nordelbingen. Aber diese wehrten sich auch. Als der obodritische Fürstensohn Pribislaw 1164 die seinem Vater verlorengegangene Mecklenburg belagerte, in der der sächsische Burghauptmann Siedler aus Flandern zusammengezogen hatte, forderte er die Besatzung mit den Worten heraus: »›An mir wie an meinem Volke ist große Gewalttat verübt, ihr Männer; wir sind aus unserer Heimat vertrieben und unseres väterlichen Erbes beraubt. Ihr selbst habt dieses Unrecht noch vermehrt, da ihr in unser Land gefallen seid und Burgen und Dörfer besetzt habt, die nach der Erbfolge uns zustehen. Wir lassen euch also die Wahl zwischen Leben und Tod (...).‹ Auf diese Worte«, so schreibt der Chronist weiter, »begannen die Flamen Geschosse zu werfen und (den Fein-

[11] Joachim Herrmann, in: Die Slawen in Deutschland. Berlin 1970, S. 2.
[12] Wolfgang H. Fritze. In: Germania Slavica, Bd. 1. Berlin 1980, S. 11.

den) Wunden beizubringen. Das Slawenheer jedoch, stärker an Zahl und Waffen, drang in heftigem Kampfe in die Befestigung ein; sie töteten alle Männer darin und ließen von der Einwandererschar nicht einen am Leben. Ihre Frauen und Kinder führten sie in Gefangenschaft und legten Feuer an die Burg.« [13] Unvergleichlich viel brutaler als im Obodritenland während des 12. Jahrhunderts ging es im 13. bei den Prussen zu. Der Geschichtsschreiber des Deutschen Ordens, Peter von Dusburg, verfaßte eine regelrechte Kriegsgeschichte mit der Bilanz von vielen tausend Toten und stellte zum Jahr 1283 mit Genugtuung fest: »Seit Beginn des Krieges gegen das Volk der Prussen« waren »53 Jahre verflossen und alle Völkerschaften in diesem Land bezwungen und ausgerottet«, so daß nur noch eine, nämlich die Litauer, übriggeblieben war, »die der hochheiligen römischen Kirche ihren Nacken noch nicht in Demut gebeugt hatte« [14]. Trotz dieser Quellenäußerungen weiß die Forschung heute, daß von einer Vertreibung oder Ausrottung der Slawen oder auch der Prussen im ganzen nicht die Rede sein kann. Derartige Maßnahmen wären ja auch ganz widersinnig gewesen, weil man für den Landesausbau jede Hand brauchte. Im Gegenteil gilt als sicher, daß die Ankömmlinge mit den eingesessenen Slawen und Balten zusammenwuchsen und die sogenannten deutschen Neustämme bildeten: Das sind die Mecklenburger, Pommern, (Ost- und West-)Preußen, Brandenburger, Sachsen und Schlesier. Neben dem relativen Bevölkerungsausgleich zwischen West und Ost sind diese ethnischen Neubildungen vielleicht die wichtigsten Folgen der Ostsiedlung überhaupt gewesen. Nicht in allen Regionen kam es freilich zu diesen Synthesen; vielfach gingen die Siedler in der alten Bevölkerung auf oder bildeten, wie in Böhmen, Mähren und Ungarn, deutsche Volkstumsinseln. Auch slawische Rückzugsgebiete haben sich erhalten, so dasjenige der Sorben in der Nieder- und vor allem der Oberlausitz. Es sei hier hervorgehoben, daß die DDR die Existenz der noch vorhandenen 50–60 000 Sorben durch Artikel 40 ihrer Verfassung geschützt hatte. In der alten Bundesrepublik wurde man auf diese Volksgruppe 1989 aufmerksam, als der Schriftsteller Erwin Strittmatter mit seinem autobiographischen Jugendroman ›Der Laden‹ einen beachtlichen Erfolg hatte. Der Erzähler schildert seinen Heimatort Bohsdorf (»Bossdom«) bei Spremberg als »ein halbsorbisches Dorf« und fügt dem den schönen Satz an: »Auch ich bin Halbsorbe (...). Ich gebe mir Mühe, aber so hochdeutsch ich auch zu

[13] Helmold von Bosau, Slawenchronik, S. 341, cap. 98.
[14] Peter von Dusburg, Chronik des Preussenlandes. Übersetzt und erläutert v. Klaus Scholz u. Dieter Wojtecki. Darmstadt 1984, S. 337, cap. III.221.

reden wähne, selbst, wenn ich Englisch oder Französisch spreche, gegen den Gesang der slawischen Urmütter in mir komme ich nicht auf.«[15]

Ein halbsorbisches Dorf, von dem Strittmatter spricht, meint ein Dorf von Deutschen und Slawen, die als solche noch unterscheidbar sind. Derartige Mischungsverhältnisse müssen wir auch für den Beginn der Ostsiedlung weithin annehmen. Die Ortsnamenforscher haben darauf aufmerksam gemacht, daß bei den Wenden und Polaben nördlich der Elbe Dorfnamen wie Wendeschen-Lensahn oder Wendeschen-Petersdorf begegnen, die auf eine wendisch-deutsche Besiedlung schließen lassen. Im zweiten Beispiel mag der Namensbestandteil »Petersdorf« auf einen Neusiedler oder aber auf einen Siedlungsunternehmer, einen sogenannten Lokator, zurückgehen, der westliche Bauern nach Mecklenburg geführt hatte. Daß die einheimische Bevölkerung durchaus ansässig blieb, zeigt wohl auch das Urbar von Ratzeburg von 1230, in dem 21 Dörfer als »villae slavicae« bezeichnet wurden. Wenn die Ankömmlinge sich in schon vorhandenen Dörfern niederließen, konnten sie die vorgefundene Siedlungsform akzeptieren oder auf deren Fortentwicklung dringen. So könnte die charakteristische Dorfform der Rundlinge entstanden sein, wenn es sich nicht um eine ursprünglich slawische Siedlungsweise gehandelt hat. Wo deutsche oder andere westliche Siedler neue Dörfer errichteten, wählten sie aber meist die Form der Straßen- und Angerdörfer, die ihrerseits von den modernen und rationellen Techniken der Bodenbewirtschaftung bedingt war. Im Einzelfall läßt sich freilich von den Formen eines Dorfes oder einer Feldmark noch nicht auf deutsche Siedler schließen, da die Slawen oder Prussen durchaus Neuerungen übernahmen, die sie überzeugten. Man darf auch annehmen, daß die einheimische Bevölkerung schon von sich aus die weitere Urbarmachung des Landes betrieben hätte und dieser Prozeß durch die Zuwanderung neuer Arbeitskräfte sowie die weiterentwickelte westliche Kultur nur beschleunigt wurde. Eine technologische Errungenschaft, die der Osten vom Westen übernahm, scheint der schollenwendende Pflug gewesen zu sein, der für die Dreifelderwirtschaft unentbehrlich war. Der Bischof Christian von Preußen unterschied 1230 das »aratrum theutonicale« vom »aratrum slavicum«, dem leichten Hakenpflug. Ebenso trennte man Mitte des 13. Jahrhunderts in Polen das »aratrum magnum quod pflug nominatur« vom »aratrum parvum quod radlo dicitur«[16]. Die ethnischen und kulturellen Ausgleichsvorgänge voll-

[15] Erwin Strittmatter, Der Laden. Roman in zwei Teilen. Köln 1989, S. 47.
[16] Higounet, Ostsiedlung, S. 276.

zogen sich in der Regel wohl so friedlich und unbemerkt, daß die Forschung oft große Mühe hat, die Anteile der Einheimischen und der Fremden auseinanderzuhalten. Zum Beispiel haben auch slawische Kolonistendörfer das vorteilhafte Recht der Ankömmlinge erworben, das sie als »ius teutonicorum« oder »ius teutonicum« bezeichneten; damit entfällt aber auch der einfache Schluß vom Recht auf die Herkunft der Siedler. Im übrigen muß man regional und zeitlich mit starken Unterschieden der Symbiose, Überschichtung und Vermischung rechnen. Das zeigt sich etwa auch am Aufbau des Pfarrnetzes, der mit dem Vorgang der Kolonisation meist in engster Verbindung gestanden hat. Im altsorbischen Siedelgebiet, wo die deutsche Herrschaft ohne Unterbrechung bis ins 10. Jahrhundert zurückreichte, folgten die Pfarreien im Sinne des Eigenkirchenwesens den frühmittelalterlichen adligen Grundherrschaften; in Holstein und Mecklenburg orientierten sich die Urpfarreien dagegen an den spätslawischen Burgbezirken, in der Mark Brandenburg wiederum galt das Prinzip der Dorfpfarrei, also weithin der Neusiedlung. Im früh christianisierten Polen und auch in Schlesien bildete hingegen ein Netz von Kirchgemeinden und Archidiakonaten die Grundlage für den deutschen Landesausbau. Die Verhältnisse in den Städten sind natürlich genau so differenziert zu beurteilen wie die auf dem Lande. Die Ausbreitung der deutschen Stadtrechte, vor allem des lübischen und desjenigen von Magdeburg, ist jedenfalls allein noch kein sicheres Kriterium für die Wanderung der deutschen Kolonisten. Heute wird auch nicht mehr bestritten, daß sowohl die Slawen zwischen Elbe und Oder als auch die Bewohner Böhmens, Mährens, Polens und Ungarns frühe stadtähnliche Siedlungen besessen haben, aus denen sich wirkliches städtisches Leben entwickelte. Wie schwierig aber die Nachweise im einzelnen sind, zeigt etwa das Problem der Kietze. Noch heute ist der Name »Kietz« für Elendsviertel am Rand großer Städte gebräuchlich, vor allem im Brandenburgischen. Er dürfte slawischen Ursprungs sein und bezeichnete zunächst wohl kleine Fischerdörfer an See- oder Flußufern oder andere Dörfer, besonders unterhalb von Burgen. Zusammen mit Handwerkersiedlungen könnten die so plazierten Kietze Ansätze früher städtischer Siedlungen der Slawen gebildet haben. Das war jedenfalls lange die Meinung der Forschung, bis archäologische Funde auf eine deutsche Anlage der zugehörigen Burgen hinzuweisen schienen. Schließlich hat sich aber ein Kompromiß in den Auffassungen durchgesetzt. Auch wenn ein Teil der Kietze erst nach der deutschen Landnahme entstanden sein könnte, gilt ein slawischer Ursprung im ganzen nicht als ausgeschlossen oder gar als wahrscheinlich.

Von unseren Ausgangsfragen sind zwei noch immer nicht beantwortet, aber dies kann auch in aller Kürze geschehen: Wie sich nämlich das politische Gravitationsfeld des Reiches durch die Ostsiedlung verändert habe und in welchem Maße zwischen dem alten Westen und dem neuen Osten ein kultureller Ausgleich erreicht werden konnte? Für die erste Frage braucht man eigentlich nur die Namen Prag, Wien und Berlin zu nennen, städtische Zentren also, die allesamt im Ostsiedelgebiet lagen, um die politische Entwicklungstendenz anzudeuten. Bis etwa 1400 hatte das Übergewicht noch am Niederrhein gelegen, doch war es bereits nur im Osten, in Böhmen und in Österreich, gelungen, Großdynastien auszubilden. Als dann auch noch die Burggrafen von Zollern-Nürnberg 1411–1417 die Mark Brandenburg erwarben und die sächsische Kurwürde 1423 an die Wettiner fiel, waren die Weichen endgültig auf eine politische Dominanz der Kolonisationsländer gestellt. Kulturell gesehen hatte namentlich Prag unter Karl IV. im 14. Jahrhundert schon eine herausragende Rolle gespielt. Hier, nicht in Altdeutschland, wurde 1348 die erste deutsche Universität gegründet. Ihr folgten mit Wien und Kulm im Deutschordensstaat wiederum zwei Universitätsprojekte im Osten, bevor in Heidelberg 1386 die erste Universität im deutschen Altsiedelland entstand. Die ersten Magister Heidelbergs aber kamen aus Prag. Damit wären wir, so scheint es, bei der Antwort auf die letzte Frage – aber hier wird man doch ratlos. Wann und in welchem Maße sich die kulturellen, wirtschaftlichen, sozialen Entwicklungen hüben wie drüben angenähert haben – die Fragen also, die im Horizont der deutschen Einigung von 1990 vielleicht am wichtigsten wären –, weiß die Forschung noch kaum zu beantworten. Symptomatisch sind wohl die Urteile, die zwei Autoren herausragender Gesamtdarstellungen der deutschen Geschichte aus den letzten fünf Jahren dazu abgegeben haben. Der eine schrieb über die Salier- und Stauferzeit, der andere über das Spätmittelalter. In dem Buch über das Spätmittelalter kann man folgendes lesen: »Das Reich umfaßte süd- und westeuropäisch-gereifte und ost- und nordeuropäisch-junge Landschaften. Gemessen am Zeitpunkt der Christianisierung und der Einführung des Städtewesens schloß es Regionen in sich, die zwischen äußerstem Westen und äußerstem Nordosten eine rund tausendjährige Kluft aufwiesen; der Unterschied zwischen Italien und Norwegen war kaum größer. Der Prozeß des Ausgleichs so riesiger Unterschiede und ihre relative Einebnung auf einem mittleren Entwicklungsniveau in der Mitte Europas ist einer der bedeutsamsten, noch unerforschten Vorgänge der deut-

schen Geschichte des Mittelalters.«[17] Hier wird also die These
vorgetragen, am Ende des Mittelalters sei tatsächlich ein annähern-
der Gleichstand der Entwicklungen in West und Ost erreicht worden, und eingeräumt, daß über den Prozeß dieser Anpassung
nichts oder nicht viel bekannt sei. Der Verfasser des anderen, das
Hochmittelalter betreffenden Bandes in derselben Handbuchreihe
stellte demgegenüber fest: »Das Abendland war in seiner ganzen
Geschichte vielleicht nie einheitlicher geprägt als in der Zeit des
11. bis 13. Jahrhunderts.«[18] Offenkundig passen beide Äußerungen nicht zusammen. Denn wenn um 1250 ein relativer Gleichstand erreicht worden sein soll, als die Ostsiedlung schon sehr
weit vorgedrungen war und sich anschickte, die Liven und Prussen zu erfassen, kann man doch nicht andererseits vom Beginn einer Entwicklung ausgehen, die erst um 1500 zum Abschluß kam.
Vermutlich ist die Urteilsdifferenz auch darauf zurückzuführen,
daß die Zäsur zwischen beiden Bänden den einheitlichen Vorgang
der Ostsiedlung zerschnitten hat. Aber der eigentliche Grund
dürfte darin gelegen haben, daß die Frage nach dem west-östli-
chen Entwicklungsausgleich erst jetzt, durch den grundlegenden
Perspektivewechsel der Jahre 1989/90, wirklich aktuell geworden
ist. Anders gesagt: In dem gleichen Maße, in dem die jetzt lebenden Deutschen im Kontext der europäischen Einigung um die Integration von Bundesrepublik und DDR ringen, wird auch das
wissenschaftliche Interesse an den Folgen der mittelalterlichen
deutschen Ostsiedlung lebendig bleiben. Oder, noch anders ge-
wendet: Nicht zuletzt an der Entfaltung dieser Probleme in Forschung und Lehre wird man künftig den Zustand des vereinigten
Deutschlands ablesen können.

Literaturhinweise

Unter den neueren Gesamtdarstellungen der deutschen Geschichte sind für
das hohe und späte Mittelalter abgeschlossen die ›Deutsche Geschichte‹. Hg.
v. Joachim Leuschner: Horst Fuhrmann, Deutsche Geschichte im hohen Mittelalter. Göttingen 2. Aufl. 1983; Joachim Leuschner, Deutschland im späten

[17] Moraw, Von offener Verfassung, S. 24 f.
[18] Hagen Keller, Zwischen regionaler Begrenzung und universalem Horizont.
Deutschland im Imperium der Salier und Staufer 1024 bis 1250. Berlin 1986, S. 37.

Mittelalter. Göttingen 2. Aufl. 1983, sowie die Propyläen Geschichte Deutschlands: H. Keller, Zwischen regionaler Begrenzung und universalem Horizont. Deutschland im Imperium der Salier und Staufer 1024 bis 1250. Berlin 1986; P. Moraw, Von offener Verfassung zu gestalteter Verdichtung. Das Reich im späten Mittelalter 1250 bis 1490. Berlin 1985. Die einzige Darstellung des hohen und späten Mittelalters aus einer Feder und in einem Band stammt von H. Boockmann, Stauferzeit und spätes Mittelalter. Deutschland 1125–1517. Berlin 1987. Zu den Handbüchern vgl. die Sammelbesprechung von Johannes Fried, Deutsche Geschichte im früheren und hohen Mittelalter. In: Historische Zeitschrift 245 (1987), S. 625–659. Herrscherporträts bieten zwei neuere Sammlungen aus Westdeutschland und der DDR: Kaisergestalten des Mittelalters. Hg. v. Helmut Beumann. München 1984; Deutsche Könige und Kaiser des Mittelalters. Hg. v. Evamaria Engel u. Eberhard Holtz. Leipzig 1989. Eine Reihe biographischer Einzeldarstellungen eröffnete jüngst Ferdinand Oppl, Friedrich Barbarossa. Darmstadt 1990. Vgl. auch Karl Jordan, Heinrich der Löwe. Eine Biographie. München 1979.

Zum Reichsgedanken und Königtum im hohen und späten Mittelalter: Gottfried Koch, Auf dem Wege zum Sacrum Imperium. Studien zur ideologischen Herrschaftsbegründung der deutschen Zentralgewalt im 11. und 12. Jahrhundert. Wien, Köln, Graz 1972; Friedrich Barbarossa. Hg. v. Gunther Wolf. Darmstadt 1975; Ernst Schubert, König und Reich. Studien zur spätmittelalterlichen deutschen Verfassungsgeschichte. Göttingen 1979; Heinz Angermeier, Die Reichsreform 1410–1555. Die Staatsproblematik in Deutschland zwischen Mittelalter und Gegenwart. München 1984; Das spätmittelalterliche Königtum im europäischen Vergleich. Hg. v. Reinhard Schneider. Sigmaringen 1987.

Zur Problematik der Nation im Mittelalter: Ansätze und Diskontinuität deutscher Nationsbildung im Mittelalter. Hg. v. Joachim Ehlers. Sigmaringen 1989; Alfred Schröcker, Die Deutsche Nation. Beobachtungen zur politischen Propaganda des ausgehenden 15. Jahrhunderts. Lübeck 1974.

Zur Ostsiedlung hat Ch. Higounet vor kurzem ein Standardwerk vorgelegt: Die deutsche Ostsiedlung im Mittelalter. München 1990. Wichtige Zeugnisse sind gesammelt in: Urkunden und erzählende Quellen zur deutschen Ostsiedlung im Mittelalter. Hg. v. Herbert Helbig u. Lorenz Weinrich. 2 Bde, Darmstadt 1968/1970 (lateinisch – deutsch); dazu kommen vor allem die Chronisten Helmold von Bosau und Peter von Dusburg (wie Anm. 7 und 14). Die neuere Forschungsgeschichte markieren die Beiträge von Karl Hampe, Der Zug nach Osten. Die kolonisatorische Großtat des deutschen Volkes im Mittelalter. Leipzig, Berlin 1921; Hermann Aubin, Zur Erforschung der deutschen Ostbewegung. In: Deutsches Archiv für Landes- und Volksforschung 1 (1937), S. 37–70, 309–331, 563–602; Walter Schlesinger, Die geschichtliche Stellung der mittelalterlichen deutschen Ostbewegung. In: Historische Zeitschrift 183 (1957), S. 517–542; Siedlung und Verfassung der Slawen zwischen Elbe, Saale und Oder. Hg. v. Herbert Ludat. Gießen 1960; Die deutsche Ostsiedlung des Mittelalters als Problem der europäischen Geschichte. Reichenau-Vorträge 1970–1972. Hg. v. Walter Schlesinger. Sigmaringen 1975; Die Slawen in Deutschland. Geschichte und Kultur der slawischen Stämme westlich von Oder und Neiße. Ein Handbuch. Hg. v. Joachim Herrmann. Berlin 1970; Walter Kuhn, Neue Beiträge zur schlesischen Siedlungsgeschichte. Eine Aufsatzsammlung. Sigmaringen 1984; Germania Slavica. Bd. 1, Berlin 1980; danach fünf weitere Bände, zuletzt: Gertraud Eva Schrage, Slaven und Deutsche in der Niederlausitz. Untersuchungen zur Siedlungsgeschichte im Mittelalter. Berlin 1990. – Vgl. auch Jürgen Petersohn, Der südliche Ostseeraum im kirchlich-politischen Kräftespiel des Reichs, Polens und Dänemarks vom 10. bis 13. Jahrhundert. Mission – Kirchenorganisation – Kultpolitik. Köln, Wien 1979; Werner Paravicini, Die Preußenreisen des europäischen Adels. Teil 1. Sigmaringen 1989; Wolfgang Wippermann, Der »deutsche Drang nach Osten«. Ideologie und Wirklichkeit eines politischen Schlagwortes. Darmstadt 1981.

Zur Stauferrezeption im Umfeld der Reichseinigung von 1871: Klaus Schreiner, Friedrich Barbarossa – Herr der Welt, Zeuge der Wahrheit, die Verkörperung nationaler Macht und Herrlichkeit. In: Die Zeit der Staufer. Geschichte – Kunst – Kultur. Bd. V. Stuttgart 1977, S. 521–579.

Zum Zusammenhang von Forschung und »Leben«: Otto Gerhard Oexle, »Wissenschaft« und »Leben«. Historische Reflexionen über Tragweite und Grenzen der modernen Wissenschaft. In: Geschichte in Wissenschaft und

Der Primat der Innerlichkeit und die Probleme des Reiches
Zum deutschen Nationalgefühl der frühen Neuzeit
von VOLKER REINHARDT

Den Platz der Deutschen im Europa der frühen Neuzeit auszumessen, dazu sind politische und mentale Konstanten vonnöten. Die unverwechselbaren Koordinaten deutscher Geschichte aber finden wir nicht, wenn wir Reichsgrenzen bestimmen und Machtbalancen austarieren. Sie lassen sich einigermaßen sicher nur berechnen, wenn wir die Deutschen und ihre Nachbarn selbst zu Worte kommen lassen: Wie haben sich die Deutschen um 1500 selbst gesehen? Welches Bild haben sie von sich und ihrer Nation gezeichnet? Das ist die eine, doch noch unvollständige Frage, die wir stellen werden. Sie verlangt nach Ergänzung, nach dem Gegenbild. Nationale Gefühle und Selbstbilder kommen ohne Abgrenzung und Ausgrenzung nicht aus, und deshalb verstehen wir das deutsche Nationalbewußtsein ab der Reformationszeit erst dann in seinen besonderen Umrissen, wenn wir die Perspektive wechseln und Deutschland und die Deutschen auch mit den Augen der Fremden betrachten, deren verfremdetes Zerrbild als Kontrastmittel in das deutsche Selbstbild eingeflossen ist. Deutschland und die Deutschen um 1500 von innen und von außen gesehen, diese doppelte Blickrichtung soll uns ein Bild liefern, das in dreihundert Jahren manche Retuschen erfuhr, doch in seinem Kern unverändert blieb. Dieser verschieden beschriebene, doch gleich gemeinte und in deutschen Augen hochgeschätzte, für fremde Blicke befremdliche Kern deutschen Wesens führt uns zwangsläufig zum Hintergrund, vor den wir dieses Bild zu stellen haben. Die Kontrastfolie des deutschen Nationalbewußtseins aber bilden die Schwächen und Defekte des deutschen Reiches, die graue Wirklichkeit, von der sich das Selbstbild strahlend, aber auch illusionär verfremdet abhebt.

Wie beruhigend, daß wir diesen mühsamen Weg zurück zu den Wurzeln nicht alleine zu gehen haben. Wir brauchen nur einem einsamen Wanderer auf die im Herbst des Jahres 1793 braune Heide zu folgen; düster wie sie ist das Gemüt unseres Helden. Was den einsamen Grübelnden von seinen Mitmenschen trennt, ist nicht Schuld, sondern seine republikanische Gesinnung, seine Begeisterung für die in Frankreich begonnene Revolution. Mit ihr steht er, der 25jährige Georg Friedrich Rebmann, allein auf weiter Heide. Und er würde in lähmende Melancholie versinken, stünde auf der Heide nicht ein Stein, der die Herzensergießungen unseres den Fortschritt liebenden Menschheits-Bruders zur Wallung bringt. Auf ihn setzt sich Rebmann nieder, stützt das Kinn in die Hand und denkt über Deutschland nach. Nicht über das seiner eigenen Zeit, das würde ihn höchstens um den Schlaf bringen, sondern über den, der vor ihm auf diesem Stein vor einem schweren Gang Erquickung fand: Martin Luther auf dem Wege nach Worms. Die Erinnerung an ihn verscheucht die wilden Triebe und weckt machtvoll die Menschenliebe, ja sogar eine sehr eigentümliche Art der Deutschen-Liebe. Ein deutscher Republikaner, der mit der Französischen Revolution sympathisiert, hält nach Ahnen im eigenen Lande Ausschau, nach Vorläufern, die es ihm gestatten, die Prinzipien der Französischen Revolution aus urdeutschen Traditionen abzuleiten. Und er wird fündig. Als Geist vom Geiste Luthers tritt die Französische Revolution Rebmann auf dem medialen Feuer-Stein in der Heide vor Augen.

Luther und Mirabeau sieht er über 270 Jahre hinweg die Hände sich im Reichstags-Ballhaus reichen. In eins verschränken sie die Hände im Kampf gegen die Fesseln des Geistes, und diese Vision auf der Heide beraubt die konservativen Kritiker der Französischen Revolution mit einem Schlage ihres machtvollsten Gewährsmannes. Luther war jetzt nicht mehr der Ahnherr des unbeschränkten Territorialfürstentums, sondern der Streiter für Gedankenfreiheit, der Ziehvater der sogenannten deutschen Jakobiner, die ganz überwiegend bürgerliche Moral und Freiheiten für alle, politische Rechte einstweilen – das einfache Volk hatte der Erziehung zur Freiheit zu harren – nur für die besitzende und gebildete Oberschicht, mit anderen Worten eine staatstragende Rolle des deutschen Bürgertums durchsetzen wollten. Ein seit Jahrtausenden theologisch bewährtes Motiv, das der typologischen Vorwegnahme, wird hier geschichtlich nutzbar gemacht: das Neue ist das bewährte und gerechtfertigte Alte, ein Gedanke, der dem Reformator selbst nicht fremd war. Um solche Wesensverwandtschaft zu erkennen, muß man freilich mit viel Spürsinn hinter verunklärende Kostümierungen blikken und den Wesenskern freilegen. Der aber lautet: Geben Sie Gedankenfreiheit, Heiliger Vater (im Falle Luthers) bzw. Sire (im Falle Mirabeaus). Zwei Marquis Posas, der eine in Paris, der andere in Wittenberg. Der revolutionäre Kampf für die Freiheit des Geistes, der ab 1789 in Frankreich weitergeführt wird, ist in Deutschland begonnen worden und später in Deutschland zum Erliegen gekommen. Andere, siehe Mirabeau, haben das Erbe angetreten; die Saat ging westlich des Rheines auf, doch in den Augen Rebmanns und seiner

Gesinnungsgenossen, der sogenannten deutschen Jakobiner, kam das Samenkorn aus Wittenberg. Der wahre Revolutionär ist ein Sämann aus Deutschland.

Denn Revolutionen sind auch für die äußerste deutsche Linke der 1790er Jahre in erster Linie Umwälzungen der Denkungsart, der Gesittung: Erstürmt werden müssen die Bastillen der lichtlosen Vorurteile, herausgeführt werden müssen die Geister aus den Verliesen des moralischen Niedergangs, zu sprengen sind die Fesseln des Geistes. Dann wird sich alles weitere, Politik, Gesellschaft, Wirtschaft, von selbst befreien. Die Revolution ist aber auch ein tiefes Scheidewasser, das die unterschiedlichen Wesenszüge deutschen und französischen Nationalcharakters an den Tag bringt: gefühlsbetonter und nicht selten über die Stränge schlagender, moralisch verwegener extrovertierter Übermut auf der linksrheinischen, ethische Reife, höchste aufgeklärte Innerlichkeit und überlegene Sittlichkeit auf der deutschen Seite. Gibt es einen einzigen gemeinsamen Nenner, auf den sich von der äußersten Rechten bis zur republikanischen Linken die deutschen Ideologen der 1790er Jahre einigen konnten, so ist es dieses Bild des Eigenen und des Fremden: ein gesamtdeutsches Erbe.

Ein Erbe, eine Tradition ist es in mehrfacher Hinsicht. Zugegeben, Nationalbewußtsein kommt überall im frühneuzeitlichen Europa ohne Gegenbilder, ohne die Abgrenzung vom als wesensfremd Empfundenen nicht aus. Doch nirgendwo sonst wird das Kontrastmittel zur Herausfärbung der eigenen Eigenschaften dringender benötigt als in Deutschland. Deutsches Nationalgefühl der frühen Neuzeit entsteht aus der Abgrenzung vom anderen; diesen Lackmus, der nationale Reaktionen hervorruft, aber liefert schon lange vor der Reformation Rom, römisches Wesen, wir dürfen modernisieren, Italien, die lateinisch-mediterrane Kultur der Renaissance.

Daß der theologischen wie der nationalen Abgrenzung der Jahre um 1520 ein ganz bestimmtes Bild von Rom und dem Papsttum zugrunde lag, das zu bestreiten, ist aus naheliegenden Gründen bis jetzt noch niemand in den Sinn gekommen. Das moralische Verdammungsurteil von Reformern und Reformatoren über das als verweltlicht, veräußerlicht, entchristlicht eingestufte Papsttum weist alle Merkmale auf, die es als Reaktion auf eine Modernisierungskrise bestimmen lassen. Papsttum und Kurie hatten seit der Mitte des 15. Jahrhunderts einen Gestaltwandel erlebt, der nicht nur nördlich der Alpen Verstörung und Befremden erregt hat. Nicht ohne Grund bemühen sich die großen päpstlichen Auftrags-Kunstwerke um 1500 darum, einen beruhigenden Altersnachweis zu führen: das irritierend Neue ist das bewährte Alte im biblischen Gewande, so lautet ihre Botschaft. Der Einspruch gegen Modernisierungs- und Zentralisierungstendenzen aber ist in der europäischen frühen Neuzeit fast immer moralisch eingefärbt. Man vergleiche in diesem Zusammenhang das Bild, das Luther von den angeblichen moralischen Zuständen im päpstlichen Rom entwirft: Sodom, Gomorrha und Babylon liegen demnach allesamt am Tiber. Aber nicht nur über die neuere und neueste Geschichte des Papsttums konnte man sich in der Reformation nicht mehr verständigen. Zwei Kulturen, zwei Geschichts- und Menschenbilder treffen hier aufeinander, die sich seit langem voneinander abzugrenzen begonnen hatten. Und damit sind wir wieder bei unserem eigentlichen Thema Nationalbewußtsein und nationale Steotypen, denn ein solcher Abgrenzungsprozeß ist unweigerlich von der Abwertung des anderen, des Fremden begleitet. Die unversöhnlichen Nationalismen, die Waffen, mit denen man im Streit um die wahre Kirche nördlich und südlich der Alpen aufeinander einschlägt, sind von den theologischen Schleifsteinen der Zeit mörderisch zugespitzt, doch sind die Eisen, mit denen gefochten wird, seit Jahrzehnten geschmiedet. Antichrist und Höllenfeuer sind nur flackernd-gespenstische Zutaten; erstes Ergebnis unserer Suche nach nationalen Urbildern. Sie gewinnen in der Reformationszeit feurige Umrisse, die Klischees aber sind lange vor dem Auftreten Luthers geprägt.

Daß das deutsche Nationalgefühl um 1500 in höherem Grade kompensatorisch als andere ausfällt, daß es in stärkerem Maße auf die Abweisung, die Widerlegung, ja Herabsetzung des Fremden, speziell des Römisch-Welschen angewiesen ist, diese Behauptung zu stützen, bedarf es keiner subtil-sophistischen Beweisführung, sondern nur einiger Minuten unvoreingenommener Lektüre. Von Texten deutscher Humanisten nämlich, von denen ich die wichtigsten, auf die ich mich beziehe, nennen möchte: an erster Stelle natürlich Konrad Celtis (1459–1508), dann Jakob Wimpfeling (1450–1528), Ulrich von Hutten (1488–1523), zu denen neben vielen weniger originellen Autoren noch die Namen Hieronymus Gebwiller, Heinrich Bebel oder Franciscus Irenicus hinzuzufügen wären. Die Verachtung, der in den vehementesten Streit- und Programmschriften eines Celtis, Wimpfeling oder Hutten perfides römisches Treiben ausgesetzt wird, diese Abwertung ist unschwer als Revanche, als Kompensation auszumachen. Nationale Empfindungen werden in den meisten Texten auf wirkungsvolle, doch recht stereotype Weise angefacht: am Anfang steht die leidvolle Aufzählung von Hohn und Verachtung, die die ehrlichen Deutschen von den hinterhältigen Welschen erfahren. Die als Barbaren titulierten Deutschen proben den Aufstand, indem sie den Barbarei-Vorwurf gegen die zurückschleudern, die ihn aufgebracht haben.

Aber es gibt tiefere Gründe dafür, daß das deutsche Nationalgefühl dieser Zeit der Reibung am Fremden bedarf, um sich zu entzünden. Der feindliche Spiegel reicht weit in die Geschichte zurück: die eigene, die germanische Geschichte wird von Anfang bis Ende als Widerpart zur römischen verstanden. Das deutsche Reich, an dem die deutschen Humanisten um 1500 mit ganzer Seele hängen, ist emanzipationsbedürftig, muß von päpstlichen Bevormundungs-Ansprüchen freigesprochen werden. Nach kurialer Auffassung hatte der Papst mit der souveränen Machtvollkommenheit des Stellvertreters Christi auf Erden die Kaiserwürde den griechischen Römern in Byzanz weggenommen und bis auf Widerruf den Franken und später den Deutschen als dem schlagkräftigeren Arm und Schwert der Kirche übertragen. Für nationalgesinnte deutsche Gemüter war das eine unerträgliche Kränkung; ihre eigene Version lautete: Lohn dem Verdienst. Die Germanen und ihre leiblichen Nachfahren, die Deutschen, waren zur Stelle, als die degenerierten Römer das Atlasgewicht des Imperiums auf ihren verweichlichten Schultern nicht mehr zu tragen vermochten.

Aber Rom stand in den Augen deutscher Humanisten nicht nur der Anerkennung geschichtlicher Verdienste, sondern auch der Wiederherstellung einst herrlicher, jetzt abgesunkener Reichsgröße im Wege. Kirchenreform war nämlich zugleich auch Reichsreform, mit anderen Worten: Wollte man dem durch fremde Einwirkung geschwächten Reichsgebilde die alte Wehrhaftigkeit wieder einflößen, so mußte man zugleich mit der politischen die kirchliche Erneuerung in Angriff nehmen. Zu viele Reichsfürsten waren bekannterweise ja zugleich hohe Kleriker. Aber damit genug der trockenen Theorie und mitten hinein in das Wechselbad der nationalen Selbst- und Gegenbilder! Am zweckmäßigsten steigen wir just auf dem Siedepunkt, in die Jahre um 1520, ein. Welcher Dunst schlägt uns da entgegen.

Zuerst einmal fällt uns in den vehementesten nationalistischen Streitschriften der Zeit, etwa in Ulrich von Huttens ›Vadiscus oder die römische Dreifaltigkeit‹, einem Text, den wir im folgenden als Paradigma betrachten wollen, eine eigentümlich schillernde Doppeldeutigkeit, eine sorgfältig berechnete begriffliche Verschwommenheit auf. Unheimlich nahtlos, verstörend gleitend nämlich fallen die Übergänge von der theologischen zur nationalen Verdammung aus. Anklagen richten sich anfangs gegen Geiz, Habsucht und sittliche Ausschweifung der römischen Kirche und ihrer Kleriker. Das war die gute alte Kurien- und Papstkritik, gegen die man sich in Rom inzwischen eine recht dicke Haut zugelegt hatte. Nur schwarze Schafe aber gehorchen schlechten Hirten: das war die Sinnbrücke, die von der Kirchenkritik zum nationalen Stereotyp hinüberführte. Verworfen war jetzt nicht mehr allein der Klerus, sondern die ganze Nation, die ihm folgte. Die nationale Verteufelung findet ihren theologischen Abschluß, indem man den Ursprung der feindlichen Gruppe und des feindlichen Bekenntnisses auf dämonische Wurzeln zurückführt: bekannterweise glaubte Luther schon 1519, den Papst als Antichristen gestellt zu haben. In seinem apokalyptischen Fangnetz aber zappelte nicht nur der Pontifex, sondern die ganze italienische Nation kräftig mit. Ihr Bild, gezeichnet von den frühen Federn im Dienste der Reformation, fällt, wie nicht anders zu erwarten, abschreckend aus, ist von schillernder, trügerischer Janusköpfigkeit, ein Vexierbild aus Lug und Trug. Der glänzende Augenschein trügt, hinter ihm verbergen sich Verworfenheit, sittliche Dekadenz und nackter Atheismus. Das Bild des Fremden ist doppeldeutig, verwirrend, er ist listenreich und zu Gestaltwechsel befähigt. Dahinter verbergen sich Prinzipienlosigkeit und ungehemmtes Profitstreben: Schamlosigkeit, Sittenlosigkeit, Ausschweifung sind des Welschen Kern. Vor dem empörten Auge des Autors paradiert eine maskierte Gesellschaft, die doch auf Dauer ihr wahres teuflisches Gesicht, das Antlitz der Halt- und Glaubenslosigkeit nicht verhüllen kann. Nationale Abgrenzung läuft also über die sittlich-moralische und religiöse Schiene. Die römische Kultur, der römische Nationalcharakter werden als jeglichen Glaubens bar, als moralisch verworfen betrachtet. Die Vorspiegelei, der falsche Schein, der zerfressene Glanz, das alles ist letzten Endes auf Unglauben, auf Veräußerlichung, auf Fehlen von Innerlichkeit zurückzuführen. Für das entgegengesetzte, das deutsche Wesen aber kann ein solcher überzeugungsloser Opportunist nur Spott hinter vorgehaltener Hand übrig haben, er muß den in Treue und Ehre festen Deutschen verachten. Hängen die Römer an geschmückten prunkvollen Kirchen, um ihre innere Leere zu überdecken, so ist das deutsche Wesen kraftvolle Innerlichkeit, die des flirrenden, aber hohlen Spiegels, des niedlich verschnörkelten Zierrats, der anmutigen äußeren Form nicht bedarf. Nahtlos entwickelt sich aus dem Gegenbild das nationale Selbstbild. Den Deutschen fehlt die schillernde kulturelle Tünche, die, wie im Süden, dem Grab der Moral gespenstisch irrlichterenden Glanz verleiht, aber dafür liegen ihre wahren Eigenschaften unverhüllt, ja so offen und ehrlich zutage, daß sich der listige Gegner dadurch Vorteile verschaffen kann. Während die Römer von ihren hehren geschichtlichen Vorbildern, von einem Mucius Scaevola und einem Scipio, zu Unkenntlichkeit, ja ins pure Gegenteil abgefallen sind, sind die Deutschen ihren Wurzeln treu geblieben. Das beweist schon ihre Starkmütigkeit, Glaubens- und Gefolgschaftstreue, die Achtung, die sie Recht und Herkommen erweisen. Das Fremde ist das Entartete, da es sich von den wahren Wurzeln entfernt hat, wurzellos geworden ist. Die Nähe zum Ursprung, die die deutsche Nation auszeichnet, bezeugen ihre hervorstechendsten Eigenschaften, nämlich Aufrichtigkeit, Geradlinigkeit, Festigkeit in Sitte und Moral, unerschütterliche Innerlichkeit, unanfechtbare Glaubensstärke, die Gabe, hinter die Fassade zu blicken, die edle Unfähigkeit zur Verstellung, Gutgläubigkeit, Großherzigkeit und natürlich vor allem Mut und Tapferkeit. Trotz mancher von außen zugefügter Risse ist der deutsche Nationalcharakter unzerbrechlich und unzerstörbar, weil er in seinem Kern dem zernagenden Zahn der Zeit Widerstand geleistet hat. Deutsch sein, das heißt, den eigenen Ursprüngen treu bleiben. So in etwa läßt sich pointiert das Bild umreißen, das die meinungsbildenden deutschen Intellektuellen um 1500 von ihrer Nation entwerfen. Am wortmächtigsten tritt es uns in den Schriften des 1508 gestorbenen Erzhumanisten Konrad Celtis entgegen, in denen die Kontraste und ihre Ursachen am tiefenschärfsten und polemischsten herausgearbeitet werden. Welch ein Geschenk des Himmels für ihn und seine Mitstreiter, daß es ausgerechnet der Römer Tacitus war, der die sittliche Überlegenheit der Germanen über die Romanen so unverdächtig bezeugte. Was tat es zur Sache, daß dazwischen anderthalb Jahrtausende lagen, wenn das deutsche Wesen durch trutzige Beharrung ausgezeichnet war?

So träufelte aus der im 15. Jahrhundert wiederentdeckten und 1497 erstmals in Deutschland herausgegebenen ›Germania‹ des Tacitus nie versiegender Balsam auf die Wunden, die römischer und kurialer Kultur- und Kirchenimperialismus in das zarte Gewebe deutschen Selbstgefühls geschlagen hatten. Die deutsche Seele hatte ihren Hausschatz und Hausarzt gefunden, aus dem sie nicht nur Rezepte zur Kurierung ihrer Insuffizienzen, sondern mehr noch, die Rechtfertigung und Bestätigung des eigenen Andersseins finden sollte. Wenn die Neu-Germanen des Jahres 1500 nicht mehr ganz so unbeirrbar ehrenfest, so unerschütterlich sittsam und keusch, so bedürfnislos gastfreundlich, so aufopferungsvoll vaterlandsliebend, so furchtlos tapfer auftraten wie ihre Ahnen, so lag das vor allem daran, daß der römische Erzwidersacher im Priestergewand sein verweichlichendes Gift in deutschen Adern zirkulieren ließ. Die sittliche Selbsttreue, die sich die Deutschen zuschrieben, aber war mehr als eine belächelnswerte nationale Donquichotterie: die moralische Integrität· der Germanen in der Frühzeit war der Naturzustand schlechthin, und bei den kernig-robusten Ursitten der Urahnen zu verweilen, das hieß, der Natur selbst nahezubleiben, naturnah und damit vorbildlich zu leben. Wahrer kultureller Fortschritt ist nur auf unangekränkeltem, gesundem, eben natürlichem Fundament und damit nur in Deutschland möglich. Denn in Deutschland war dieser sittlich-moralische Sockel nicht, wie südlich der Alpen, durch irreparable Degeneration brüchig und durch veräußerlichte Bildung nur notdürftig übertüncht. Daß diesem bei Celtis am kräftigsten ausgeführten, doch mehr oder weniger explizit bei den meisten deutschen Humanisten der Zeit angelegten Argument in der weiteren Entwicklung des deutschen Nationalismus noch eine besondere Zukunft beschieden war, braucht nicht näher erläutert zu werden.

Mit dem Motiv der Naturnähe bzw. Naturferne von Nationen nähern wir uns allmählich dem anthropologischen Urgestein, aus dem nationale Selbstbildnisse gemeißelt sind. Allmählich aber wird es auch Zeit, Grenzen zu überschreiten, die Augen und die Perspektiven zu wechseln. Der Augenblick dazu ist günstig gewählt. Denn dem deutschen und italienischen Nationalbewußtsein um 1500 liegt ein diametral entgegengesetztes Geschichtsbewußtsein zugrunde. Celtis hatte das deutsche Wesen durch Naturnähe und damit Geschichtslosigkeit bestimmt. Italienisches Nationalbewußtsein in der Renaissance aber definierte sich durch geschichtlichen Fortschritt, durch Kultur. In Italien nämlich hatte sich in der Bildungselite seit langem eine säkularisierte philosophisch-historische Laienkultur herausgebildet, die nach 1500 zu einem modernen Verständnis von Geschichte gelangte, das uns am reinsten im Werk Francesco Guicciardinis entgegentritt. Modern heißt in diesem Fall, daß Geschichte als autonomer Gegenstand des Interesses entdeckt wird. In ihr ist nicht mehr der Zeigefinger, geschweige denn die Hand Gottes erkennbar, sie wird zu einem rein innerweltlichen Prozeß, in dem Kräfte aufeinandertreffen, die der rationalen Analyse zugänglich, freilich durch die Ratio allein – was ihrer Würde keinen Abbruch tut – nicht steuerbar sind. Aus dieser Skepsis aber erwächst die unumstößliche Erkenntnis, daß Geschichte nicht nur die Summe ausschließlich menschlicher Triebkräfte, sondern etwas Unverwechselbares, Unwiederholbares ist. Reform aber kann dann nicht mehr darin bestehen, an einen längst überwundenen Urzustand anzuknüpfen – das wäre ein absurder Anachronismus –, Reform muß bedeuten, Normen zu klären, an die gewandelten Zeitumstände anzupassen. Aber nicht nur über die Geschichte und ihren Sinn konnte man sich nördlich und südlich der Alpen in der Reformation nicht mehr verständigen. Dem unvereinbaren Geschichtsbild lagen nicht weniger unüberbrückbare Unterschiede in der Einschätzung des Menschen, seiner Anlagen und seiner Entfaltungsmöglichkeiten zugrunde. Unvereinbare Bilder von Mensch, Natur, Gott und Gnade standen sich gegenüber. Die römische Idee von der Würde der äußeren Form als Spiegel höherer, unsichtbarer Werte, das Konzept der zu pädagogischen Zwecken vorgenommenen Übertragung von Größe ins Augenfällige traf in der Reformation auf eine radikale Scheidung von Innen und Außen, die die sichtbare Größe und den augenfälligen Schmuck von Kirchen und Gottesdienst nicht als Widerschein unsichtbarer Majestät, sondern als eitlen Reflex hochmütiger, unfrommer Überhebung verstehen mußte. Die Verschmelzung der Zeiten vor und nach Christus, die teilweise Offenbarung der Wahrheit schon vorm Gotteswort der Bibel, und damit die Synthese der Kulturen und Religionen, die Hochschätzung der antiken Philosophie, das alles, den kurialen Theologen um 1500 teuer, konnte von den Reformatoren nur als pures Heidentum bewertet werden, wenn sie die geschichtliche Zeit in zwei unübersteigbar getrennte Hälften, in die dunkle vor und in die helle nach der Gnade zerlegten. Damit war auch das Lesebuch der Geschichte, in dem der in Arkana und Mysterien Eingeweihte wissenden Lächelns hinter verunklärenden Namen die unendliche Abfolge der auf Menschen und Institutionen vorausweisenden Typen zu dechiffrieren vermochte, als heidnischer Unrat zerrissen; vorherbestimmt war jetzt nur noch der Messias.

Die Brücke zwischen Menschlichem und Göttlichem, an der die humanistisch eingefärbte Theologie in Rom so emsig gebaut hatte, wurde in der Reformation eingerissen. Zwischen beiden Sphären gab es jetzt keine Vermittlung mehr und erst recht nicht mehr den Papst als Mittler, der die aus sich selbst heraus wirksamen Mittel, die Sakramente, spendete. Mensch und Natur waren durch den Sündenfall von ihren Ursprüngen abgeschnitten und konnten den Weg zurück nicht mehr finden, den man im Rom der Renaissance für weit geöffnet gehalten hatte. Denn dort sah man die sittlich-moralische Substanz des Menschen, ja seine Gottähnlichkeit nicht als von Grund auf zerstört an. Und deshalb betrachtete man in Rom den Menschen auch nicht als willenloses Objekt, sondern als sich selbst verantwortenden, als willensfreien Partner der göttlichen Gnade.

Und so war der optimistische Appell zu tätigem sittlichen Streben und ethischer Vervollkommnung an jeden einzelnen gerichtet. In der Reformation aber war an die Stelle des römischen *Liberum arbitrium* jetzt der *servum arbitrium*, der unfreie Wille getreten, der von der Gnade willenlos, wie von einem Gebirgsstrom auch gegen seinen Willen mitgerissen wurde. Damit aber hatte sich in der Reformation die Lehre von der Prädestination, von der Vorherbestimmung der Verdammten und Erwählten, durchgesetzt. Nicht nur der Mensch, auch die Natur hatte in den großen Bildern der italienischen Renaissance ihr Wesen als im wesentlichen unzerkratzter Spiegel bewahrt. Wer nördlich der Alpen hineinschaute, den grinste grenzenlose Sündigkeit an. Und so konnte im Endzeitentwurf eines Luther keine Verschmelzung der Reiche, kein Goldenes Zeitalter unter einem weltlich-geistlichen päpstlichen Allherrscher, das römische Humanisten kühn datierten, sondern nur die Scheidung zum Gericht Wirklichkeit werden. Dadurch aber wurde die verästelte Ordnung der Kirche, ihre in der Welt entfaltete Hierarchie fragwürdig. Für die Reformatoren war die wahre Kirche die unsichtbare Gemeinschaft der Erwählten. Die Geringschätzung der Tradition konnte man in Rom nicht mitvollziehen, so wenig wie den Verzicht auf den Ablaß und den ihm zugrundeliegenden Kirchenschatz, der durch die Verdienste der Heiligen aufgefüllt war, die nördlich der Alpen gleich mitgestrichen wurden. Denn in Rom hielt man an der Perfektibilität des Menschen, an seiner Erziehbarkeit und an seinen selbst erworbenen Verdiensten fest, die, wenngleich ohne die göttliche Gnade nicht zu gewinnen, doch Gnade vor Gott finden konnten.

Mit der Skizze von zwei Kulturen, die sich nicht mehr verständigen, sondern nur noch verteufeln konnten, haben wir uns von unserem Thema, dem Bild, das die Deutschen von sich selbst und den anderen und dem Bild, das die anderen von den Deutschen und sich selbst gezeichnet haben, weniger weit entfernt, als es den Anschein haben könnte. Hatten die deutschen Humanisten um 1500 die Treue gegenüber unveränderlichen und unveräußerlichen Normen als das eigentliche Ruhmeszeichen des durch Sittlich- und Innerlichkeit vor allen anderen ausgezeichneten deutschen Nationalcharakters bestimmt, so kann uns nicht verwundern, daß eben dieselbe Abwehr geschichtlichen Wandels im italienischen Gegenentwurf als der eigentliche untilgbare Makel deutschen Wesens hervortritt.

Unbeweglichkeit, missionarische Unbelehrbarkeit, starre Unzugänglichkeit, kulturelle Unbedarftheit, unzivilisierte Ungeschliffenheit, freiwilliges Sichabschnüren vom kulturellen Fortschritt und unmenschliche Grausamkeit, das sind die Wesenseigenschaften des nördlichen Barbaren in italienischen Augen. Wie leicht zu erkennen, entsteht dieses nicht weniger stereotype und abweisende Bild aus einer vollkommen entgegengesetzten Bewertung von Geschichte und geschichtlichem Fortschritt. Auf parodistischer Ebene ließ sich die Heilige Schrift des deutschen Nationalgefühls, die ›Germania‹ des Tacitus, in ein komisches Tableau zusammenstreichen. Was die deutschen Tacitus-Nachschreiber gerne schamhaft verschwiegen oder abmilderten, wurde jetzt von italienischer Seite erbarmungslos zu propagandistischen Zwecken ausgeschlachtet, zum in Wahrheit einzigen untilgbaren nationalen Merkmal erhoben, das die neuen von den alten Barbaren, das die Deutschen von den Germanen geerbt hatten: die in ihrer unstillbaren Maßlosigkeit unheimliche Trunklust, die Ochsen im Stück verzehrende Völlerei und Fresserei, die zusammen mit dem *furor teutonicus* das in Italien volkstümliche Bild des Deutschen so lange beherrscht haben, bis es später von der nicht weniger verdächtigen Arbeits- und Erfolgsgier abgelöst wurde.

Die pittoresk-folkloristischen Aspekte können nicht verdecken, daß das Bild des Deutschen in den Augen italienischer Intellektueller durch den Ausschluß von kultureller Dynamik geprägt war. Innerlichkeit erscheint als Rückschrittlichkeit, als nicht nachvollziehbares bockiges Beharren, als kleinlich querulantische Rechthaberei und Kulturfeindlichkeit, als unbelehrbares Sichsperren gegen eine zivilisatorische Mission, die mit dem römisch-italienischen Namen seit Jahrtausenden untrennbar verknüpft ist. Das italienische Selbstbild wiederum hat seinen reifsten Niederschlag im nostalgischen Rückblick gefunden, den der alternde Guicciardini des Jahres 1538 auf den längst verwehten Glückszustand Italiens im seligen, da vor dem Sturm gelegenen Jahre 1490 geworfen hat. Die überlegene Kultur aber, die das Leitmotiv dieser stolzen Idylle ausmacht, gedieh in den Augen Guicciardinis nur auf dem reichen Mutterboden der Vielstaatlichkeit, die die politische Situation Italiens im 15. Jahrhundert geprägt hatte. Guicciardini ist sich zugleich des unheilvollen Paradoxons bewußt, daß die in einem zersplitterten Italien wie nie zuvor aufblühende Kultur durch militärische und politische Wehrlosigkeit gefährdet ist. Sie wird mit der ab 1494 einsetzenden und nicht mehr abreißenden Eroberung, Zerstückelung und Fremdherrschaft grausam aufgedeckt.

Kommen wir nach den Skizzen nationaler Selbstbilder und Gegenbilder kurz und abschließend zum zweiten Hauptpunkt, zum Hintergrund, vor dem sie zu sehen sind. Beide Selbstbilder, das deutsche und das italienische, sind kompensatorische Gegenbilder zur

Wirklichkeit. Der von deutschen Humanisten hochgetürmte Machtanspruch, der dem deutschen Imperium und der deutschen Kultur gemeinsam den Vorrang vor allen anderen Nationen zuschreibt, muß vor der Folie eines Reiches gesehen werden, das den hohen alten Idealen nicht mehr entsprach. Dieses Gebilde vermochte nationale Identifikationsbedürfnisse nicht mehr zu befriedigen: so schaffte man sich Ersatz in der Vergangenheit und suchte durch grelle Farben die unübersehbaren Risse zu übertünchen, die zwischen hehrem Vorbild und grauer geschichtlicher Wirklichkeit klafften. Nicht umsonst haben sich die humanistischen Wortführer eines deutschen Nationalgefühls als Vorkämpfer einer erneuerten, ihrer Vorbilder würdigen kaiserlichen Zentralgewalt verstanden. Vergeblich, denn in Deutschland war der Weg hin zu einem zunehmend zentralisierten Nationalstaat verbaut, wie er im westlichen Europa beschritten wurde. Die Macht der Reichsfürsten, die immer weiterreichende Unabhängigkeit und Konsolidierung ihrer Territorialstaaten auf Reichsboden konnte nicht rückgängig gemacht werden. Und alle demagogischen Tricks im Kaiserwahlkampf von 1519 konnten nicht darüber hinwegtäuschen, daß der neue Kaiser Karl V. kein Deutscher war, daß die Interessen seiner Familie nicht wie die westeuropäischer Dynastien mit nationalen Erwartungen zusammenfielen. Im Gegenteil, so sehr das Haus Österreich auch auf den Kaisertitel zu Behauptung von Macht und Prestige angewiesen war, vielfältige Überschneidungen zwischen seinen vielgestaltigen Familieninteressen und Reichsbelangen blieben nicht aus. Und im Konfliktfall gewannen die Gesichtspunkte der Dynastie regelmäßig den Vorrang vor nationalstaatlichen Erwägungen. Aber die deutschen Humanisten hatten Schwereres zu verkraften als einen Kaiser französischer Muttersprache: Die strukturellen Defekte der Reichsverfassung und damit des staatlichen Rahmens, in dem sie lebten und webten, lagen zutage, der Widersprüche waren zu viele. Das Reich, das seit den 1480er Jahren zunehmend als Heiliges Römisches Reich deutscher Nation bezeichnet wurde, war ein zwitteriges Gebilde. Es ließ sich um 1500 nationalstaatlich, also als der staatliche Rahmen der Deutschen, ihrer Kultur und ihrer Geschichte verstehen, doch blieben ältere, übergreifende, universalistische Konzepte lebendig, nach denen das Reich mehr war als ein Staat unter anderen, nämlich eine nationenübergreifende, heilsgeschichtlich vorherbestimmte politische Größe. Aus dieser Doppeldeutigkeit erwuchsen peinliche und schwierige nationale Fragen und Selbstzweifel: Was eigentlich war Deutschland, wer waren die Deutschen, und wo waren beider Grenzen und Abgrenzungen? Um 1500 ließen sich darauf ganz verschiedene Antworten finden. Die einen sagten: Deutsche sind schlicht die, die innerhalb der Reichsgrenzen leben, doch dann mußte man Niederländer und Kroaten dazurechnen. Bezeichnete man als Deutsche diejenigen, die deutsch sprachen, wurden die Grenzen fließend, dann opferte man die Reichseinheit und ging jeglichen staatlichen Identifikationsrahmens verlustig, und so waren beide Begriffsbestimmungen schmerzlich und unbefriedigend. Kompliziert und widersprüchlich schließlich war die politische Verfassung des Reiches selbst.

Die reichsständischen Territorien, also die zunehmend quasi unabhängigen wichtigeren staatlichen Gebilde auf Reichsboden, erlebten ab 1500 einen kräftigen Modernisierungs- und Zentralisierungsschub. In Frankreich schuf dieselbe Entwicklung allmählich die Grundlage für den Aufbau einer effizienteren Zentralverwaltung und stärkte ein zunehmend über Provinzgrenzen hinweg wirksames nationales Zusammengehörigkeitsgefühl; als in den von 1562 bis 1598 tobenden Religionskriegen die zentrifugalen, partikularistischen Kräfte niedergerungen waren, war auch der staatliche Rahmen geschaffen, mit dem sich französisches Nationalbewußtsein im 17. Jahrhundert identifizieren konnte. In Deutschland aber bewirkte dieselbe Tendenz, scheinbar paradox, genau das Gegenteil: Die Modernisierung ging auf Kosten des Reiches, je stärker sich die größeren Reichsterritorien konsolidierten, desto schwächer wurde der gemeinsame Rahmen, der sie zunehmend nur noch notdürftig zusammenhielt.

Selbst die um 1500 in Angriff genommenen Reichsreformen waren in den Augen von Einheitsverfechtern eine zweischneidige Angelegenheit, denn am Ende stärkten sie vor allem die Macht der Kurfürsten und des übrigen reichsständischen Hochadels. Der Reichstag als oberstes Lenkungs- und Koordinierungsorgan des Reiches war eine Institution, die nach nationalem Zusammenhalt und nach nationaler Größe lechzende Gemüter auf Dauer kaum zu erwärmen vermochte. Zu ausgeklügelt war das System der in ihm vertretenen drei Kurien von Kurfürsten, Reichsadel und den (im übrigen lange Zeit gegenüber den beiden ersteren diskriminierten) Reichsstädten. Zu eigennützig waren die Interessen, die in diesem Forum ausgefochten wurden, zu sehr traten nationale Belange in den Hintergrund, wenn die Reichsstände auf den Reichstagen mit dem Kaiser und dessen vollends unübersichtlichen dynastischen Interessen Kompromisse schlossen. In nationalgesinnten Augen des 16. wie des 18. Jahrhunderts traten zu viele Vetos, zu viele Einspruchsmöglichkeiten hervor, um im Reichstag auf Dauer eine nationale politische Bühne zu erkennen. In humanistischen Augen am ärgerlichsten war das Veto, das de facto die geistlichen Reichsfürsten besaßen. Damit klingt das Leitmotiv der Verquickung von politischer und geistlicher Reform erneut leidvoll an. Ab dem zweiten Viertel des 16. Jahrhunderts trat eine weitere Lähmung in den ohnehin von zu vielen *checks and balances* paralysierten Reichsorganen auf: Der konfessionelle Gegensatz sollte bald zu einem Drei-zu-drei-Patt der Kurfürsten und später zu langwieriger Lahmlegung der zentralen Reichsjustiz führen. Die Reichsorgane, die auf diese Weise geschwächt wurden, waren ohnehin nie stark gewesen, kaum je über ein embryonales Stadium hinausgelangt. Und da das Reichsheer von den Reichsständen finanziert werden mußte, sahen die am taciteischen Idealbild kraftvoller germanischer Wehrhaftigkeit berauschten Humanisten ihr zeitgenössisches Germanien immer mehr in peinvolle Wehrlosigkeit absinken.

Damit haben sich zwei siamesische Zwillingsphänomene herausgeschält, die immer zusammen gesehen werden müssen: die Defizite und Mängel der Reichsverfassung und das nicht selten übersteigerte, da kompensatorische deutsche Nationalbewußtsein. Ideal und Wirklichkeit mußten noch weiter auseinanderklaffen, als das überaus komplizierte Verfassungswerk des Westfälischen Friedens von 1648 auswärtigen Mächten stärkeren Zugriff in die Reichsgeschicke einräumte. Um 1790 lautete die Diagnose, die kritische Intellektuelle dem aufgeblähten Reichskörper stellten, immer häufiger: Sklerose. Mit ihr haben wir unseren Tagträumer Rebmann auf der braunen Heide wieder eingeholt. Seine hellsichtige Analyse deutscher politischer Wirklichkeit zielte auf eine nicht mehr zu schließende Kluft: Wie überall im europäischen Ancien régime klafften Eliten und Staat, Gesellschaft und Institutionen auseinander. In den Augen Rebmanns aber ist das Dilemma der Zeit ein geistiges: es ist die Aufklärung, der wissenschaftliche und moralische Fortschritt, der die alten Institutionen des Reiches obsolet gemacht hat. Rebmann und die republikanische Linke der 1790er Jahre billigen die Prinzipien der Französischen Revolution auch nach 1792, doch sie billigen nicht das, was sie als moralische Auswüchse und sittliche Entartung betrachten, sie billigen nicht einen Marat und Robespierre. Sie möchten Deutschland um jeden Preis ein ähnliches Schauspiel entfesselter unsittlicher Leidenschaften ersparen, denn Deutschland hat seine erste Revolution, die Reformation, ja längst hinter sich: eine moralische, eine verinnerlichte, eine letztlich unpolitische, eine sehr deutsche Revolution.

Literaturhinweise

Eine umfassende Studie zum Komplex deutsches Nationalgefühl, deutsches Selbstverständnis, Selbstbild und Abgrenzung vom Fremden steht bis heute aus. Die bei weitem ergiebigste Arbeit zum Thema, die diese Lücke zumindest partiell auffüllt, stammt – bezeichnenderweise – aus französischer Feder: J. Ridé, L'image du germain dans la pensée et la littérature allemande de la redécouverte de Tacite à la fin du XVIème siècle. 3 Bde, Paris 1977, auf die ich häufig Bezug nehme. Die breitangelegte, gelegentlich überpointierende, jedoch über den Titel hinaus ein facettenreiches Bild deutscher Selbsteinschätzung vom Mittelalter bis ins 16. Jahrhundert bietende Studie ist punktuell sinnvoll zu ergänzen nach L. Krapf, Germanenmythus und Reichsideologie. Frühhumanistische Rezeptionsweisen der taciteischen ›Germania‹. Tübingen 1979, und, mit weltanschaulichen Reserven, nach H. Simon, Geschichte der deutschen Nation. Wesen und Wandel des Eigenverständnisses der Deutschen. Mainz 1968. Anregende Überlegungen zum Thema bei H. Lutz, Die deutsche Nation zu Beginn der Neuzeit. Fragen des Gelingens und Scheiterns deutscher Einheit im 16. Jahrhundert. Zu den Ursachen der Reformation. Quickborn 1982, der auch in breiterem Rahmen dazu stimulierende Ausführungen trifft (H. Lutz, Das Ringen um deutsche Einheit und kirchliche Erneuerung. Von Maximilian I. bis zum Westfälischen Frieden 1490–1648. Berlin 1983, vor allem S. 91–96, 218–234), während in den neueren Standarddarstellungen zum Reich im 16. Jahrhundert der Aspekt Nationalbewußtsein und Selbstabgrenzung eher kursorisch behandelt wird; eine Auswahl: M. Heckel, Deutschland im konfessionellen Zeitalter. Göttingen 1983; W. Hubatsch, Frühe Neuzeit und Reformation in Deutschland. Frankfurt, Berlin 1981; B. Möller, Deutschland im Zeitalter der Reformation. Göttingen 1981; H. Rabe, Reich und Glaubensspaltung. Deutschland 1500–1600. München 1989; H. Schilling, Aufbruch und Krise. Deutschland 1517–1648. Berlin 1988; W. Schulze, Deutsche Geschichte im 16. Jahrhundert, 1500–1618. Frankfurt 1987. Die Arbeit von F. G. Schultheiß, Das deutsche National-Bewußtsein in der Geschichte. Hamburg 1891, deckt nur das Mittelalter ab; H. Cysarz, Das deutsche Nationalbewußtsein. Gegenwart, Geschichte, Neuordnung. München 1961, trägt schwer an ideologischen Altlasten, während die zahlreichen Arbeiten zum Thema von P. Joachimsen trotz gelegentlicher Reprints entschieden veraltet sind; zu nennen sind: Geschichtsauffassung und Geschichtsschreibung unter dem Einfluß des Humanismus. Leipzig, Berlin 1910; Vom deutschen Volk zum deutschen Staat. Eine Geschichte des deutschen Nationalbewußtseins. Leipzig, Berlin 1920 u. ö.

Belege im einzelnen: Georg Friedrich Rebmanns Luther-Meditationen auf einsamer Heide stehen in seinen in Briefform verfaßten, von H. Voegt 1968 herausgegebenen, erstmals 1793 erschienenen Kosmopolitischen Wanderungen durch einen Teil Deutschlands. Frankfurt 1968, im Vierten Brief, S. 58–61; zum (fälschlich zum jakobinischen Berufsrevolutionär stilisierten) Aufklärer Rebmann zwei neuere Studien: R. Kawa, G. F. Rebmann (1768–1824). Studien zu Leben und Werk eines deutschen Jakobiners. Bonn 1980; M. A. Sossenheimer, G. F. Rebmann und das Problem der Revolution. Revolutionserfahrung, Revolutionsinterpretationen und Revolutionspläne eines deutschen Jakobiners. Frankfurt, Bern 1988, doch hat die Lektüre der Primärtexte weiterhin Vorrang; weitere Anmerkungen Rebmanns – pars pro toto für die (fälschlich) sogenannten deutschen Jakobiner alias reformfreudige Republikaner der 1790er Jahre – zu Luther im nützlichen Bändchen G. F. Rebmann, Ideen über Revolutionen in Deutschland. Köln 1988, S. 136 f., 173 f. Aus der Misere der Jakobiner-Forschung (Überblick bei H. M. Wilharm, Historische Demokratieforschung in Deutschland. Zur Kritik der Jakobinismusforschung in der DDR und in der Bundesrepublik. Diss. Hagen 1981) ihres Materialreichtums wegen hervorzuheben: I. Stephan, Literarischer Jakobinismus in Deutschland (1789–1806). Stuttgart 1976. In den genannten Texten Rebmanns auch die kräftigsten nationalen Töne, die deutsche Innerlichkeit und Aufklärung allen anderen, nicht immer freundlich behandelten Völkern – der Nationalismus deutscher »Jakobiner« ist ein in der Sekundärliteratur überwiegend verschwiegener heikler Punkt – voranstellen.

Zu Rom und Italien als Gegenbildern des deutschen Wesens vgl. die oben genannten Arbeiten von Ridé, Simon und Lutz. Zum Komplex Luther und das Papsttum: R. Bäumer, Martin Luther und der Papst. München 1970; H. Kirchner, Luther und das Papsttum. In: H. Junghans (Hg.), Leben und Werk Martin Luthers von 1526 bis 1546. Bd. 1. Göttingen 1983, S. 441–456. Zu Gestaltwandel und Propaganda des Papsttums in der Renaissance: P. Prodi, The papal prince. Princeton 1985 (grundlegend); Ch. L. Stinger, The Renaissance in Rome. Bloomington 1985 (vorwiegend geistes- und kunstgeschichtlich); J. A. F. Thomson, Popes and princes 1417–1517. London 1980 (politik- und rechtsgeschichtlich). Zum nördlich der Alpen oft apokalyptisch eingefärbten Rombild vgl. A. Chastel, Le sac de Rome. Paris 1984, S. 75–120.

Zu den im einzelnen angesprochenen Texten deutscher Humanisten die beste Zusammenfassung bei J. Ridé; nützliche Ergänzungen in den folgenden Monographien: L. W. Spitz, Conrad Celtis. The german arch-humanist. Cambridge, Mass. 1957; L. Sponagel, Konrad Celtis und das deutsche Nationalbewußtsein. Bühl 1939; E. Bickel, Wimpfeling als Historiker. Marburg 1904; W. Kreutz, Die Deutschen und Ulrich von Hutten. Rezeption von Autor und Werk seit dem 16. Jahrhundert. München 1984; H. Röhr, Ulrich von Hutten und das Werden des deutschen Nationalbewußtseins. Hamburg 1936; G. Bebermeyer, Tübinger Dichterhumanisten: Bebel-Frischlin-Flayder. Tübingen 1927 (Repr. Hildesheim 1967). Zu den kurialen Ansprüchen auf Translatio imperii und Konstantinische Schenkung: H. Fuhrmann, Constitutum Constantini. Hannover 1968; zur Kontroverse des 15. und 16. Jahrhunderts: G. Antonazzi, Lorenzo Valla e la polemica sulla Donazione di Constantino. Rom 1985. Zu Unzerstörbarkeit und Naturnähe des deutschen Nationalcharakters die nachdrücklichsten Belege bei C. Celtis, Quattuor libri amorum secundum quattuor latera Germaniae. Germania generalis. Leipzig 1934; A. Werminghoff (Hg.), C. Celtis und sein Buch über Nürnberg. Freiburg i. Br. 1921. Zur Rezeptionsgeschichte der ›Germania‹ die erwähnte Arbeit von L. Krapf.

Zum Überblick über Geschichtsbewußtsein und Laienkultur in der italienischen Renaissance die Standardwerke von E. Garin, Der italienische Humanismus. Bern 1947; P. O. Kristeller, Humanismus und Renaissance. 2 Bde, München 1971. Zu Guicciardini und seinem Geschichtsbild immer noch grundlegend F. Gilbert, Machiavelli and Guicciardini. Politics and history in sixteenth-century Florence. Princeton 1965. Aus der reichen Machiavelli-Literatur nur eine besonders stimulierende neuere Studie: M. Hulliung, Citizen Machiavelli. Princeton 1983.

Zum Weltbild des römisch-kurialen Humanismus in Abgrenzung von reformatorischem Natur- und Mensch-Verständnis seien fünf herausragende Studien genannt: J. W. O'Malley, Giles of Viterbo on church and reform. Leiden 1968, stellt die Gedankenwelt eines zugleich originellen und repräsentativen Theologen um 1500 vor; ders., Praise and blame in renaissance Rome. Durham N. C. 1979, zeichnet anhand breitgestreuter Predigttexte ein faszinierendes Panorama kurialen Zeitgeistes in der Renaissance; J. F. d'Amico, Renaissance humanism in papal Rome. Baltimore, London 1983, sowie die genannte Arbeit von Ch. L. Stinger beleuchten eindringlich Geschichtsbewußtsein und Reformverständnis römischer Humanisten, während P. Partner, The pope's men. The papal civil service in the renaissance. Oxford 1990, stärker die organisatorischen Strukturen der Kurie in den Mittelpunkt stellt.

Zum Topos des Barbaren, des ungehobelten Fremden (speziell Deutschen) in der italienischen Renaissance: P. Amelung, Das Bild der Deutschen in der Literatur der italienischen Renaissance (1400–1559). München 1964; D. Cantimori, Atteggiamenti della vita culturale italiana nel secolo XVI di fronte alla riforma. In: Rivista storica italiana 5 (1936), S. 41–69; ders., Italienische Häretiker der Spätrenaissance. Basel 1949; E. Gregorich Gleason, Sixteenth century italian interpreters of Luther. A research. In: Archiv für Reformationsgeschichte 60 (1969), S. 160–173.

Der kurze Abriß der konstitutionellen Defekte des Reiches in der frühen Neuzeit nach den oben angeführten Standardwerken; zu Einzelaspekten: H. Angermeier, Die Reichsreform 1410–1555. Die Staatsproblematik in Deutschland zwischen Mittelalter und Gegenwart. München 1984; zur Reichsjustiz im 16. Jahrhundert: B. Distelkamp, Das Reichskammergericht im Rechtsleben des 16. Jahrhunderts. In: Festschrift A. Erler. Aalen 1976, S. 435–480.

Zu den französischen Religionskriegen grundlegend: J. H. M. Salmon, Society in crisis. France in the sixteenth century. New York 1975; zur Konsolidierung unter Heinrich IV. bester neuer Überblick bei M. Greengrass, France in the age of Henri IV. The struggle for stability. London 1984. Zum Nationalgefühl in Frankreich im 16. und 17. Jahrhundert: H. Boehm, »Gallica gloria«. Untersuchungen zum kulturellen Nationalgefühl in der älteren französischen Neuzeit. Freiburg i. Br. 1974; H. A. Lloyd, The state, France and the sixteenth century. London 1983; M. Yardeni, La conscience nationale en France pendant les guerres de religion (1559–1598). Löwen 1971.

Weltbürgertum und deutscher Volksgeist
Die romantische Nationalisierung im frühen neunzehnten
Jahrhundert
von ERNST SCHULIN

In Deutschland wird seit längerem gern von dem angeblich ungebro-
chenen französischen nationalgeschichtlichen Bewußtsein geredet.
Bedenkt man, daß die tonangebenden französischen Historiker seit
sechzig Jahren totalgeschichtlich, regionalgeschichtlich, gesell-
schaftsgeschichtlich und mentalitätsgeschichtlich gearbeitet haben,
aber nicht nationalgeschichtlich, so kann das nicht so ganz stimmen. Im letzten Jahrhundert wurde das Desinteresse an Nation und
Staat auch mehrfach in Frankreich beklagt, und darum hat sich der
alte Braudel noch zu einer – sehr eigentümlichen – Geschichte
Frankreichs aufgerafft. Eine andere, noch originellere Antwort hat
Pierre Nora gegeben. Er versucht das zu fixieren und zu bespre-
chen, was von der geschichtlichen Tradition noch deutlich verortet
existiert. Mit Hilfe von etwa 100 Spezialkennern hat er gewissermaßen ein imaginäres Museum der *lieux de mémoire* aufgebaut. Darin
ist von Gedächtnisorten die Rede wie Reims, der Stadt der Königs-
krönungen, Versailles, dem Pantheon oder Verdun (unseligen Ange-
denkens aus dem Ersten Weltkrieg). Aber auch von Orten im übertragenen Sinne wie dem 14. Juli, der Marseillaise, dem Code civil,
dem erfundenen Soldaten Chauvin (von dem der Chauvinismus her-
kommt), vom Wörterbuch des Larousse oder der Nationalge-
schichtsschreibung Michelets. ›La République‹ ist der erste Teil des
Sammelwerks betitelt, ›La Nation‹ der dreibändige zweite, und der
ebenfalls dreibändige dritte soll ›Les France‹ heißen. Es ist fraglich,
ob die französischen Nationalisten sehr glücklich darüber sein können. Nora versteht sein Unternehmen zwar als eine Rückkehr zur
nationalen Historie, nachdem die Schule der ›Annales‹ die Gesellschaft an die Stelle der Nation gesetzt hat, aber er bietet doch eine
sehr gebrochene und zerrissene nationale Geschichtswelt. Statt um
Fakten geht es nur um Vorstellungen und Symbole – oder positiv gesagt: Statt des Scheins einer nationalgeschichtlichen Kontinuitätsli-
nie geht es um die gegenwärtig greifbaren Orte der nationalen Erinnerung [1].

[1] P. Nora (Hg.), Les lieux de mémoire. Bd. 1: La République. Paris 1984. Bd. 2: La Nation. Paris 1986. Beiträge des Herausgebers in deutscher Übersetzung: P. Nora, Zwischen Geschichte und Gedächtnis. Berlin 1990.

In einer Vorlesung, aus der nie ein Buch geworden ist, hat Hermann Heimpel versucht, die deutsche Geschichte ähnlich nach Gedächtnisorten – allein im räumlichen Sinne – aufzuteilen: nach Aachen, Canossa, Marienburg (für das Spätmittelalter), Wittenberg, Weimar, Frankfurt (für die bürgerliche Revolution), Bayreuth, auch wieder Verdun und schließlich Nürnberg als Stadt der Reichsparteitage, also des Dritten Reiches [2]. Auch die hier vorliegende Ringvorlesung gliedert sich eigentlich nach Gedächtnisorten – im übertragenen Sinne –, wenn sie prägende Erinnerungen wie das Imperium Romanum, Karl den Großen, Ostsiedlung oder Reformation bespricht.

Welches ist der prägende Gedächtnisort am Anfang des 19. Jahrhunderts? Eigentlich müßte es, rein räumlich gesehen, Wien sein, vor der Kirche am Hof, der ehemaligen Jesuitenkirche »Zu den neun Engelschören«. Dort und nirgends sonst verkündete am 6. August 1806 der Reichsherold auf der Balustrade dem zusammengelaufenen Volk das Ende des 900- oder gar Tausendjährigen Heiligen Römischen Reiches. Er verlas, daß Franz II., von Gottes Gnaden erwählter Römischer Kaiser, zu allen Zeiten Mehrer des Reiches, sich entschlossen habe, die Kaiserkrone niederzulegen und das »Deutsche Reich« (wie er es nannte) für beendet zu erklären [3].

Eine gewaltige geschichtliche Veränderung, sollte man meinen und ein entsprechendes Echo der Zeitgenossen erwarten. Aber die Historiker haben kaum mehr gefunden als die immer wieder zitierte Tagebucheintragung des in Frankfurt, also doch sehr kaiser- und reichsbewußt aufgewachsenen Goethe, der sich einen Tag später auf Reisen befand und notierte: »Zwiespalt des Bedienten und Kutschers auf dem Bocke, welcher uns mehr in Leidenschaft versetzte als die Spaltung des römischen Reiches.« [4] Ein Jahr später äußerte er sich gegenüber Zelter und zeigt dabei, daß es auch andere Stimmen gab: »Wenn aber die Menschen über ein Ganzes jammern, das verloren sein soll, das denn doch in Deutschland kein Mensch sein Lebtag gesehen, noch viel weniger sich darum bekümmert hat; so muß ich meine Ungeduld verbergen, um nicht unhöflich zu werden, oder als Egoist zu erscheinen.« [5]

[2] Teildruck: H. Heimpel, Vier Kapitel aus der deutschen Geschichte. Göttingen 1960.
[3] Proklamation des Kaisers. In: E. R. Huber, Dokumente zur deutschen Verfassungsgeschichte. Bd. 1, Stuttgart 1961, S. 35f.
[4] J. W. Goethe, Gesamtausgabe der Werke und Schriften in 22 Bänden. Bd. 11, I: Tagebücher 1770–1810. Stuttgart 1956, S. 686.
[5] Goethe an Zelter, 27. Juli 1807. In: Goethes Werke. Hg. im Auftr. d. Großherzogin Sophie von Sachsen. 4. Abt., Bd. 19. Weimar 1895, S. 376–379, Zitat auf S. 377.

Goethe sprach von »Spaltung«, nicht Ende des Römischen Reiches, kannte und meinte am 7. August also wohl nur den unmittelbaren Anlaß zur Kronniederlegung: den Austritt der Rheinbundstaaten aus dem Reich am 1. August. Eigentlich hatten diese (Baden, Württemberg, Bayern, Würzburg u. a.) dem siegreichen französichen Kaiser das Reich und die deutsche Kaiserkrone antragen wollen, aber Napoleon hielt die Gründung des Rheinbundes für günstiger, verlangte dabei jedoch, daß sie sich vom alten Reich trennten und Franz II. die Kaiserkrone niederlegte. In ihrer Austrittserklärung wiesen die Rheinbundstaaten mit einigem Recht auf die »traurige Wahrheit« hin, daß der deutsche Staatskörper schon längst aufgelöst sei. »Das Gefühl dieser Wahrheit«, so schrieben sie, »ist schon seit langer Zeit in dem Herzen jedes Deutschen, und so drückend auch die Erfahrung der letzten Jahre war, so hat sie doch im Grunde nur die Hinfälligkeit einer in ihrem Ursprunge ehrwürdigen, aber durch den allen menschlichen Anordnungen anklebenden Unbestand fehlerhaft gewordenen Verfassung bestätigt.« Sie wiesen auf die Spaltung von 1795 hin, als Preußen und dann andere Staaten aus dem gemeinsamen Reichskrieg gegen das revolutionäre Frankreich austraten und Sonderfrieden abschlossen. »Von diesem Augenblicke an mußten notwendig alle Begriffe von gemeinschaftlichem Vaterlande und Interesse verschwinden.«[6] Zwei Jahre später, beim Rastatter Friedenskongreß 1797 zwischen den Gesandten des Reiches und Frankreich, wurden die Sonderabmachungen der deutschen Groß- und Mittelmächte, besonders Österreichs und Preußens, auf Kosten der geistlichen und der kleinen Reichsstände so deutlich, daß schon damals Görres wütend und spöttisch schrieb: »Am 30. Dezember 1797, am Tage des Übergangs von Mainz nachmittags um 3 Uhr starb zu Regensburg in dem blühenden Alter von 955 Jahren 5 Monaten und 28 Tagen sanft und selig an einer gänzlichen Entkräftung und hinzugekommenem Schlagfluß bei völligem Bewußtsein und mit allen heiligen Sakramenten versehen das Heilige Römische Reich schwerfälligen Andenkens.«[7] Als dann 1801 das linke Rheinufer an Frankreich abgetreten werden mußte, kam es im Reichsdeputationshauptschluß von 1803 zu einer der größten (und schnellsten) territorialen Veränderungen der europäischen Geschichte. Sie wird manchmal als deutsche Revolution bezeich-

[6] Austrittserklärung der Rheinbundstaaten. In: Huber, Dokumente, S. 32 f.
[7] J. Görres, Rede auf den Untergang des Heiligen Römischen Reiches, 7. Januar 1798. In: Görres, Gesammelte Schriften. Hg. im Auftr. d. Görres-Gesellschaft v. W. Schellberg u. a. Bd. 1. Köln 1928, S. 94–102, Zitat auf S. 95.

net, war aber nur eine der größeren Fürsten: Preußen, Österreich, Bayern, Württemberg und Baden erhielten durch Säkularisierung und Mediatisierung, also Enteignung der anderen Reichsstände, weit mehr Entschädigung als sie linksrheinisch verloren hatten. Man vergißt diesen Gewaltakt immer, weil Österreich und Preußen ihre Gewinne durch die schnell folgenden noch größeren Gewaltakte Napoleons zunächst wieder einbüßten und weil die Wiedererwerbung 1815 als moderne Zentralisierung, als Weg zum deutschen einheitlichen Staat verstanden werden konnte. Für die damalige Zeit war das aber ein Zusammenbruch, eine Veränderung mit unabsehbaren Folgen. Alle Vorstellungen von Reich, Staat, Nation, von europäischem Staatensystem wurden irreal.

Es ist eine Zeit ohne festen, sichtbaren Gedächtnisort, aber eine Zeit, in der Gedächtnisorte erfunden wurden. Die deutsche Nation, der deutsche Volksgeist, das Nationaldenkmal, die nationale Geschichte wurden erfunden – in der Spannung zu den übernationalen, kosmopolitischen Ideen, die sich seit der Aufklärung entwickelt hatten, und zu den übernationalen neuen politischen Verhältnissen, in denen man lebte.

Das ist mit der Gegenüberstellung von »Weltbürgertum und deutschem Volksgeist« gemeint. Sie soll außerdem an Friedrich Meinecke erinnern, der 1907 sein erstes ideengeschichtliches Werk unter dem Titel ›Weltbürgertum und Nationalstaat, Studien zur Genesis des deutschen Nationalstaats‹ veröffentlichte. Meinecke stellte darin den Weg von der preußischen Reformzeit über die Revolution von 1848 bis zu Bismarcks Reichseinigung nicht, wie sonst üblich, auf der Ebene der liberalen bürgerlichen Bewegung oder auf derjenigen der preußischen Machtentwicklung dar, sondern als Geschichte des romantisch-konservativen Nationalstaatsdenkens. Daß der Kosmopolitismus dabei immer mehr zurückgedrängt wurde, hielt Meinecke damals für einen Fortschritt, und in dieser Anschauung erscheint er uns bedenklich zeitgebunden. Es war aber für die wilhelminische Zeit schon etwas Besonderes, daß er das »entwertete« alte Wort Weltbürgertum »ruhig wieder in seine Ehre einsetzte« [8] und die Spannung zwischen menschheitlichem und nationalem Denken aufzeigte.

Insofern wies er auf dieselbe zwiespältige Entwicklung hin, die schon Heinrich Heine 1833 in seiner Schrift über die ›Romantische Schule‹ seinen französischen Lesern erklärt hatte, so geistvoll und zornig, daß er hier in extenso zitiert werden soll: »Wir hät-

[8] F. Meinecke, Weltbürgertum und Nationalstaat. Studien zur Genesis des deutschen Nationalstaats. München 1962 (Werke, Bd. 5), S. 23.

ten... den Napoleon ruhig ertragen. Aber unsere Fürsten, während sie hofften, durch Gott von ihm befreit zu werden, gaben sie auch zugleich dem Gedanken Raum, daß die zusammengefaßten Kräfte ihrer Völker dabei sehr mitwirksam sein möchten; ... sogar die allerhöchsten Personen sprachen jetzt von deutscher Volkstümlichkeit, vom gemeinsamen deutschen Vaterlande. Man befahl uns den Patriotismus, und wir wurden Patrioten; denn wir tun alles, was uns unsre Fürsten befehlen. Man muß sich aber unter diesem Patriotismus nicht dasselbe Gefühl denken, das hier in Frankreich diesen Namen führt. Der Patriotismus des Franzosen besteht darin, daß sein Herz erwärmt wird, durch diese Wärme sich ausdehnt, sich erweitert, daß es nicht mehr bloß die nächsten Angehörigen, sondern ganz Frankreich, das ganze Land der Civilisation mit seiner Liebe umfaßt; der Patriotismus des Deutschen hingegen besteht darin, daß sein Herz enger wird, daß es sich zusammenzieht, wie Leder in der Kälte, daß es das Fremdländische haßt, daß er nicht mehr Weltbürger, nicht mehr Europäer, sondern nur ein enger Deutscher sein will. (... So) begann die schäbige, plumpe, ungewaschene Opposition gegen eine Gesinnung, die eben das Herrlichste und Heiligste ist, was Deutschland hervorgebracht hat, nämlich gegen jene Humanität, gegen jene allgemeine Menschenverbrüderung, gegen jenen Kosmopolitismus, dem unsere großen Geister, Lessing, Herder, Schiller, Goethe, Jean Paul, dem alle Gebildeten in Deutschland immer gehuldigt haben.« [9]

Daß der Patriotismus (oder besser: Nationalismus) von den Fürsten befohlen wurde, stimmt nicht so ganz, aber jedenfalls kann man, wie es die neuere Forschung immer stärker tut, von dem Erfindungscharakter des Nationalen reden. Das geschieht in der anglo-amerikanischen und französischen Forschung schon länger, und zwar in bezug auf deren Nationalismus. Es ist also nicht nur ein Phänomen von politisch spät oder nie vollendeten Nationalstaaten wie Deutschland. Der Begriff »Erfindung« (invention) klingt allerdings dort nicht so provozierend wie bei uns. James Sheehan etwa hält ihn für besonders geeignet, weil er ebensosehr Entdecken wie Konstruieren, Ausdenken bedeutet. Erfindung der Nation heißt also nicht, daß sie etwas Fiktives, Unwirkliches sei. Nationen sind Produkte der Geschichte, werden also ge- und erfunden, indem die Völker ihre nationalen Bindungen entdecken und schaffen, wobei sie allerdings oft für Entdeckung ausgeben, was tatsächlich Konstruktion ist. Sie konstruieren etwas als nationale Vergangenheit oder nationa-

[9] H. Heine, Die Romantische Schule. Kritische Ausgabe. Hg. v. Helga Weidmann. Stuttgart 1976, S. 29f.

len Ursprung, was sie als Gegenwart oder Zukunft wünschen. Das hat schon der Romantiker Friedrich Schlegel 1797 erkannt, wenn er feststellt: »An dem Urbilde der Deutschheit, welches einige große vaterländische Erfinder aufgestellt haben, läßt sich nichts tadeln als die falsche Stellung. Diese Deutschheit liegt nicht hinter uns, sondern vor uns.« [10]

Die Erfindung der Nation ist nun nicht einfach als willkürliche Tat einiger »großer vaterländischer Erfinder« oder als Regierungsverordnung zu erklären, auch nicht nur aus der besonderen politischen Notlage, wie sie am Anfang skizziert wurde, sondern sie ist eine soziale Erfindung Europas. Nationales Denken, Nationalismus gehört zum Wandlungsprozeß jeder Gesellschaft beim Übergang in die Moderne. Er ist eine Antwort auf das soziale Krisenbewußtsein, das dieser Übergang erzeugt. In der zweiten Hälfte des 18. Jahrhunderts werden die traditionellen sozialen Bindungen der Menschen, besonders im Bürgertum, in Frage gestellt, gelockert, z. T. aufgelöst – personale, sichtbare Bindungen an die Herrschaft, an lokale, regionale, ständische oder religiöse Gruppen. Das Individuum emanzipiert sich, bekommt Eigenwert, tritt in die unpersönliche, in den Abhängigkeiten nicht sichtbare *commercial society*, die beginnende Verkehrs- und Marktgesellschaft ein, sieht sich dem abstrakten Staat gegenüber, soll sich als »Mensch«, als Stück der (noch abstrakteren) Menschheit verstehen. Sozialpsychologisch läßt sich hieraus neben der Begeisterung für unbeschränkten Individualismus auch das Gefühl neuer Desintegration, das unsichere Gefühl der Heimatlosigkeit erklären. Das führt bei aktiveren Naturen zu der Forderung der Mitwirkung am Staat, bei der viel größeren Zahl der übrigen zur Entdeckung und Erfindung der nationalen Gemeinschaft, der sprachlichen, kulturellen und historischen Gemeinsamkeit und Abgegrenztheit von anderen Nationen. Formuliert wird das zunächst von einer kleinen Elite bürgerlicher Intellektueller, aber auf verschiedene Weise in die anderen Schichten verbreitet, durch Erziehung, Kulturleistungen, Kultur- und Folklore-Betrieb. Für den Einzelnen wird, wie Nipperdey sagt, »die Nation der Raum seiner Herkunft und der seiner Zukunft ... Nation vermittelt darum ein Stück Lebenssinn. Und Nation ist nicht eine Selbstverständlichkeit, sondern ein dynamisches Prinzip, das Handlungen und Emotionen auslöst. In

---

[10] F. Schlegel, Kritische Fragmente. 1797. In: Ders., Kritische Schriften. Hg. v. W. Rasch. München 3. Aufl. 1971, S. 10; J. J. Sheehan, The Problem of the Nation in German History. In: O. Büsch u. J. J. Sheehan (Hg.), Die Rolle der Nation in der deutschen Geschichte und Gegenwart. Berlin 1985, S. 4.

der Epoche des politischen Glaubens gewinnt Nation so einen religiösen Zug.«[11]

Das ist also eine allgemeineuropäische Erscheinung. Für Deutschland wurde besonders wichtig, wie sich die nationale Idee in Frankreich realisierte. Frankreich war zunächst ein Vorbild und dann politisch-militärischer Druck für die deutsche Entwicklung. Vorbild war es, weil sich hier der Dritte Stand mit der Nation identifizierte und weil er in dieser Identifizierung die Revolution, die politische Emanzipation durchführte.

Schon vor 1789 nannten sich die bürgerlichen Gegner von Absolutismus und Aristokratie die nationale oder die Patriotenpartei. Das waren Bezeichnungen, die dann eine wichtige und verschiedenartige Bedeutung erlangen sollten, auf die kurz hingewiesen werden muß. Sie waren schon im vorrevolutionären Frankreich nicht ganz dasselbe. *Nation* war ein nicht weiter herausgehobenes Wort für Volk; *patrie* verband man meistens mit einer freiheitlichen Verfassung, so daß man sagen konnte, im Despotismus gäbe es kein Vaterland. (Es war eigentlich das, was wir »Verfassungspatriotismus« nennen.) Mitte des 18. Jahrhunderts hatten Voltaire und Rousseau über die Bedeutung von *patrie* gestritten. Grob gesagt, der kosmopolitische Voltaire vertrat den Standpunkt *ubi bene ibi patria*, während Rousseau mehr dem englischen Slogan *right or wrong, my country* zuneigte, allerdings mit Erziehungsabsichten. Rousseau hielt die kosmopolitische, allgemeineuropäische Tendenz für zersetzend, während die Vaterlandsliebe tugendhaft, frei und glücklich mache – also, läßt sich ergänzen, auch fähig, das Vaterland vom Despotismus zu befreien. Dann kam in Amerika, Irland und den Niederlanden das Wort *Patriot* auf und bezeichnete auch in Frankreich zunehmend den Revolutionär, der für die Freiheit kämpft. Es war also eher mit Republikanismus verbunden als mit einer Nation. Aber »national« konnte man sich nun auch nennen, von der *nation* war nun auch emphatisch die Rede. In den Beschwerdeheften von 1788 bedeutete sie das Volk, den gesamten Dritten Stand. Indem dieser Stand zum allgemeinen werden wollte und in der Nationalversammlung von 1789 auch wurde, steigerte sich die Bedeutung des Wortes *nation*. Der Revolutionsverlauf bedingte dann die weiteren Bedeutungsveränderungen. Nicht alle Patrioten identifizierten sich mit dem fanatischen Patriotismus und dem Gleichheitsprinzip der Republik von 1793, also unterschied man die Patrioten von 1789 und die von 1793; man verkürzte also das Wort auf

[11] Th. Nipperdey, Deutsche Geschichte 1800–1866. Bürgerwelt und starker Staat. München 1983, S. 300.

die Bedeutung von Verfassungsanhänger. Demgegenüber weitete sich die *nation* aus –: sie wurde im Krieg und in der erfolgreichen Verteidigung zur *Grande Nation,* und 1797 nannte ein Gegenrevolutionär die entsprechende selbstbezogene, aggressive Haltung erstmals *nationalisme* [12].

In Deutschland lagen die Dinge im Vergleich zu dieser revolutionären Entwicklung viel komplizierter. Kulturell wurde es im Laufe der zweiten Hälfte des 18. Jahrhunderts dank der sprachlichen, literarischen, philosophischen und wissenschaftlichen Leistungen ein sehr selbstbewußtes Land, wurde auch als solches vom Ausland anerkannt, spätestens seitdem Madame de Staël 1813 mit ihrem Buch ›De l'Allemagne‹ den Engländern und Franzosen über diese erstaunliche neue geistige Entwicklung berichtet hatte. Insofern befinden wir uns in den Jahrzehnten von deutscher Aufklärung, Klassik und Romantik in der Zeit herrlicher, unvergänglicher *lieux de mémoire* von Lessing bis Heine, von Kant bis Schopenhauer (von der Musik gar nicht zu reden). Aber die politisch-gesellschaftliche Modernisierung war unter den spezifischen Verfassungsverhältnissen und unter der französischen Einwirkung sehr schwierig. Eine klare einheitliche moderne Form war weder im neuen napoleonischen System zu finden noch in den regional begrenzten und unterschiedlichen Reformen deutscher Einzelstaaten noch in einem gesamtdeutschen Rahmen. Zwischen diesen drei sich widersprechenden Möglichkeiten schwankte alles. Es kam zu einer deutlichen Entwicklungsstörung. Entsprechend stehen sich Verfassungspatriotismus, regionaler (von den einzelstaatlichen Regierungen geförderter) Nationalismus und gesamtdeutscher Nationalismus gegenüber.

Ich will nun versuchen, die verschiedenen Entwicklungsphasen zu skizzieren. Zunächst müssen wir dafür zurück zum 18. Jahrhundert. Denn da gibt es nicht einfach das Weltbürgertum, wie Heine meinte, sondern da stehen nebeneinander ein gewisser Reichspatriotismus, vaterländisches Bewußtsein für deutsche Einzelstaaten und ein gesamtdeutsches Zusammengehörigkeitsbewußtsein als Kulturnation.

Der Reichspatriotismus vieler kleiner und mittlerer Reichsstände, vieler Juristen, ist wirklich mehr Patriotismus als Nationalismus, denn hier wurde die alte lockere föderative Verfassungsstruk-

---

[12] Nach J. Godechot, Nation, patrie, nationalisme et patriotisme en France au XVIIIe siècle. In: Ders., Regards sur l'époque révolutionnaire. Toulouse 1980; E. Fehrenbach, Artikel ›Nation‹. In: E. Schmitt u. R. Reichardt (Hg.), Handbuch politisch-sozialer Grundbegriffe in Frankreich 1680–1820, Heft 7. München 1986, S. 75–107.

tur des Reiches gepriesen, mit ihren Freiheiten für kleine und große Stände. Das Reich als Rechts- und Friedensverband, das ja auch nichtdeutsche Völker umfaßte, galt sogar als vorbildlich für das möglichst friedliche Zusammenleben der europäischen Staaten. Friedrich Karl von Moser, hessischer, zwischendurch auch österreichischer Beamter und politischer Schriftsteller, schrieb in diesem Sinne 1765 ›Von dem deutschen National-Geist‹. Es ist eine erste Verwendung dieses Begriffs (wohl nach Voltaires *esprit de la nation*). Die traditionelle Freiheit des Deutschen Reiches entspricht diesem Geist und soll deshalb gegen den neuen Despotismus einzelner Territorialstaaten der Maßstab der Zukunft sein.

Patriotismus für Einzelstaaten, besonders für Preußen und Österreich, kam in der Zeit Friedrichs des Großen auf. Thomas Abbt, ein nichtpreußischer Schriftsteller, schrieb während des Siebenjährigen Krieges in Berlin ›Vom Tode für das Vaterland‹, wobei er betonte, daß es Patriotismus auch in Monarchien (nicht nur in Republiken) geben könne. Der freiwillige Entschluß zu einem Vaterland wird bei ihm hervorgehoben, wie ja auch später viele Nichtpreußen sich dem aufgeklärten oder reformbereiten preußischen Staat anschlossen. Abbt definiert wie folgt: »Was ist wohl das Vaterland? Man kann nicht immer den Geburtsort allein darunter verstehen. Aber, wenn mich die Geburt oder meine freie Entschließung mit einem Staat vereinigen, dessen heilsamen Gesetzen ich mich unterwerfe: Gesetzen, die mir nicht mehr von meiner Freiheit entziehen, als zum Besten des ganzen Staats nötig ist: alsdann nenne ich diesen Staat mein Vaterland.«[13]

Daneben also das Bewußtsein von der Kulturnation Deutschland. Das ist allbekannt, und ich muß es nur andeuten. Der neue sprachliche und literarische Aufstieg geschieht als Akt kultureller Selbstbefreiung. Ähnlich wie sich die deutschen Humanisten des 16. Jahrhunderts gegen die moderne italienische Kultur gewehrt hatten, geschieht es hier gegen die besonders an den deutschen Höfen herrschende französische Kultur. Klopstock wurde der bürgerlich-patriotische Dichter. Wenn er die deutsche Sprache pflegte und entwickelte, so war sie für ihn »die Sprache, die Hermann, dein Ursohn, spricht«[14]. Das ist Hermann der Cherusker, der »Befreier des Vaterlandes«, dem Klopstock ein nationales Drama widmete. Gleichzeitig rühmt er aber auch das Verständnis der Deutschen für

---

[13] Th. Abbt, Vom Tode für das Vaterland. Berlin, Stettin 1770 (Thomas Abbts Vermischte Werke, II), S. 17.
[14] F. G. Klopstock, Die deutsche Sprache. In: Ders., Sämmtliche Werke, Bd. 4. Leipzig 1856, S. 297 f.

andere Völker, mit gewisser Einschränkung, wie er in seiner Ode
›Mein Vaterland‹ dichtete [15]:

Nie war gegen das Ausland
ein anderes Land gerecht, wie du.
Sei nicht allzu gerecht! Sie denken nicht edel genug,
zu sehen, wie schön dein Fehler ist!

Dieser schöne Fehler blieb, jedenfalls im 18. Jahrhundert, wie
sich an den Bemühungen um ein deutsches Nationaltheater mit entsprechenden Dramen zeigen sollte. Unter den großen Dramen
konnte nur Goethes ›Götz von Berlichingen‹ als ein nationales gerühmt werden. »Laßt uns den Charakter dieses antiken deutschen
Mannes ... uns eigen machen«, sagte Jakob Michael Reinhold Lenz
von diesem Götz, »damit wir wieder Deutsche werden, von denen
wir so weit weit ausgeartet sind.« [16] Schiller verschloß sich diesem
nationalen Programm und ließ jedes seiner Dramen in einer anderen europäischen Nation spielen.

Noch deutlicher ist Herders Drang, sich in die Besonderheiten aller Völker zu versetzen, ihre ursprünglichen poetischen Erzeugnis-
se in einer Gegenwart zu verlebendigen, die nach seiner Vorstellung
immer gleichförmiger wurde. Er liebte alle Völker und glaubte, daß
sich nur Staaten, nur Regierungen feindlich gegenüberstehen könnten: »Politische Maschienen mögen gegen einander gerückt werden,
bis Eine die andere zersprengt. Nicht so rücken Vaterländer gegen
einander; sie liegen ruhig neben einander und stehen sich als Familien bei.« [17] Es ist bekannt, welche außergewöhnliche Bedeutung
Herders Ideen für die nationale Bewußtseinsbildung außerhalb
Deutschlands, besonders im Osten und Südosten Europas gewinnen sollten.

Als das Deutsche Reich in den Revolutionskriegen immer mehr
dahinschwand, litten die Vertreter der Kulturnation darunter
schwer und versuchten sich ganz ins Geistige zu retten. Jetzt gli-
chen sie in ihrem kulturellen Selbstbewußtsein und ihrer politischen Hilflosigkeit den Italienern des 16. Jahrhunderts gegenüber
den ausländischen militärischen Invasionen. Friedrich Schlegel sah
es als Nationaleigenheit der Deutschen, Kunst und Wissenschaft

---

[15] Ders., Mein Vaterland, ebd., S. 213–216, Zitat S. 215.
[16] J. M. R. Lenz, Über Götz von Berlichingen. In: H. Nicolai (Hg.), Sturm und Drang.
Dichtungen und theoretische Texte, Bd. 1. Darmstadt 1971, S. 831–834, Zitat
S. 833.
[17] J. G. Herder, Haben wir noch das Publicum und Vaterland der Alten?, Briefe zur
Beförderung der Humanität. Fünfte Sammlung. Riga 1795. In: Herders Sämmtliche
Werke. Hg. v. B. Suphan. Bd. 17. Berlin 1881, S. 319.

»göttlich zu verehren«[18]. »Tatenarm und gedankenvoll«[19] sind sie für Hölderlin. In den Xenien Schillers und Goethes von 1797 heißt es[20]:

Zur Nation euch zu bilden, ihr hoffet es, Deutsche, vergebens.
Bildet, ihr könnt es, dafür freier zu Menschen euch aus!

Oft verbindet sich die schmerzliche Einsicht in die gegenwärtige Machtlosigkeit mit Zukunftshoffnungen auf eine den anderen Völkern überlegene Stellung. So in Schillers Gedichtentwurf ›Deutsche Größe‹, wohl von 1801. »Deutsches Reich und deutsche Nation sind zweierlei Dinge«, versucht er da zu formulieren, »indem das politische Reich wankt, hat sich das geistige immer fester und vollkommener gebildet. Dem, der den Geist bildet, beherrscht, muß zuletzt die Herrschaft werden ... Ihm ist das Höchste bestimmt, und so wie er in der Mitte von Europens Völkern sich befindet, so ist er der Kern der Menschheit.«[21]

Für andere, besonders für die sog. deutschen Jakobiner und auch für viele idealistische Philosophen, kam es nicht auf das Deutsche an, sondern auf das »gegenwärtige Zeitalter« (Fichte), auf den Fortschritt der Menschheit, und den sahen sie bei den Franzosen oder »neuen Franken«; ihnen wollten sie sich patriotisch anschließen. Fichte etwa war ein entschiedener Anhänger der Französischen Revolution, auch der Jakobinerherrschaft. Nach dem Attentat auf die französischen Gesandten in Rastatt 1799 schrieb er empört: »Es ist klar, daß von nun an nur die Fr(anzösische) Rep(ublik) das Vaterland des rechtschaffenen Mannes sein kann.«[22] Wenn es auch schon damals viel Enttäuschung bei diesen franzosenfreundlichen deutschen Patrioten gab, angesichts des militärischen Vorgehens der Revolutionsarmee und ihrer Annexionen, so wurde doch Napoleon zunächst wieder bewundert, wegen der Reformen in den Rheinbundstaaten. Hegel ist nur der bekannteste unter denen, die in dieser Politik den Anstoß zur Modernisierung ganz Deutschlands sahen.

[18] F. Schlegel, Ideen. In: J. Minor (Hg.), F. Schlegel, 1794–1802. Prosaische Jugendschriften, Bd. 2. Wien 1882, S. 302.
[19] F. Hölderlin, Ode ›An die Deutschen‹. In: Hölderlin, Sämtliche Werke, Große Stuttgarter Ausgabe, Bd. 2, I. Stuttgart 1951, S. 9.
[20] Xenien in: J. W. Goethe, Sämtliche Werke nach Epochen seines Schaffens. Münchner Ausgabe, Bd. 4, I. München 1988, S. 787.
[21] F. Schiller, Deutsche Größe. In: Schillers Werke. Nationalausgabe, Bd. 2, I: Gedichte 1799–1805. Weimar 1983, S. 431 ff.
[22] Fichte an Franz Wilhelm Jung, 21. Floréal VII (10. Mai 1799). In: J. G. Fichte, Briefwechsel, Krit. Gesamtausgabe. Gesammelt u. hg. v. H. Schulz, Bd. 2. Leipzig 1925, S. 99–101, Zitat S. 100.

Nach 1807, nach der Niederlage Preußens, in der zunehmend bedrückenden Besatzungszeit und bei beginnenden Reformmaßnahmen in Österreich und Preußen, schwenkten aber viele um: vom Glauben an eine neue europäische Ordnung zur Besinnung auf die eigene Nation (preußische, österreichische oder deutsche) und teilweise zu einem aggressiven Nationalismus.

Besonders in Preußen, in Berlin, sammelten sich staatliche, soziale und Bildungsreformer, die preußische und deutsche Erneuerungspläne undeutlich verbanden. Philosophie und Wissenschaft, deutscher Idealismus und Neuhumanismus, das große geistige Kapital der letzten Jahrzehnte, sollte in der neuen Universität Berlin und in den Höheren Schulen eine Heimstätte finden, zur Bildung der Jugend, zu ihrer persönlichen, menschlichen, nicht direkt staatsbezogenen Bildung, denn ein solcher Staat war nicht deutlich vorhanden.

Fichte schwenkte besonders sichtbar um. 1807/08 hielt er seine ›Reden an die deutsche Nation‹ in der Berliner Akademie vor gebildeten Zuhörern, die seine schwierigen philosophischen Ideen aufnehmen und verbreiten sollten. Nicht mehr die französische, sondern die deutsche Nation war nun oder künftig für ihn die menschheitlich führende. Er redete vom deutschen Volk (nicht von Reich oder Staat), von seinem germanischen Ursprung, seiner Sprache, seinem vorbildlichen Bürgerstand in den mittelalterlichen Reichsstädten mit ihrer republikanischen Verfassung und seiner inneren Erneuerung in der Reformationszeit. »Unter den einzelnen und besonderen Mitteln, den deutschen Geist wieder zu heben, würde es ein sehr kräftiges sein, wenn wir eine begeisternde Geschichte der Deutschen aus diesem Zeitraume hätten, die da National- und Volksbuch würde, so wie Bibel, oder Gesangbuch es sind.« [23] Aber Geschichte war ihm eigentlich weniger wichtig als der Umstand, daß die Deutschen ein Urvolk geblieben waren, ohne äußere Einflüsse und ohne staatliche Entwicklung, und daß sie nun die höchste Philosophie hervorgebracht hatten. Beides prädestinierte sie, meinte er, führend in der Menschheitsentwicklung zu werden – ein merkwürdig verstiegener nationalistischer Kosmopolitismus.

Andere schrieben über vaterländische Geschichte, wie Arndt und Heinrich Luden, oder sammelten alte Zeugnisse der deutschen Nation: Görres edierte 1807 ›Teutsche Volksbücher‹, Jacob Grimm behandelte 1811 den altdeutschen Meistergesang und gab 1812 mit seinem Bruder die ›Kinder- und Hausmärchen‹ heraus. Niethammer

[23] J. G. Fichte, Reden an die deutsche Nation. Mit einer Einleitung v. R. Lauth. Hamburg 1978, S. 104 (Sechste Rede).

plante 1808 ein ›Nationalbuch als Grundlage der allgemeinen Bildung der Nation‹ und wollte darin die sonst so regional zersplitterten deutschen Volkslieder und andere deutsche Literatur sammeln; Goethe sollte Herausgeber werden. Es wurde nichts daraus, aber kennzeichnend ist doch, daß Goethe lieber eine Sammlung von Weltliteratur in Übersetzungen machen wollte, weil man, wie er in seinem Entwurf sagt, »das Buch ja auch für Kinder bestimmt, die man besonders jetzt früh genug auf die Verdienste fremder Nationen aufmerksam zu machen hat« [24].

Zurück zu den Nationalisten. 1808 entstanden ihre ersten, zunächst kleinen und geheimen Organisationen. 1810 veröffentlichte der Berliner Schullehrer Friedrich Ludwig Jahn seine Schrift ›Deutsches Volkstum‹ und gründete 1811 die Turnerschaft. Das ist nicht nur ein wichtiges Datum in der Geschichte des Sports, damit begann auch der öffentlich und gesellschaftlich organisierte Nationalismus in Deutschland [25]. Das öffentliche Turnen von Schülern, Studenten, auch von Handwerkern und anderen Berufstätigen auf der Hasenheide, neugierig verfolgt von vielen Schaulustigen, war nationalpädagogisch und vormilitärisch gemeint; es wurde von vaterländischen Reden und deutschpatriotischem Gesang umrahmt. Die Verbindung zu aggressiv nationalistischen, franzosenfeindlichen Kunstprodukten ist eng, wozu ja auch Kleists ›Hermannsschlacht‹ gehört, ebenso zur Landwehr und zum Lützowschen Freikorps, das Patrioten aus ganz Deutschland vereinigte und sich nicht auf den preußischen König, sondern »auf das Vaterland« vereidigen ließ.

Wie ging es nun ab 1814, ohne den französischen Faktor, weiter? Durch die Befreiungskriege wurde Napoleon vertrieben, aber das Ziel dieser deutschen Nationalisten wurde nicht erreicht, obwohl sie es 1814 in einem großen Nationalfest bekräftigt hatten. So wie seinerzeit die Franzosen schon nach einem Jahr ihren 14. Juli gefeiert hatten, so wurde am 18. Oktober 1814 die Völkerschlacht von Leipzig in fast allen Teilen Deutschlands gefeiert, die ein Jahr vorher stattgefunden hatte: als »deutsches Nationalfest«, als »Wiederge-

---

[24] J. W. Goethe, Die Verfassung eines lyrischen Volksbuchs, 1808. In: Goethes Werke. Hg. i. Auftrag d. Großherzogin Sophie von Sachsen, 1. Abteilung, Bd. 42, II. Weimar 1907, S. 413–417, Zitat S. 417.
[25] D. Düding, Organisierter gesellschaftlicher Nationalismus in Deutschland 1808–1847. Bedeutung und Funktion der Turner- und Sängervereine für die deutsche Nationalbewegung. München 1984. Ergänzend, z. T. korrigierend dazu: D. Langewiesche, »... für Volk und Vaterland kräftig zu würken ...« Zur politischen und gesellschaftlichen Rolle der Turner zwischen 1811 und 1871. In: O. Grupe (Hg.), Kulturgut oder Körperkult? Sport und Sportwissenschaft im Wandel. Tübingen 1990, S. 22–61.

burtsfeier der deutschen Nation«, obwohl es doch eine Völkerschlacht gewesen war, ein Sieg auch von Russen, Schweden und Böhmen über Napoleon.

Der Wiener Kongreß erbrachte als politische Organisation
Deutschlands nur den Deutschen Bund. Auf mehr hätten sich die einzelnen deutschen Staaten, hätten sich schon Preußen und Österreich
nicht einigen können. In gewisser Weise war es eine Modernisierung
des alten Reiches, beherrscht von Österreich, von Metternich. Es war
mehr ein Staatenbund (ohne gesamtdeutsche Repräsentation, also
ohne Parlament) als ein Bundesstaat, es war ein Sicherheitssystem im
Interesse der Stabilisierung der deutschen Einzelstaaten, aber auch
im Interesse Europas. Der Göttinger Historiker Heeren hat den
Deutschen Bund damals (1816) sehr positiv in Übereinstimmung mit
dem europäischen Staatensystem gesehen, das sich nach den schlechten Erfahrungen mit der napoleonischen Oberherrschaft wieder gebildet hatte. Dieser Bund helfe, sagt Heeren, die Freiheit dieses
Systems aufrechterhalten. »Der Bund macht geographisch den Mittelpunkt dieses Systems aus. Er berührt, ganz oder beinahe, die
Hauptstaaten des Westens und Ostens; und nicht leicht kann auf der
einen oder der andern Seite unsers Weltteils sich etwas ereignen,
was ihm gleichgültig bleiben könnte. Aber in Wahrheit«, fährt
Heeren scharfsinnig und beinahe prophetisch fort, »auch den
fremden Mächten kann es nicht gleichgültig sein, wie der Zentral-
staat von Europa geformt ist! Wäre dieser Staat eine große Monarchie mit strenger politischer Einheit; ausgerüstet mit allen den materiellen Staatskräften, die Deutschland besitzt – welcher sichere
Ruhestand wäre für sie möglich? ... Ja! würde ein solcher Staat
lange der Versuchung widerstehen können, die Vorherrschaft in
Europa sich zuzueignen, wozu seine Lage und seine Macht ihn zu
berechtigen scheinen?«[26]

Eine zentrale Aussage für unser Thema »Deutschland in Europa«. So ähnlich dachten wahrscheinlich im 19. Jahrhundert, im Zeitalter des Nationalismus, die meisten nichtdeutschen Politiker. Darum konnten sie sich für die Nationalbewegungen in Griechenland,
Polen, Irland und Italien einsetzen, aber kaum für die deutsche. So
ähnlich sah es auch Metternich in Österreich, der aber schon deshalb gegen den deutschen Nationalstaat war, weil er die nationalen
Bewegungen mit den liberalen und revolutionären gleichsetzte und
weil der Vielvölkerstaat Österreich dadurch besonders gefährdet

[26] A. H. L. Heeren, Der Deutsche Bund in seinen Verhältnissen zu dem Europäischen
Staatensystem; bei der Eröffnung des Bundestages dargestellt, 1816. In: Ders., Historische Werke, Zweiter Teil. Göttingen 1821, S. 423–457, Zitat S. 430f.

war. Preußen war ambivalent. Es fürchtete den Liberalismus, aber es wollte seine eigene Macht gegenüber Österreich vergrößern, und ein Deutschland, in dem Preußen tonangebend war, konnte ihm schon recht sein.

Die Befürworter eines konstitutionellen deutschen Nationalstaates – nicht einer unumschränkten Monarchie, wie Heeren voraussetzte und wie höchstens von konservativen Romantikern oder vom Freiherrn vom Stein gewünscht wurde – waren in der Zeit der Restauration und des Vormärz politisch und dann auch wirtschaftspolitisch fortschrittliche Kräfte des Bürgertums. Aber sie konnten im System Metternichs und des Partikularismus kaum Fuß fassen. Die Entwicklungsstörung seit Ende des 18. Jahrhunderts ist also mit 1815 nicht vorbei. Darum müssen wir beim Blick auf die Phase nach 1815 zunächst diese mit dem Liberalismus verbundene deutsche Nationalbewegung betrachten, die zunimmt, aber auch behindert wird. Danach die Partikularstaaten, die der modernen Entwicklung, also auch dem Nationalismus, zu folgen versuchen. Schließlich wird noch etwas über den Anteil der damaligen Geschichtswissenschaft, der Historiker als »vaterländische Erfinder« zu sagen sein.

Die verschiedenen Organisationsformen der Nationalbewegung kann man jetzt ziemlich genau überblicken[27]. Zunächst wird national geturnt, gesungen und gefeiert. Eine konkrete politische Tätigkeit war ja nicht möglich, eine Plattform gesamtnationaler Willensbildung gab es nicht. Jahns Turnbewegung breitete sich über ganz Deutschland aus, mit Ausnahme von Sachsen und Österreich. 1818 gab es bereits 150 Turngemeinden mit 12000 Mitgliedern. Es war ein erstaunliches, ganz neuartiges nationales Kommunikationsnetz; auf Turnfahrten besuchten sich die Gruppen und lernten das Vaterland kennen. Sie duzten sich untereinander, trugen schlichte Turntracht aus grauem Leinen, verbreiteten allerdings auch ihren deutschen Sprachpuritanismus und neigten auch schon zu gewissen Aussonderungen: teilweise der Katholiken, besonders der Juden.

Auf studentischer Ebene stellte sich die in Jena 1815 gegründete nationale Burschenschaftsbewegung gegen die landsmannschaftlichen Korporationen. Sie organisierte das Wartburgfest am 18. Oktober 1817, offiziell wieder eine Gedenkfeier für die Leipziger Völkerschlacht, aber in ein politisches Oppositionsfest umfunktioniert, in eine Dreihundertjahrfeier für Luther, der als Nationalheros und Vorkämpfer geistiger Freiheit gerühmt wurde.

[27] Grundlegend: O. Dann, Nationalismus und sozialer Wandel in Deutschland 1806–1850. In: Ders., (Hg.), Nationalismus und sozialer Wandel. Hamburg 1978.

1819 wurden nach der Ermordung Kotzebues durch den Burschenschafter und Turner Carl Sand beide Bewegungen wegen »demagogischer Umtriebe« verboten. Man hielt es für gesetzwidrig, wie es hieß, »wenn Privatpersonen glauben ..., berufen zu sein, einzeln oder in Verbindung mit anderen, an den großen Nationalangelegenheiten Deutschlands mitzuwirken«[28].

In den 1824 entstehenden Männergesangvereinen und ihren Sängerfesten lebten aber die nationalen Wünsche weiter. Ebenso in den philhellenischen Vereinen, die zur Unterstützung der griechischen Befreiungsbewegung 1821 gegründet wurden. Hier wurden durch bürgerliche Selbstorganisation in einer Zeit politischer Unterdrückung weite Kreise der Bevölkerung liberal und national aktiviert[29]. Ähnlich war es 1831 bei den Polen-Vereinen. Man kann geradezu (wie Nipperdey) von einer Internationalen der Nationalisten sprechen, und dies ist nicht der schlechteste, nämlich ein weltbürgerlicher Zug dieser Bewegung.

1832 kam es im Sog der französischen Julirevolution zur Gründung des deutschen Vaterlandsvereins und nach langer Pause wieder zu einem Nationalfest, dem großen Hambacher Fest, bei dem sich die Ausdehnung der Volksbewegung (25 000 nahmen daran teil) und ihre Verlagerung auf den fortschrittlicheren Südwesten Deutschlands zeigte. Man forderte Volkssouveränität, Republik und Einheit Deutschlands. Wieder wurden daraufhin politische Versammlungen verboten, aber die Sänger- und Turnvereine wurden wieder lebendig und politisch deutlicher.

Wenn dann in den vierziger Jahren von einer regelrechten nationalen Massenbewegung gesprochen werden kann, so muß man sagen, daß hier nun wieder der antifranzösische Affekt eine große Rolle spielt. Es ging um den Rhein – und der Rhein müßte in einem Buch über die deutschen nationalgeschichtlichen Gedächtnisorte ein besonderes Kapitel bekommen[30]. Gegen die neue französische Politik zur Wiedergewinnung linksrheinischer Gebiete erhob sich ein Schwall vaterländischer Kampflieder. Deutschland reichte, wie Hoffmann von Fallersleben dichtete, von der Maas (nicht dem Rhein) bis an die Memel. Und Beckers Lied ›Sie sollen ihn nicht haben, den freien deutschen Rhein‹ soll damals 200mal vertont worden sein.

[28] Staatsrat Ibell (1819) zitiert in: Nipperdey, Deutsche Geschichte, S. 271.
[29] Ch. Hauser, Anfänge bürgerlicher Opposition. Philhellenismus und Frühliberalismus in Südwestdeutschland. Göttingen 1990.
[30] J. u. I. Grolle, »Der Hort im Rhein«. Zur Geschichte eines politischen Mythos. In: Gedenkschrift Martin Göhring, Studien zur europäischen Geschichte. Hg. v. E. Schulin. Wiesbaden 1968, S. 214–238.

So verständlich diese von kleinen Gruppen des Bildungsbürgertums her zunehmende nationalistische Bewegung als Ersatzphänomen einer verzögerten staatlichen Modernisierung auch ist, so muß man doch auch sehen, welchen Fremdenhaß sie mit sich brachte. Wir hörten es schon bei der Kritik von Heine. Ernst Moritz Arndt, der in diesen Jahrzehnten wohl die populärste, imponierendste Verkörperung unermüdlichen vaterländischen Einheitsstrebens war, wandte sich 1843 gegen die »sogenannten Philanthropen und Kosmopoliten«, die die »ganze Welt in den weiten Mantel ihrer Liebe« einschlössen: »wenn man will: veredelte Juden, Juden à la Nathan, die ungefähr einen Staat wollen wie Nathan eine Religion.«[31]

Nun kurz einige Bemerkungen zu der nationalen oder pseudonationalen Politik der deutschen Partikularstaaten. Den deutschen Fürsten kam es wohl auf Eintracht, aber nicht auf gesamtdeutsche Einheit der Nation an. Durch die Reformmaßnahmen in ihren Staaten konnten sie die Bindungen der mittleren und unteren Bevölkerungsschichten an diese Staaten festigen, konnten also die partikularstaatliche Nationsbildung, die von Preußen, Bayern oder Württemberg stabilisieren. Speziell in der Bildungsreform und in der antifranzösischen Richtung, später auch in der wirtschaftlichen Modernisierung stand aber die Gesamtnation im Blickfeld.

So finden wir in der Traditionspflege und Denkmalspolitik der Staaten Deutsches und Einzelstaatliches nebeneinander. In Bayern wurde die Walhalla gebaut, eine Idee Ludwigs I. aus seiner Kronprinzenzeit um 1810, eine Ruhmeshalle für die Großen Deutschen aus allen Epochen, gedacht als Nationalerziehung, auf daß, wie der König 1842 bei der Einweihung sagte, »teutscher der Teutsche aus ihr trete, besser, als er gekommen«[32]. In München wurde aber auch eine Ruhmeshalle zum Gedächtnis an die großen Bayern errichtet, außerdem ein bayerisches Nationalmuseum, alles, wie es hieß, zur Ausbildung eines bayerischen Nationalcharakters. Und nicht zuletzt wurde hierfür 1810 ein bayerisches Nationalfest erfunden, ein »jährliches Nationalfest«, wie 1835 ein bayerischer Beamter schrieb, »wie keines in der Welt... Es ist gleichsam ein allgemeines Rendez-vous für alle Bewohner des Reiches, für alle

---

[31] E. M. Arndt, Versuch in vergleichender Völkergeschichte. Leipzig 1843, S. 391 f. Zitiert in: Ch. Prignitz, Vaterlandsliebe und Freiheit. Deutscher Patriotismus von 1750 bis 1850. Wiesbaden 1981, S. 22.
[32] Walhalla's Genossen, geschildert durch König Ludwig den Ersten von Bayern, den Gründer Walhalla's. München 1842. Zitiert in: V. Sellin, Nationalbewußtsein und Partikularismus in Deutschland im 19. Jahrhundert. In: J. Assmann, T. Hölscher (Hg.), Kultur und Gedächtnis. Frankfurt a. M. 1988, S. 247.

Bayern dazu geschaffen, wie einst für die Griechen in Olympia.«[33] Das ist nichts Geringeres als das Oktoberfest.

Schon in Bayern, noch mehr aber in Preußen wurde diese Kulturpolitik zur Integration der neuen Landesteile betrieben. Das zeigt sich bei der Vollendung des Kölner Doms. Görres bezeichnete ihn 1814 als »heiliges Vermächtnis«: »In seiner trümmerhaften Unvollendung, in seiner Verlassenheit ist (er) ein Bild ... von Teutschland. So werde (er) denn auch ein Symbol des neuen Reiches, das wir bauen wollen.«[34] Es gab Pläne, eine nationale Gedächtniskirche aus ihm zu machen, eine Art Westminster Abbey. Wilhelm von Humboldt befürwortete den Ausbau 1815, nachdem die Rheinlande preußisch geworden waren, mit der Begründung, daß eine solche Tat »das schönste Monument« wäre, »was die preußische Herrschaft über den Rhein sich selbst setzen könnte«[35]; das Unternehmen würde Enthusiasmus in der ganzen Gegend hervorbringen. Die Vollendung des Kölner Doms war also sicherlich nicht als Symbol für deutsche Einheit gedacht, sondern als Symbol »partikular-preußischer Integration im Sinne (der) christlich-ständischen Staatsidee«[36]. Aber Symbole sind mehrdeutig, und das konnte Preußen bei seiner späteren Einigungspolitik dann auch ausnutzen.

Die letzten Beispiele haben schon gezeigt, wie stark die Nationalgeschichte gepflegt und funktionalisiert wurde. Kommen wir also abschließend zu den Historikern selber, zu der Anfang des 19. Jahrhunderts aufblühenden deutschen Geschichtswissenschaft. Ist dies das Zentrum für die Erfindung der Nation?

In der Tat ist der Bezug auf die Besonderheit und besondere Entwicklung jedes Volkes ein Merkmal dieser neuen Geschichtswissenschaft. So arbeiteten die Klassischen Philologen und Althistoriker seit Wolf und Niebuhr die organische Einheit des griechischen und römischen Volkes heraus, und so wurde nach der Einheit des germanisch-deutschen Volkes gesucht. Dafür wurden seit 1819 in den Monumenta Germaniae historica die Quellen gesammelt, und Wilhelm Giesebrecht erklärte in der Mitte des Jahrhunderts: »Erst indem die

---

[33] J. von Hazzi, Über das 25jährige Wirken des Landwirtschaftlichen Vereins in Bayern und des Central-Landwirtschafts- oder Oktoberfestes. München 1835, zitiert in: G. Möhler, Das Münchner Oktoberfest. Brauchformen des Volksfestes zwischen Aufklärung und Gegenwart. München 1980, S. 46.
[34] J. Görres, Der Dom in Köln. In: Rheinischer Merkur Nr. 151, 20. November 1814. Zitiert in: Sellin, Nationalbewußtsein, S. 247.
[35] W. von Humboldt an Caroline von Humboldt, 17. 12. 1815. In: A. v. Sydow (Hg.), Wilhelm und Caroline von Humboldt in ihren Briefen, Bd. 5. Berlin 1912, S. 153.
[36] Sellin, Nationalbewußtsein, S. 249.

Geschichtswissenschaft das nationale Prinzip mit aller Energie erfaßte, und von ihm erfaßt wurde, gewann sie gegen die anderen Wissenschaften auch äußerlich bei uns eine völlig freie Stellung als ein selbständiges Studium.«[37] »Nachträglich und rückwirkend ließen also nun die Historiker alle Gewalt vom Volke ausgehen«, wie Karl Ferdinand Werner spöttisch formuliert[38]. Im Vorwort seiner ›Geschichte der deutschen Kaiserzeit‹ schrieb Giesebrecht, dies sei die Periode, »in der unser Volk, durch Einheit stark, zu seiner höchsten Machtentfaltung gedieh, wo es nicht allein frei über sein eigenes Schicksal verfügte, sondern auch andern Völkern gebot, wo der deutsche Mann am meisten in der Welt galt und der deutsche Name den vollsten Klang hatte.«[39]

Die romantische Nationalisierung war aber vor allem Sache der Germanistik und der mit ihr verbundenen Historischen Rechtsschule. Der romantische Begriff des deutschen Volksgeistes hat in erster Linie Bedeutung gehabt für die sprach-, literatur- und rechtsgeschichtlichen Forschungen von Jacob Grimm und seinen Nachfolgern. Hier in diesen mit viel Liebe und Andacht zu den kleinsten Spuren durchgeführten Forschungen finden wir die Lehre, daß alle kulturellen Äußerungen eines Volkes aus dem – selber unsichtbaren – Volksgeist entspringen; und Savigny hat speziell an die schlechthinnige Abhängigkeit alles positiven Rechts von diesem Volksgeist geglaubt und von da aus vor Modernisierungen gewarnt.

Die Geschichtswissenschaft, die dementsprechend einen zwingenden zeitlichen Gesamtablauf der Nationalgeschichte darstellen wollte, hatte es da viel schwerer, denn in der mittelalterlichen und neueren deutschen Geschichte war wenig vom Volksgeist zu sagen, da steigerte sich nicht eine ursprünglich angelegte Einheit wie in der französischen oder englischen Geschichte, sondern schwächte und zersplitterte sich alles. Für eine Darstellung der gesamten Nationalgeschichte, wie sie Michelet so großartig und meinungsbildend für Frankreich geschaffen hat, findet sich keine Parallele in Deutschland. Der in seiner beherrschenden Position Michelet vergleichbare deutsche Historiker ist Ranke, aber der hat kennzeichnenderweise die Tradition der europäischen Staatengeschichte mit den neuen na-

[37] W. Giesebrecht, Die Entwicklung der modernen deutschen Geschichtswissenschaft. In: Historische Zeitschrift 1 (1859), S. 11.
[38] K. F. Werner, Der Streit um die Anfänge. Historische Mythen des 19./20. Jahrhunderts und der Weg zu unserer Geschichte. In: K. Hildebrand (Hg.), Symposium: Wem gehört die deutsche Geschichte? Deutschlands Weg vom Alten Europa in die europäische Moderne. Köln 1987, S. 23.
[39] W. von Giesebrecht, Geschichte der deutschen Kaiserzeit. Bd. 1, I: Die Entstehung des deutschen Reichs. Braunschweig 4. Aufl. 1873, S. VIII.

tionalgeschichtlichen Gesichtspunkten verbunden, und er hat jedes seiner großen Werke der Hauptepoche einer anderen europäischen Nation gewidmet – ähnlich wie es Schiller bei seinen historischen Dramen getan hat.

Das war den jüngeren deutschen Historikern zu objektiv, und sie wurden die sogenannten »kleindeutschen Geschichtsbaumeister«. Ohne Rekurs auf Volksgeist und germanische Ursprünge schrieben sie zukunftsgerichtete, auf die angestrebte nationale Einigung zielende politische Historie. Droysen suchte in den vielen Bänden seiner Geschichte der preußischen Politik mehr ausführlich als überzeugend nachzuweisen, daß Preußen schon immer, seit Jahrhunderten, auf eine solche Einigung hingearbeitet habe. Treitschke lehnte es ab, in einer Reihe über die Geschichte des 19. Jahrhunderts nur eine Geschichte des deutschen Bundes zu schreiben, denn, wie er meinte: »Die preußische und die deutsche Geschichte müssen schlechterdings ein Werk sein.«[40]

Aber das ist ein neues Thema. Es ist nicht mehr romantische, sondern realpolitisch ausgerichtete Nationalisierung, wie sie in der zweiten Hälfte des 19. Jahrhunderts vorherrschte.

Literaturhinweise

Thomas Nipperdey, Deutsche Geschichte 1800–1866. Bürgerwelt und starker Staat. München 1983.

James J. Sheehan, German History, 1770–1866. Oxford 1989.

Friedrich Meinecke, Weltbürgertum und Nationalstaat. Studien zur Genesis des deutschen Nationalstaats. München 1962.

Otto Vossler, Der Nationalgedanke von Rousseau bis Ranke. München 1937.

Eugene N. Anderson, Nationalism and the Cultural Crisis in Prussia. 1806–1815. New York 2. Aufl. 1966.

Hans Kohn, Prelude to Nation States. The French and German Experience 1789–1815. London 1967.

Heinrich A. Winkler (Hg.), Nationalismus. Königstein/Ts. 1978.

Peter Alter, Nationalismus. Frankfurt a. M. 1985.

Hagen Schulze, Der Weg zum Nationalstaat. Die deutsche Nationalbewegung vom 18. Jahrhundert bis 1871. München 1985.

[40] Treitschke an S. Hirzel, 26. 4. 1866. In: H. von Treitschke, Briefe. Hg. von M. Cornicelius. Leipzig 1913, S. 468.

Otto Büsch u. James J. Sheehan (Hg.), Die Rolle der Nation in der deutschen Geschichte und Gegenwart. Berlin 1985.

Adolf M. Birke u. Günther Heydemann (Hg.), Die Herausforderung des europäischen Staatensystems. Nationale Ideologie und staatliches Interesse zwischen Restauration und Imperialismus. Göttingen, Zürich 1989.

Otto Dann, Nationalismus und sozialer Wandel in Deutschland 1806–1850. In: Ders.: (Hg.), Nationalismus und sozialer Wandel. Hamburg 1978.

Miroslav Hroch, Das Bürgertum in den nationalen Bewegungen des 19. Jahrhunderts. Ein europäischer Vergleich. In: Jürgen Kocka (Hg.), Bürgertum im 19. Jahrhundert. Deutschland im europäischen Vergleich, Bd. 3. München 1988.

Gerhard Kaiser, Pietismus und Patriotismus im Literarischen Deutschland. Ein Beitrag zum Problem der Säkularisation. 2. erg. Aufl. Frankfurt a. M. 1973.

Christoph Prignitz, Vaterlandsliebe und Freiheit. Deutscher Patriotismus von 1750 bis 1850. Wiesbaden 1981.

Thomas Nipperdey, Auf der Suche nach Identität: Romantischer Nationalismus. In: Ders., Nachdenken über die deutsche Geschichte. München 1986.

Volker Sellin, Nationalbewußtsein und Partikularismus in Deutschland im 19. Jahrhundert. In: Jan Assmann, Tonio Hölscher (Hg.), Kultur und Gedächtnis. Frankfurt a. M. 1988.

Dieter Düding. Organisierter gesellschaftlicher Nationalismus in Deutschland 1808–1847. Bedeutung und Funktion der Turner- und Sängervereine für die deutsche Nationalbewegung. München 1984.

Ders., Deutsche Nationalfeste im 19. Jahrhundert. Erscheinungsbild und politische Funktion. In: Archiv für Kulturgeschichte 69 (1987), S. 37 ff.

Dieter Langewiesche, »... für Volk und Vaterland kräftig zu würken ...« Zur politischen und gesellschaftlichen Rolle der Turner zwischen 1811 und 1871. In: Ommo Grupe (Hg.), Kulturgut oder Körperkult? Sport und Sportwissenschaft im Wandel. Tübingen 1990, S. 22–61.

Karl-Georg Faber, Studenten und Politik in der ersten deutschen Burschenschaft. In: Geschichte in Wissenschaft und Unterricht 20 (1969), S. 68 ff.

Otto Dann (Hg.), Religion – Kunst – Vaterland. Der Kölner Dom im 19. Jahrhundert. Köln 1983.

Die gescheiterte Reichsgründung 1848/49
von HEINZ HOLECZEK

Als eigentlicher Interessenpunkt dieser Reihe von Beiträgen über ›Deutschland in Europa‹ schält sich die Entstehung und Entwicklung eines Nationalbewußtseins der Deutschen heraus. Aktualisiert wird das Interesse an diesem deutschen Nationalbewußtsein im Verhältnis zu Europa durch die derzeitige deutsche Wiedervereinigungsdebatte, in der es vor allem um das nationale Selbstverständnis der erweiterten Bundesrepublik im Prozeß des europäischen Zusammenschlusses geht. Die bisherige kleinere Bundesrepublik hat sich als bloßer Teil Westeuropas – und als östlichstes Bollwerk der atlantischen Gemeinschaft – verstanden; die größere Bundesrepublik wird ihr Schwergewicht verlagern und andere Traditionen wieder aufleben lassen müssen: einerseits als gewichtiger Teil einer erweiterten Europagemeinschaft, andererseits als Brücke nach Osteuropa. Gemeinsam war damals wie heute, daß ein »vereinigtes« Deutschland eine besondere Rolle von großem Gewicht spielen würde. Doch darüber, was ein »einig« Deutschland bedeuten würde, bestanden und bestehen inhaltlich immense Meinungsunterschiede. Jedenfalls sind die Gestaltungsspielräume damals und heute ganz verschiedene.

Aus den bisherigen Beiträgen dürfte für unsere Thematik klar geworden sein, daß dieses Nationalbewußtsein der Deutschen sich erst im 18. Jahrhundert und nur ersatzweise als starkes Gemeinschaftsgefühl einer individuellen Kultur- und Sprachnation hatte entwickeln können. Der Untergang des alten Reiches Anfang des 19. Jahrhunderts wurde als ein schwerer Identitätsverlust empfunden und hinterließ ein Gefühl der Leere, das der Deutsche Bund nicht ausfüllen konnte. Das geschah vor dem Hintergrund, daß im revolutionären Frankreich ein starkes Nationalgefühl seinen Bürgern eine Identität vermittelte, die über alle politischen und sozialen Gegensätze hinweg das Gefühl der nationalen Gemeinsamkeit bot. Der deutsche Patriot konnte auf den westlichen Nachbarn nur mit einer Mischung von nationalem Neid und kultureller Abneigung blicken, ohne das eigene Defizit an Identität dadurch ausgleichen zu können. Für dieses vergleichsweise Zurückbleiben Deutschlands gab es vielerlei Gründe, die vor allem in den zersplitterten staatlichen, sozialen und wirtschaftlichen Strukturen Mitteleuropas lagen. Die aus den Freiheitskriegen gegen Napoleon sich ergebenden nationalen Möglichkeiten wurden auf dem Wiener Kongreß wieder dem europäischen Gleichgewichtsdenken geopfert. Ein wie auch immer gearteter Zusammenschluß Deutschlands mußte die bisherigen Gleichgewichtskonzepte – etwa das der Pentarchie – in Frage stellen. Seit dem Wiener Kongreß galt als Haupthindernis das sogenannte Metternichsche System, welches jede liberale Neugestaltung sowie entschiedene Schritte zur deutschen Nationalbildung zugunsten einer statischen Friedensordnung Europas repressiv unterband.

Die 48er Revolution, insbesondere die aus ihr hervorgegangene bürgerliche Verfassungsbewegung, stellte den ersten entschiedenen Versuch dar, auf politischem Wege zur nationalen Einheit aller Deutschen zu gelangen. Die enge Verbindung von liberalen Zielen und parlamentarischem Weg läßt diesen Versuch um so wichtiger erscheinen, als hier nationale Einheit und liberale Freiheit gleichgewichtig miteinander verbunden wurden. Der Neueintritt der deutschen Nation in die politische Wirklichkeit Europas macht die 48er Revolution aus heutiger Sicht so interessant, weil ihre Ergebnisse in Deutschland in doppelter Weise traditionsbildend wirkten: Positiv wurde eine nationale Verfassungstradition begründet, negativ wurde ihr »Scheitern« dem bürgerlichen Liberalismus einseitig angelastet, so daß er seitdem ins Zwielicht geriet.

Im Moment der Wiederbelebung der deutschen Nation sehe ich die Notwendigkeit zur Reinterpretation dieser revolutionären Geburtsstunde eines »liberalen Nationalreiches«, auch wenn es historisch erst einmal als gescheitert galt. Bei erneutem Lesen der Texte von 1848/49 habe ich mich zuerst auf drei naheliegende Fragen konzentriert: 1. Was ist der »Deutsche«; 2. Was ist »Deutschland« und 3. Wie wollte sich Deutschland mit welcher Konstitution vereinigen? Am Schluß soll noch auf die europäische Perspektive dieser ersten unvollendeten deutschen Nationalstaatsbildung hingewiesen werden.

Meine These ist, daß dieser erste revolutionäre Versuch einer Nationalstaatsbildung weniger an äußeren Widerständen Europas als an der Unvereinbarkeit von liberalen Grundsätzen und parlamentarischen Methoden mit den nationalistischen Zielsetzungen in Deutschland gescheitert ist. Jedenfalls ist die in der Historiographie seit der Bismarckschen Reichsgründung durch »Blut und Eisen« übliche einseitige Schuldzuweisung an die liberalen Kräfte der 48er Bewegung nicht gerechtfertigt. Die besondere Leistung der 48er Verfassungsbewegung zeigt sich deutlich an den drei genannten Punkten: der Definition des souveränen Bürgers, der Beschreibung des deutschen Staatsgebietes und der Durchsetzung der Souveränität der Nation in einer Konstitution. Hiermit setzte sich die bürgerliche Verfassungsbewegung der 48er Revolution auf die Dauer durch. Das schloß zwar nicht prinzipiell die monarchische Staatsform aus, dennoch scheint mir der zentrale Begriff der politischen Diskussion der der »Volkssouveränität« gewesen zu sein. Daran schieden sich die Geister von Konservativen, Liberalen und Demokraten.

Die Grundrechtsdiskussion als Bestimmung des »Deutschen«

Am 18. Mai 1848 trat die Deutsche Nationalversammlung in der Frankfurter Paulskirche feierlich zusammen und machte sich umgehend an ihre vornehmste Aufgabe: den Grundrechtsentwurf für die Deutschen. Hierfür waren die meist aus dem akademischen Bildungs- und Beamtenbürgertum stammenden Abgeordneten zweifellos am besten befähigt. Damit wollten sie dreierlei erreichen: die Revolution in eine nationale parlamentarische Verfassungsbewegung lenken, die Grundrechte der deutschen Nation als Verfassungsanspruch und als politische Freiheitsrechte der Deutschen feststellen und die nationale Vereinigung aller Deutschen erreichen. Alle drei Aufgaben hingen eng miteinander zusammen.

Im Verfassungsausschuß umriß der Abgeordnete von Beseler die erste Aufgabe: »Wir müssen uns die Frage beantworten, was das eigentlich sei, ein Deutscher; wir müssen daran gehen, die Lücke auszufüllen, welche der Untergang des Reiches gelassen hat.« [1] Es war klar, daß es sich nicht um die historische Beschreibung des »Reichsbürgers« alten Typs handeln könne, sondern um den Bürger eines künftigen Reiches. Dieser politische Begriff des Deutschen sollte national *und* liberal sein – ein Angebot zu einer neuen Identität anstelle der verlorengegangenen des alten Reiches. Doch das deutsche Nationalreich konnte nur als eine Neuschöpfung konzipiert werden.

Bei Beginn der Revolution gab es bereits einige skizzenhafte Entwürfe für eine künftige Verfassung des deutschen Volkes. Bekannte Beispiele sind das Offenburger Programm der südwestdeutschen Demokraten vom 10. September 1847 und der Reichsverfassungsentwurf des Siebzehner-Ausschusses der Deutschen Bundesversammlung vom 26. April 1848. Während in Offenburg noch ganz oppositionell gegen die Beschneidung der »unveräußerlichen Menschenrechte« durch die Karlsbader Beschlüsse an die badische

---

[1] J. G. Droysen, Die Verhandlungen des Verfassungsausschusses der deutschen Nationalversammlung. Leipzig 1849, Teil 1, S. 29.

Staatsregierung appelliert wurde, unterzeichneten die »siebzehn Männer des öffentlichen Vertrauens« ihren ›Entwurf des Deutschen Reichsgrundgesetzes‹ im Namen des »Deutschen Volkes« mit dem Pathos einer offiziellen Reformkommission des ungeliebten aber legitimen Deutschen Bundes. Deren Präambel zeigt die Intention der Siebzehner-Kommission, welche die bisherige schwächliche Zersplitterung durch die Vereinigung aller Deutschen zur Größe nach außen kompensieren sollte: »Da nach der Erfahrung eines ganzen Menschenalters der Mangel an Einheit in dem Deutschen Staatsleben innere Zerrüttung und Herabwürdigung der Volksfreiheit, gepaart mit Ohnmacht nach außen hin, über die Deutsche Nation gebracht hat, so soll an die Stelle des bisherigen Deutschen Bundes eine auf Nationaleinheit gebaute Verfassung treten.«[2] Diese Formulierung war gegen den Deutschen Bund gerichtet, der die deutsche Nation nach außen nicht gestärkt hat und nach innen korrumpierte und herabwürdigte. Sie wies nach vorn auf eine Vereinigung hin: auf eine konstitutionell verfaßte deutsche Staatsnation.

Schon dieser Grundrechtsentwurf der Siebzehn konstituierte das übergeordnete Reichsrecht vor dem der Einzelstaaten: »Das Reich gewährt dem Deutschen Volk folgende Grundrechte, welche zugleich der Verfassung jedes einzelnen Deutschen Staates zur Norm dienen sollen.«[3] Dementsprechend werden nicht, wie man vielleicht erwartet, Individualrechte wie Pressefreiheit und Habeas-Corpus-Akte, sondern zuerst demokratische Partizipationsansprüche wie Volksvertretung, Ministerverantwortlichkeit, freie Gemeindeverfassung und allgemeine Bürgerwehr postuliert. Die Verfassungsforderung ist also das Grundrecht der deutschen Nation; daraus leiten sich erst die Individualrechte des einzelnen Deutschen ab. Dieser Entwurf sucht nicht föderalistisch über die Parlamentarisierung der Einzelstaaten des Deutschen Bundes zu einer gesamtstaatlichen Reichsverfassung zu gelangen, sondern über den Begriff des mit politischen Grundrechten ausgestatteten »Deutschen« zu einem liberalen Nationalstaat. Dieser wichtige Vorentwurf der Siebzehn zielte also primär auf eine übergeordnete Gesamtverfassung mit parlamentarischen Elementen des künftigen Reiches ab und forderte das sogenannte. »Verfassungsversprechen« nun über den Weg der »Grundrechte« des deutschen Volkes ein. Auffällig erscheint daran, daß der Begriff der »Volkssouveränität« in einer vagen Schwebe zwischen liberalen Individualrechten und politischen Partizipa-

---

[2] E. R. Huber (Hg.), Dokumente zur deutschen Verfassungsgeschichte. Stuttgart 1961, S. 284.
[3] Huber, Dokumente, ebd.

tionsrechten verbleibt. Damit blieb unklar, welche Souveränitätsrechte die deutsche Nation und welche die monarchischen Souverä-
ne hatten.

Die Überwindung der partikularen Struktur des Deutschen Bundes wird dann zum Hauptanliegen des maßgeblichen Entwurfs des
Verfassungsausschusses der Paulskirche vom 19. Juni 1848: Darin
wird bekräftigt: »keine Verfassung oder Gesetzgebung eines deutschen Einzelstaates soll dieselben je aufheben oder beschränken
können« [4]. Im Kommentar [5] werden die praktischen Gesichtspunkte hervorgehoben: Man habe nur grundsätzlich das allgemeine
»Staatsbürgerrecht in Deutschland« betonen wollen, aber nicht im
einzelnen das Verhältnis von »deutschem« und einzelstaatlichem
Bürgerrecht ausgeführt. Es ginge praktisch zuerst darum, daß jeder
Deutsche seine Rechte – wie sein freies Gewerberecht – in jedem
deutschen Staat wahrnehmen könne; der »Deutsche« kann überall
die Staats- und Gemeindebürgerschaft erwerben und sein Wahlrecht zur Reichsversammlung an seinem jeweiligen Wohnsitz wahrnehmen.

Damit sind die Aufgaben der »Grundrechte«, wie sie die Paulskirche dann endgültig ausarbeitete, umrissen: Neben den praktischen Fragen der wirtschaftlichen Freizügigkeit sollten vor allem
die Sonderverfassungen der deutschen Einzelstaaten des Deutschen Bundes durch ein nationales Verfassungsrecht überwunden
werden. Die Individualrechte spielten dagegen eine wenig prominente Rolle. Ziel war ein einheitliches nationales Staatsbürgerrecht
auf liberaler Grundlage. Verständlich ist die Erklärung, daß die
Ausgestaltung des Verhältnisses der normativen Grundrechte zu
den partikularen Staatsbürgerrechten einer künftigen »Staatsverfassung« überlassen bleiben müsse, doch es mangelt dieser Bestimmung des Deutschen an jeder Definition nach außen: Ungeklärt
blieben dementsprechend »der Erwerb und der Verlust des deutschen Staatsbürgerrechts« sowie Fragen der »Naturalisation«. Die
wiederholte Betonung des freien Auswanderungsrechtes macht
deutlich, daß Deutschland damals vornehmlich ein Auswande-
rungsland war; nur aus dem Osten gab es von Juden und Polen
eine nennenswerte Zuwanderung.

Im Laufe der Verhandlungen kam es dann für den Grundrechts-
teil der Verfassung zur Klärung seiner wesentlichen Inhalte. Waren
die Grundrechte ursprünglich zuerst eine Formulierung des Verfas-
sungsanspruchs, traten dann die individuellen Bürgerrechte mehr

[4] Droysen, Verfassungsausschuß, Anlage 5, S. 372 f.
[5] »Motive« genannt; siehe Droysen ebd.

und mehr hervor. Die ›Grundrechte des Deutschen Volkes‹ gliedern sich in drei Bereiche: Zuerst fand eine nationale Definition des deutschen Staatsbürgerrechts aus der Zugehörigkeit zum deutschen Volk als Sprachnation statt, woraus sich die grundlegenden Mitwirkungsrechte (wie das Wahlrecht) herleiteten. Danach wurden ausführlich im liberalen Geist die Individualrechte, vor allem die der Rechtsgleichheit, der Freiheit der Person, die klassischen Schutzrechte wie Habeas-Corpus-Akte, Unverletzlichkeit der Wohnung, Briefgeheimnis usw., dann die Freiheitsrechte der Meinung, des Glaubens, der Wissenschaft, das Versammlungsrecht etc. beschrieben. Ans Ende rückten die politischen Mitwirkungsforderungen wie Volksvertretung, Gesetzgebungsrecht, Ministerverantwortlichkeit, deren ausdrückliche Formulierung sich durch eine gegebene Verfassung voraussichtlich erübrigen würde. Wichtig sollte die am Schluß gegebene Garantie an die »nicht deutsch redenden Volksstämme in Deutschland« für ihre volkstümliche Entwicklung in Sprache, Kultur, Unterricht, Literatur und Selbstverwaltung werden.

Als Hauptmerkmal der staatsbürgerlichen Zugehörigkeit wird zwar regelmäßig einzig die Deutschsprachigkeit genannt, doch wird ebenso deutlich, daß die Zugehörigkeit zu einem der Staaten des Deutschen Bundes, die sich aus dem alten Reich ableitete, als wesentliches Kriterium galt. Andere Merkmale der Ethnie – wie Brauchtum, Liedgut, etc. – werden indirekt eingebracht. Je nach Auslegung blieben damit weite Deutungsspielräume offen, wie folgende Fragen verdeutlichen: Sind die deutschsprachigen Elsässer, obwohl sie französische Staatsbürger sind, Deutsche oder nicht? Waren die Tschechen in Böhmen wegen der Zugehörigkeit zum Deutschen Bund nur mit einem Minderheitenstatus, ohne Recht auf eigene Nationalität, auszustatten? Mußte die polnisch-sprechende Bevölkerungsmehrheit im Großherzogtum Posen deswegen über ihre Zugehörigkeit zu Preußen zu Deutschen werden, weil es keinen polnischen Staat gab?

Welche weitreichende Bedeutung die Grundrechtsbestimmungen entwickeln konnten, sei kurz am Grundsatz der »Gleichheit der Person« aufgezeigt. Die Gleichheit der Person war vor allem auf Rechtsgleichheit, Einheitlichkeit des Rechts- und des Gerichtswesens gemünzt (wie die Abschaffung der Patrimonial- und jeder Sondergerichtsbarkeit), hatte aber noch weiterreichende Bedeutung, weil damit der Begriff der Volkssouveränität verbunden war: Der Ausschuß, namentlich Droysen als Berichterstatter, hatte den Satz »alle Deutschen sind gleich vor dem Gesetze« eng mit der »Gleichheit in bezug auf politische Vorrechte« verbunden [6]. Daraus folgerte die Linke durch Robert Bluhm: »Der Adel und die Vorrechte einzelner Stände sind aufgehoben.« Dies hätte wahrlich die soziale Revolution und die egalitäre Republik bedeutet, was aber kaum jemand in der Paulskirche ernstlich wollte. Also wurde das Prinzip der »Gleichheit« zwar ausgesprochen, aber gleich wieder aufgehoben, indem man es aufs bürgerliche Recht beschränkte, denn die Monarchie wollte man ja nicht einfach wegdekretieren. Das hätte die Rückkehr zur Revolution und den Bürgerkrieg bedeutet.

In der Debatte um den Gleichheitsgrundsatz, die sich ja auf so weitreichende Fragen wie die Abschaffung der Adelsprivilegien oder die rechtliche Gleichstellung der Juden erstreckte, ergriff auch Dahlmann, einer der liberalen Protagonisten, die Gelegenheit, in einer Art »Glaubensbekenntnis« seine Einwände gegen die falsch verstandene Volkssouveränität zu formulieren: Er liebe dieses Wort nicht sonderlich, hasse es sogar gewisserweise. Er deutete diesen Begriff mittels des alten Satzes, das Heil des Volkes sei das erste Grundgesetz *(salus populi suprema lex esto)* – dieses Volksheil füllt er mit drei Gedanken aus: der »materiellen Pflege« im Sinne einer Fürsorgepflicht für das Volk; zweitens: der »geistigen Entwicklung« des Volkes als Erziehungsauftrag an die Regierenden; – vor allem aber betont er: das »Heil des Volkes« liege vorzugsweise »in der Entwicklung seiner Freiheit nach außen« [7]. Den außenpolitisch gewendeten Begriff des Volksheils erklärt er zum wichtigsten Ziel des Staates: »es müsse die Kraft der Selbstbestimmung eines Volkes aufs Möglichste befördert werden«. Dies kann als eine spezielle Ausfüllung des von Gagern andernorts mit großem Pathos eingeführten Begriffs der »Souveränität der Nation« verstanden werden.

Die weiteren Präzisierungen verdeutlichen, daß Dahlmann gegen die »Volksherrschaft« und für die Monarchie sprach. Die Gleichstellung aller Deutschen würde bedeuten, daß es keine deutschen Fürsten geben könne; man müßte sie dann aus dem Ausland holen. Er appellierte in diesem Zusammenhang an die Vertreter der reinen Volkssouveränität, ihre Begeisterung für das Volk lieber auf die Souveränität des Staates zu übertragen. Schließlich verstieg er sich sogar zu einer Kritik am Prinzip der Rechtsgleichheit, indem er ein anderes als das allgemeine Recht für Fürsten, Regierungen, selbst für »Ständeversammlungen« forderte: »Wir wollen Fürsten haben, die nicht gleich sind vor dem Gesetz.« [8]

---

[6] H. Scholler (Hg.), Die Grundrechtsdiskussion in der Paulskirche. Eine Dokumentation. Darmstadt 1982, S. 238 ff.
[7] Ebd., S. 240 ff.
[8] Ebd.

Dieser Widerspruch gegen den elementaren Gleichheitsgrundsatz, den selbst Droysen »taktlos« nannte, zeigt immerhin, mit welch unterschiedlichen Inhalten sich der Begriff der »Nation« füllen ließ – etwa dem der neoabsolutistischen Monarchie oder der demokratischen Republik.

Die Unsicherheit im Umgang mit dem Prinzip der Gleichheit der Person zeigte sich bei der Gleichstellung der jüdischen Minderheit. Deren Emanzipation bot unter dem Gesichtspunkt der Religionsfreiheit kaum Schwierigkeiten; auch über die Abschaffung des Judenrechts und der rechtlichen Gleichstellung reichte der liberale Konsens aus. Es gab Übereinstimmung darüber, daß es kein gesondertes Judenrecht mehr geben dürfe. Anders war es, sobald der nationale Aspekt ins Spiel kam. Nachdem bereits im Ausschuß auf die Judenfeindlichkeit der Bevölkerung wegen der Andersartigkeit der Judenschaft hingewiesen und vor einer überstürzten Emanzipation der Juden als unzweckmäßig gewarnt worden war, fühlte sich der liberale Staatsrechtler Robert von Mohl veranlaßt, im Plenum wegen der nationalen Fremdartigkeit des jüdischen Volkes doch einen Verfassungszusatz und auf diesem Wege ein erneuertes Sonderrecht zu verlangen. Er führte dazu u. a. aus: Wegen ihrer fremden Abstammung, ihrer internationalen Natur und ihrem nationalen Schachercharakter müßte man das deutsche Volk, namentlich Bauern und Kleingewerbe, vor ihrem negativen Einfluß schützen. Deswegen rief er mit nationalen Appellen das Haus auf, nicht humanitätsduselig gegenüber dem von Natur aus andersartigen Judenvolk zu sein und sich auf ihre »erste Pflicht« gegenüber dem deutschen Volk zu besinnen, um es vor Schaden zu bewahren. Der apodiktische Schluß, Juden könnten niemals Deutsche werden, zeigt schließlich, daß es nicht eine Frage der Assimilation noch nationaler Option sei, ob man zur deutschen Nation gehört oder nicht. Es war eine Sache der Abstammung, nicht die einer historischen Entscheidung.

Der beredte Widerspruch des Vizepräsidenten und anerkannten Sprechers der Judenschaft in der Paulskirche, Gabriel Riesser, der in einer großen Rede alle Argumente Mohls zerpflückte, macht deutlich, daß diesem nationalen Affekt rational nicht beizukommen war. Er vermochte den Antrag für eine Sondergesetzgebung für Juden nur mit dem rechtspolitischen Argument zu verhindern, daß das liberale Gesetzeswerk so beibehalten werden müsse, sonst würde ein unheilvoller Riß eintreten. Gegen die nationalistische Argumentation erhielt er keinerlei Unterstützung. War diese Debatte über die jüdische Minderheit ein in jeder Beziehung peinliches Intermezzo, so nahm die Bestimmung Deutschlands als Nation ganz andere Dimensionen an, in der nationales Selbstverständnis und liberale Ideen in starke Spannung zueinander gerieten.

Die räumliche Bestimmung des neuen Deutschen Reiches

Die Definition des Deutschen durch die Grundrechte verlangte nach einer Bestimmung des nationalen Lebensraumes der Deutschen: Was ist des Deutschen Vaterland? Mit seiner Hymne für die 48er Bewegung »Soweit die deutsche Zunge reicht« hatte Ernst Moritz Arndt den Zusammenhang zwischen Deutschsprachigkeit und Deutschem Reich deutlich gemacht. Die deutsche Nationalität wurde vor allem durch die Deutschsprachigkeit und damit Zugehörigkeit zur deutschen Kultur bestimmt. Die deutsche Nationalität wurde damit ethnisch-kulturell, nicht politisch bestimmt; sie hatte sich bekanntlich ohne räumliche Staatswerdung als Kulturnation im 18. Jahrhundert herausgebildet. So wurde maßgeblich bereits auf dem ersten Germanistenkongreß 1846 in Frankfurt von Jacob Grimm das Motto ausgegeben, welches auch für die 48er Revolution galt: »Ein Volk ist ein Inbegriff von Menschen, welche dieselbe Sprache reden.«[9]

Nach liberalen Prinzipien hatte die deutsche Nationalität eine doppelte Funktion: integrierend nach innen und abgrenzend nach außen sollte sie dem deutschen Volk seine nationale Form geben. Nach *innen* sollte sich ein vorbildliches liberales »Kernland« bilden, welches gegenüber den Randzonen und auf die um Deutschland herum lebenden deutschsprachigen Stämme eine anziehende »Magnetwirkung« ausübte. Solche »großdeutschen« Phantasien bezogen sich nicht nur auf Elsaß-Lothringen, Luxemburg und Schleswig, sondern auch auf die Niederlande und die Schweiz. Nach *außen* galt es die deutsche Nationalität gegen andere Nationen abzugrenzen und mächtig zu machen, vor allem gegen die benachbarte französische als *der* Gegennation, dann aber auch gegenüber der englischen und der dänischen.

Die liberale Musterverfassung im Innern und die Betonung nationaler Stärke nach außen sollte der Gewinnung möglichst vieler deutschsprachiger Provinzen für das deutsche Nationalreich dienen. Dazu wurde die sogenannte Magnettheorie entwickelt, wo-

[9] Verhandlungen der Germanisten zu Frankfurt a. M. am 24., 25. und 26. September 1846. Frankfurt 1847, S. 11; vgl.: Verhandlungen der Germanisten zu Lübeck am 27., 28. und 30. September 1847. Lübeck 1848.

nach deutsche Stämme außerhalb des Deutschen Bundes geworben werden sollten; daneben scheute man auch nicht vor Androhung politischen Druckes, ja, der militärischen Gewalt, zurück. Dahinter stand die Vorstellung, in der europäischen Mitte könne nur ein starkes Reich (ein »Vierzigmillionenvolk« der Deutschen) im Besitze möglichst vieler strategischer Linien, Punkte und Festungen überlebensfähig sein. Man sagte es auch anders: Durch die nationale Vereinigung aller Deutschen werde das neue Reich in Mitteleuropa zwangsläufig zur stärksten Macht Europas werden. Im Jahre 1848 war das aber noch kaum als deutscher Hegemonieanspruch gemeint.

Trotz der Bedeutung des Themas konnte in den Debatten der Paulskirche 1848/49 die Abgrenzung nach außen und die Klärung der Randzonen nicht ausreichend diskutiert werden, d. h. wichtige der selbstgestellten Fragen nicht offen beantwortet werden. So wurde die Zugehörigkeit der Elsaß-Lothringer zur deutschen Nation nie durchdiskutiert, um Frankreich nicht zu provozieren. (Frankreich hatte empfindlich auf die Teilungspläne Posens nach Sprachgrenzen reagiert.) Anders lagen die Verhältnisse gegenüber dem Vielvölkerstaat Österreich, wo die deutsche Volksgruppe dominierend war. Hier rang man sich zu Entscheidungen nach anderen Kriterien durch. Weitgehend ungeklärt blieb dabei etwa der nationale Status der tschechischen Böhmen und der Italiener mit Rücksicht auf Österreich. Darauf können wir nur exemplarisch eingehen.

Beispielhaft sei die Nationalität der *Polen* in Preußen behandelt[10]: Im Vormärz gab es im deutschen Liberalismus, wie in ganz Westeuropa, eine große Polenbegeisterung, welche die polnische Nationalbewegung gegen die reaktionären Teilungsmächte der Heiligen Allianz, Preußen, Österreich und vor allem Rußland, in ihrem Anspruch auf Eigenstaatlichkeit unterstützte. Die Teilung Polens wurde als Schuld bezeichnet, die wieder gutzumachen sei. Daß es zwischen Deutschen und Polen eine nationale Konkurrenzsituation gab, was bei der Ausdehnung Preußens wie Österreichs nach Osten unvermeidbar war, scheint anfangs nur wenigen bewußt gewesen zu sein. So schrieb etwa Gottfried Eisenmann 1848 in seiner Flugschrift ›Aufruf zur Herstellung des Königreichs Polen‹ voller Bewunderung über die polnische Nation, »die in glühender Vaterlandsliebe allen anderen Völkern voranleuchtet«, zur Geschichte Polens: es habe »seit Jahrhunderten in den

---

[10] Die folgenden Inhaltsreferate im wesentlichen nach Günter Wollstein, Das »Großdeutschland« der Paulskirche. Düsseldorf 1977, S. 98–189. Zitate nach: Stenographischer Bericht über Verhandlungen der deutschen constituierenden Nationalversammlung zu Frankfurt am Main. Hg. v. Franz Wigard. Leipzig 1848/49.

Kämpfen gegen das Hereinbrechen der asiatischen Barbarei immer in erster Linie gefochten«. Wegen dieser historischen Mission müsse Polen wiederhergestellt werden. Deutlich ist, daß hier noch die Identifikation der Deutschen mit dem zerstückelten Polen, dem seine staatliche Identität gewaltsam vorenthalten werde, bestimmend war.

In der Frühzeit der Revolution gab es im sogenannten »Polenrausch« spektakuläre Aktionen zugunsten polnischer Emigranten. In Berlin etwa wurden die in Moabit einsitzenden Teilnehmer am Krakauer Aufstand von 1846 befreit. Die nach Polen zurückkehrenden Emigranten, die vor allem aus Frankreich kamen, sollten freies Geleit erhalten. Es wurde Druck auf den Preußenkönig ausgeübt, durch eine »Restitution« des Großherzogtums Posen den Polen eine nationale Keimzelle zu geben. Dies richtete sich direkt gegen Rußland als Zentrum und Rückhalt der Reaktion. Einerseits glaubten die Liberalen an einen »Völkerfrühling« des Friedens zwischen den Nationen, ebenso glaubten sie aber auch an einen schicksalhaften Konflikt mit Rußland, den sie mit der gesammelten Kraft der deutschen und polnischen Nationen zu bestehen hofften. Dazu hätte es aber unbedingt der engagierten Teilnahme Preußens bedurft. Tatsächlich hatte der preußische Minister von Arnim Pläne erwogen, mittels einer nationalen Mobilisierung Polens Rußland zurückzudrängen – allerdings in der innenpolitischen Absicht, die Linke in die Pflicht zu nehmen und die Revolution zu schwächen. All dies stellte sich aber umgehend als Illusion heraus, denn weder ließ sich Zar Nikolaus I. provozieren, noch wollte der preußische König deswegen ein Kriegsrisiko eingehen, und die polnische Bevölkerung in Posen ließ sich nicht für deutsche Ziele einspannen. Entscheidend wurde, daß Friedrich Wilhelm trotz seines (unfreiwilligen) Bekenntnisses zu einer nationalen Politik seine preußischen Interessen nicht aufgab, wonach am bisherigen Aufbau Preußens möglichst wenig verändert werden durfte; vor allem aber sollte das monarchische Prinzip erhalten bleiben. Dementsprechend ging es dann nur noch um die Besserstellung der Polen in Preußisch-Posen durch ein großzügiges Autonomiestatut und die Frage ihrer Zugehörigkeit zum zukünftigen Deutschen Reich.

Die Paulskirche machte einen intensiven Lernprozeß in der Wahrnehmung der realen Einflußmöglichkeiten durch. Zur gleichen Zeit entstand in Posen eine sehr gespannte Situation. Die polnische Bevölkerung organisierte sich rasch in Nationalkomitees und betrieb den Neuaufbau ihres Staates; sie versuchte, die Verwaltung in die Hand zu bekommen und ein polnisches Heer aufzustellen. Dagegen organisierte sich eine militante deutsche Bewegung, besonders in den Städten mit einer starken deutschen Bevölkerung. Die militanten deutschen Schutzorganisationen fanden in den westlichen (um Meseritz) und nördlichen Randgebieten (gegenüber Westpreußen) mit ihrer überwiegend deutschen Bauernschaft starken Rückhalt. In der Hauptstadt Posen hatten von 42 000 Einwohnern die Deutschen mit 13 000 nur mit Hilfe der 11 000 Juden, welche für die deutsche Kultur optierten, ein Übergewicht über die 18 000 Polen. Verständlicherweise fand die deutsche Seite in Berlin und Frankfurt leichter Gehör. Die Strategie der deutschen Bevölkerung (etwa 30 Prozent der Einwohner) ging auf eine Teilung Posens nach deutschsprachigen und polnischen Gebieten aus. Mit der Ablösung des angeblich polenfreundlichen Reorganisations-Kommissars General Gillisen durch General von Pfuehl wandelte sich die Lage. Mit Hilfe des Kriegsrechts wurden die polnischen Zentren zerschlagen; auf Drängen der deutschen Minderheit wurden Teilungspläne ausgearbeitet mit dem Ziel, die »deutsch besiedelten Kreise« dem Deutschen Bund anzuschließen. Die dazu ausgearbeiteten Modelle verdienten die Bezeichnung der »Germanisierung« zu Recht, denn sie sahen schließlich vor, daß zwei Drittel des Großherzogtums als deutsches Siedlungsgebiet reklamiert werden und nur noch etwa 300 000 (von insgesamt 1,25 Mio) Bewohner im Raume Gnesen einen polnischen Status zuerkannt erhalten sollten. Dabei wurden neben den überwiegend deutsch besiedelten Kreisen die von Deutschen dominierten Stadtbezirke großzügig reklamiert. Wegen der angeblich überragenden strategischen Bedeutung der Festung Posen wurde schließlich noch ein beachtlicher Gebietsanteil mit eindeutig polnischer Besiedlung als Korridor im Raume westlich Posens beansprucht.

Die Posenfrage tauchte bei der Vorbereitung der Nationalversammlung zuerst als Wahlfrage auf: Als Teil Preußens sollte es wählen, doch als Nichtbestandteil des Deutschen Bundes war es fraglich. Die ursprüngliche Meinung des Hauses, wegen der weitgehenden Identität der deutschen und polnischen Interessen dieses Gebiet einzubeziehen, ließ sich nur kurz aufrechterhalten. In der Posenfrage setzte sich bald die Einsicht durch, daß ein freies Posen schon wegen der preußischen Haltung kaum möglich sei. Auch das Ersuchen des polnischen Nationalkomitees, sich nicht an der Deutschen Nationalversammlung beteiligen zu müssen, sowie die Nachrichten vom Entstehen eines erbitterten Nationalitätenkampfes in Posen wirkten ernüchternd. Der Anpassungsprozeß an die realen Machtverhältnisse führte zu einer weitgehenden Auswechslung der liberalen durch eine nationale Argumentation.

Dafür seien zwei Stimmen angeführt: Ernst Moritz Arndt vertrat in Reden und Artikeln die Überlegenheit des deutschen Volkes [11]: Die polnische Ursünde liege in Unordnung, Vaterlandsvergessenheit, ja Vaterlandsverräterei. Deshalb sei es falsch, »den Polacken die halbe preußische Monarchie hinzuwerfen«. Er vertrat die These, daß der wertvolle deutsche Bevölkerungsanteil Posens schon jetzt zu Deutschland zähle – und Deutschland wegen seiner bevorstehenden Bevölkerungsverdopplung in wenigen Jahrzehnten im Osten Siedlungsland brauche.

Einer der ersten Höhepunkte nationalistischer Rhetorik entwickelte sich in der Polen-Debatte. Beim deutschen Nationalinteresse war Wilhelm Jordan aus Insterburg nicht zu überbieten. Seine Rede war in einem aggressiv antiliberalen Ton gehalten. Das Schicksal der Nationen entscheide sich nicht nach internationalen Rechtsnormen, sondern nach den »Naturgesetzen der Geschichte«, die er als Anhänger Hegels zu kennen meinte. Er kritisierte ein »überzogenes Gerechtigkeitsgefühl«. Es sei nun hohe Zeit, die »träumerische Selbstvergessenheit« und Schwärmerei für alle möglichen Nationalitäten abzulegen und zu »einem gesunden Volksegoismus« überzugehen, welcher die Ehre des Vaterlandes in allen Fragen obenan stellt. »Unser Recht ist kein anderes, als das Recht des Stärkeren, das Recht der Eroberung... Die Übermacht des deutschen Stammes gegen die slawischen Stämme ist eine naturhistorische Tatsache, dagegen läßt sich schlechterdings nichts ausrichten.« Durch Preußen sei Polen »zur Gesittung und Humanität erzogen worden, soweit dies überhaupt möglich« sei. Damit seien die polnischen Teilungen gerechtfertigt. Es sei eine »schwachsinnige Sentimentalität«, Polen wiederherzustellen. Deutschland sei mächtig genug, sich ohne eine slawische »Vormauer« gegen Rußland zu behaupten – besonders wenn es von mehr Deutschen besiedelt sein werde. Endlich griff er die liberalen Polenfreunde als »Volksverräter« an, weil sie eine halbe Million Deutsche im Großherzogtum Posen den Polen ausliefern wollten.

Diese berühmte Rede Jordans, die mit »andauerndem stürmischen Beifall« aufgenommen und dann gedruckt weit verbreitet wurde, markiert den Wendepunkt von einer liberalen polenfreundlichen zur deutsch-nationalen Polenpolitik [12]. Versuche linker und katholischer Abgeordneter, eine Gegenargumentation aufzubauen, konnten nicht verhindern, daß Polens Selbstbestimmungsrecht kei-

---

[11] S. etwa E. M. Arndt, Polenlärm und Polenbegeisterung. Berlin 1848.
[12] Stenographischer Bericht, Bd. 2, S. 1143 ff. Von den gedruckten Sonderausgaben konnte ich bisher keine ausmachen.

ne Stimme mehr in der Paulskirche besaß. Die liberale Mehrheit unterstützte seitdem die annektionistischen Teilungspläne der preußisch-deutschen Posener. Unter diesen Bedingungen mußte der Status quo ante für die polnischen Nationalisten noch die am wenigsten schlimme Lösung sein, denn der Anschluß von zwei Dritteln des Großherzogtums Posen an den Deutschen Bund hätte die Auslieferung Gnesens an Rußland bedeutet.

Auf einige weitere Randgebiete, namentlich auf Schleswig-Holstein und auf die tschechische und italienische Nationalität in Habsburg-Österreich, muß noch wegen ihrer Bedeutung und Besonderheit kurz eingegangen werden.

Die beiden Elbherzogtümer Schleswig-Holstein sollten unbedingt ungeteilt zur deutschen Nation kommen, obwohl sie traditionell zur dänischen Krone gehörten. Diese Frage – obwohl der Sache nach eher eines der einfacheren Nationalitätenprobleme – stürzte die deutsche Nationalbewegung von 1848 in ihre wohl schwerste Krise mit dramatischen Folgewirkungen etwa in Frankfurt und Baden. Der maßvolle Arnold Duckwitz behauptete sogar, das starre Festhalten am ungetrennten Schleswig-Holstein und deren Zugehörigkeit zu Deutschland habe »den Todesstoß für die deutsche nationale Bewegung« bedeutet [13]. Dabei wurde dadurch nur das Machtverhältnis zwischen Preußen und der Provisorischen Regierung in Frankfurt klargestellt. Daß die Zugehörigkeit des gemischtsprachigen Schleswig (mit ca. einem Drittel Dänisch- und zwei Dritteln Deutschsprachigen) zum »deutschen Nationalreich« – Holstein war eigentlich unstreitig – zu einer derartigen Kardinalfrage eskalieren konnte, hatte verschiedene Gründe. Sachlich hätten sich relativ plausible Lösungen angeboten: Anstatt des radikalen »up ewich tosamende ungedelt« wäre eine Grenzziehung entlang der Sprachgrenze denkbar gewesen, da es relativ klare Siedlungsgebiete gab, oder eine Trennung der Herzogtümer. Der von Dahlmann wiederentdeckte Ripener Vertrag von 1460 (Personalunion der Herzogtümer) war weitgehend zweifelhaft. Gerade die von Dahlmann entwickelte und von der Schleswiger provisorischen Regierung übernommene nationale Maximalforderung ermöglichte dem dänischen König die entsprechende Gegenposition nach Einverleibung Schleswigs und Holsteins.

An der Politisierung des deutschen Liberalismus hatte die Schleswig-Holstein-Frage zentralen Anteil. Im Paulskirchenparlament waren die »Schleswig-Holsteiner« stimmführend, neben Dahl-

---

[13] A. Duckwitz, Denkwürdigkeiten aus meinem öffentlichen Leben von 1841–1866. Bremen 1877, S. 88.

mann vor allem die Kieler Historiker Droysen, Andreas Michelsen und Georg Waitz, der Schleswiger Advokat Wilhelm Hartwig Beseler (und dessen Bruder Georg) sowie die auf dem ersten Germanistentag 1846 dominanten Gelehrten Welcker, Jaup und Reysch. (Nur letzterer kandidierte vergeblich für die Frankfurter Nationalversammlung.) Die Verbindung zu den südwestdeutschen Liberalen lief unter anderem über Gervinus, dessen Aufruf für die Schleswig-Holsteiner von etlichen prominenten Liberalen unterzeichnet wurde, so von Ludwig Häusser, Karl Mittermaier und Friedrich Christoph Schlosser, und in der zweiten Badischen Kammer von Welcker, Bassermann, Brentano, Hecker, Mathy sowie Soiron mitgetragen wurde. Die starke Unterstützung gerade in Süddeutschland und der breite Konsens zwischen den verschiedenen mehr rechten oder linken Richtungen des Liberalismus brachte in dieser nationalen Frage neue Gemeinsamkeiten. Doch gerade die Linke sah im Krieg gegen Dänemark das einzige Mittel zur Regelung der Frage, verband damit aber die Unterordnung Preußens unter die Politik der soeben konstituierten Provisorischen Reichsregierung. Dagegen sahen die Mehrzahl der preußischen Abgeordneten wie auch die Rechten die Chancen einer »Reichsexekution« durch preußische Truppen gegen Dänemark eher kritisch. Tatsächlich geriet Preußen rasch an die Grenzen seiner militärischen Macht, als Dänemark seine Seeüberlegenheit ausspielte und eine Seeblockade durchführte. Der internationale Druck – besonders die russische Interventionsdrohung und der Einspruch Englands – spielte gegenüber den nationalen Argumenten der »deutschen Ehre« und der »Rettung jeder deutschen Provinz« in der parlamentarischen Diskussion keine maßgebende Rolle, förderte jedoch das Umdenken nach dem antipreußischen Beschluß vom 5. 9. gegen den preußischen Waffenstillstand von Malmö (vom 28. 8.) maßgeblich, der dann schließlich zu einer Umkehrung der Mehrheitsverhältnisse führte. Damit waren dann aber auch alle Illusionen, die Politik Preußens dem Willen der provisorischen Zentralverwaltung zu unterwerfen, verflogen.

So bedeutend die Schleswig-Holstein-Frage für die Entstehung des liberalen Nationalismus im Vormärz gewesen war, barg der Konflikt prinzipiell kaum etwas Besonderes: Auch hier ging der nationale Anspruch vor dem liberalen Selbstbestimmungsrecht. Die Dänen in den Elbherzogtümern sollten angeblich gerade wegen ihrer germanischen Herkunft wenig Schwierigkeiten im Deutschen Reich haben. Allerdings gab es kaum Versuche, die Magnettheorie auf das ganze »germanische« Dänemark anzuwenden; dazu waren die Kenntnisse über die Nationalitätenfrage im Norden doch zu genau.

Wenn es um den Besitz dieser dänischen Gebiete ging, spielte die »Halbierung der dänischen Krone« (die noch unter dem Verlust Norwegens litt) keine Rolle. Bezeichnenderweise neigte besonders die Linke mit Argumenten der »nationalen Ehre« zum Krieg. Eine Verhandlungslösung wurde offensichtlich nicht gesucht; der Waffenstillstand Preußens, der alle Optionen offengelassen hatte, wurde als Niederlage empfunden. Für das labile europäische Mächtegleichgewicht war jede Übereinkunft auf Kosten Dänemarks von großer Bedeutung. Auf eine vertragliche Lösung wurde aber kaum ein Gedanke verschwendet weil das Einsammeln jeder noch so kleinen deutschen Gruppe absolute Priorität hatte.

Bezüglich der italienischen Provinzen Trient und Adige, die formal zum Deutschen Bund gehörten, rang man sich lediglich zu einer vagen Autonomiezusage durch. Das Vorparlament verlangte kategorisch die Abgeordnetenwahl dort für das Paulskirchen-Parlament: »Sie sollen ihre Abgeordneten wählen, diese nach Frankfurt entsenden, welche hier gefälligst deutsch reden werden.« Irgendwelche nennenswerten deutschen Minderheiten wurden hierbei nicht erwähnt. Einziges Argument für die beiden südlichen Provinzen war deren überragende strategische Bedeutung. Daß sich die Bevölkerung dieser rein italienischen Provinzen der Wahl für die Deutsche Nationalversammlung entziehen konnte, entsprach lediglich den österreichischen Interessen.

Böhmen mit seinen Nebenländern stellte für die Bestimmung der deutschen Nation wohl das schwierigste Problem dar. Es gehörte sowohl zum alten Reichsverband als auch seit 1815 als Teil Österreichs zum Deutschen Bund. An den alten Ländern der Wenzelskrone (Böhmen, Mähren und Österreichisch-Schlesien) hing die Kurwürde, womit sie zum zentralen Bestand des Reiches gehörten. Die Bevölkerung (über 4,8 Millionen) setzte sich aus Slawen (2,6 Millionen Tschechen, Slowaken, Polen u. a.), Deutschen (1,7 Millionen) und anderen kleineren Gruppen (Ungarn, Juden etc.) zusammen. Etwa ein Drittel der Bevölkerung war deutschsprachig. Nach den Merkmalen der Sprache, des Volkstums und der Geschichte hatten die Tschechen seit dem Spätmittelalter Anspruch auf eine eigene nationale Identität erhoben. Bemerkenswert war, daß die tschechische Nationalbewegung in ebendenselben bildungsbürgerlichen Schichten wie die deutsche verankert war. Obwohl Böhmen um die Mitte des 19. Jahrhunderts der sozial und wirtschaftlich höchstentwickelte Teil des habsburgisch-österreichischen Reiches war, vermochte es nie eine Ungarn vergleichbare selbständige Stellung im österreichischen Vielvölkerstaat zu erringen. Auf dem Wiener Kongreß waren die Länder der ehemaligen böhmischen Krone (im Unterschied zu Ungarn) zum Deutschen Bund geschlagen worden und kamen damit in die doppelte Abhängigkeit von Habsburg-Wien und dem Deutschen Bund. So war es wenig verwunderlich, daß die vorbereitenden Gremien für die Frankfurter Nationalversammlung es für selbstverständlich hielten, daß auch die »Böhmen« sich an der Wahl für die Paulskirche beteiligten. Immerhin hatte man für Böhmen 68 Wahlkreise vorgesehen, wozu noch etliche für Mähren und Schlesien gekommen wären. Das hätte zusammen mit den Polen einen beachtlichen Stimmenblock ergeben. Doch die Tschechen verweigerten sich (wie die Polen) auf spektakuläre Weise. Der berühmte Absagebrief des Sprechers des tschechischen Nationalkomitees Palacký löste deswegen eine beredte Sprachlosigkeit aus, weil er nicht nur die Teilnahme der tschechischen Nation an der deutschen Nationalversammlung in Frankfurt ablehnte, sondern auch für die Zugehörigkeit Böhmens zu einem grundlegend reorganisierten, föderativen Österreich plädierte [14]. Das ergab eine unerwartete Perspektive. Die Tschechen wollten Österreich in seiner südosteuropäischen Ordnungsfunktion gegenüber Rußland erhalten wissen. Deswegen wollten sie zwar die Wiener, nicht aber die Frankfurter Nationalversammlung beschicken. Damit entzogen sich die »Böhmen« der deutschen Nationalbewegung, bezogen sich auf Wien und machten damit klar, daß die Deutschen in Böhmen zu Österreich gehörten. Es dauerte einige Zeit, bis dieser Zusammenhang auch nur einigermaßen verstanden wurde.

Das Frankfurter Vorparlament stellte sich entschieden auf den Standpunkt, Böhmen als altes Reichsgebiet müsse für die Frankfurter Nationalversammlung wählen. Man dürfe keinen so wichtigen Teil des Bundesgebietes einfach aufgeben – auch wenn die Mehrheit der Bevölkerung nicht deutschsprachig sei. Durch seine Geschichte sei es schicksalhaft mit dem deutschen Volke verbunden. Daneben spielte der Gedanke eine Rolle, daß man über anderthalb Millionen Deutsche nicht einfach aufgeben dürfe, wenn man zwischen Frankreich und Rußland bestehen wolle. Schließlich argumentierte man sogar mit einer Zweisprachigkeit der Tschechen. Im Siebzehner-Ausschuß erklärte Dahlmann: »Wir wollen keine Völkerunterdrückkung, aber wir wollen auch deutsche Nationaleinheit.« Die Tschechen sollen unseren Reichstag beschicken und dort deutsch sprechen. Auch Droysen und Gervinus vertraten diese Meinung. Der

---

[14] Zitate nach Wollstein, Großdeutschland, S. 196 ff. Die berühmte Absage F. Palakkýs in dessen Gedenkblättern. Auswahl von Denkschriften, Aufsätzen und Briefen … Prag 1874, S. 149 ff.

Österreicher Schmerling riet, solche »böhmischen Verrücktheiten« und »extravaganten böhmischen Ideen« des tschechischen Historikers Palacký nicht allzu ernst zu nehmen. Dann verfiel Schmerling in den österreichischen Sprachchauvinismus, als er meinte: »In solchen gemischtsprachigen Gegenden sollte künftig dem Deutschen stärker zum Sieg verholfen werden.« Als ob ein nationalbewußter Tscheche durch noch so intensiven Sprachunterricht zu einem Deutschen gemacht werden könnte! Tatsächlich suchte man dann Wien dazu zu bewegen, die Tschechen und Slowaken zur Wahl für Frankfurt zu zwingen – was aber den Wiener Interessen widerstrebte. Die Radikalisierung der Sprache in Frankfurt zeigte nur Hilflosigkeit an: Böhmen müsse mit der Schärfe des Schwertes an Deutschland gefesselt werden, sonst würden die Slawen und Ungarn Deutschland ausrotten. Wenn damit die Machtfrage gestellt worden war, so zeigte der greise Radetzky, wie mit »der Schärfe des Schwertes« der tschechische Nationalismus zerschlagen und Böhmen nach Österreich zurückgebracht werden konnte.

Die Frage der Zugehörigkeit der fast 5 Millionen »Böhmen« (bzw. der 1,7 Millionen Deutschen) zur deutschen Nation wurde bald so stark durch die zentrale Problematik des Verhältnisses Österreichs zum künftigen Deutschen Reich überlagert, daß eine eigene Politik gegenüber Böhmen kaum noch möglich war. Auch hier liegt ein frühes »Scheitern« der deutschen liberalen Verfassungsbewegung gegenüber den Sonderinteressen der Teilstaaten vor.

Für die Bestimmung des neuen Reiches »soweit die deutsche Zunge reicht« wurde die Nationalitätenfrage im Vielvölkerreich *Österreich* wegen ihrer unlösbaren Problematik zur Schicksalsfrage der 48er Bewegung. Gegen eine Einbeziehung Österreichs stand sowohl die historisch gewordene Vielvölkerstruktur der Habsburgermonarchie als auch die Vormachtstellung in Deutschland gegenüber Preußen und besonders die überregionale Funktion im künstlich ausbalancierten Gleichgewichtssystem Europas. Österreich-Habsburg hatte auf dem Wiener Kongreß bedeutende europäische Ordnungsfunktionen erhalten: Durch das sogenannte Metternichsche System war unter den Prinzipien Legitimität und Frieden die mitteleuropäische Stabilität des Deutschen Bundes mit der kontinentalen Staatenordnung so verbunden, daß jede Bewegung in einem Bereich unmittelbar auf den anderen wirken mußte. Dadurch wurde das kunstvolle Gebäude zu einer statischen, jeder Veränderung feindlichen Ordnung. Für die deutsche Frage war daran wesentlich, daß Österreich in der Nachfolge des alten Kaisertums die führende Macht im Deutschen Bunde und die Schutzmacht der kleineren Bundesterritorien blieb. Damit war es der natürliche Gegner einer nationalstaatlichen Einigung Deutschlands. Durch die Folgen der Französischen Revolution und die napoleonischen Kriege war Österreich aus Südwestdeutschland herausgedrängt und zu einem südosteuropäischen Ordnungsfaktor geworden. Der Trend der Zeit zum liberalen Verfassungsstaat in nationaler Selbstbestimmung drohte die ganze dynastische Konstruktion des Habsburgerreiches zu sprengen. Neben seiner Bedeutung als Eckpfeiler des europäischen Gleichgewichtssystems hatte es die Funktion als Gegengewicht gegen Rußland im gesamten Donauraum. Eine nationalstaatliche Neuordnung des habsburgischen Reiches hätte eine totale Neukonstruktion dieses gesamten Raumes bedeutet.

Die 48er Revolution hatte Österreich und die habsburgischen Länder, in denen nur ein Drittel der 40 Millionen Untertanen Deutsche waren, die aber das dominierende Staatsvolk darstellten, besonders hart in seiner Existenz getroffen, weil die nationalen Bewegungen nicht nur eine Liberalisierung verlangten, sondern eine grundlegende Umstrukturierung der habsburgischen Monarchie erforderlich gemacht hätten. Während im Deutschen Bund die national-liberale Verfassungsbewegung mit der Frankfurter Nationalversammlung eine überwiegend integrierende Funktion hatte, kam es in Österreich zu isolierten Nationalbewegungen der Deutschen, der Tschechen, der Polen, der Italiener und vieler anderer, die zwar wegen »der russischen Gefahr« meist an einem österreichischen Völkerbund festhalten wollten, aber eine vollständige Umwandlung des altertümlichen dynastischen Gebildes verlangten. Österreichs Reformfähigkeit erwies sich jedoch als allzu begrenzt.

Es mag widersprüchlich erscheinen, doch gerade wegen der Rückständigkeit der habsburgischen Staatsstruktur blieben die wichtigsten Machtinstrumente – Heer und Bürokratie – weitgehend unbeeindruckt von den revolutionären Ideen. Wegen der Isoliertheit der nationalen Bewegungen vermochte das Militär nach einer Schockpause die nationalen Bewegungen einzeln niederzuschlagen. In dem Maße, in dem die österreichischen Truppen gegen die revolutionären Nationalbewegungen erfolgreich waren, ging die österreichische Regierung mehr und mehr auf einen intransigenten Gegenkurs. Reform hieß in Österreich Auswechslung der Spitzen: Der schwachsinnige Kaiser Ferdinand wurde durch den erst achtzehnjährigen Franz Joseph ersetzt; mit Fürst Schwarzenberg kam ein bekannter Konterrevolutionär an die Regierung (Dezember 1848). Eine Verfassung wurde oktroyiert, die im Gegensatz zu den Entwürfen der liberalen Nationalversammlungen in Wien und Frankfurt stand. Durch die Befriedung der bäuerlichen Beschwerden wurde das revolutionäre Potential gespalten und geschwächt. Später wurde der Oktroi wieder aufgehoben.

Von außen her konnte die liberale Bewegung keine Unterstützung erwarten, weil Europa die Rolle Österreichs für unentbehrlich hielt. Selbst Rußland zeigte sich ausdrücklich am Erhalt Habsburgs in der bestehenden Form interessiert, und auch der preußische König scheute jeden Konflikt mit dem österreichischen Rivalen, um nicht dessen herkömmliche Struktur zu gefährden. England entschied sich pragmatisch für den Erhalt der europäischen Mächteordnung und sah keinen Grund, eine nationale Neuordnung Mitteleuropas mit unwägbaren Risiken zu unterstützen. Daran sind dann schließlich auch die preußischen Unionspläne der Jahre 1849 bis 1851 gescheitert.

Erst im September 1848 kam das Paulskirchen-Parlament zur Bestimmung der Grenzen des Deutschen Reiches, und im Oktober gab es in Frankfurt die bemerkenswerte Entscheidung gegen den Eintritt Österreichs als Ganzem: Aufnahme könne nur Deutsch-Österreich ohne die nicht-deutschsprachigen Landesteile finden. Diese könnten mit dem österreichischen Kaiserhaus in Personalunion verbunden bleiben. Damit sollte »die Vereinigung eines Teiles des Deutschen Reiches mit nichtdeutschen Ländern zu einem Staat« vermieden werden. Darüber gab es im Oktober in der Paulskirche eine mehrtägige Debatte, in der verschiedene »groß«- und »kleindeutsche« Lösungen diskutiert wurden. Die einen wollten dies als alternative Entscheidung verstanden wissen; Gagern suchte dagegen einen engeren und weiteren Bund zu entwickeln, indem er ein unauflösliches Bündnis zwischen Österreich und Deutschland forderte. Zur nüchternen Einschätzung der Realität kam die Paulskirche erst durch die Erklärung Schwarzenbergs vom 27. November, nur ganz Österreich werde in das Deutsche Reich eintreten – oder gar nicht.

Der Ausschluß Österreichs aus dem Deutschen Reich – d.h. die kleindeutsche Lösung – war damit für die Nationalversammlung unabwendbar. Der preußische König blieb als einziger Kandidat für die monarchische Spitze übrig. Ein Jahr nach dem Höhepunkt der revolutionären Unruhen wurde dieser am 28. März 1849 von der Paulskirche mit 290 Stimmen bei 248 Enthaltungen zum »Erbkaiser« gewählt. Auch wenn die Delegation in Berlin nur sehr gewunden beschieden wurde, war bereits am 3. April die Ablehnung dieser »aus Dreck gebackenen Krone« durch Friedrich Wilhelm deutlich. Ein vom Volk durch das aus der Revolution hervorgegangene

Parlament gewählter Monarch war nach traditionellen Legitimitätsvorstellungen nicht möglich. Demnach lag die Souveränität immer noch bei den Fürsten. Auf die von der Nationalversammlung entwickelten Idee der »Souveränität der Deutschen Nation« konnte sich Friedrich Wilhelm offenbar nicht einlassen. Insofern war die Antwort des vom Parlament gewählten Kaisers konsequent: Er könne nur durch das einstimmige Votum der deutschen Fürsten die Würde eines Deutschen Kaisers übertragen bekommen. Damit fiel die Frage des Nationalreiches wieder auf das monarchische Prinzip der Territorialfürsten zurück – und die nationale Verfassungsbewegung wurde auf das Recht der Revolution zurückgeworfen, ohne daß es eine Möglichkeit gab, die Revolution wiederzubeleben.

Die europäische Dimension der liberal-nationalen Verfassungsbewegung

Die 48er Revolution in Deutschland ist Teil einer europäischen Bewegung, die von Frankreich ausgehend ganz Mittel-, Süd- und Osteuropa erfaßte. Nur auf Rußland und England griff diese Bewegung nicht über. Die Ergebnisse der 48er Revolution im europäischen Rahmen sind an ihren Zielen zu messen, welche waren: 1. Nationalstaatsbildung, 2. liberaler Verfassungsstaat, 3. gesellschaftliche Modernisierung. In Frankreich war das erste Ziel weitgehend erreicht, und sozialrevolutionäre Themen standen im Vordergrund; in Deutschland konzentrierte man sich vor allem auf die fehlende staatliche Einheit. Im europäischen Kontext konnte dies aber nur in der Gestalt eines liberal-konstitutionellen Verfassungsstaates verwirklicht werden. Der Weg über ein gewähltes Parlament, das sich als Konstituante verstand, stellte einen unauflöslichen Zusammenhang zwischen liberaler und nationaler Bewegung dar. Die Entwicklung der deutschen Revolution zu einer einheitstiftenden Verfassungsbewegung und ihrem Scheitern am Übermaß der zu bewältigenden Aufgaben und Widerstände ist nicht als uneuropäischer deutscher Sonderweg zu sehen, sondern fordert den Vergleich mit den anderen revolutionären Bewegungen besonders in Italien, Frankreich, Polen und Böhmen heraus. Die deutsche Revolutionsbewegung gewann ihren besonderen Charakter durch die eigentümlichen deutschen Bedingungen: die Struktur des Deutschen Bundes, den deutschen Territorialismus, den preußisch-österreichischen Dualismus, den österreichischen Führungsanspruch in Deutschland und zugleich im Donauraum. All diese Widerstände ließen sich mit den

Mitteln eines aus revolutionärem Recht gewählten Parlaments und einem liberalen Politikverständnis nicht auf einmal auflösen. Besonders weil die beiden rivalisierenden mitteleuropäischen Großmächte schlecht strukturiert, rückständig und schlecht geführt waren, schien die Machtfrage offen zu sein: Österreich war durch seine verschiedenen Funktionen als traditionelle Führungsmacht in Mitteleuropa, als Gegengewicht zu Preußen und als Ordnungsmacht im südosteuropäischen Donauraum überfordert. Preußen war inzwischen viel zu mächtig im Deutschen Bund geworden, um eine freiwillige Verbindung mit den verbleibenden Mittelstaaten besonders in Süddeutschland eingehen zu können. So sorgten überall preußische Truppen für Ordnung, in Frankfurt wie in Baden. Es war nur eine Frage der Zeit, daß das dritte Deutschland in Preußen aufging.

Die schwierigste Aufgabe scheint mir die Definition der nationalen Grenzen Deutschlands gewesen zu sein; der entscheidende Widerstand ging von den deutschen Territorialfürsten aus. So erscheint es verständlich, daß im Verlaufe des 48er Jahres die nationale Argumentation vor der liberalen immer aggressiver in den Vordergrund trat, so daß sich schließlich die Gleichrangigkeit der Ziele Einheit und Freiheit aufzulösen drohte – und dann tatsächlich auflöste.

Wenn man für das Scheitern der liberalen Nationalbewegung von 1848 später besonders die äußeren Widerstände der europäischen Mächte verantwortlich machen wollte, so ist dazu erst einmal zu sagen, daß die politische Neuordnung Mitteleuropas, egal welche Form eines neuen deutschen Nationalreiches sie annahm, für das europäische Mächtesystem von grundlegender Bedeutung war. Dabei spielte die Frage der konstitutionellen Form wohl eine eher nachgeordnete Rolle, vielmehr war die Entstehung einer zentralistischen, militärisch, politisch und wirtschaftlich ambitionierten neuen Großmacht in der Mitte Europas die ausschlaggebende Frage. Für die europäischen Großmächte gab es wenige Gelegenheiten, von außen in das Geschehen in Deutschland einzugreifen; selbst der spektakulärste Fall Schleswig-Holstein, als England und Rußland mit Intervention drohten und deswegen die deutsche Öffentlichkeit in eine schwere Krise stürzte, betraf nur die Integrität Dänemarks. Vielmehr hat sich sowohl die Paulskirche als auch Preußen grundsätzlich darum bemüht, die europäische Machtkonstellation nicht zu stören. Das gilt besonders gegenüber Österreich in seiner Doppelrolle als Führungsmacht des Deutschen Bundes und als südosteuropäische Ordnungsmacht.

Auch daß die Ziele der 48er Bewegung nicht im ersten Anlauf erfolgreich waren, läßt sich durchaus im europäischen Zusammenhang sehen. Weder die soziale Revolution Frankreichs noch die Vereinigung der italienischen Staatenvielfalt noch die Wiederaufrichtung eines polnischen Staates konnten 1848/49 verwirklicht werden.

Die Ergebnisse – auch wenn sie von den Zeitgenossen als Mißerfolg empfunden wurden – sind nicht gering: Die Verfassungsbewegung setzte Maßstäbe. Es entstand zwar noch kein Nationalstaat, doch eine nationale Öffentlichkeit, was für den politischen Diskurs in der Reichsgründungszeit von nicht zu unterschätzender Bedeutung wurde. Preußen wurde zu einem Verfassungsstaat – Österreich wenigstens zeitweise –, auch wenn diese Oktrois hinter dem liberalen Verfassungsentwurf der Frankfurter Nationalversammlung zurückblieben. Dennoch war mit der Paulskirchen-Verfassung eine liberale Tradition geschaffen worden, die erhebliche Wirkung bis in die Weimarer Verfassung und das Bonner Grundgesetz ausübte.

Literaturhinweise

Die mit dem Titel von der »gescheiterten Reichsgründung« implizierte These, die Vereinigung der im Deutschen Bund versammelten souveränen mehr als 32 Einzelstaaten zu einem Nationalreich sei die alles andere dominierende Aufgabe der 48er Revolution gewesen, setzt eindeutig die nationale Einheit ins Zentrum des Geschehens und läßt die konstitutionelle Verfassungsform der liberalen Freiheitsbewegung zu einer Variablen der nationalen Einigungsbewegung werden. Beides wurde nicht im ersten Anlauf erreicht, und beides war untrennbar durch die »Revolution« miteinander verbunden worden. Die Akteure jedenfalls wollten von beidem möglichst viel verwirklichen, wenigstens eine Verbindung von Konstitution und Bundesstaat, was sie nationales Reich der Deutschen nannten. Ein Mindestmaß von beidem erschien unverzichtbar. Die nationale Einigung zu einem autoritären Militärkaisertum mit einer scheinliberalen Verfassung, wie sie Preußen zuzutrauen war, obwohl hierzu noch der Bismarck fehlte, machte die Revolution überflüssig, bzw. mit dem Feststellen des Scheiterns entstand eine breite Abwendung von den »tollen Tagen« der Revolution und der Verfassungsbewegung überhaupt und der Reichsverfassungskampagne usw. Es kam dann wirklich so, daß die liberal-revolutionäre Verfassungsbewegung in die Illegitimität verdrängt wurde und endlich das zweite Kaiserreich und das dritte Führerreich katastrophal scheiterten. Eine unaufgeregte, nicht apologetisch für oder gegen Bismarck argumentierende Behandlung des komplexen Geschehens von 1848/49 in Deutschland ist auch nach dem Ende des Kalten Krieges noch schwierig. Das macht die erneute Lektüre der Quellen erforderlich.

Doch auch in der vorgegebenen Verengung auf eine erneute Reichsgründung kann die Frage nach der national-konstitutionellen Bewegung von 1848/49 heute wieder einen aktuellen Erkenntniswert haben, wenn die »Einheit von nationaler und konstitutioneller politischer Bewegung« (Böckenförde) in der 48er Revolution und deren liberalen Voraussetzungen herausgestellt werden kann. Dies läßt sich am deutlichsten an der Verfassungsbewegung zeigen, die wenigstens zeitweise ihr Zentrum in der Deutschen Nationalversammlung in Frankfurt hatte. Dort wurde im Entwurf einer Reichsverfassung definiert, was ein Deutscher ist, was Deutschland ist und wie eine liberale Konstitution für die deutsche Nation auszusehen habe.

An Quellenausgaben stehen im Mittelpunkt diejenigen zur Verfassungsbewegung, namentlich der Stenographische Bericht über die Verhandlungen der deutschen constituierenden Nationalversammlung zu Frankfurt am Main. Hg. v. Franz Wigard. 9 u. 1 Bde, Leipzig 1848/49, und verschiedene ergänzende Berichte, wie J. G. Droysen, Die Verhandlungen des Verfassungsausschusses der deutschen Nationalversammlung. Leipzig 1849. Der zweite Teil von Droysens Bericht aus dem Verfassungsausschuß findet sich in Rudolf Hübner (Hg.), Aktenstücke und Aufzeichnungen (101–790). Stuttgart, Berlin, Leipzig 1924. Weiterhin die Verhandlungen des Deutschen [Vor-]Parlaments. Officielle Ausgabe. Mit einer geschichtlichen Einleitung über die Entstehung der Vertretung des ganzen deutschen Volkes. Hg. v. Friedrich Siegmund Jucho. Frankfurt a. M. 1848. Wichtig sind auch verschiedene ergänzende, aber eher parteiliche Sammlungen wie die von Konrad Dietrich Haßler, Verhandlungen der deutschen verfassungsgebenden Reichsversammlung. 6 Bde, Frankfurt a. M. 1848/49, oder von Joseph Maria von Radowitz, Die Berichte aus der Nationalversammlung zu Frankfurt am Main (in dess. Gesammelte Schriften. 5 Bde, Berlin 1852/53). Ergänzend sei hierzu wenigstens noch genannt: Flugblätter aus der Deutschen Nationalversammlung. Hg. von Karl Bernhardi, Karl Jürgens u. Friedrich Löwe. Frankfurt a. M. 1848/49.

An neueren Sammlungen, die zwar nur die Ergebnisse verzeichnen, dafür aber thematisch und zeitlich breiter angelegt sind, sind unentbehrlich: Dokumente zur deutschen Verfassungsgeschichte. Bd. 1: Deutsche Verfassungsdokumente 1803–1850. Hg. v. Ernst Rudolf Huber. Stuttgart 1978, und: Die Grundrechtsdiskussion in der Paulskirche. Eine Dokumentation. Hg. von Heinrich Scholler. Darmstadt 1982. Ergänzend ist sehr nützlich: Rüdiger Moldenhauer, Aktenbestand, Geschäftsverfahren und Geschäftsgang der Deutschen Verfassungsgebenden Reichsversammlung 1848/49 und ihrer Ausschüsse. In: Archivalische Zeitschrift 65 (1969), S. 47–91. Es ist unerläßlich, auch die einzelnen Publikationen der wichtigsten Landesversammlungen, besonders in Preußen, Österreich, Baden, heranzuziehen: Die Stenographischen Berichte über die Verhandlungen der zur Vereinbarung der Preußischen Staatsverfassung berufenen Versammlungen. 3 Bde, Berlin 1848; Die Verhandlungen des österreichischen Reichstages nach der stenographischen Aufnahme. 4 Bde, Wien 1848. Als Selbstbeschreibung der nationalen Ideologie des deutschen Bildungsbürgertums im Vorfeld der Revolution sei hingewiesen auf die Verhandlungen der Germanisten zu Frankfurt am Main am 24., 25. und 26. September 1846 und die zu Lübeck am 27., 28. und 30. September 1847.

Aus der Fülle der Gesamtdarstellungen lassen sich nicht einmal exemplarisch die wichtigsten nennen. Von den unterschiedlichen Richtungen in verschiedenen Zeiten wären hervorzuheben die zeitgenössischen Selbstdarstellungen der demokratischen, liberalen und konservativen Akteure, welche sich meist gegenseitig die Schuld am Scheitern zuschreiben. Wie wenig erkenntnisfördernd und produktiv solche parteiischen Schuldzuweisungen sind, hat Thomas Nipperdey in seiner Deutschen Geschichte 1800–1866. München 1980, S. 595–673, lapidar zusammengefaßt: »Die Verhältnisse waren eben nicht so... Es ist die Vielzahl der Probleme und ihrer Unlösbarkeiten gewesen, die zum Scheitern der Revolution geführt hat« (669). Die zweite prägende Phase der deutschen Revolutionsgeschichtsschreibung steht unter der realpolitischen Wendung der Reichsgründungszeit und der Apologie für die Bismarcksche »erfolgreiche« Reichsgründung mittels dreier Kriege. Die affirmative deutschnationale Geschichtsapologie zugunsten des Zweiten und des Dritten Reiches wurde selbst durch die nationale Katastrophe von 1945 bisher nicht überwunden. Das Ende des Kalten Krieges sollte nun endlich eine neue, weniger verengte Sicht zulassen. Einen Teil dieser Entwicklung behandelt: Franzjörg Baumgart, Die verdrängte Revolution. Darstellung und Bewertung der Revolution von 1848 in der deutschen Geschichtsschreibung vor dem Ersten Weltkrieg. Düsseldorf 1976.

An Gesamtdarstellungen seien lediglich stellvertretend wegen ihrer Bedeutung genannt: Veit Valentin, Geschichte der Deutschen Revolution 1848–1849. 1930, Neudruck 1970 (besonders mit der älteren regionalen Literatur zu einzelnen Spezialthemen); die Säkularbetrachtung von Rudolf Stadelmann, Soziale und politische Geschichte der Revolution von 1848. München 1948 sowie: Jacques Droz, Les Révolutions allemandes de 1848. Paris 1957.

In der neueren Literatur wird der vergleichende europäische Aspekt deutlicher: Dieter Langewiesche, Europa zwischen Restauration und Revolution 1815–1849. München 1985; darin, abgesehen von der eher zu knappen europa-bezogenen Darstellung, ist nützlich der Forschungsbericht mit Hinweisen auf Desiderata und der umfangreiche, aufbereitete Literaturteil mit neueren Arbeiten bis zur Mitte der achtziger Jahre. Weiterhin für den europäischen Zusammenhang die von Horst Stuke und Wilfried Forstmann zusammengestellte Aufsatzsammlung: Die europäischen Revolutionen von 1848. Königstein/Taunus 1979, worin die Revolution in Frankreich betont und die internationale Literatur nach 1945 zusammengestellt wird.

Aus den zahlreichen nennenswerten Studien zu einzelnen europäischen Aspekten seien als anregend für unsere Fragestellung genannt: G. Gillessen, Lord Palmerston und die Einigung Deutschlands. Lübeck, Hamburg 1961, L. C. Jennings, French Diplomacy and the First Schleswig-Holstein Crisis. In: French Historical Studies 7 (1972), S. 204 ff. Andere Arbeiten sind den eben genannten Bibliographien zu entnehmen.

Zum Begriff des Scheiterns sei auf einige Arbeiten hingewiesen: Nipperdey hat in seiner Deutschen Geschichte 1800–1866 (S. 663–670) die »gescheiterte Revolution« diskutiert. Zum Scheitern der Revolution (nicht der Reichsgründung) sei hier genannt: Karl Griewank, Ursachen und Folgen des Scheiterns der deutschen Revolution von 1848. In: E.-W. Böckenförde (Hg.), Moderne deutsche Verfassungsgeschichte 1815–1918. Berlin 1973, S. 27–39; J. Breuilly, The Failure of Revolution in 1948. In: European Studies Review (1981), S. 115ff.; Hans Rothfels, Das erste Scheitern des Nationalstaates in Ost-Mittel-Europa 1848/49. In: ders., Zeitgeschichtliche Betrachtungen. Vorträge und Aufsätze. Göttingen 1958, S. 40ff.; J. Sigmann, 1848. The Romantic and Democratic Revolution in Europe. London 1973.

Als wesentliche Voraussetzung für unseren Gedankengang erweist sich eine einigermaßen vermittelbare Begriffsbildung dessen, was »deutsche Nation« bedeutet hat – oder, historisch gefragt: Wie haben die Deutschen zu einer ihnen angemessenen politischen Gestalt gefunden. Dazu ist in den vorhergehenden Beiträgen, vor allem in dem von Ernst Schulin, Wesentliches gesagt worden. Am griffigsten scheint mir dies aber von E.-W. Böckenförde in seinem eigenen Beitrag ›Die Einheit von nationaler und konstitutioneller politischer Bewegung im deutschen Frühliberalismus‹ in der von ihm herausgegebenen Modernen deutschen Verfassungsgeschichte. (S. 27–39) formuliert worden zu sein. Er setzt sich dabei vor allem mit Eugen Lemberg, Nationalismus. 2 Bde, Reinbek 1964, auseinander. Viele andere Arbeiten müßten hierzu genannt werden, wovon ich herausgreife: W. Conze, Die deutsche Nation. Ergebnis der Geschichte. Göttingen 1963; S. Birtsch, Die Nation als sittliche Idee. Der Nationalstaat in Geschichtsschreibung und politischer Gedankenwelt J. G. Droysens. Köln, Graz 1964; K.-G. Faber, Nationalität und Geschichte in der Frankfurter Nationalversammlung. In: Ideen und Strukturen der deutschen Revolution 1848. Frankfurt a.M. 1974, S. 103ff.

Für die komplexen Zusammenhänge bei den Abgrenzungen besonders gegenüber Polen und den Nationalitäten im habsburgischen Österreich erweist sich als besonders hilfreich: Günter Wollstein, Das »Großdeutschland« der Paulskirche. Nationale Ziele in der bürgerlichen Revolution 1848/49. Düsseldorf 1977. Die verzweigte Literatur zu den einzelnen regionalen Nationalitätenproblemen ist dort (bis 1976) im Literaturverzeichnis zu finden.

»Eisen und Blut« – Bismarcks Reichsgründung
von HUGO OTT

Der 18. Januar 1871 mit der Kaiserproklamation des Königs von
Preußen gilt als Reichsgründungstag – der 18. Januar freilich war
der traditionelle Krönungstag der preußischen Könige. Die Serie
von Reichsgründungsfeiern nahm ihren Anfang. Sie wurde auch
nach dem bitteren Ausgang des Ersten Weltkriegs nicht unterbro-
chen. Im Gegenteil, jetzt erst recht feierten die deutschen Universitäten den 18. Januar und ließen die neue verfassungsrechtliche Grundlage von Weimar schnöde beiseite. Ich empfehle beispielsweise die
Lektüre des Festvortrags, den der Bismarck-Biograph Erich
Marcks am 18. Januar 1921 in der Aula der Münchener Universität
gehalten hat.

Das Deutsche Reich jedoch ist bereits am 1. Januar 1871 ins Leben getreten. Der Spiegelsaal von Versailles – welche beziehungsrei-
che Stätte für die feierliche Ausrufung! – das Hoch, das der Großherzog Friedrich I. von Baden, der Schwiegersohn des Kaisers, nach
peinlich genauer Vorbereitung auszubringen hatte, galt dem Kaiser
Wilhelm, der, so hatte es Bismarck durchgesetzt, nur deutscher Kaiser heißen durfte, nicht Kaiser der Deutschen oder Kaiser von
Deutschland – ein feines Gespinst einer bundesstaatlichen Verfassung, gelegt über den Bund der deutschen Fürsten und freien Städte, Basis des neuen Reiches. Hatte es genügend Haltbarkeit? Die gekrönten königlichen Häupter der Sachsen, der Bayern und der
Württemberger waren nicht anwesend und hatten sich vertreten lassen. Ein gutes oder ein schlechtes Omen?

In der Proklamation des Kaisers, die Bismarck am 18. Januar 1871
in Versailles verlas – er hatte sie bis in die Nuancen formuliert –, ist
durchaus ein Bezug zur seit »mehr denn sechzig Jahren ruhenden
Deutschen Kaiserwürde« hergestellt, und im Schlußsatz klingt die
Formelsprache der früheren Kaiserurkunden an: »Uns aber und Unseren Nachfolgern an der Kaiserkrone wolle Gott verleihen, allzeit
Mehrer des Deutschen Reiches zu sein, nicht an kriegerischen Eroberungen, sondern an den Gütern und Gaben des Friedens auf
dem Gebiete nationaler Wohlfahrt, Freiheit und Gesittung.« Die
Kaiserkrone indes war zunächst nur fiktiv präsent. Durch späteren
Erlaß wurden für Kaiser und Kaiserin Kronen geschaffen – in Nach-
bildung der Kaiserkrone des alten Reiches – freilich, eher leere Symbole.

Man machte sich im Umfeld der Kaiserproklamation Gedanken, ob nach dem Friedensschluß mit Frankreich eine feierliche Kaiserkrönung vollzogen werden sollte. So schrieb etwa der badische Gesandte in Berlin, Hans von Türckheim, an seinen Minister, eine solche Krönung müßte an die Formen des alten deutschen Reiches anknüpfen, »und diese sind wieder mit dem Zeremoniell der katholischen Kirche und der Einsetzung des Kaisers in seine Würde durch das Oberhaupt der katholischen Kirche zu eng verbunden, um nicht eine Reihe von Verlegenheiten im Gefolge zu haben«. Auch sei die alte Kaiserkrone nicht zur Hand – sollte man sie etwa von Wien erbitten, d.h. »von der Gefälligkeit des Grafen Beust«? Das protestantische Kaisertum – entsakralisiert. Statt dessen wurde ernsthaft erwogen, den heimkehrenden siegreichen Kaiser in Berlin oder aber in Straßburg, vielleicht auch in Frankfurt zu »krönen«, freilich in einer rein militärischen Feier, »eine neue Kaiserkrone in Form eines gekrönten Helmes als der Jetztzeit entsprechendes Symbol zu verwenden und von Salbung, katholisch-kirchlichen Zeremonien abzusehen«. Dafür einen gemeinsamen Feldgottesdienst mit Te Deum als Konzession an die Katholiken anzubieten [1].

Hinter solchen Vorstellungen stand das abgrundtiefe Mißtrauen gegen die deutschen Katholiken, die ultramontan, orientiert an einer Papstkirche mit Unfehlbarkeitsdogma, national unzuverlässig seien und erst noch durch den protestantischen Kaiser als das politische Haupt der deutschen Nation in ein paritätisches Reich integriert werden müßten. »Wie der französische Krieg von 1870 bis 1871 die politische Reformation, die nationale Einigung und die Überbrückung der Mainlinie brachte – so muß die römische Kriegserklärung durch das Konzil uns zur kirchlichen und religiösen Reformation drängen. – Die innere religiöse Reformation und Union der deutschen Nation muß die wahre Antwort geben auf die Pläne einer welschen Priesterdiktatur.« So lautet ein Tagebucheintrag von Heinrich Gelzer vom 27. Juni 1871. Er war der einflußreichste Berater des badischen Großherzogs und gehörte zum inneren Kreis der preußischen Königsfamilie, in deren Umfeld und Nähe er in jenen Sommerwochen weilte [2].

Hier sei ein Perspektivenwechsel erlaubt: Formaljuristisch wurde Preußen durch das Kontrollratsgesetz Nr. 46 vom 25. 2. 1947 aufgelöst, de facto jedoch behandelten alle vier Besatzungsmächte nach der Kapitulation das bisherige Staatsgebiet Preußen, soweit nicht

[1] Vgl. Großherzog Friedrich I. von Baden und die Reichspolitik 1871–1907. Bd. 1: 1871–1879. Hg. v. Walther Peter Fuchs. Stuttgart 1968, Nr. 1, S. 1.
[2] Ebd., Nr. 18, S. 20ff.

schon durch die Gebietsverluste östlich von Oder und Neiße amputiert, als nicht mehr existent und teilten die Beute, dabei Berlin, die Reichshauptstadt und Preußens Hauptstadt, als Stadtstaat errichtend und in vier Besatzungssektoren teilend. Die meisten der sich bildenden Länder partizipierten am ehemaligen preußischen Territorium.

»Der Staat Preußen, der seit jeher Träger des Militarismus und der Reaktion in Deutschland gewesen ist, hat in Wirklichkeit zu bestehen aufgehört«, heißt es in der Präambel dieses Gesetzes und weiter: »Geleitet von dem Interesse an der Aufrechterhaltung des Friedens und der Sicherheit der Völker und erfüllt von dem Wunsche, die weitere Wiederherstellung des politischen Lebens in Deutschland auf demokratischer Grundlage zu sichern, erläßt der Kontrollrat folgendes Gesetz ...«[3] Die Siegermächte waren sich in dieser Frage »Preußen« zumindest einig, auch darin, daß Deutschlands Wirtschaft mit dem Herzstück Ruhrgebiet (ehemals zu Preußen gehörend) nie mehr auf ein Niveau gelangen dürfe, das für die internationale Konkurrenz gefährlich werden könnte.

Für das Abkommen, das die Ergebnisse der Jalta-Konferenz auf das besiegte Deutschland übertragen sollte, wählte man Potsdam, den preußischen Traditionsort schlechthin. Was von der deutschen Einheit in Potsdam übrigblieb, war der seltsame Begriff *Germany as an economic unit*. Dahinter aber standen ausschließlich reparationspolitische Interessen. Die deutsche Einheit war, nach dem Willen der Siegermächte, seit Potsdam, August 1945, verspielt – so schien es wenigstens. Zu Recht, so meinten später auch viele Deutsche, darunter manche Historiker, die ihre je eigene Lehre aus der Geschichte zogen. Der Cäcilienhof in Potsdam freilich war dieser Tage Begegnungsort der Ministerpräsidenten der fünf neuen Bundesländer der ehemaligen DDR. Wo die deutsche Einheit preisgegeben werden mußte, ist sie – symbolträchtig genug – manifestiert worden. Aber auch jetzt ist Preußen nicht wiedererstanden, übrig bleibt das Bundesland Brandenburg – ohne Berlin –, mit Potsdam: die Ausgangsbasis der Hohenzollerndynastie im ehemaligen Markengebiet, die Mark Brandenburg.

Im starken Gegensatz zur völkerrechtlichen *debellatio* Preußens und zur publizistischen *damnatio memoriae* war seit den achtziger Jahren die klare Identifizierung der DDR mit dem preußischen Erbe zu konstatieren. Was Ulbricht nicht weggesprengt hatte, wurde sorgfältig wiederhergestellt. Das Schinkel-Ambiente und spätere

---

[3] Amtsblatt des Alliierten Kontrollrats für Deutschland. Official Gazette of the Control Council for Germany ... Berlin 1947.

architektonische und städtebauliche Ensembles wurden kultiviert. Friedrich der Große durfte wieder Unter den Linden reiten.

Kurt Hager hat dies möglich gemacht – auch die Neubewertung Bismarcks konnte seit 1983 parteiamtlich erfolgen, selbstverständlich streng nach den Gesetzen und im Rahmen des Historischen Materialismus. Nicht nur Ernst Engelberg mit seiner Bismarck-Biographie ist hier zu erwähnen. Der positive Grundton war auch sonst unüberhörbar. Die DDR-Historiker hatten ihre Arena zugewiesen bekommen. So schien sich das große Arrangement mit der Vergangenheit zu ergeben – das Sich-Einrichten in dem Haus der DDR, in dem wichtige Erinnerungsstücke aus dem historischen Erbe den gebührenden Platz fanden.

In seltsamem Kontrast hierzu ist die westliche Diskussion über den sogenannten deutschen Sonderweg zu beobachten und zu bewerten – vielleicht eher eine *l'art pour l'art*-Beschäftigung, die manche Leute bis in den Beginn der achtziger Jahre in Atem hielt. Warum wählten die Deutschen 1933 die totalitäre Diktatur? Nach Ansicht der Sonderweg-Historiker, weil Deutschland zu spät eine Demokratie geworden ist, weil Bismarck seine Revolution von oben vollführte, dem liberalen Bürgertum die nationale Einheit schenkte, dem demokratischen Drängen auf eine De-facto-Parlamentarisierung einen Riegel vorschob, im Grunde einen Klassenkompromiß zwischen den Führungsschichten des alten Preußen und den bürgerlichen Liberalen herstellte, mit dem es sich leben ließ und der eine Majorisierung durch den politischen Katholizismus und/oder die marxistische Sozialdemokratie obsolet machte. Diese Analyse mag auf sich beruhen bleiben.

Was freilich den kritischen Beobachter erstaunen ließ, war die Nutzanwendung auf die deutsche Frage: 1945 ist die tiefe weltgeschichtliche Zäsur, mit der die für unerschütterlich angenommene europäische Vorherrschaft der Flügelmächte USA und UdSSR begann. Das Deutsche Reich, Deutschland, blieb geteilt. Die Deutschen sollten nicht wünschen, daß die Wiedervereinigung in Freiheit komme, damit das europäische Gleichgewicht, ja das politische Weltgefüge nicht gestört werde. Hoffnungen auf Restauration eines deutschen Nationalstaates seien eitel und töricht. Die deutsche Nation wurde reduziert auf den Begriff der nationalen Solidarität, will heißen: den Status quo für die Bewohner der DDR durch fortschreitende Kooperation mit dem SED-Regime zu erleichtern. Aber um Gottes willen keine Änderung des Status quo an sich.

Die prognostische Kraft dieser Sonderweg-Historiker war gleich Null, und sie tun sich schwer, die neuen Gegebenheiten zu akzeptieren. Und die analytische Qualität der Bewertung der Reichseinigung unter Bismarck? Da muß ein wenig ausgeholt werden.

Die Revolution von 1848/49 – es wurde schon vorgetragen – kam nicht ins Ziel – nämlich zur Schaffung der nationalen Einheit. Aber das Werk der Paulskirche war nicht ohne Prägekraft geblieben: Ein vorläufiger Verzicht, schmerzlich genug abgerungen, auf Deutsch-Österreich, weil das Habsburgerreich noch nicht reif dazu sei, seine Deutschen aus seinem alten Gefüge in ein neues Deutschland zu entlassen – das war die weit verbreitete Argumentation. Als sich im März 1849 in Preußen der Abgesang auf die Revolution abzeichnete und die Restauration das Haupt erhob, formulierte der Abgeordnete Bismarck in der zweiten preußischen Kammer seine Ablehnung der Amnestie für die März-Aufständischen von 1848: es gehe um die Prinzipien »Gottesgnadentum oder Barrikadenrecht«. Über diese Prinzipien werde nicht durch die parlamentarische Debatte, nicht durch Majoritäten entschieden werden können. »Über kurz oder lang muß der Gott, der die Schlachten lenkt, die eisernen Würfel der Entscheidung darüber werfen.« [4] Bismarck selbst sah einen Sinnzusammenhang mit den dann berühmt gewordenen Sätzen, die er am 29. September 1862 vor der Budgetkommission des preußischen Abgeordnetenhauses bei seiner Premiere als Ministerpräsident sprach: Nicht auf Preußens Liberalismus sehe Deutschland, sondern auf seine Macht. Preußens Grenzen nach den Wiener Verträgen seien zu einem gesunden Staatsleben nicht günstig. »Nicht durch Reden und Majoritätsbeschlüsse werden die großen Fragen der Zeit entschieden – das ist der große Fehler von 1848 und 1849 gewesen –, sondern durch Eisen und Blut.« [5] Das ist die wirkungsvolle Kontraktion des von Ernst Moritz Arndt 1812 verfaßten Kampfliedes [6]

Der Gott, der Eisen wachsen ließ,
der wollte keine Knechte,
drum gab er Säbel, Schwert und Spieß
dem Mann in seine Rechte,
drum gab er ihm den kühnen Mut,
den Zorn der freien Rede,
daß er bestände bis aufs Blut,
bis in den Tod die Fehde.

Ach, diese Schlagworte, diese plakative Redeweise – diese unsägliche Metaphorik!

[4] Otto von Bismarck, Die gesammelten Werke. Band 10. Berlin 1928, S. 26.
[5] Ebd., S. 140.
[6] Zitiert nach ›Allgemeines Deutsches Kommersbuch‹ – ursprünglich herausgegeben von Friedrich Silcher und Friedrich Erk.

Bismarck sei, so der große Historiker Franz Schnabel, dem ich mich in besonderer Weise verpflichtet weiß, halt nicht ganz aus dem Göttinger Fechtboden herausgetreten, obwohl er seit diesen frühen Jahren die feine und kultivierte Lebensart an den Höfen von Paris und St. Petersburg und beim Deutschen Bundestag in der Freien Stadt Frankfurt sich angeeignet hatte. Er blieb der kämpferische Bismarck, der sich seinem König empfohlen hatte und sich ihm zur Verfügung stellte, als der Verfassungskonflikt in Preußen ausgebrochen war. Und diesen Dienst verstand Bismarck als Vasallendienst seinem Herrn gegenüber, und zwar nicht in erster Linie dem König von Preußen, sondern dem Markgrafen von Brandenburg – bis in diese Tiefe der brandenburg-hohenzollernschen Anfänge reichte Bismarcks Identifizierung. König Wilhelm I., der große Soldat, der Feldherr, der u. a. als Prinz Wilhelm 1849 die badischen Kontingente niederkardätscht hatte, war sein Lehnsherr, dem er in unverbrüchlicher Treue zu Diensten stand. Und nur ihm.

Dieser Grundzug in der Persönlichkeit Bismarcks muß stark betont werden. Blut und Eisen – nur mit diesen Mitteln wird Preußens Unvollkommenheit aufgehoben werden in die höhere Ebene eines großen Preußen, das Deutschland geeinigt führen werde. Ein alter Traum, der endlich realisiert werden sollte.

Degoutant eigentlich – solch ein Bild »Eisen und Blut«, martialisch, eben blutrünstig, unappetitlich. Das hängt einem an, das sei Wasser auf die Mühlen der antipreußischen Agitation. So dachten wohl auch die preußischen Liberalen, denen Deutschlands Einheit und Preußens Größe gleicherweise am Herzen lagen. Die deutsche Einheit werde so sicher hergestellt werden wie ein Naturgesetz, so ein Festredner bei einem offiziellen Bankett zu Ehren fortschrittlicher Abgeordneter in Berlin Ende Oktober 1862, und weiter: aber Handel und Industrie würden fortan die bewegenden Elemente zur deutschen Einheit sein, »und nicht ›Eisen und Blut‹, sondern Eisen und Kohle sind die bindenden Mittel, die ungenügenden Grenzen des preußischen Staates zu einen.«[7]

Da haben wir das Begriffspaar von dem militärischen Umfeld herausgeholt in den Bereich der Industriewirtschaft, in die sich bildenden Reviere an Rhein und Ruhr, in Oberschlesien und im Saarland: die Fördertürme und Schächte, die Hochöfen und Walzstraßen. War nicht der Zollverein, geduldig aufgebaut, unter preußischer Führung das entscheidende Vehikel auf der Straße der deutschen

---

[7] Zitiert nach Heinrich August Winkler, Preußischer Liberalismus und deutscher Nationalstaat. Studien zur Geschichte der Deutschen Fortschrittspartei 1861–1866. Tübingen 1964, S. 75.

Einheit? Freilich nicht in einer kurzschlüssigen Kausalkette – etwa so: Der Zollverein habe vor 1866 zwangsläufig auch die politische Einheit herbeiführen müssen. Und das 1868 gewählte Berliner Zollparlament hatte keine unmittelbare Affinität zum nachmaligen Reichstag. Aber: der seit den dreißiger Jahren stabilisierte und sich erweiternde deutsche Zollverein war geeignet, fortschrittlich zu wirken im Sinne Preußens, das 1853 endgültig dem Schwarzenberg-Brucksschen Plan einer österreichisch geführten großdeutsch-mitteleuropäischen Zollunion und Freihandelszone den Garaus gemacht hatte. Und der Festredner vom Oktober 1862 konnte mit seinen Elementen »Handel«, »Industrie«, »Kohle und Eisen« um so berechtigter argumentieren, als kurz zuvor Preußen mit Frankreich den Freihandelsvertrag geschlossen hatte – im Alleingang, ohne die übrigen Zollvereinsstaaten – und damit in das Geflecht der englisch-französischen und belgischen Freihandelszone eingebunden wurde – mit unmittelbarem Druck auf die anderen Mitglieder des deutschen Zollvereins.

In dieser Zeit der boomartig fortschreitenden Industrialisierung war der wirtschaftliche Unitarismus ein wesentliches Agens der staatlichen Einheit, wie er auch später nach der Reichsgründung viel zur staatsrechtlich-politischen Unitarisierung des Reiches beitrug. 1862, fürwahr ein Jahr der Weichenstellungen! Österreich, das wirtschaftlich, präziser: industriewirtschaftlich nicht mithalten konnte und auf die Schutzzollpolitik angewiesen war, wurde durch diesen Vertrag unter deutschlandpolitischem Aspekt deutlich distanziert. Bismarck konnte sich diese handels- und wirtschaftspolitische Feder an den Hut stecken, ohne eigentlich dafür verantwortlich zu sein.

Doch kehren wir zurück zur politischen Bühne, auf der Bismarck als Ministerpräsident für seinen König die parlamentarische Opposition in Schach zu halten hatte und zugleich die politische Lösung der deutschen Frage im preußischen Sinne anstrebte. Da gab es noch immer den ungeliebten Deutschen Bund, dem sich Preußen nach 1849 wieder eingefügt hatte, durch die Olmützer Punktation – nur vordergründig – gedemütigt. Zu allem Überfluß inszenierte im Sommer 1863 das deutlich reformierte und gefestigte Österreich, der Kaiser höchstpersönlich, einen neuen Reformplan für den Deutschen Bund, der eine festere Organisation und eine stärkere Geschlossenheit erhalten sollte, wobei freilich Preußen aus der dualistischen Position herausgebrochen und in ein plurales Führungsgremium eingebunden werden sollte. Gefahr war im Verzug, da der Kaiser zu einem Fürstentag nach Frankfurt eingeladen hatte – diesen geschichtsträchtigen Ort, Krönungsstadt der deutschen Könige und Kaiser, Sitz des deutschen Bundestages, mit Bedacht wählend. Der Kaiser hatte den in den österreichischen Bädern Karlsbad und Gastein kurenden preußischen König aufgesucht und die Einladung persönlich überbracht. Es war Bismarck gelungen, seinen König zu einer Absage zu bewegen: eine Reform ohne Preußen müßte zum Scheitern verurteilt sein.

Die Stadt Frankfurt gab der Fürstenversammlung einen begeisterten Empfang – endlich wieder ein Kaiser in den Mauern! Welche Erinnerungen an die Krönungsfeierlichkeiten! Der imperiale Gestus! Die versammelten Fürsten beschlossen, den in Baden-Baden zur Nachkur weilenden König Wilhelm von Preußen nochmals besonders einzuladen und schickten den ehrwürdigen, hochgebildeten Johann, König von Sachsen, mit einem Sonderzug nach dem alten Römerbad. Vor soviel Ehre wollte der preußische König kaum bei seiner Weigerung bleiben. Es kam zur hochdramatischen Szene, in der Bismarck obsiegte, da er die Vertrauensfrage stellte. Ohne Bismarck freilich keine Lösung der preußischen Verfassungskonflikte.

Bis zur körperlichen Erschöpfung rangen Lehnsherr und Vasall. Als Bismarck den Absagebrief dem sächsischen Ministerpräsidenten Beust – einer der wenigen, die Bismarck ungefähr das Wasser reichen konnten – selbst überbrachte, da folgte ein letztes Kräftemessen. Er, Beust, werde den Sonderzug nicht ohne den preußischen König nach Frankfurt zurückfahren lassen. »Ich gebe Ihnen mein Ehrenwort, daß, wenn morgen früh 6 Uhr der Extrazug mit dem König Johann nicht abgefahren ist, dann ist um 8 Uhr ein Bataillon Preußen aus Rastatt in Baden, und ehe mein König aus dem Bett aufsteht, ist sein Haus durch Truppen besetzt, die keinen anderen Auftrag haben, als keinen Sachsen mehr hereinzulassen.« [8] Auf Beustens Vorhalt, preußische Truppen aus der Bundesfestung Rastatt dürften in Friedenszeiten nicht durch badisches Gebiet marschieren, das sei Bundes- und Friedensbruch, erwiderte Bismarck: »Bundes-und Friedensbruch sind mir ganz gleichgültig, wichtiger ist mir das Wohl meines Königs und Herrn.«

Die Sachsen fuhren ohne den preußischen König nach Frankfurt zum Fürstentag zurück, der aber ohne Preußen zur Ergebnislosigkeit verurteilt war. Dieser August 1863 war die entscheidende Phase des Weges zur deutschen Einheit im Sinne der kleindeutschen Lösung. Berühmt ist Bismarcks Reaktion, nachdem er den sächsischen Ministerpräsidenten Beust niedergerungen hatte. Er brauchte eine

[8] Arnold Meyer, Bismarck. Der Mensch und der Staatsmann. Leipzig 1944, S. 208f.

Nervenentspannung und zertrümmerte einen Teller mit Gläsern: »Ich mußte etwas zerstören, jetzt habe ich wieder Atem.« Aber nicht nur dieses Porzellan wurde zerschlagen, es wurde ein wohlausgewogenes staatliches Gebilde, eingebettet in den europäischen Kontext, der Deutsche Bund, vernichtet.

Freilich: Dies war ein Haus, in dem viele Deutsche nicht mehr wohnen wollten, das sie als unwürdige Hütte ansahen, als Gefängnis gar, aus dem sie befreit werden wollten – eine deutsche Irredenta.

Was Bismarck dann dank seiner genialen Staatskunst und angesichts des großen Mangels ernsthafter Gegenspieler binnen weniger Jahre schuf, war auf das große Ziel, das Telos schlechthin, ausgerichtet: ein Deutschland unter der Führung eines großen Königreichs Preußen. Zwei wichtige Elemente. Preußen trage eine viel zu schwere Rüstung auf seinem schmalen Körper, hatte Bismarck in der »Eisen- und Blut«-Rede den Abgeordneten der Budgetkommission nahegebracht. Ehe es also zur Einheit kommen konnte, mußte das größere Preußen gebildet werden.

Selbstverständlich stand Bismarck dabei in der Tradition und Kontinuität der preußischen Außenpolitik und der preußischen Diplomatie, die in der staatenbündischen Konstellation des Deutschen Bundes einer klaren Linie folgte. Und die Baden-Badener Szene vom August 1863 verleitet zu einer Assoziation, die nicht nur durch den landesgeschichtlichen Bezug gerechtfertigt ist. Im Grunde konnten sich die Preußen in Baden wohlfühlen, da es für sie zu einer Art zweiter Heimat geworden war, seitdem die badischen Insurgenten im Frühsommer 1849 durch preußische Truppen, die als Bundestruppen eigenen Rechts verstanden werden müssen, niedergekämpft worden waren. Was sich anschloß, die Kasernierung preußischer Okkupationstruppen im Großherzogtum Baden, wobei der Festung Rastatt besonderes Gewicht zukam, die Säuberung des badischen Offizierskorps, die Auflösung der badischen Truppeneinheiten, ja die Verlegung von badischen Aufbaubeständen in das preußische Gebiet zur Umerziehung – all dies in der Grauzone einer nicht transparenten Kompetenz des sich neu formierenden Deutschen Bundes –, war eindeutig die preußische Politik, den Stiefel auf den badischen Stiefel zu setzen. Kein Wunder, da dieses langgestreckte badische Territorium ein ideales Aufmarschgebiet darstellte mit seinen Grenzen zu Hessen, Bayern, Frankreich, Schweiz, Württemberg und Österreich, wenn der Bodenseeraum unter militärstrategischem Gesichtspunkt betrachtet wird.

Und auf Baden war Verlaß, spätestens seit der dynastischen Verbindung 1856: Der junge Großherzog Friedrich I. als Schwiegersohn des Prinzen von Preußen. Baden sei so preußisch, wie man es nur sein könne, so Bismarck während der Zeit seiner Frankfurter Gesandtentätigkeit; diese fünfziger Jahre wurden ihm entscheidend für die Planung des politischen Weges angesichts der grundlegenden Veränderungen in Europa, die nur kurz angedeutet werden können: Zerfall der 1815 besiegelten Heiligen Allianz der Ostmächte Rußland, Österreich, Preußen. Der Krim-Krieg hatte die europäische Staatenwelt durcheinandergeschüttelt. Deutschland in der Mitte Europas – und Preußen müsse, so Bismarcks Einsicht, den deutsch-deutschen Dualismus zu seinen Gunsten entscheiden, indem es sich mit den Franzosen und gegebenenfalls mit den Russen verbinde, bevor dies die Österreicher tun. Dann aber die Verständigung mit Österreich, um Napoleon zu besänftigen und zugleich Rußland und Frankreich auseinanderhalten! Denn eine Zersetzung der österreichischen Monarchie hätte die schlimmsten Folgen für Gesamteuropa haben müssen.

Ein unter preußischer Führung geeintes Deutschland könne die Funktion eines Gravitationspunktes gewinnen und durch eine gut gestaltete Bündnispolitik die Position der Mitte behaupten. Bismarck hat in der Phase der Vorbereitung seines Staatswerkes, eben in diesen fünfziger Jahren, sich intensiv mit Vorstellungen beschäftigt und auseinandergesetzt, die einen ganz anderen Weg konzipierten, um das europäische Gleichgewicht angesichts der erfolgten Erschütterungen wieder zu gewährleisten. Erinnert sei an den lange Zeit in Vergessenheit geratenen, von der preußisch orientierten Geschichtsschreibung bewußt vernachlässigten oder zumindest herabgewürdigten Vordenker, nämlich Constantin Frantz, einstens von Bismarck sehr gefördert. Seine Denkschriften geben durchaus das Schrittmaß für Bismarcks Pläne, und zwar als Negativfolie: Frantz hat Bismarck zu überzeugen versucht, daß der isolierte Nationalstaat und die Bündniskombination dem deutschen Volke die Sicherheit in den künftigen Weltentscheidungen nicht verbürgen konnten, daß vielmehr nur ein föderativer Zusammenschluß der mittel- und osteuropäischen Länder den Frieden in Europa garantiere vor dem sonst unausweichlich werdenden »europäischen Bürgerkrieg«. Es gelte, so schreibt Frantz 1858 in ›Quid faciamus nos?‹, eine germanische Allianz unter Einschluß der Niederlande, Schwedens und Dänemarks zu bilden, eine Föderation, ein »unübersteigbarer Wall«, der Rußland zwingen würde, »seinem Berufe in Asien« nachzugehen und Frankreich veranlassen würde, »die Lorbeeren für seine Adler in Nordafrika zu suchen«. So könne die deutsche und österreichische Frage simultan gelöst werden, der »Weltberuf der

Deutschen« sei es, als »europäisches Zentralland« zum »Gravitationspunkt« eines neuen Gleichgewichtssystems zu werden.

Bismarck prüfte die Argumente und verwarf sie als irreal, ja utopisch, da beispielsweise Österreich nie das Ziel einer Hegemonialstellung in Deutschland aufgeben werde. Nachdem er ›Quid faciamus nos?‹ gelesen hatte, notierte Bismarck: »Leute wie Frantz bedenken nie, daß wir uns doch nicht à tout prix an Österreich anschließen können und daß die Bedingungen, unter denen es uns nützlich sein könnte, von Österreich klar perhorresziert werden.« Er entschied sich für das Wachstum des preußischen Körpers, damit dieser in die zu große Rüstung passe, und für den kleindeutschen Nationalstaat, dabei seine auf kühler Staatsraison beruhende geniale politische Kunst voll einsetzend. Bismarck entschied sich für den Annexionismus und Militarismus, freilich jeweils die Schranken bedenkend, immer an der alten Staatskunst festhaltend. Die deutsche Bewegung hat er unter dem Gebot der Staatsidee der Vollendung entgegengebracht und die ihm notwendigen Kriege – »Eisen und Blut« – nicht als Volkskriege geführt, sondern in den strengen Formen der Kabinettskriege, die nach außen den Charakter von Einheitskriegen trugen.

Im Folgenden kann nur auswählend vorgegangen werden. Dabei sollen die Akzente so gesetzt werden, daß vielleicht manch Hintergründiges deutlich wird. Es ist bekannt, daß die Schleswig-Holstein-Frage – ein sehr kompliziertes Problem, nur Spezialisten einsichtig – zum Hebel für Bündnisbruch und preußisch-österreichisch-deutschen Bürgerkrieg 1866 geworden ist. Das erste Teilziel Bismarcks, Österreich aus der Deutschlandpolitik hinauszudrängen und zunächst nördlich des Mains die Suprematie zu erlangen, ist mit wenigen Schlägen in kürzester Zeit erreicht worden.

Entscheidend war dafür das preußisch-italienische Bündnis vom April 1866, wodurch sichergestellt wurde, daß Österreich im Ernstfall in einen Zweifrontenkrieg verwickelt werde: Grundlage für jene immer noch mit Schauder zu lesende Depesche des preußischen Gesandten in Florenz an den italienischen Ministerpräsidenten (17. Juni 1866), die sogenannte »Stoß-ins-Herz«-Depesche, in der wie auf dem Seziertisch die preußisch-italienische Taktik offengelegt wird: »Um sich den dauernden Besitz Venetiens zu sichern, muß man zuvor die österreichische Macht ins Herz getroffen haben.« Preußen werde den Krieg bis unter die Mauern von Wien tragen und erwarte, daß die italienischen Verbände sich den Weg an die Donau bahnen und im Zentrum der kaiserlichen Monarchie selbst Preußen die Hand reichen. Italien werde, »mit einem Wort, nach Wien marschieren müssen«[9]. Das taten die Italiener dann zwar nicht, sondern begnügten sich mit Venetien, aber es wird klar, daß Preußen in diesem 1866er Krieg keinen deutschen Bruderkrieg sah, vielmehr die Operationen nach völkerrechtlichen Kriterien bemaß, weswegen auch die Zerschlagung des Habsburgerreiches (Ungarn, Kroatien) zumindest unter militärischem Gesichtspunkt geplant war. Die maßvoll geführten Friedensverhandlungen, von Bismarck gegen die Militärs durchgesetzt, sind allgemein bekannt. Die Habsburger Monarchie durfte nicht geschwächt werden, denn, so Bismarck: »Was solle an die Stelle Europas gesetzt werden, welche der österreichische Staat von Tyrol bis zur Bukowina bisher ausfüllt? Neue Bildungen auf dieser Fläche könnten nur dauernd revolutionärer Natur sein.«[10]

Um so dezidierter vollzog er die Annexionen nördlich des Mains, unbekümmert um legalistische oder legitimistische Rücksichten, nur nach dem Recht des Stärkeren. Die preußischen Landstände beschlossen die Annexionsgesetze gemäß der Botschaft des Königs – er hatte sie gegen seinen Willen erlassen müssen – vom 16. April 1866, die nach den Maximen von Machiavelli formuliert war: »Die Regierungen des Königreichs Hannover, des Kurfürstentums Hessen und des Herzogtums Nassau sowie die freie Stadt Frankfurt haben sich durch ihre Teilnahme an dem feindlichen Verhalten des ehemaligen Bundestages in offenen Kriegszustand mit Preußen versetzt«, lesen wir; dabei sei ihnen noch in der letzten Stunde ein preußisches Bündnisangebot zugegangen. Nein: sie wollten die Entscheidung des Krieges über sich und ihre Länder ausrufen. »Diese Entscheidung ist nach Gottes Ratschluß gegen sie ausgefallen. Die politische Notwendigkeit zwingt uns, ihnen die Regierungsgewalt, deren sie durch das siegreiche Vordringen unserer Heere entkleidet sind, nicht wieder zu übertragen.« In der Schlußdebatte des Abgeordnetenhauses fand Bismarcks Argumentation eine breite Zustimmung. Er hatte die Annexionen verteidigt »mit dem Recht der deutschen Nation zu existieren, ja zu atmen und sich zu einigen, zugleich aber mit dem Recht und der Pflicht Preußens, dieser deutschen Nation die für ihre Existenz nötige Basis zu liefern«[11].

Also eine nationalstaatliche Legitimation, mit der Bismarck das liberale Bürgertum der annektierten Gebiete zu versöhnen hoffte. Aber warum auch die freie Stadt Frankfurt, möchten wir fragen,

[9] Dokumente zur deutschen Verfassungsgeschichte. Hg. v. E. R. Huber. Bd. 2: Deutsche Verfassungsdokumente 1851–1918. Nr. 174, S. 208 ff.
[10] Otto von Bismarck, Erinnerung und Gedanke. (= Die gesammelten Werke. Band 15) Berlin 1932, S. 278.
[11] Bismarck, Die gesammelten Werke. Band 10. Berlin 1928, S. 276 f.

wenn wir die territorialen Ansprüche, die zur Abrundung des preußischen Staatsgebietes, zur Herstellung der Landbrücke zwischen Altpreußen und der Rheinprovinz führten, noch einigermaßen nachvollziehen können. Man hätte Frankfurt als unabhängige Stadt belassen können analog zu den Hansestädten. Frankfurt, das unter dem preußischen Militär besonders zu leiden hatte und mit schwindelerregenden Kontributionen belegt worden ist, zunächst wenigstens. Doch Frankfurt mußte als freie Stadt ausgelöscht werden, weil es historischen Symbolwert par excellence besaß: Die frühere Krönungsstadt der Kaiser des Heiligen Römischen Reiches deutscher Nation, Sitz des Deutschen Bundestages, Ort der Paulskirche, Zentralort der Versammlungen des deutschen Nationalvereins, Ort des glanzvollen deutschen Fürstentages von 1863, aber auch folgende Überlegung: Mit der Eingliederung des großen Bank- und Börsenplatzes Frankfurt – in Berlin setzten viele Frankfurt mit dem Hause Rothschild gleich – gewann Preußen für den süddeutschen Raum großen finanziellen Einfluß – erstens; zweitens aber konnte eine für den Börsenplatz Berlin lästige Konkurrenz endgültig auf den zweiten Rang verwiesen werden, weil die Schubkräfte nach 1866 zugunsten von Berlin eingesetzt werden konnten.

Das System von 1866 bedeutete in der Ausgestaltung die staatsrechtliche Schaffung der deutschen Einheit im nordmainischen Raum und die zoll- und wehrpolitische Annäherung an die deutschen Südstaaten. Die international unabhängige Existenz der Südstaaten mußte auf Druck Frankreichs in den Prager Frieden von 1866 aufgenommen werden. Gleichwohl gelang Bismarck der Abschluß eines Schutz- und Trutzbündnisses mit den vier süddeutschen Monarchien – je einzeln, versteht sich. Desgleichen muß die Neugestaltung des Zollvereins in diesem Zusammenhang bedacht werden. Im Grunde wurden bisherige handels- und wirtschaftspolitische Souveränitätsrechte auf die beiden neuen Organe des Zollvereins übertragen: auf den Zollbundesrat und das Zollparlament. Das war ohne Zweifel ein wichtiger Schritt auf die unaufhaltsame Reichseinheit zu – die Wirtschaft als Motor der Einigung.

Bismarck konnte sich vorstellen, daß eine Verklammerung des Norddeutschen Bundes mit den süddeutschen Staaten über die bisherigen Schritte hinaus möglich sei, vielleicht sogar mit französischer Tolerierung. In dieses Umfeld gehört der Kaiserplan, der zu Beginn des Jahres 1870 auf den Weg gebracht wurde und der sich bald mit der spanischen Thronkandidatur des katholischen Prinzen Leopold von Hohenzollern-Sigmaringen vermengte, aus der sich im Juli dann der Hebel für die kriegerischen Auseinandersetzungen zwischen Frankreich und Preußen und den süddeutschen Monarchien ergab.

Der Immediatbericht Bismarcks vom 9. März 1870 an den König in der Angelegenheit »spanische Thronkandidatur« macht die synoptische Kraft der Bismarckschen Politik-Analyse besonders deutlich. König Wilhelm als Chef des Hauses Hohenzollern – seit 1849 war die katholische Linie Hohenzollern-Sigmaringen Teil des hohenzollernschen Gesamthauses und nach den Hausgesetzen dem preußischen König unterstellt – König Wilhelm mußte der Kandidatur zustimmen. Für Bismarck trat neben die außenpolitisch-strategischen Überlegungen – Frankreich müßte sich durch einen hohenzollernschen König auf Spaniens Thron bedroht fühlen – und neben die Überlegungen der wirtschaftlichen Faktoren – »die Wohlfahrt Spaniens und der deutsche Handel mit diesem Land würden unter hohenzollernscher Herrschaft einen mächtigen Aufschwung erfahren« – vor allem die imperiale Dimension in den Vordergrund. Da ein Bruder des Sigmaringer Thronanwärters bereits König von Rumänien war, ergab sich für Bismarck die Vision: »Es liegt … im politischen Interesse Deutschlands, daß das Haus Hohenzollern das Ansehen und die hohe Weltstellung einnehme, welche nur in den Habsburgischen Antezedenzien seit Karl V. eine Analogie haben.« [12] Die Preußen also als Erben der Habsburger, und damit wäre ein Kaisertum der Hohenzollern legitimiert, ja angesichts der katholischen Komponente in Spanien und der orthodoxen in Rumänien wäre das überkonfessionelle Prinzip gesichert. Bismarck befürchtete – zu Recht – lange Zeit eine katholische Blockbildung gegen Preußen. Diese wäre nach seinem Plan ausgeschlossen, ja das so konzipierte kaiserliche Deutschland hätte europäischen Rang gewonnen.

Die hektische Entwicklung, die in den Krieg führte, zur Entscheidung durch »Eisen und Blut«, zwang zum kleinen Feuer, in dem die deutsche Kaiserkrone geschmiedet wurde. Das kleinliche Feilschen und das von Prestigedenken genährte Gerangel um die Formulierung des Kaisertitels sind bekannt genug. Das alles bleibt signifikant.

Das Deutsche Reich vom 1. Januar 1871, vorgebildet durch die Struktur und Verfassung des Norddeutschen Bundes, ist das Werk Bismarcks, ein mächtiges und prächtiges Gewand, das freilich allein für diese geniale Gestalt zugeschnitten war. Nur Bismarck vermochte Deutschland als das Reich der europäischen Mitte im Gravitationspunkt zu gewichten. Das Reich zählte genug Webfehler, fürwahr, etwa die Annexion von Elsaß-Lothringen – in erster Linie un-

---

[12] Huber, Dokumente, Nr. 195, S. 255 f.

ter militärstrategischen Gesichtspunkten, übrigens wider Bismarcks Willen –, das Versagen in wichtigen innenpolitischen Fragen: der Kampf gegen den politischen Katholizismus, der Kampf gegen die Sozialdemokratie. Am Beginn des Reiches stand die Aussöhnung mit Österreich, dessen Reichskanzler seit 1867 Friedrich von Beust hieß, der seinerzeitige Widerpart Bismarcks in Baden-Baden. Bismarck beantwortete die österreichische Glückwunschdepesche zum 1. Januar 1871 mit den Sätzen: er sehe im Ausgleich mit Österreich die beste Bürgschaft »für den Frieden Europas und für eine gedeihliche Entwicklung der inneren Verhältnisse beider Reiche«[13]. Über allem aber blieb das personale Lehensbündnis zwischen Kaiser Wilhelm I. und Bismarck, das nicht übertragen werden konnte – etwa im Erbgang.

Und der Bezug zur deutschen und europäischen Gegenwart? Da wäre manches zu sagen. Sollen wir vielleicht am kommenden 18. Januar 1991 der Reichsgründung 120 Jahre zuvor gedenken – auf die Gefahr hin, dem Gerede vom Vierten Reich Nahrung zu geben? Es mag soviel genügen: Die nationale Einheit Deutschlands konnte nur unter den Bedingungen der europäischen Gemeinschaft und der fortschreitenden politischen Vereinigung Europas einerseits und des zerfallenden Sowjetsystems andererseits gelingen. Die Kraft der europäischen Integration und der unstillbare Drang nach Freiheit in totalitären Regimen, aber auch die wirtschaftliche Stärke einer freien Gesellschaft sind die Elemente dieser nach wie vor staunenswerten Entwicklung seit dem November 1989. Weiter: Es gab kein Problem Deutsch-Österreich mehr, im Gegenteil: Diese Republik war ein entscheidender Stabilisator im Sommer und Frühherbst 1989. Die Staaten des Cordon sanitaire fanden zu ihrer Teilfunktion zurück, nämlich Puffer zu bilden gegen die östliche Großmacht. Dies freilich war nur möglich durch die politische und rechtliche Respektierung des heutigen Polen – das große deutsche Opfer. Auch wenn es die meisten Zuhörer nicht wahrhaben wollen: Es ist das große Opfer der Deutschen. Die Polenfrage aber hatte Bismarck rein macht- und bündnispolitisch beantwortet – rigoros und falsch. Das wissen wir schon lange.

---

[13] Vgl. Das Großherzogtum Baden in der politischen Berichterstattung der preußischen Gesandten 1871–1918. Erster Teil: 1871–1899. Bearb. v. Hans-Jürgen Kremer.

Literaturhinweise

Selbstverständlich kann in diesem Vortrag auch nur annähernd der Ertrag der Bismarck-Forschung zum Ausdruck kommen. Ich nenne nur die wichtigsten Titel, wobei ich gerne sage, von Arnold Meyer besonders im Detail angeregt worden zu sein: Erich Marcks, Bismarck. Eine Biographie. Bd. 1: Bismarcks Jugend 1815–1848. Stuttgart 1909; ders., Otto von Bismarck. Ein Lebensbild. Stuttgart 1915; Erich Eyck, Bismarck. Leben und Werk. 3 Bde, Erlenbach-Zürich 1941–44; Arnold Meyer, Bismarck. Der Mensch und der Staatsmann. Leipzig 1944; Lothar Gall, Bismarck. Der weiße Revolutionär. Frankfurt a. M. 1980. Ernst Engelberg, Bismarck. Urpreuße und Reichsgründer. Berlin 1985; ders., Bismarck. Das Reich in der Mitte Europas. Berlin 1990.

Da der Vortrag in der südwestdeutschen Landschaft gehalten wurde, schien mir die »badische« Komponente nicht unwichtig zu sein, weshalb ich die einschlägigen Quellenveröffentlichungen herangezogen habe. Und zu guter Letzt: der »badische« Historiker, der Mannheimer Franz Schnabel, hat mich seit meinem Geschichtsstudium beeinflußt. Ihm danke ich eine frühe Kenntnis über Constantin Frantz, den »totgeschwiegenen« politischen Denker. Der Aufsatz von Franz Schnabel ›Das Problem Bismarck‹, zuerst unter dem Titel ›Bismarck und die Nation‹ auf dem III. Internationalen Historikertreffen in Speyer, 17.–20. Oktober 1948, gehalten, dann erweitert im Hochland 42 (Oktober 1949), ist mir Leitlinie gewesen, zumal dann Gerhard Ritter die borussophile Antwort gegeben hat: ›Großdeutsch und kleindeutsch im 19. Jahrhundert‹ (1950), am besten zugänglich in Gerhard Ritter, Lebendige Vergangenheit. München 1958, S. 101–125. Soweit ich sehe, blieb die Ansicht starr, Frantz habe keine Alternative dargestellt. Er wurde eher in die Nähe der Utopie gerückt.

Indes scheint eine Neubewertung der Konzeption von Frantz einzusetzen. Es sei auf die wichtige Studie von Roman Schnur, Mitteleuropa in preußischer Sicht: Constantin Frantz. In: Der Staat 25 (1986), S. 545–573 verwiesen. Ob seiner 1991 (100. Todestag) zureichend gedacht wird, sei dahingestellt.

Schließlich noch eine Bemerkung: Da dem Tenor der Ringvorlesung entsprochen werden sollte, nämlich die aktuelle Prozeßlage der deutschen Einigung in den einzelnen historischen Phasen mit zu berücksichtigen, soll kurz auf die Debatte über den deutschen Sonderweg angespielt werden, besonders sei aufmerksam gemacht auf Heinrich August Winkler, Der deutsche Sonderweg. Eine Nachlese. In: Merkur 35 (1981), S. 793–804.

Das »Zweite Reich«: Das Wilhelminische Deutschland, von seinen
Nachbarn aus gesehen
von GERD KRUMEICH

Das Deutschland der Jahre 1890–1914 wird nach dem Namen seines
Herrschers, Kaiser Wilhelm II., gemeinhin als »wilhelminisch« bezeichnet, womit ein bestimmter politischer Denk- und Verhaltens-
stil gemeint ist. Wie dieser genau aussieht und wie er auf seine Nachbarn in Europa wirkte, darüber soll hier berichtet werden. Dabei
werden zunächst die Franzosen befragt und dann die Engländer, die
es so vorzüglich verstanden, den Wilhelminismus ironisch zu kari-
kieren. Und schließlich soll gezeigt werden, wie die Wilhelminer
sich selbst »im Blick des Auslandes« sahen und welche Konsequenzen diese Ansichten für ihre konkrete Politik hatten.
   Für die ausländischen Zeitgenossen verkörperte das Deutschland
um 1900 das Land ungehemmten technischen Fortschritts, einer
Modernität in nahezu allen Lebensbereichen, gepaart allerdings mit
einem als unzeitgemäß und »feudal« empfundenen Herrschaftssystem. Diese Ambivalenz kommt in den Memoiren prominenter Ausländer genauso zum Vorschein wie in Reiseberichten aus dem Berlin der Zeit um 1900. François Seydoux beispielsweise, später lang-
jähriger Botschafter in der Bundesrepublik Deutschland, schreibt
zu Beginn seiner im Jahre 1975 erschienenen ›Memoiren von jenseits des Rheins‹: »Von meiner Geburt an hat sich Deutschland in
meinem Leben festgesetzt. Ich wurde am 15. 2. 1905 in Berlin geboren, wo mein Vater einer der Sekretäre der Botschaft Frankreichs
war ... Seit jener Zeit sollte mich Deutschland nie wieder loslas-
sen ... Da ich Berlin im Alter von sechs Monaten verließ, kann ich
nicht behaupten, mir ein genaues Bild vom Deutschland zu Beginn
des Jahrhunderts bewahrt zu haben. Meine Mutter jedoch erzählte
mir viel davon ... ihr letztes Wort war ›Kaiser‹. Für sie verkörperte
Wilhelm II. das offizielle Berlin, das sie geliebt und gefürchtet hatte,
das Berlin, wo sie als junge Frau gelebt hatte und glücklich gewesen
war ... Deutschland stand im Mittelpunkt von allem, im Mittelpunkt Europas genau so sehr wie im Mittelpunkt unserer Befürch-
tungen. Frankreich fühlte sich überwacht von dem Sieger von 1871
und nicht mehr frei in seinen Bewegungen ... Aber Wilhelm II. be-
neidete uns um unsere überseeischen Besitzungen. Frankreich war
selten zuvor einmal so vorsichtig, so sehr in die Welt ausstrahlend,
und doch so verängstigt. Man hatte Angst vor einem deutschen An-

griff. Paris repräsentierte die ›Splendeur‹, strahlenden Glanz, aber Berlin repräsentierte die Macht und der Kaiserliche Hof eine starre Kälte ohne jede Freundlichkeit.«[1]

Ganz ähnliche Eindrücke kommen in französischen Reiseberichten aus Berlin zum Vorschein: Berlin gilt hier immer als Symbol für *ganz* Deutschland. Sicherlich weiß der ausländische Beobachter, daß Berlin nicht Deutschland ist, aber Deutschland scheint sich immer mehr Berlin angleichen zu wollen. Interessant ist, daß in den Reiseberichten von Huret, Lavisse u.a. aus den Jahren nach 1905 eine neue Gelassenheit und Offenheit anklingt, daß die Reportagen bei allen gleichwohl obwaltenden francozentrischen Tendenzen bemüht sind herauszufinden, was denn die spezifische Modernität dieses Deutschland ist. Für Jules Huret, dessen Deutschland-Bücher vielleicht die bemerkenswertesten Werke dieses neuen Interesses sind, ist das wilhelminische Deutschland in seiner Modernität durchaus mit den USA zu vergleichen. Und dies nicht allein in industriell-ökonomischer Hinsicht, sondern auch im Hinblick auf die Ausdrucksformen des öffentlichen Lebens, von der Architektur bis hin zur Mode und der Art und Weise der öffentlichen Geselligkeit. Hier scheint sich tatsächlich eine Offenheit und Neugier auf französischer Seite anzubahnen, die dann durch die politischen Entwicklungen jäh gebremst wurde und erst in der Nachkriegszeit allmählich wieder zum Vorschein treten sollte.

Im allgemeinen ist es natürlich schwierig bzw. unmöglich, genau zu ermessen, ob und in welcher Weise solche Reiseberichte symptomatisch für allgemeine Einschätzungen sind, oder ob sie sogar in irgendeiner Weise die öffentliche Meinung beeinflußt haben. Es hat den Anschein, daß pessimistisch-ablehnende Beschreibungen eher von den »Medien« rezipiert wurden und dann aufgrund des Kriegserlebnisses quasi post festum als wahr angesehen wurden. Das dürfte besonders gelten für das Deutschlandbild von Maurice Barrès, dessen ablehnend-pessimistische Beschreibungen im Jahre 1904 sofort von der renommierten konservativen ›Revue des deux Mondes‹ veröffentlicht wurden. Von hier bis zu den ›Grands problèmes du Rhin‹, dem Kultbuch der Nachkriegs-Nationalisten, ist nur ein kleiner Schritt. Interessanter vielleicht, spannender zumindest ist, wenn die Reise dazu führt, daß sich das Bild vom anderen entscheidend wandelt und dieser Wandel gleichzeitig auch einen generellen Umschwung der öffentlichen Meinung symbolisiert. Ein gutes und bislang wenig beachtetes Beispiel ist die intellektuelle Kehrtwendung

[1] François Seydoux, Mémoires d'outre Rhin. Paris 1975, S. 7–12.

des französischen Sozialisten und prominentesten Deutschland-Kenners der französischen Linken, Charles Andler, Germanistik-Professor an der Pariser Sorbonne. Eine Deutschland-Reise im Herbst 1911 ließ ihn voller Entsetzen wahrnehmen, wie lau die Führer der deutschen Sozialdemokratie auf die Provokationen des deutschen Imperialismus in der berühmten »Agadir-Krise« des Sommers 1911 reagierten, als die deutsche Diplomatie mit ihrer gewöhnlichen Bluff- und Erpressungs-Politik versucht hatte, Frankreich auf demütigende Weise zum Nachgeben zu zwingen. Andlers Kritik des »sozialistischen Imperialismus« wurde von der breiteren Öffentlichkeit zunächst wenig beachtet, allerdings im Frühjahr 1913 von der nationalistischen Presse aufgegriffen und ausgeschlachtet – denn zu diesem Zeitpunkt kam die deutsch-französische Spannung in der Rüstungskrise zum Ausbruch. Andlers Beobachtungen waren nunmehr auch den antisozialistischen Nationalisten ein willkommener »Beweis« für die von den Sozialisten um Jean Jaurès leidenschaftlich bestrittene »Aggressivität« sogar der deutschen Linken.

Am stärksten im Blick der nach Deutschland reisenden Franzosen steht vor 1914 indessen die Person Wilhelm II. Immer wieder werden die Bemühungen dieses gigantisch-bizarren Monarchen gewürdigt, die Stadt Berlin durch monumentale Bauwerke seiner würdig werden zu lassen. Aber das macht er geschmacklos, aufschneiderisch und mit einer ans Lächerliche grenzenden Eitelkeit, die für ihn so typisch ist. Ein Künstler, den Wilhelm auszeichnet, gilt damals in Berlin von vornherein als unfähig.

Was die französischen Besucher am meisten bewundern, ist die vorausschauende Stadtplanung. Alle sind sich einig, wie schön die Parks und die Seen angelegt sind, wie sorgsam die Verkehrswege in die Landschaft eingebettet werden. Überall ist Ordnung, Methode und Planung; was man kritisiert sind vor allem die »kaiserlichen Bauten«, die als Ausdruck »preußischen Größenwahns« gedeutet werden. Die zahllosen Beispiele der »kolossalen« Ungeschicklichkeiten Wilhelms II. beeindrucken die französischen Beobachter ungemein.

Im Gegensatz hierzu stehen die sehr bewunderten, entschieden modernen Bauten, wie die von Peter Behrens, dem Chefdesigner von AEG, auf dessen Ideen das moderne Industriedesign zurückgeht. Der französische Berlin-Führer ›Joanne‹ bezeichnet im Jahre 1914 Berlin als eine der schönsten modernen Städte der Welt. Man wundert sich besonders über öffentliche Münztelephone und einen Komfort in den Wohnhäusern (z.B. sanitäre Anlagen), der viel »de-

»Pardon wird nicht gegeben; öffnet ein für allemal die Wege der Zivilisation.« Rede Wilhelms II. an die nach China aufbrechenden Truppen. (Karikatur von Hermann Paul aus: Le Cri de Paris v. 5. August 1900)

mokratischer« ist, als alles, was man etwa von Paris her kennt. Auch die Berliner Krankenhäuser sind viel moderner und sauberer. Überhaupt hat die Gesundheitsvorsorge bessere Standards. »In Berlin ist der Luxus billig genug für alle«, heißt es in einem französischen Theaterstück von 1913.

Ambivalente Reaktionen erzeugen die Berliner Bierstuben. Sie spiegeln, sagt ein Autor, das »überaus deutsche Wohlgefühl, in großer Menge zusammenzusitzen«. Auch die Disziplin der Berliner in der Öffentlichkeit, die peinliche Beachtung von Sauberkeit und Ordnung, führt häufig zu kritischen Kommentaren: Wie wird sich diese Disziplin auswirken, wenn die Regierung sie mißbraucht? Die demokratischen Möglichkeiten der Deutschen erscheinen als sehr schwach ausgeprägt. Die ständigen öffentlichen Paraden und Defilees, die Uniformierungen, erinnern an das Deutschland Bismarcks und Moltkes, das Deutschland, welches die Muskeln spielen läßt und seine Nachbarn verachtet [2].

Ähnlich ist das Bild, das das wilhelminische Deutschland von sich selbst nach außen vermitteln *will,* so vor allem auf der großen Pariser Weltausstellung von 1900. Diese Mammutschau des industriellen Wachstums, der Erfindungen und der nationalen Traditionen ist geprägt, ja beherrscht von den Deutschen. Die Maschinengalerie wird dominiert von einem monumentalen Dynamorahmen der AEG; Krupp präsentiert stolz seine neuesten Kanonen nebst den 4 cm-Stahlwänden, die von deren Kugeln durchschlagen worden waren; Siemens & Halske dominieren auf dem Eisenbahn-Anlagen-Sektor; und als fast schreiender Kontrast hierzu das deutsche Haus und die deutsche Möbelausstellung, die wilhelminische Stuckfassade, bis ins gigantisch Bizarre getrieben, den Kult des bürgerlichen Interieurs und der deutschen Gemütlichkeit repräsentierend, die für den ausländischen Beobachter wie feudale Relikte neben der Maschinen-Modernität stehen [3].

Diese Selbstdarstellung ist ja nicht einfältig-naiv, sie ist Ausdruck von Stolz, Gewalt, Verachtung beispielsweise für alles Französische, das sogenannte »Welsche«, welches die wilhelminische Gesellschaft schlicht als »dekadent« empfindet: Ein gutes Beispiel für diese Einstellung ist, wie der ›Europäische Geschichtskalender‹ von Schultheß, das offiziöse Jahrbuch der preußischen Monarchie und des Deutschen Reiches, bereits im Jahre 1891 über die Franzosen und deren angebliches Deutschlandbild zusammenfassend urteilt. Das Jahrbuch spricht von der »eigentümlichen und wichtigen Erscheinung, daß die Empfindungen des Hasses im französischen Volke gegen alles Deutsche seit dem Kriege sich nicht gemindert, sondern namentlich in den letzten Jahren gesteigert haben. Der Grund wird sein, daß die Franzosen allmählich mehr und mehr auch am eigenen Leibe, in Handel und Wandel empfinden, daß sie nicht mehr die große Nation sind, Paris nicht mehr die Hauptstadt der Welt, französischer Geschmack nicht mehr der anerkannte und maßgebende ...« [4]. Das ist typisch wilhelminisch, genauso wie die folgenden Auseinandersetzungen zwischen Wilhelm II. und seinem Botschafter sowie dem Geschäftsträger in Paris anläßlich der seit 1890 spürbaren Annäherung zwischen

[2] Nach: Cécile Chombard-Gaudin, Berlin vu par les voyageurs français (1900–1939). In: Vingtième Siècle, 1990, S. 27–39.
[3] Vgl. Die Weltausstellung in Paris 1900. Mit zahlreichen photographischen Aufnahmen, farbigen Kunstbeilagen und Plänen. Hg. v. A. Julius Meier-Graefe. Paris, Leipzig, 1900.
[4] Schultheß, Europäischer Geschichtskalender. Jg. 1891, S. 99.

Frankreich und Rußland. Tatsächlich waren der Kaiser und seine Umgebung äußerst besorgt über den französischen Flottenbesuch in Rußland (1891), der bald darauf von einem russischen Flottenbesuch in Toulon erwidert wurde. Der deutsche Geschäftsträger in Paris, von Schoen, erstattete hierzu Bericht und bemerkte, daß die Begeisterung der französischen Nationalisten für Rußland von der Regierung und einem großen Teil der Pariser Presse mit Skepsis gesehen werde. Man versuche, die antideutsche Tendenz zu bändigen. Von Schoen resümierte seine Mitteilungen folgendermaßen: »Es ist nicht zu verkennen, daß die französische Nation im großen und ganzen friedensbedürftiger und friedliebender ist ... als der Lärm berufsmäßiger Patrioten ... es glauben machen« will [5].

Wilhelm II. indessen beschuldigte seinen Gesandten empört, alles mit der »rosaroten Brille« zu sehen und schenkte lieber dem Bericht seines Militärattachés Glauben, der über dieselbe Angelegenheit folgendermaßen rapportiert hatte: »Von den Hunderttausenden von Franzosen, die in den letzten Wochen ›Hoch lebe Rußland‹ gerufen haben, hat die allergrößte Anzahl ›Nieder mit Deutschland‹ damit gemeint, nur daß das Volk noch nicht den Mut hat, es öffentlich auszusprechen.« [6]

Ein weiteres symptomatisches Beispiel für die manchmal schon damals wie besessen wirkende Erwartungshaltung des Kaisers und seiner Umgebung ist Wilhelms Reaktion auf positive Berichte des deutschen Botschafters Graf Münster aus Paris im Jahre 1890. Mit Hilfe ausführlicher Zitate aus der französischen Presse suchte der Botschafter seine Meinung zu belegen, die französische Öffentlichkeit suche eine Entspannung zwischen Frankreich und Deutschland. Die Reaktion Wilhelms II. auf diesen Bericht war überaus grob: er ordnete die Entlassung des Botschafters an, da dieser auf verantwortungslos positive Weise über Frankreich berichte. Schließlich gebe es – so Wilhelm – ganz anders lautende Nachrichten aus der Feder seines militärischen Beraters v. Huene ... Allerdings war der deutsche Kaiser nicht nur herrisch und aufbrausend, sondern auch äußerst entscheidungsschwach: als der Botschafter sich gegen die Vorwürfe wehrte und dem Militär seinerseits verantwortungslose Panikmache vorwarf, gab Wilhelm nach, und Graf Münster durfte einstweilen in Paris bleiben [7].

[5] Bericht v. Schoen in: Die Große Politik der europäischen Kabinette (GP). Bd. VII, No. 1509.
[6] Ebd., No. 1510.
[7] Ebd., Nos. 1541, 1545 f. 1564 f.

Es ist in der Tat auffallend, wie sehr der Kaiser, seine militärischen Berater und die Regierung in Berlin es vorzogen, Nachrichten aus Frankreich der dortigen nationalistischen Presse zu entnehmen, die doch in der Presselandschaft Frankreichs keineswegs diese herausragende Bedeutung hatte. Demgegenüber wurden die Berichte der republikanischen und gemäßigten Presse kaum beachtet. Als Beispiel sei hier die ›Illustration‹ genannt, die weitverbreitete Illustrierte des bürgerlichen Publikums, die nicht sonderlich politisch exponiert war und eine Mischung von Information und Unterhaltung brachte. Dies gilt auch für ihre Deutschland-Berichterstattung: Zwar wird vor Deutschlands Flottenplänen gewarnt, aber mindestens ebenso häufig wird über friedliche Ereignisse berichtet, etwa den Besuch eines deutschen Sänger-Chores am Grabe Heinrich Heines auf dem Montmartre-Friedhof in Paris, oder gar über die aufopferungsvolle Hilfe deutscher Bergleute beim großen Grubenunglück von Courrières im Jahre 1906. Sicherlich wird die Affäre um den »Hauptmann von Köpenick« ausführlich dargestellt, aber die Schlußfolgerung ist versöhnlich: Die Deutschen seien klug genug gewesen, nach dem ersten Erschrecken über die Auswüchse des preußischen Militarismus herzhaft zu lachen. Ein leicht ironischer Ton herrscht vor über Wilhelms II. »autokratisches Gebaren« anläßlich des mit großem militärischen Pomp gefeierten 48. Geburtstags Seiner Majestät im Januar 1907 – aber entsprechend dem ruhig-verbindlichen Stil der Zeitschrift geht man ausführlicher auf die Tatsache ein, daß Wilhelm so höflich gewesen war, auf dem Tennisplatz der Marineakademie von Kiel mit einer Französin ein Doppel zu spielen. Und auf der Titelseite der Ausgabe vom 14. Dezember 1907 findet sich ein Bild Kaiser Wilhelms auf der Jagd, aufgenommen während des dreiwöchigen Urlaubs des Kaisers in England, und ein weiteres Bild, das zeigt, wie der Kaiser, in englischer Zivilkleidung, sich auf den Weg zum sonntäglichen Gottesdienst macht. Ein wenig erregt man sich über einen Besuch Wilhelms in Elsaß-Lothringen, im September 1908, über den die französische Regierung nicht informiert worden war. Aber auch die Errichtung eines französischen Denkmals für die im 1870er Krieg gefallenen Soldaten, welches gemeinsam mit deutschen Offizieren im Elsaß eingeweiht wurde, findet ausführliche Erwähnung.

Die Berichte der ›Illustration‹ wurden indessen von der Berliner Regierung nicht zur Kenntnis genommen, genausowenig wie die Presse der republikanischen Linken. Im Vorkriegs-Frankreich war aber diese linksrepublikanische Presse zweifellos viel einflußreicher als die Presseorgane der doch immer kraftloser werdenden nationalistischen Rechten.

Verheerend für das Bild Deutschlands im benachbarten Ausland waren damals schon die Reden Wilhelms II., die geradezu systematisch geschmacklos-großsprecherisch und aggressiv waren. Das bekannteste Beispiel hierfür ist wohl seine sogenannte »Hunnenrede« vom 27. Juli 1900, als er in Bremerhaven die Truppen verabschiedete, die nach China geschickt wurden, um dort gemeinsam mit Truppen anderer Mächte den sogenannten »Boxer-Aufstand« zu bekämpfen: »Ihr wißt es wohl, ihr sollt fechten gegen einen verschlagenen, tapferen, gut bewaffneten, grausamen Feind. Kommt ihr an ihn, so wißt: Pardon wird (euch) nicht gegeben, Gefangene werden nicht gemacht. Führt Eure Waffen so, daß auf tausend Jahre hinaus kein Chinese mehr es wagt, einen Deutschen scheel anzusehen. Wahrt Manneszucht.«[8]

Auf solche Äußerungen reagierte das Ausland mit heftigen Karikaturen, wie z.B. diejenige des ›Cri de Paris‹, der Wilhelm in einer blutbespritzten Schlächterschürze darstellt, mit gezogenem Schwert und einem Bündel bluttriefender Chinesenköpfe in der linken Hand. Hier taucht zum ersten Mal in der Karikatur des Auslandes das Motiv des grausam-blutrünstigen Kaisers auf, das dann später im Ersten Weltkrieg von der Greuel-Propaganda so sehr verfestigt werden sollte (Abb. S. 171).

Mindestens ebenso verheerend für das deutsche Ansehen in Frankreich wie solche »Kaiserworte« waren die von der dortigen nationalistischen Presse natürlich immer beobachteten und angstvollwarnend ausgeschlachteten Großsprechereien alldeutscher Provenienz, an denen es im wilhelminischen Deutschland nicht mangelte. Das vielleicht bekannteste, sicherlich aber das einflußreichste Produkt dieses kraftmeiernden Nationalismus war Friedrich von Bernhardis ›Deutschland und der nächste Krieg‹ aus dem Jahre 1912. Bernhardi war ein angesehener Militärstratege und als Vermittler zwischen der Fachwelt des Militärs und einer militärbegeisterten Öffentlichkeit sehr geschätzt und viel gelesen. In diesem Buch bemühte er sich nachzuweisen, daß Deutschland als die stärkere Nation geradezu das Recht bzw. die Pflicht zum Kriege habe, und daß

[8] Die Reden Kaiser Wilhelms II. Ges. u. hg. v. J. Penzler u. B. Krieger. Leipzig Bd. 2, S. 209 ff. »euch« ist vielfach bezweifelt worden, ist aber gut belegt; vgl. Bernd Sösemann, »Pardon wird nicht gegeben; Gefangene nicht gemacht«: Zeugnisse und Wirkungen einer rhetorischen Mobilmachung. In: Hans Wilderotter u. Klaus Pohl (Hg.), Der letzte Kaiser. Wilhelm II. im Exil. Gütersloh, München 1991, S. 79–94; ders., Die sog. Hunnenrede Wilhelms II. In: Historische Zeitschrift 222 (1976), S. 342–358.

das dekadente Frankreich dem Furor teutonicus ohnehin nicht widerstehen könne. Bernhardis Thesen, so ungeschlacht sie heute wirken mögen, entfachten in Deutschland einen Sturm der Begeisterung und Ablehnung – welch letztere allerdings in Frankreich wenig wahrgenommen wurde. Hier überwogen das Erschrecken und die lautstarke Anklage seitens derjenigen, die schon immer vor dem chauvinistischen Deutschland gewarnt hatten. Wie groß der Eindruck der Schrift Bernhardis war, mag die Tatsache verdeutlichen, daß noch in den Nachkriegsmemoiren des französischen Staatspräsidenten Poincaré über mehrere Seiten der Bericht des Militärattachés in Berlin, Pellé, vom 26. 5. 1912 wiedergegeben wird, in dem über dieses Buch und seinen öffentlichen Erfolg warnend berichtet wird. Poincaré kommentierte diesen Bericht dahingehend, daß Deutschland eben »von sehr vielen schlechten Instinkten beherrscht« sei [9] und setzte von nun an unter großer Zustimmung der französischen Öffentlichkeit alles daran, Frankreich für den offensichtlich unausweichlichen Krieg bereit zu machen.

Wenden wir uns nunmehr England zu: Was das deutsch-englische Verhältnis und die englische Sicht des wilhelminischen Deutschland angeht, so sind beide zutiefst geprägt von der um 1900 einsetzenden und bis ca. 1908 sich dramatisch beschleunigenden Flottenkonkurrenz. Der große Plan des Admirals und Marineministers Tirpitz war, den deutschen Flottenbau so zu verstärken, daß es England unmöglich werden würde, den sogenannten »Zwei-Mächte-Standard« einzuhalten, d. h. eine Flotte zu besitzen, die stärker war, als die der zwei nächstgrößten Mächte zusammen. Der deutsche Plan war nicht mehr und nicht weniger als ein direkter Angriff auf die bislang unangetastete englische Vorherrschaft zur See. Er war somit eine globale Kampfansage, wenngleich Tirpitz versuchte, sein Unternehmen als nicht gegen England gerichtet darzustellen, solange – so Tirpitz – noch die Gefahr bestand, daß England die deutsche Flotte vor Erreichung der Sollstärke zerschlagen könnte.

Es kann nicht verwundern, daß die englische Öffentlichkeit im Laufe der Jahre 1900–1908 immer heftiger auf die sich abzeichnende deutsche Hochrüstung zur See reagierte, allerdings keineswegs einhellig oder einseitig demagogisch. Wichtig ist aber, daß die wilhelminische politische und militärische Führung diese Reaktion der englischen Öffentlichkeit stets als ein Vorspiel diplomatischer Intervention und kriegerischer Drohung auffaßte und entsprechend unange-

---

[9] Raymond Poincaré, Au service de la France. Bd. 1, S. 137.

messen und nervös reagierte. Das Gesamtproblem wird sehr anschaulich illustriert durch den sogenannten ›Punch‹-Zwischenfall von 1907. Der ›Punch‹ war die älteste und renommierteste satirische illustrierte Zeitschrift Europas, ähnlich strukturiert wie der deutsche ›Simplizissimus‹, bissig in der Innenpolitik und ironisch in der Außenpolitik, dort vielleicht noch kritischer als das deutsche

An under-rated monster. Britannia: »That's a nasty-looking object, Mr. Boatman.« Lord TW-DM-TH.: »Bless your 'eart, Mum. 'E won't 'urt you. I've been 'ere, man an' boy, for the last six months; an' we don't take no account o'them things.« (Aus: ›Punch‹ vom 15. August 1906)

Within the illustration:

Compliment of the Season

BRITISH NAVAL GUNNERY PROGRESS

YEAR	PERCENTAGE OF HITS MADE TO ROUNDS FIRED
1904	42·86
1905	56·58
1906	71·12

SCOTT TWEEDMOUTH FISHER

BERNARD PARTRIDGE.

Without prejudice. Britannia: »Accept my congratulations, Sire, on the splendid growth of your Navy. And, since I have your assurance that your programme is not an aggressive one, I feel sure you will be interested to see what *I* have been doing in the last three years!« (Aus: ›Punch‹ vom 26. Dezember 1906)

Pendant. Insgesamt war der ›Punch‹ keineswegs prinzipiell antideutsch eingestellt, wie etwa die Bildkommentare zu Bülows Marokko-Politik (Abb. S. 180), der Algeciras-Konferenz oder auch der Haager Friedenskonferenz von 1907 (Abb. S. 181) zeigen. Hinsichtlich der Flottenpolitik allerdings war er wohl Sprecher der gesamten Öffentlichkeit, wenn er nach anfänglichem ironischen Amusement über die deutschen Flottenrüstungs-Anstrengungen (Abb. S. 179) relativ bald mit deutlichen Warnungen und wenig später

Poker and Tongs; or, how we've got to play the game. Kaiser: »I go three Dreadnoughts.« John Bull: »Well, just to show there's no ill-feeling, I raise you three.« (Aus: ›Punch‹ vom 8. Januar 1908)

auch mit scharfer Ironie reagierte. Symptomatisch hierfür die abgebildete Karikatur aus dem Jahre 1906, wo die bis zu den Knien im Wasser stehende Britannia dem Chef der Admiralität, Lord Tweedmouth, auf das drohende Wilhelm-Schlachtschiff-Ungeheuer hinweist, das der Engländer, in seinem kleinen Boot rudernd, noch gar nicht bemerkt hatte (Abb. S. 177). Wenig mehr als ein Jahr später indessen ist Britannia eine mythische Göttin im Kriegsschmuck, die dem verblüfften Wilhelm II. »ohne Hintergedanken« die Treffer-Zahlen der britischen Marine aus den vergangenen drei Jahren präsentiert. Sie erklärt diesem dabei auf ironisch-verbindliche Weise, sie habe ihm nur zeigen wollen, daß auch Großbritannien nichts Aggressives im Schild führe, aber gleichwohl auf die Vervollkommnung seiner Rüstung achte (Abb. S. 178). Dem heutigen Betrachter, und auch wohl den meisten damaligen, stellt sich diese Karikatur als vergleichsweise lustig-harmlos dar, nicht so aber den wilhelminischen Entscheidungsträgern. Und diese Karikatur hatte erhebliche diplomatische Konsequenzen. Erzürnt bestellte nämlich Tirpitz den britischen Marineattaché in das von ihm geleitete Reichs-Marineamt und protestierte förmlich gegen diese deutschfeindliche Kari-

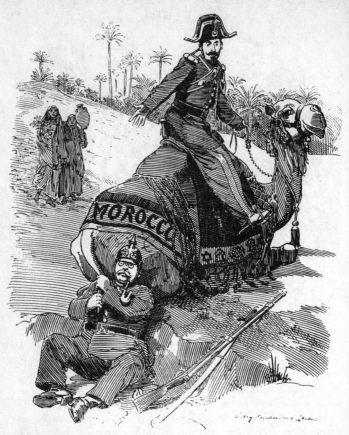

Sitting Tight. French Gendarme: »J'y suis!« German Gendarme: »J'y reste!«
(Aus: ›Punch‹ vom 14. März 1906)

katur. Wie der britische Marineattaché über diese Unterhaltung berichtete, habe ihm Tirpitz die systematische und organisierte Hetze
der englischen Presse gegen Deutschland vorgehalten: »Er sprach
ferner von den Zeitungen und meinte, daß ... sie in England wie gut
organisierte Dampferlinien in Privatbesitz seien, die ihre Fahrtrich-
tung und ihr Ziel en masse nach den Befehlen der politischen Klubs
änderten.« [10] Die Angelegenheit hatte eine für Deutschland einiger-

---

[10] Die britischen amtlichen Dokumente über den Ausbruch des Weltkriegs
1898–1914. Autorisierte deutsche Ausgabe, hg. v. Hermann Lutz. Bd. 6/1, No. 1, Anl.

maßen peinliche Konsequenz, da nämlich die englische Regierung den Tirpitzschen Protest dazu nutzte klarzulegen, daß sie keineswegs die Presse ihres Landes beeinflusse oder gar dirigiere. Man erteilte der Berliner Regierung eine gehörige Lektion in Pressefreiheit, was indessen nur den Erfolg hatte, die ohnehin in der deutschen Führungsschicht und weiterer Öffentlichkeit bereits grassierende Idee vom »perfiden Albion« weiter zu verstärken. Charakteristisch für eine typisch wilhelminische Reaktion auf die Kritik von außen war folgender abschließender Kommentar des deutschen Ma-

The tug of peace. Everybody (to everybody else): »After you, Sir!« (Aus: ›Punch‹ vom 13. März 1907)

rineattachés in London zur ›Punch‹-Angelegenheit: »Gewiß aber scheint es mir, daß mit der zunehmenden Stärke Deutschlands zur See die Preßhetzereien gegen uns abnehmen, der Wunsch nach Anbahnung freundschaftlicher Beziehungen zwischen den beiden Ländern in England immer wieder stärker werden wird.«[11] Man muß diese abstruse Logik auf sich wirken lassen, welche besagt, daß Freundlichkeit im internationalen Umgang nur durch massives Drohen bzw. Angsteinflößen zu erreichen ist. Es handelt sich hierbei um eine charakteristisch zynische Auffassung von Machtpolitik als Erpressungs- bzw. Einschüchterungspolitik, die allerdings sehr typisch für die wilhelminische Konzeption des Umgangs mit dem Ausland ist. Bei nahezu allen Entscheidungsträgern der Jahre 1900–1914 kommt dasselbe Erpressungs- und Bluff-Denken zum Vorschein, besonders massiv bei Bülow, Holstein, Tirpitz und Kiderlen-Waechter.

Um solch hinterlistig-aufgeregtes außenpolitisches Denken zu erklären, verweisen die Historiker heute ganz übereinstimmend auf die Inkohärenz der politischen Führung eines sozial- und innenpolitisch zerrissenen Reiches, auf die »Festungsmentalität« der preußischen Regierungsbürokratie und auf die absurd-unberechenbare Person des Kaisers Wilhelm II. Wie all diese Aufgeregtheit und mangelnde Kontinuität, bald auch Verfolgungswahn, in eine Außenpolitik der Unehrlichkeit einmündeten, die dann im Juli 1914 toll gedreht wurde wie eine zu fest angezogene Schraube, darüber herrscht in der Forschung Einmütigkeit.

Die Reaktion der Wilhelminer auf die ausländische Kritik war in gewisser Weise hysterisch, geprägt von einer spezifisch Bismarckschen Sicht von Presse und öffentlicher Meinung. Weder Wilhelm II. noch seine feudal-aristokratische Umgebung hatten eine zutreffende Vorstellung von freier und demokratisch strukturierter Presse. Sie lebten in der Bismarckschen Tradition von autoritärer Presselenkung, -beeinflussung und -verbot. Das führte dazu, daß sie Kritik, Satire, Karikatur – zumal in ausländischer Presse – gemeinhin als gezielten Affront empfanden, an dem die jeweilige Regierung nicht unbeteiligt sein könne – und entsprechend scharf und aggressiv reagierte die deutsche Diplomatie auf vorgebliche »Provokationen«. Ein so charakteristisch verengter Blick auf die öffentliche Meinung des Auslandes war extrem krisenfördernd, weil er die typisch wilhelminische Befindlichkeit, sich nicht verstanden, ausgegrenzt, ja dann auch »eingekreist« zu fühlen, enorm verstärkte. Die ohne-

[11] Marineattaché Coerper, Bericht vom 14. 3. 1907, GP 23/7785.

hin von aggressiver Unsicherheit geprägte Außenpolitik verkam hierdurch vollends zu einem System von Bluff und Erpressung.

Als solches wurde wilhelminische Außenpolitik schließlich auch von Deutschlands Nachbarn empfunden, nämlich als dauernde Aggression. Und die Explosion des internationalen Systems im Juli 1914 ist wohl nicht zuletzt durch diese Einschätzung unvermeidlich geworden.

Was man hier insgesamt feststellen kann, ist eine zunehmende Bedrohungspsychose, wie sie sich allerorten immer stärker akzentuierte. Spätestens seit der Marokko-Krise von 1911 wurde sie so stark, daß man die Jahre 1911–1914 getrost als unmittelbare Vorkriegszeit bezeichnen kann. Das immer größere Mißtrauen gegenüber den Absichten der jeweils anderen Macht, die nun immer ängstlichere Suche nach Alliierten, das ist das allgemeine Signum der Vorkriegszeit und der Periode des massiven Wettrüstens seit 1912. Und das Hauptproblem jener Zeit scheint mir darin zu liegen, daß die deutsche »Weltpolitik« von ihren Nachbarn als immer inkohärenter, immer aggressiver operierend, angesehen wurde. Deutschland wiederum flüchtete sich aus der steigenden Isolierung in immer stärkere Muskelspielerei – und in politische Erpressung. Dies schien den anderen Mächten in den politischen Krisen der Jahre 1911–1913 bestätigt zu werden, wo die deutsche Politik tatsächlich ein Muster an Doppeldeutigkeit war.

Auf solche Weise entstand ein festes, wenngleich verzerrtes Bild vom jeweils anderen, wie in einem Vexierspiegel, der indessen zum Brennspiegel wurde. Und als im Jahre 1914 die Deutschen glaubten, den »Sprung ins Dunkle« wagen zu müssen, bevor der Ring der vorgeblichen Einkreisung sich definitiv geschlossen habe, da war auf seiten der anderen die Überzeugung zur Selbstverständlichkeit geronnen, daß Deutschland nur bluffe, wie immer schon, und daß man mit diesem Land nur zurechtkommen könne, wenn man ihm entschlossen und kaltblütig entgegentrete. So urteilte beispielsweise der französische Staatspräsident Poincaré, aber die englische Politik stimmte dem zu, genau wie die russische. Auf diese Weise schlidderten dann schließlich alle zusammen in den Krieg, den Deutschlands Aktion auslöste, den aber die anderen sicherlich hätten verhindern können. Für keine der Mächte aber war damals der Frieden das höchste Gut, und alle lebten in der Vorstellung, daß der bösartige Nachbar nur darauf warte, endlich losschlagen zu können.

Das »Bild vom andern« ist eben in der Politik nicht rein betrachtend – passiv –, es spiegelt Meinungen und oft gar nicht einmal klar ausgesprochene Überzeugungen. Gerade in dem Maße, wie diese

Überzeugungen dumpfen Ängsten und Psychosen entspringen, drängen sie zu politischer Aktion und beschleunigen die Krise, wie im Juli 1914, als das alte Europa am nationalen Vorurteil zerbrach.

Literaturhinweise

Zu den deutsch-französischen Beziehungen:

Gilbert Ziebura, Die deutsche Frage in der öffentlichen Meinung Frankreichs von 1911–1914. Berlin 1955. – Trotz seines Alters unersetzlich!

Raymond Poidevin u. Jacques Bariéty, Les relations franco-allemandes 1815–1975. Paris 1977; deutsche Ausgabe: Frankreich und Deutschland. Geschichte ihrer Beziehungen. 1982. – Das große Standardwerk mit Spezialliteratur zu den einzelnen Zeitabschnitten.

Peter Hüttenberger u. Hansgeorg Molitor (Hg.), Franzosen und Deutsche am Rhein, 1789–1945. Essen 1989. – Enthält Beiträge über kulturelle Beziehungen, Außenpolitik, Wirtschaft und – bes. erwähnenswert – kirchen- und religionspolitische Beziehungen.

Franz Knipping u. Ernst Weisenfeld (Hg.), Eine ungewöhnliche Geschichte. Deutschland – Frankreich seit 1870. Bonn 1988. – Einige substantielle Beiträge über die deutsch-französischen Beziehungen während des Kaiserreichs und der Weimarer Republik.

Wolfgang Leiner, Das Deutschlandbild in der französischen Literatur. Darmstadt 1989. – Das wohl für lange Zeit wichtigste Werk zu diesem Thema bes. im Hinblick auf die Herausbildung der zentralen Stereotypen der deutsch-französischen Beziehungen.

Hans T. Siepe (Hg.), Grenzgänge. Kulturelle Begegnungen zwischen Deutschland und Frankreich. Essen 1988. – Beiträge aus vielen Fachgebieten, bes. interessant in diesem Zusammenhang die Analyse von Reiseberichten aus Deutschland.

Die genannten Werke enthalten alle viel weiterführende Literatur.

Zu den deutsch-englischen Beziehungen:

K. Wormer, Großbritannien, Rußland und Deutschland. Studien zur britischen Weltreichspolitik am Vorabend des Ersten Weltkrieges. München 1980.

Paul M. Kennedy, The Rise of the Anglo-German Antagonism 1860–1914. London 1980. – Das Standardwerk, hierin auch die ältere Spezialliteratur, bes. die Flottenrüstungsrivalität angehend.

Gregor Schöllgen, Imperialismus und Gleichgewicht. Deutschland, England und die orientalische Frage, 1871–1914. München 1984.

Ausführliche weiterführende Literatur und Bericht über Forschungsprobleme in: ders., Das Zeitalter des Imperialismus. München 1986, bes. S. 212 ff.

Das Reich als Republik
Auf der Suche nach der verlorenen Größe
von BERND MARTIN

Im Krisenjahr der Republik, 1923, als der dumpfe Haß gegen den
französischen Erbfeind wegen der Besetzung des Ruhrgebietes die
Deutschen vorübergehend in einem neuen Burgfrieden einte,
berichtete die liberale ›Freiburger Zeitung‹ in ihrer Ausgabe
vom 11. Juni, deren Bezugspreis – inflationsbedingt – »5200 Mark
freibleibend« betrug, über die lokale Trauerfeier für den von französischen Soldaten bei Düsseldorf erschossenen Albert Leo Schlageter, der aus Schönau stammte und nach seinem Kriegsdienst
1919 ein Semester an der Albert-Ludwigs-Universität studiert hatte:

»Die letzte Fahrt Albert Leo Schlageters in seine Heimat gestaltete sich zu einer großen, eindrucksvollen, das Andenken des für
die Freiheit seines Vaterlandes Gefallenen in höchstem Maße ehrenden Kundgebung. Die Leiche... passierte am Samstag mittag
mit 2½ stündiger Verspätung den Freiburger Bahnhof... Zur
besonderen Ehrung des badischen Helden hatten sich die ehemaligen Kriegskameraden Schlageters, die Freiburger Studentenschaft
mit dem Senat der Universität an der Spitze, die Offiziere und Beamten des ehemaligen Feldart.-Regts. 76... eingefunden...
Zuerst widmete namens des Senats der Universität Freiburg der
Rektor, Herr Geh. Rat Prof. Dr. Spemann unter Worten ehrenden
Gedenkens dem tapferen Kommilitonen, der dem Vaterlande sein
Leben geweiht hat, eine Blumenspende. Ein weiterer von ihm
niedergelegter Kranz trug auf der Schleife die Aufschrift: Von
England – ein Beweis, wie Engländer über den Tapferen und über
die Freveltat der Franzosen denken. Ferner wurden Kränze
niedergelegt vom Vorsitzenden der Studentenschaft, Herrn Trom-
betta, für die allgemeine Studentenschaft, vom Senior der kath.
Verbindung Falkenstein, der Schlageter angehört hatte, ferner
einem Freiburger Studenten im Namen der Ortsgruppe Freiburg
der in Deutschland studierenden Balten, von einem Vertreter
des Offizierbundes und einem Primaner des Bertholdgymnasi-
ums. Aus allen Reden klang die Empörung über den Mord an Leo
Schlageter und der Schwur, alles an die Wiedererstarkung des
deutschen Volkes zu setzen... Unter dem Gesange des Schwertlie-

des [1] setzte sich der Zug mit dem offenen Packwagen, in dem der Sarg unter einem Berge prachtvoller Blumenspenden verschwand und der die schlichte Inschrift trug: Albert Schlageter, der deutsche Held, in Bewegung. Zum letzten Gruße senkten sich die Schläger und Banner der studentischen Abordnungen, und Albert Schlageter fuhr zur ewigen Ruhe seiner Heimat zu.«

Die Deutschen hatten wieder einen für das Deutschtum und das Reich gefallenen Helden gefunden, der, aus kleinbäuerlichen Verhältnissen kommend, als Frontoffizier, Freikorpsführer, Nationalsozialist und katholischer Verbindungsstudent vielfältige Identifikationsmöglichkeiten bot. Sein »ruhiges alemannisches Temperament mit katholischer Erziehung« [2] reklamierte sogleich das Zentrum, während die noch unbedeutende NSDAP den »Blutzeugen« zum ersten Soldaten des Dritten Reiches stilisierte und die Freiburger Studentenschaft in dem christlichen Märtyrer sogar eine deutsche männliche Version der soeben von der katholischen Kirche heiliggesprochenen französischen Nationalheldin Jeanne d'Arc verehren wollte.

Die in dem Zeitungsbericht und – noch häufiger – in den Trauerreden angesprochenen Begriffe wie Religion, Reich, Raum und Rasse, Heimat, Volk und Vaterland weckten Erinnerungen an eine großartige Vergangenheit, die in der Niederlage des Weltkrieges und im Elend der Republik für immer untergegangen schien. Der Mythos einer verlorenen Größe wurde in Ritualen beschworen und von den jeweiligen Zuhörern und Lesern, besonders denen der jüngeren Generation, als Glaubenssatz verinnerlicht. Die exaltierte Verherrlichung der siegreichen, heroischen Nation der Deutschen, jenes seit Bismarcks Reichsgründung praktizierte deutsche Bekenntnis, wurde durch den Zusammenbruch der Monarchie nicht etwa gebrochen, sondern aufgewertet. In der politisch-gesellschaftlichen Tristesse der gedemütigten Weimarer Republik – nach den Worten des damals meinungsbildenden Kulturkritikers Oswald Spengler ohnehin kein richtiger, starker Staat, sondern nur eine Firma – verklärten sich Idee und Ideologie des Reichs zu um so leuchtenderen Gegenbildern, je tiefer der neue Staat im republikanisch-liberalistischen

---

[1] ›Der Gott der Eisen wachsen ließ‹. Das von Ernst Moritz Arndt 1813, während der Freiheitskriege gegen Napoleon, geschriebene Lied galt als der antifranzösische Schlachtgesang schlechthin, vor allem die 5. Strophe: »Laßt klingen, was nur klingen kann! die Trommeln und die Flöten. Wir wollen heute Mann für Mann mit Blut das Eisen röten, mit Henkerblut, Franzosenblut – o süßer Tag der Rache! Das klinge allen Deutschen gut, das ist die große Sache.« Allgemeines Kommersbuch. Hg. v. Friedrich Silcher u. Friedrich Erk. Lahr, 101.–110. Aufl. 1914, S. 13f.
[2] Freiburger Zeitung, 14. Juni 1923 (Nr. 158).

Sumpf des Parteienstaates versackte. Nicht nur das wilhelminische, das »Zweite Reich« mit dem Reichsgründer als Idol des starken Staatsmannes bildete einen Fluchtpunkt ungestillter Sehnsüchte, sondern auch das alte, das »Erste Reich« von vor 1806, als eine von den Deutschen geordnete Welt, ein in der Rückblende christlich bzw. völkisch geweihtes Gemeinwesen, fand zunehmendes Interesse. Das Reich als Traum, als Erfüllung der deutschen Geschichte, als Wunschgebäude deutschen Wesens und Endziel mitteleuropäischer deutscher Mission lebte um so prachtvoller auf, je weniger die krisengeschüttelte Republik Hoffnungsträger solcher seit dem Vormärz bei den Deutschen virulenter Visionen sein konnte.

Als Sachwalter deutscher Kultur und wiederzuerlangender staatlicher Größe verstanden sich in Zeiten des politischen Haders und Zerfalls, in der Zeit des deutschen Vormärz gleichermaßen wie in den Jahren der Weimarer Republik, die bildungsbürgerliche geistige Elite, die Professoren und die Studentenschaft. Die Akademiker als berufene geistige und politische Führer eines durch fremde Mächte unterdrückten Volkes verkörperten geradezu das nationale Gewissen, das in patriotischen Weiheakten, wie dem Aufzug der gesamten Universität auf dem Bahnhof, Professoren im Talar, die Korporationsstudenten in voller Montur, spektakulär zur Schau getragen wurde. Selbstverständlich kam bei einer solchen nationalen Bekundung dem Rektor der Hohen Schule, und besonders an der Freiburger Grenzland-Universität gegen das heranflutende Welschtum, das Recht zu, als erster das Wort zu einer flammenden Protestrede zu ergreifen. Der weltweit geachtete Wissenschaftler, der Professor für Biologie, Spemann, stramm deutschnational wie die Masse seiner vermeintlich unpolitischen Kollegen, unterzog sich dieser Aufgabe in gewohnter bravourös-irrationaler Weise, die in seltsamem Kontrast zu seiner wissenschaftlichen Tätigkeit stand.

Die Geschichte Weimars steht unter dem Verdikt des Scheiterns dieser ersten deutschen Republik. Kaum ein Zeitraum der deutschen Geschichte ist daher besser erforscht als der Anfang, die Zeit der revolutionären Wirren, und das Ende, das Durchgangsstadium zum Nationalsozialismus, dieses nur gut 14 Jahre existierenden Staatswesens. Jede Aussage über die Weimarer Republik enthält eine Deutung oder zumindest einen Deutungsversuch für den Aufstieg des Nationalsozialismus und die Machtablösung durch die totalitäre Führerherrschaft Hitlers. In der kaum noch überschaubaren Vielzahl der wissenschaftlichen Untersuchungen überwiegen sozial- und strukturgeschichtliche Abhandlungen zu Einzelthemen und bieten häufig etwas einseitige Erklärungen über das Scheitern dieses Staatswesens. Synthesen fehlen jedoch – mit der Ausnahme zur Geschichte der Arbeiterbewegung – noch immer, insbesondere im Bereich der Außenpolitik, was angesichts des Reizwortes »Versailles« verwundert, und der politischen Kultur. Vor allem die Wechselwirkungen zwischen vorherrschenden politischen Ideologien und der politischen Kultur, d. h. einerseits der Akzeptanz des Systems an sich und andererseits der Funktionsfähigkeit des Systems in sich, sind bislang nur in Ansätzen untersucht.

Die mentalen Vorbehalte gegen die republikanische Staatsform als solche und speziell gegen deren deutsche Handhabung waren in allen politisch-gesellschaftlichen Lagern Weimars wohl doch stärker, als es sich leichterhand eingestehen ließe. Denn keiner will bei der Schuldzuweisung für den Zusammenbruch der Republik gleich zum geistigen Handlanger und Wegbereiter des Nationalsozialismus gestempelt werden. Auf der Suche nach demokratischen Traditionen in Deutschland werden daher die positiven Seiten Weimars, die es im Bereich des Verfassungs- und Rechtsstaates und auch der sozialdemokratisch organisierten Arbeiterbewegung gegeben hat, gern überbewertet und verallgemeinert, die starken Schattenseiten indes nicht immer erkannt.

Die folgenden Ausführungen wollen ein Gesamtbild vermitteln, das, so bedauerlich es auch heute ist, nur negativ sein kann. Es sollen vor allem die geistigen Dispositionen für eine voreingenommene Ablehnung der Republik aufgezeigt werden. Es gilt, die geistig verwirrte Atmosphäre einzufangen, jene Flucht in das Irrationale, den Mythos des Reiches, um die nicht vorhandene Akzeptanz des Staates durch seine Bürger zu belegen. Erklärungen für eine solche, uns heute unverständliche Haltung lassen sich nicht allein in den wirtschaftlich-politischen Begleitumständen jener Jahre finden, sie haben eine lange, bis in die Zeit des Vormärz zurückreichende Geschichte. Und für viele damalige Phänomene und Fakten, wie z.B. die Selbstaufgabe der einzigen voll hinter der Republik stehenden Partei, der DDP, im Juli 1930, gibt es meines Erachtens keine zureichende sozialgeschichtliche Erklärung, sondern nur die, daß auch die Demokraten dem Gift des völkischen Radikalismus erlegen waren.

Auch wenn im Rahmen einer überblickartigen und daher vereinfachenden kurzen Abhandlung weder eine umfassende Gesamtsicht Weimars, noch eine erschöpfende Behandlung der Desiderate geleistet werden kann, soll der Schwerpunkt der Ausführungen in einer Verklammerung der außenpolitischen – im Grunde günstigen – Ausgangslage der Republik nach dem verlorenen Krieg mit den mentalen Dispositionen der voreingenommenen Ablehnung der Republik liegen, um das Scheitern als Konsequenz geistiger Verwirrungen, des irrationalen Glaubens an ein imaginäres Reich, auszuweisen und weniger auf Faktoren der internationalen Politik oder der Weltwirtschaftskrise zurückzuführen.

1. Versailler Friedensordnung und deutsche Außenpolitik: Wiederherstellung der Großmachtposition des Reiches

Die gesamte deutsche Politik während der Weimarer Republik wurde durch den als Schanddiktat empfundenen Friedensschluß bestimmt. Versailles stand meinungsbildend am Anfang der Republik, Versailles und seine Schatten lagen über ihrem Ende, Versailles wurde zum Syndrom einer kollektiven Suggestion, kurz zu einer Art deutscher Krankheit, deren Anamnese jedoch weit in das 19. Jahrhundert zurückreicht. Die allgemeine Fixierung auf die Fesseln des Vertrages ließ Alternativen zum politischen Denken und Handeln in den gewohnten Bahnen des preußisch-deutschen Machtstaates gar nicht erst zu. Die Republik als Produkt des Schandfriedens stand als öffentliches Ärgernis permanent am Pranger, ihre Politik auf dem Prüfstein des außenpolitischen Erfolges. Denn entsprechend dem historischen Selbstverständnis der deutschen Nation wurde Politik von den Geschichtswissenschaftlern in der Tradition Rankes als Staatenpolitik, d.h. auswärtiges Handeln, definiert und auch von der neuen Regierungsmannschaft, ideologisch eher der sozialistischen Völkergemeinschaft verpflichtet, praktiziert. Der Primat der Außenpolitik war zu selbstverständlich, um durch den inneren Umsturz, die Ablösung der Monarchie durch die Republik, auch nur erschüttert zu werden. Otto Landsberg, Mitglied des Rates der Volksbeauftragten, bekannte sich freimütig zu dieser Leitlinie deutscher Politik: »Uns beiden (Landsberg und Preuß) und unseren Mitstreitern war die Lehre Rankes, daß die auswärtige Politik den Primat über die innere hat, zum Glaubenssatz geworden.«[3]

Die Sozialdemokraten überließen daher getrost den gesamten außenpolitischen Bereich den sogenannten Fachleuten, den Diplomaten kaiserlicher Schule, die dann auch wie der neue Außenminister, Ulrich Graf von Brockdorff-Rantzau, entsprechend auf der Frie-

[3] Bernd Faulenbach, Ideologie des deutschen Weges. Die deutsche Geschichte in der Historiographie zwischen Kaiserreich und Nationalsozialismus. München 1980, S. 182 f.

denskonferenz in Paris agierten. Tradierte Denkhaltungen standen einer Einsicht in mögliche Konsequenzen der Niederlage nicht allein bei dem neuen Minister alter Herkunft, sondern auch bei der Masse der Deutschen im Wege; eine Annahme der diktierten Friedensbestimmungen verbot sich daher für Regierung und Öffentlichkeit von selbst. Brockdorff-Rantzau handelte entsprechend den allgemeinen Erwartungen, als er in Paris den Kriegsschuldartikel, ursprünglich eine juristische Handhabe zur Absicherung der Entschädigungen, aufgriff und die deutsche Alleinschuld eigentlich erst herbeiredete, um innenpolitisch die Reihen für eine Verweigerung und einen daraus möglicherweise resultierenden erneuten Waffengang fest zu schließen. Nur wenige, wie Carlo von Mierendorff, durchschauten, allerdings erst später im Widerstand gegen den Nationalsozialismus, die verhängnisvollen Folgen ungehemmter Agitation über die sogenannte Kriegsschuld als »eine einzigartige Autosuggestion eines ganzen Volkes, das einen Vertragsartikel zu seinen Ungunsten interpretiert, sich gedemütigt fühlt und Revision erheischt«[4].

Der frontale Angriff gegen den Vertrag, entsprechend der altpreußischen Maxime des Alles oder Nichts, einte schließlich das Lager der untereinander zerstrittenen Siegermächte, spaltete indes die deutsche Öffentlichkeit in das große Lager der Patrioten und das weit kleinere der »vaterlandslosen Gesellen« und endete mangels jeglicher Alternative mit einem großen außenpolitischen Fehlschlag. Unfähigkeit und Unvermögen, die neuen politischen Realitäten zu erfassen, ließen den ersten Außenminister der Weimarer Republik am Versailler Vertragswerk scheitern.

Mit dem Rücktritt des Ministers scheiterte allerdings auch das machtpolitische Konzept der politischen Rechten, selbst auf die Gefahr einer Wiederaufnahme der Kampfhandlungen hin das Vertragswerk abzulehnen. Die allgemeine Kriegsmüdigkeit und die Gefahren für die Einheit des Reiches waren zu groß, so daß sich die vom Zentrum unter Mathias Erzberger verfochtene Variante einer bedingten Annahme nicht zuletzt unter ultimativem Druck der Sieger durchsetzte. Allein die kleine revolutionäre Minderheit der USPD-Abgeordneten in der Nationalversammlung votierte im Vertrauen auf die demokratische Räte-Revolution für eine bedingungslose Annahme der Bestimmungen und empfahl, die Republik möge sich zur

[4] Zitiert bei Ulrich Heinemann, Die Last der Vergangenheit. Zur politischen Bedeutung der Kriegsschuld – und Dolchstoßdiskussion. In: Karl-Dietrich Bracher u.a. (Hg.), Die Weimarer Republik 1918–1933. Politik – Wirtschaft – Gesellschaft. Düsseldorf 1987, S. 382.

Bekundung des politischen Neubeginns nicht in die Rechtsnachfolge des Kaiserreichs stellen. Dieser Vorschlag blieb unbeachtet.

Gewohntes subjektives, in der Situation der Niederlage und des Umbruchs falsches Denken in den Kategorien des Machtstaates verleitete die Mehrheit zu falschem, verhängnisvollem Handeln. Die Einsicht, daß der Versailler Vertrag nicht nur pro forma im wirtschaftlichen Bereich »erfüllt« werden müsse, sondern als Politikum grundsätzlich zu akzeptieren war, setzte sich erst allmählich durch, nachdem die Weimarer Koalition der Mitte-Links-Parteien bei den Wahlen zum ersten Reichstag im Juni 1920 ihre Mehrheit, nicht zuletzt wegen des diskreditierten Friedensschlusses, verspielt hatte.

Günstige außenpolitische Konstellationen, wie sie der Friedensvertrag und der Wandel in der internationalen Ordnung boten, wurden von den ersten Regierungen Weimars im politischen Reizklima der deutsch-französischen Erbfeindschaft nicht zur Kenntnis genommen. Erst nach Beendigung des französischen Ruhrdebakels und der Lösung des Reparationsproblems mit dem Dawes-Plan sollte Außenminister Stresemann diese Chancen einer Reorientierung deutscher Außenpolitik erkennen und tatkräftig, jedoch eher im Sinne einer Revision der deutschen Vorkriegsstellung als zur friedlichen Integration Europas, nutzen.

Immerhin war das Deutsche Reich durch den Versailler Kompromißfrieden, als versöhnender Friedensschluß zu hart – als karthagischer Frieden zu weich, in seiner Substanz als Großmacht nicht gebrochen, seine Verbündeten hingegen, die Doppelmonarchie und das Osmanische Reich, waren als Staatsgebilde zerschlagen worden. Langfristig mußte Deutschland allein von seiner wirtschaftlichen Leistungsfähigkeit und seinem Bevölkerungspotential her trotz aller französischen Pressionen wieder zur führenden Macht des Kontinents werden. Der Ring der Einkreisung, den die wilhelminische Allerweltspolitik im wesentlichen selbst geschaffen und im Weltkrieg vergebens zu sprengen versucht hatte, war mit der kommunistischen Machtübernahme in Rußland von selbst aufgebrochen. Erstmals seit der Gründung des Reiches war somit eine uneingeschränkte Politik der freien Hand, zwischen Ost und West, aber auch die einer engeren Bindung an eines der beiden ideologisch miteinander verfeindeten Lager denkbar. Der zum Raub der Kolonien propagandistisch verklärte Wegfall kolonialer Außenposten und kolonialpolitischer Bürden stellte das Verhältnis des Reiches zu seinem weltpolitischen Rivalen Großbritannien auf eine neue Grundlage und ließ Deutschland als einzige nichtimperialistische Industrienation für die damaligen Länder der Dritten Welt, wie China und Indien, wirtschaftlich sowie politisch attraktiv werden. Das im Völkerbund verkörperte Prinzip kollektiver Sicherheit gewährte nicht allein den Siegermächten des Krieges, sondern auch dem Reich in seiner strategischen Mittellage Schutz. Die neu geschaffenen Staaten Ostmitteleuropas und der Balkan boten der deutschen Wirtschaft ideale Absatzmärkte. Auch die USA, die eigentliche Siegermacht, blieben trotz allen politischen Isolationismus' über die Problematik der interalliierten Kriegsschulden und der damit verknüpften Reparationen zumindest wirtschaftlich in Europa präsent und ließen sich für den Aufbau der deutschen Industrie und somit die innere Stärkung des Reichs als Verbündete gewinnen. Die seit dem Untergang des alten Reiches von den Deutschen als schicksalhaft empfundene geographische Lage in der Mitte Europas, eines in seinen Volkstumsgrenzen nicht genau zu bestimmenden Staatswesens, hatte sich mit dem Ende des Weltkrieges zum Vorteil der deutschen Außenpolitik gewandelt. Die Mittellage konnte Deutschland nunmehr auch zum berufenen Vermittler zwischen Ost und West und sogar – wie es der Europaplan Briands 1929 in Ansätzen vorsah – zum Vorreiter einer europäischen Integration avancieren lassen.

Eine dem Primat der Revision verpflichtete Außenpolitik – und eine andere Variante war in der geistig vergifteten Atmosphäre Weimars überhaupt nicht denkbar – vermochte diese Chancen eines Neubeginns jedoch nur im Sinne eines machtpolitischen deutschen Alleinganges zu nutzen. Gustav Stresemann, der als sechs Jahre lang amtierender Außenminister wie kein anderer die auswärtigen Beziehungen des Reiches prägte, betrieb keinesfalls als »guter Europäer« nationalen Revisionismus als internationale Versöhnungspolitik (K. D. Erdmann), oder etwa gleichzeitig Friedenssicherung und Revisionspolitik (P. Krüger), was im Grunde einander ausschloß, sondern er verfocht bestenfalls einen Revisionismus mit Augenmaß (E. Kolb). Sein Name steht eher in Verbindung mit einer Großmachtpolitik auf dem Boden vorgegebener Tatsachen, die seine Vorgänger im Amt nicht hatten wahrnehmen wollen und seine Nachfolger in der Wilhelmstraße wieder meinten, geflissentlich in der Zeit der Wirtschaftskrise übergehen zu können.

Schon der Vertrag von Rapallo (16. 4. 1922), der einem zur Orientierung nach Westen neigenden Minister Walther Rathenau von den traditionellen Karrierediplomaten seines Amtes geradezu aufgenötigt wurde, paßte in das Stresemannsche Konzept einer sich von Versailles befreienden Politik der Ungebundenheit. Das Abkommen, mit dem die beiden geächteten Außenseiter der internationalen Völkerfamilie zusammenfanden und auf alle gegenseitigen Forderungen aus Krieg und Revolution verzichteten, hatte geradezu Modellcharakter für die angestrebte Überwindung des Versailler Vertragswerkes. Als Resultat kühl kalkulierter Macht- und Interessenpolitik bildete er das sichere Fundament, von dem aus Stresemann eine Revisionspolitik gegenüber den Westmächten betreiben konnte.

Auch wenn für den Außenminister in Anbetracht der militärischen Stärke Frankreichs und dessen Präsenz auf deutschem Boden ein geregeltes Nebeneinander mit dem westlichen Erbfeind Vorrang hatte und eine Teilanerkennung des Friedensvertrages, nämlich die Unantastbarkeit der bestehenden Westgrenze des Reiches, implizierte, ist dennoch der instrumentelle Charakter der Locarno-Verträge (16. 10. 1925) zum Zwecke einer forcierten Revisionspolitik nicht zu übersehen. Die an den Kronprinzen gerichteten Zeilen – »wir müssen die Würger erst vom Halse haben«, und es gelte daher, in der Situation des Jahres 1925 »zu finassieren und den großen Entscheidungen auszuweichen« [5] – waren sicherlich taktisch auch zur Beruhigung monarchischer Kreise gedacht, zeigen indes Stresemann als Realisten, der ohne Armee keine Weltpolitik betreiben und einer klaren außenpolitischen Option ausweichen wollte. Mit der friedlichen Revisionsmöglichkeit der Ostgrenzen des Reiches, wie sie in den Verträgen implizit zugestanden wurde, war ein revisionspolitisches Nahziel, den allgemein als Saisonstaat apostrophierten östlichen Nachbarn auf seine ethnischen Grenzen zurückzudrängen, in greifbare Nähe gerückt.

Die Reduzierung Polens bzw. sogar dessen Aufteilung zwischen Deutschland und der Sowjetunion bildete den stärker von Moskau als von Berlin ausgeworfenen Köder für eine dauerhafte Verständigung beider Länder. Stresemann gab solchen potentiellen Verlockungen jedoch erst nach Befriedigung des französischen Sicherheitsdenkens nach. Mit dem Freundschafts- und Neutralitätsvertrag mit der Sowjetunion, dem sogenannten Berliner Vertrag (24. April 1926), fand die deutsche Revisionspolitik ihren krönenden außenpolitischen Abschluß. Das Reich hatte seine Stellung als europäische Großmacht zurückerlangt und ganz im Sinne der tradierten Machtpolitik eine einseitige Bindung vermieden. Von diesem Podest aus schien die von Stresemann favorisierte deutsche Rückkehr in die Weltpolitik über die Weltwirtschaft am ehesten möglich, um auf diese Weise mit Hilfe amerikanischer Gelder die deutsche Industrie

[5] Wolfgang Michalka u. Gottfried Niedhart (Hg.), Die ungeliebte Republik. Dokumentation zur Innen- und Außenpolitik Weimars 1918–1933. München 1980, S. 165.

wieder zur Weltgeltung zu führen und damit auch die wirtschaftlichen Voraussetzungen einer von der Reichswehr seit langem erhofften Aufrüstungspolitik zu schaffen.

Die Politik der freien Hand, gewissermaßen der deutsche Sonderweg in den internationalen Beziehungen, orientierte sich zwar unter der Leitung Stresemanns an den Realitäten, war aber auch durch wortreiche Manifestationen der öffentlichen und veröffentlichten Meinung vorgegeben. Die Verträge von Locarno waren selbst in Stresemanns eigener Partei, der DVP, umstritten, die Rechte und die Linke lehnten sie höhnend als Erfüllungs- und Verzichtspolitik ab. Auch die partielle Amerikanisierung der Wirtschaft und des großstädtischen Lebens in Deutschland fanden ihre gemeinsamen Kritiker im völkischen und kommunistischen Lager. Hingegen erfreuten sich im damaligen Deutschland trotz kommunistischer Umsturzversuche alle Abkommen mit der Sowjetunion der größten allgemeinen Beliebtheit und passierten den Reichstag stets mit überwältigenden Mehrheitsvoten. Die Ablehnung der Republik als eine von den westlichen Siegermächten aufgezwungene wesensfremde Institution herrschte im politischen Denken, von links bis rechts, tonangebend vor und ließ die Öffentlichkeit gegenüber dem Westen mit seinen Idealen von Aufklärung und Parlamentarismus übersensibel reagieren. Die Abkehr von der westlichen, der rationalen politischen Kultur und die Flucht nach Osten, in den Mythos der revolutionären jungen Völker, für das Rußland nach der Revolution als verklärtes Beispiel genommen wurde, kennzeichnet die geistige Grundhaltung breiter intellektueller und politischer Gruppierungen: *Ex oriente lux – ex occidente tenebrae*[6].

2. Geistige Dispositionen: Ablehnung der Republik

Die militärische Niederlage und das Ende der Monarchie wurden 1918 in Deutschland als Zusammenbruch einer ganzen Welt, als Einsturz der Fundamente erlebt, auf denen sich die Nation dauerhaft eingerichtet hatte. Der Sturz ins Bodenlose konnte von den neuen politischen Instanzen, vor allem den des Regierens unkundigen Parteien, nicht aufgefangen werden. Alle geistigen und politischen Kräfte waren auf sich selbst zurückgeworfen, man stand in einer Krise ohne Rückhalt und ohne Ausweg. Selbst ein besonnener Vernunfttre-

---

[6] »Aus dem Osten Licht – aus dem Westen Finsternis.« Vgl. Hagen Schulze, Weimar. Deutschland 1917–1933. Berlin 1982, S. 137 (Ergänzung des Zitats durch den Vf.).

publikaner wie der Historiker Friedrich Meinecke empfand den Umbruch und die Verwirrungen als geistige, kaum zu bewältigende Herausforderung. »Es hingen zu große Erinnerungen, zu edle Gemütswerte an unserer monarchistischen Vergangenheit, als daß sie ohne leidenschaftliche Zuckungen hätten begraben werden können.«[7] Die radikalen politischen und gesellschaftlichen Veränderungen in Deutschland nach dem Ersten Weltkrieg stellen, in mancher Hinsicht der Situation des jüngsten Umbruchs in der ehemaligen DDR vergleichbar, ein mentales Problem dar, eine Lebenskrise, die in erster Linie geistig verarbeitet werden wollte. Die Weimarer Parteien wußten – vielleicht mit Ausnahme der SPD für ihre Stammwählerschaft – damals keine Antwort auf die geistigen Nöte der meisten Deutschen; die heutigen wüßten vermutlich auch keine, wenn es sich nicht nur um einen Anschluß, die Integration einer zahlenmäßigen Minderheit in ein funktionsfähiges politisches System gehandelt hätte.

Die Parteien der Republik, bis auf die KPD ideologisch-programmatisch im untergegangenen Kaiserreich verwurzelt, spiegelten in ihrem manifesten Gegeneinander und der Scheu vor Verantwortung nur die Krise einer zerrissenen, sich immer stärker selbst entfremdeten Gesellschaft wider. Nicht im Parlamentarismus, im demokratischen Kompromiß sahen die Parteien ihren Daseinszweck, sondern in Sinnstiftung und Wahrheitsfindung. »Der höchste und einzige Souverän in Deutschland«[8], so Reichspräsident Ebert bei der Eröffnung der Nationalversammlung über die neue Stellung der Parteien, scheute die praktische Ausübung der politischen Souveränität. Die Zweifel, die Max Weber an der Übernahme verantwortlicher Leitung durch die Parteien hegte und die ihn zum Anwalt eines starken Reichspräsidenten (Ersatzkaiser) werden ließen, sollten sich binnen kürzester Zeit bewahrheiten. Die Wahlen zum ersten Reichstag (6. Juni 1920) führten zu dramatischen Stimmverlusten bei den Parteien der Weimarer Koalition, vor allem bei der SPD, so daß fortan im Parlament bis zum Hitlerschen Ermächtigungsgesetz keine regierungsfähige Mehrheit bestand. Das Experiment der Parteienherrschaft war nicht nur aus der zeitgenössischen Perspektive eines Oswald Spengler (»Im Herzen des Volkes ist Weimar gerichtet«[9]), sondern auch aus der Sicht heutiger Forschungen nach nur anderthalb Jahren gescheitert.

[7] Zitiert bei Schulze, Weimar, S. 209.
[8] Verhandlungen der verfassunggebenden deutschen Nationalversammlung. Bd. 326, Berlin 1919, S. 1 (6. Febr. 1919).
[9] Oswald Spengler, Preußentum und Sozialismus. Berlin 1920, S. 17.

Die Deutschen hatten die Demokratie schnell satt, Politik geriet – besonders aus der Sicht der konservativen Eliten – zum Possenspiel, und Wahlen, wie selbst ein Thomas Mann noch 1920 niederschrieb, wurden »zu einem Protest gegen den gegenwärtigen Saustall«[10] – wenige Jahre später sollte er sich zur Republik bekennen. Nicht am Verhältniswahlrecht, das die Splitterparteien begünstigte, sondern an der Koalitionsproblematik scheiterte die Funktionsfähigkeit einer Demokratie. Da die Sozialdemokratie die Schranken der »proletarischen Milieupartei« nicht zugunsten einer »linken Volkspartei« durchbrach (H. A. Winkler), bestanden bei den potentiellen Koalitionspartnern Vorbehalte gegen die marxistischen Positionen der SPD und erschwerten Regierungsbildungen. Die letzte parlamentarische Konstellation Weimars, die von einem SPD-Kanzler geführte Regierung Müller, wurde von einer Übereinkunft der Fachminister und nicht der Parteien getragen. Das resignative Urteil eines zeitgenössischen, republikanisch eingestellten Politikers »Es gibt überhaupt keine Regierungsparteien, es gibt nur Oppositionsparteien«[11] zeichnet das tatsächliche, eigensüchtige Verhalten von Parteien, die sich stärker ihren Prinzipien als dem Gemeinwohl verpflichtet fühlten.

Boten die Parteien aus der Sicht des Volkes den Massen keine politische Heimat, so nahmen, wie schon im Kaiserreich, die zahlreichen Verbände und Vereine diese Integrationsaufgaben wahr. Die ideologische Enge deutscher Stammtische, das Bramarbasieren im überschaubaren Kreis, jene deutsche Vereinsmeierei, aber auch das bündische Verlangen von Jugendlichen wurden für die Kompensation der Niederlage und Abwehr von Versailles gleichermaßen dienstbar gemacht. Die patriotische Grundhaltung deutscher Vereine war schnell um den unerschütterlichen Glauben an die Dolchstoßlegende, der Hindenburg erst mit seinen Aussagen vor dem parlamentarischen Untersuchungsausschuß (18. Nov. 1919) zum publizistischen Durchbruch verholfen hatte, und die Widerlegung der »alliierten Kriegsschuldlüge« bereichert. Der 1921 auf Drängen und mit finanziellen Mitteln des Auswärtigen Amtes begründete »Arbeitsausschuß Deutscher Verbände« lenkte die entsprechende Propaganda zentral. Da diesem Dachverband nationalistischer Verhetzung 1931 annähernd 2000 Institutionen angehörten, von der Caritas, dem Städtetag über Kriegsvereine bis hin zu Lehrer- und Jugendverbänden, erreichte die Agitation nahezu alle Volksschichten und

[10] Thomas Mann, Tagebücher 1918–1921. Frankfurt a. M. 1981, S. 444.
[11] So der DDP-Politiker und Nationalökonom Gustav Stolper im Dezember 1929. Eberhard Kolb, Die Weimarer Republik. München 2. Aufl. 1988, S. 73.

sozialen Gruppierungen. »Die Selbstvergiftung eines Volkes durch eine politische Lebenslüge« [12] offenbarte als geistige Grundhaltung eine inhaltslose Leere, eine Angst vor der Gegenwart, die beide durch das Bereitstellen von Projektionsobjekten kompensiert werden konnten. Die Deutschen schienen geradezu prädestiniert zu sein, »sich immer wieder ... von den gleichen Leuten am Halfterbande führen« [13] zu lassen – wie der liberale Journalist Theodor Wolff anläßlich der Wahl des Feldmarschalls Hindenburg zum Reichspräsidenten schrieb.

Die politischen Leitlinien eines solchen dumpfen Protestnationalismus gab die Revisionspolitik der Regierungen vor, die ideologischen Leitsätze zur Ablehnung der Republik formulierten die Intellektuellen des linken und rechten Spektrums, trotz aller weltanschaulichen Differenzen, letztendlich doch gemeinsam. Beide Seiten waren an der Gestaltung der Zukunft, eines Reiches oder einer proletarischen Weltrevolution, interessiert, nicht jedoch an der Gegenwart, an der Lösung aktueller politischer oder sozialer Fragen. Die Realität Weimars wurde von intellektueller Warte gern zum Zerrbild entstellt, um eine bessere Zukunft zu verheißen. Die erste deutsche Republik wurde von vielen Literaten und Schriftstellern sowie vielen Künstlern als ein Übergangsphänomen beim notwendigen Aufbruch in eine neue Zeit empfunden, ihre häßlichen Schattenseiten wurden daher besonders düster ausgemalt. Nur die neu begründete preußische Dichterakademie sollte zum Hort geistiger Verteidiger des republikanischen Gedankens werden.

Die publizistische Rechte formierte sich unter dem Banner einer »konservativen Revolution«, einem Schlagwort, dem Hugo von Hofmannsthal spätestens 1927 allgemeine Gültigkeit verlieh. Das Suchen nach Bindung, welches das Suchen nach Freiheit ablöste, und das Suchen nach Ganzheit, Einheit, wie der Dichter den Wesenskern der Lehre umriß, verweisen auf eine irrationale, antimodernistische Weltsicht. Ausgangspunkt dieser geistigen Abkehr von den Prinzipien der Vernunft und Aufklärung bildete der Weltkrieg, den Thomas Mann als Befreiung und Reinigung empfand, und den Ernst Jünger in seinen ›Stahlgewittern‹ zur Verwesung des Bürgers durch den Flammenwerfer überhöhen sollte. Das Alte schien morsch und brüchig zu sein, das Neue war erst noch zu gestalten. Politik wurde daher, wie es der Publizist Arthur Moeller van den Bruck in seiner politischen Streitschrift ›Das Recht der jungen Völ-

---

[12] Sebastian Haffner, Die sieben Todsünden des Deutschen Reiches im Ersten Weltkrieg. Bergisch-Gladbach 1981, S. 114.
[13] Berliner Tageblatt Nr. 197, 17. Mai 1925, zitiert bei Schulze, Weimar, S. 296.

ker‹ bereits 1919 formulierte, nicht länger als die Kunst des Möglichen ausgewiesen, sondern als Kampf der Notwendigkeit verstanden.

Als Antwort auf die Herausforderung der Zeit, die in Krieg und
Nachkriegswirren militant manifest gewordenen Massenphänome-
ne des Nationalismus und Sozialismus, trachteten die konservativen Revolutionäre nach einer Verbindung dieser beiden Pole. Ob
völkisch, jungkonservativ, nationalrevolutionär, bündisch oder
landvölkisch, alle diese fünf Gruppierungen der »konservativen Revolution« trafen sich in dem Bestreben, das Patriotisch-Nationale
und das Gesellschaftliche in einer neuen, zündenden Ideologie zu
vereinigen, um den entwurzelten Menschen eine Hoffnung zu vermitteln und den alltäglichen Klassenkampf zu überwinden. Mit einem schwärmerischen Blick gen Osten, nach Rußland, wo die Revolution nicht wie in Deutschland steckengeblieben war, sondern tatsächlich die Völker zu befreien schien, sollte die vollständige soziale
Umwälzung, allerdings in einer den Deutschen wesensgemäßen
Form, vollzogen werden. Das bolschewistische Modell löste zwar
in den Rechtskreisen Furcht aus, aber Rußland wurde als Mitglied
in der Allianz der jungen, aufbegehrenden Völker von den Rechtsin-
tellektuellen umworben: Die Verlierer des Krieges und die in ihren
Aspirationen zu kurz gekommenen Länder bildeten eine Kette un-
terdrückter und daher aufbegehrender Völker, die von Deutschland
und Italien über die Türkei, die Sowjetunion bis in den Fernen
Osten nach China und Japan reichte. Diese Nationen und ihnen allen voran Preußen als Inkarnation eines jungen Volkes galten als die
Hoffnungsträger, von denen gemeinsam die westliche politische
Vorherrschaft, vor allem die weltweite Präsenz Großbritanniens,
und die westlich-liberalistische Kultur überwunden werden sollten.
Die spätere Konzeption des nationalsozialistischen Außenministers Ribbentrop von einem euro-asiatischen, gegen die Anglo-
Amerikaner gerichteten Machtblock hat ihre geistigen Wurzeln in
dem noch etwas konfusen Gedankengut der konservativen Revolution.

Das »Dritte Reich« eines Moeller van den Bruck war sicherlich
nicht das nationalsozialistische, auch wenn der Buchtitel als Bezeichnung übernommen wurde, doch wie sein weitaus bekannterer
geistiger Mitstreiter Oswald Spengler nahm auch der Jungkonserva-
tive Moeller van den Bruck in seinen Schriften manches vorweg,
was in der nationalsozialistischen Zeit, nunmehr unter den ideologischen Vorzeichen von Blut und Boden, praktiziert werden sollte.
Die Zukunft der Welt wurde für beide in Deutschland, in einem neu-

en, von den Banden des Blutes gehaltenen Reich, entschieden. Der neue deutsche Übermensch sollte, der Devise »frei sein und dienen« verpflichtet, die Ideale des Preußentums mit denen des Sozialismus verbinden und die Welt einem paradiesischen Urzustand, einem Tausendjährigen Reich, entgegenführen. Der Untergang des westlich geprägten Abendlandes bildete die Voraussetzung für die Entstehung des neuen deutsch bestimmten Reiches: »Wir brauchen Härte, wir brauchen eine tapfere Skepsis, wir brauchen eine Klasse von sozialistischen Herrennaturen«[14] – so die schon 1920 erhobenen Forderungen Spenglers.

Wenn auch nicht Träger solchen Gedankenguts, so waren doch die alten Eliten in Staat und Gesellschaft dafür anfällig. Auf der Suche nach der verlorenen Größe des Reiches lagen ihnen solche schwärmerischen Ideen zumindest näher als das materialistische Zukunftsbild der Sozialisten. Das Militär und die hohe Beamtenschaft waren die wichtigsten gesellschaftlichen Gruppen, die auch in der demokratischen Stabilisierungsphase Weimars solchen Gedanken verhaftet blieben. Das Gesetz zum Schutz der Republik von 1922 verlangte ihnen keine Verfassungstreue ab, sondern verbot nur den gewaltsamen Umsturz des Staatswesens. Außerdem waren für die Masse der Beamtenschaft die Länder zuständig. Von ihnen erließ nur die sozialdemokratisch geführte preußische Regierung einen – heute würden wir sagen – Radikalenerlaß, mit dem sie im Juni 1930 ihren Beamten die Zugehörigkeit zu den beiden totalitären Flügelparteien, der KPD und der NSDAP, verbot. In München, der Hauptstadt der völkischen Bewegung, wurde hingegen nicht einmal das Republikschutzgesetz ernst genommen, geschweige denn solche Bestimmungen für die Staatsdiener überhaupt erwogen.

Wirksamste Träger des antidemokratischen Denkens auch in der Zeit der inneren Befriedung der Republik waren die Erzieher. Die Ausbildung des neuen Tatmenschen besorgten die Universitäten, die in der Weimarer Zeit zu einem Hort antirepublikanischer Einstellungen und Verhaltensweisen wurden. Hing die deutschnational ausgerichtete Professorenschaft einer Wiederherstellung der Monarchie an, so ließ sich die Studentenschaft in ihrer Mehrzahl von den Träumen einer deutschen Wiedergeburt mitreißen. Insbesondere die Fächer Geschichte, Germanistik und Jura (historische Rechtsschule) fühlten sich, wie schon einmal in der Zeit des Vormärz und der Reichsgründung, dem Bewahren des echten deutschen Wesens verpflichtet. Die Niederlage konnten auch gemäßigte liberale Histo-

---

[14] Spengler, Preußentum und Sozialismus, S. 98.

riker nicht verwinden, wenn sie wie Hermann Oncken das »heroische Geschlecht« der Deutschen in »ihrer weltgeschichtlichen Sendung« [15] bei den patriotischen Trauerfeiern für die zahlreich gefallenen Studenten beschworen, ganz zu schweigen von den Haßtiraden ehemaliger wilder Annexionisten, zu denen der damalige Freiburger Neuhistoriker Georg von Below ebenso gehörte wie der Tübinger Mediävist Johannes Haller, und den völkischen Parolen der Neo-Rankianer, wie Max Lenz und Erich Marcks. Blinder Haß auf die westlichen Kriegsgegner, vor allem den welschen Nachbarn, und irrationale Vorstellungen über ein gewaltsam zu schaffendes zukünftiges Reich ließen gerade die Studenten schaft das Fronterlebnis und den Kult um die Gefallenen konservieren. Bereits 1920 gaben völkische Studenten, häufig Freikorpskämpfer wie Schlageter, in den neu begründeten Asten und im Dachverband der Deutschen Studentenschaft den Ton an. Die Einführung des Arierparagraphen in den studentischen Verbindungen, auch den katholischen, zeugte überdies von einem geradezu kämpferischen Antisemitismus, der die Studierenden für die nationalsozialistischen Volkstumsparolen besonders anfällig werden ließ. Im Juli 1931 sollte sich daher die deutsche Studentenschaft als erste gesellschaftliche Gruppierung Weimars dem Nationalsozialismus verschreiben und sich der Partei Hitlers unterstellen. Ein neuer Waffengang konnte beginnen, wie ihn der Berliner Rektor, der protestantische Theologe Reinhold Seeberg, mit der Inschrift auf dem Ehrenmal der gefallenen Studenten vorweggenommen hatte: *Invictis victi victuri* [16] (1925).

Die Weimarer Republik stand dem Neuanfang im Wege und wurde als wesensfremd, als undeutsches Kunstprodukt bekämpft, doch nicht nur von rechts, sondern unter dem Vorzeichen des antiimperialistischen Klassenkampfes auch von links. In der Ablehnung von westlichem Materialismus, politischem Liberalismus und kapitalistischer Ausbeutung fanden rechte wie linke Intellektuelle, ja sogar Kommunisten, wie Ernst Niekisch, zusammen. Auch bei der nichtkommunistischen Linken war die Republik unbeliebt, da langweilig, der nüchterne Parlamentarismus stand dem Aufschwung entgegen. Der Bolschewismus und vor allem die experimentierfreudige bolschewistische Kultur faszinierten hingegen. Salonbolschewismus und Satire bestimmten die von linken Denkern und Künstlern geprägte Kulturszene Weimars. Die Vielseitigkeit einer Kultur der

---

[15] Bei einer Rede am 16. Juni 1919 in der Berliner Universität auf die gefallenen Studenten, voller Wortlaut bei Hermann Oncken, Nation und Geschichte. Reden und Aufsätze 1919 bis 1935. Berlin 1935, S. 8f., 11.
[16] »Den Unbesiegten, die Besiegten, die wieder siegen werden.«

Widersprüche spiegelte bei aller Modernität und Offenheit doch auch die allgemeine gesellschaftspolitische Orientierungslosigkeit wider. Weimars linke Kulturszene als »Glasperlenspiel der Republik« [17], als »Tanz am Rande eines Vulkans« [18], entsprach einer zerfallenden Republik.

Doch für die Linke war nicht der Kulturbetrieb, bald von vielen Seiten als entarteter Kulturbolschewismus angeprangert, der Augiasstall, den es auszumisten galt, sondern ihr geistiges Projektionsobjekt bildete die »parlamentarische Schwatzbude« Weimar. Sie wollten sicherlich eine bessere Demokratie, überzogen aber häufig ihre Kritik. Selbst ein Kurt Tucholsky schrieb in dem Kulturorgan der Linken, der ›Weltbühne‹, immer nur verächtlich von dem »Verhöhnungsfrieden« und geißelte – ein ziemlicher Ausrutscher – in einem Nachruf auf den ersten Präsidenten der Republik Friedrich Ebert als einen »Verräter« von »bodenloser Charakterlosigkeit« [19]. Statt die demokratische Ordnung konstruktiv zu stützen, stimmte die ›Weltbühne‹ in die Lobeshymnen über den italienischen Faschismus ein: Kein deutscher Politiker sehe so aus wie der Kraftkerl Mussolini (Kurt Hiller). »Es fehlt dem Faschismus eines: Die Heuchelei. Er ist so ehrlich wie brutal. Und er hat Schwung, Eleganz, Vitalität.« [20] Auch die Linke schien sich, wie die Rechte, nach Ordnung und Härte, nach dem Erlebnis zu sehnen. Nicht-parlamentarische Systeme, ob kommunistisch oder faschistisch, waren der lauen und langweiligen Republik vorzuziehen. Alles andere – nur nicht Weimar, so läßt sich das gemeinsame Credo eines Teils linker und der Masse rechter Intellektueller auf einen bündigen Nenner bringen. Der Dolchstoß der Denker saß tief im Rücken der Republik.

Das partielle Zusammenwirken linker und rechter Intellektueller bei der Untergrabung der Weimarer Republik stand in Wechselwirkung mit der politischen Bühne des Reichstages, wo die Parteien der Mitte immer stärker in die Zange antiparlamentarischer Kräfte, der Kommunisten von links und der Völkisch-Nationalen von rechts, gerieten. Selbst die kommunistische Partei, obgleich programmatisch der internationalen sozialistischen Revolution verpflichtet, konnte sich dem nationalen Aufwallen in Deutschland

[17] Schulze, Weimar, S. 132f. Hermann Hesse war 1931, als er mit der Niederschrift des Romans ›Das Glasperlenspiel‹ begann, aus Preußens Dichterakademie ausgetreten, da er die Republik als »haltlose(n) und geistlose(n) Staat« und das Volk als »vollkommen infantil« ansah (Brief an Thomas Mann).
[18] Peter Gay, Weimar Culture. The Outsider as Insider. New York 1968, S. XIV (»dance on the edge of a volcano«).
[19] Zitiert bei Schulze, Weimar, S. 137.
[20] Weltbühne 22 (12. Januar 1926): Mussolini und unsereins.

nicht vollends entziehen und suchte, wenn auch vornehmlich aus taktischen Gründen, mehrfach das Bündnis mit den völkisch-nationalen Kräften, um die Republik zu stürzen. Insgesamt lassen sich – neben zahlreichen lokalen Aktionen wie dem gemeinsamen Vorgehen von Rotfrontkämpferbund und SA beim Streik der Berliner Verkehrsbetriebe (Nov. 1932) – drei nationalbolschewistische Wellen bzw. Großaktionen nachweisen.

Während des russisch-polnischen Krieges wurden 1920 weitreichende Überlegungen angestellt, nach gemeinsamer Befreiung der an Polen verlorenen Gebiete – stand doch die rote Kavallerie bereits im Korridor – den Volkskrieg gegen die Westmächte auszurufen. Das »Wunder an der Weichsel«, die polnische Gegenoffensive, beendete diese Gedankenspiele schnell. Den Höhepunkt des Zusammengehens aller nationalen Kräfte sollte die französische Besetzung des Ruhrgebietes 1923 provozieren. Die ›Rote Fahne‹ rief die deutsche Arbeiterschaft zur Rettung der Nation auf, und der Deutschlandexperte der Komintern, Karl Radek, beschwor in seiner berühmten Schlageter-Rede (20. Juni 1923) das alle Klassen und Gruppen übergreifende Bündnis der Deutschen zur Abwehr des französischen Kapitalismus. Das nationale Pathos des kommunistischen Aufrufes stand dem Ton entsprechender national-völkischer Aufrufe um nichts nach, wenn Schlageter als Held verherrlicht wird, der sein »heißes, uneigennütziges Blut« nicht umsonst versprizt habe, sondern »um die Sache des großen arbeitenden deutschen Volkes, das ein Glied ist in der Familie der um ihre Befreiung kämpfenden Völker« [21]. Doch Seeckt versagte sich einer Militärdiktatur. Die Existenz der Republik hing 1923 allerdings an einem seidenen Faden. Eine dritte nationalbolschewistische Welle setzte 1929 mit der Agitation um den Young-Plan ein und kulminierte in der ›Programmerklärung der Kommunistischen Partei Deutschlands zur nationalen und sozialen Frage‹ (24. August 1930) [22], um die nationalsozialistische Propaganda, die von Gregor Strasser artikulierte »antikapitalistische Sehnsucht« [23], zu konterkarrieren, allerdings ohne Erfolg. Diese praktischen Annäherungsversuche der politischen Extreme haben den Parlamentarismus ebenso untergraben wie es die Schriften der linken und rechten Intelligenz taten.

[21] Dietrich Moeller, Karl Radek in Deutschland. Köln 1976. Wortlaut der Rede S. 245–49.
[22] Udo Kissenkötter, Georg Strasser und die NSDAP. Stuttgart 1978, S. 83 ff.
[23] Hans-Helmuth Knütter, Die Weimarer Republik in der Klammer von Rechts- und Linksextremismus. In: Bracher u. a. (Hg.), Weimarer Republik, S. 397.

Weimar ging geistig zugrunde, da die Republik bei den vorwalten-
den mentalen Dispositionen keine Anhänger fand – sie war tatsächlich eine »Demokratie ohne Demokraten«. Die meisten Parteien,
Verbände, Intellektuellen lehnten sie ab oder hatten doch zumindest starke Vorbehalte. Im Grunde traf sich ein ganzes Volk in der
Verneinung eines ihm vermeintlich aufgezwungenen Systems. Die
wichtigste Integrationsklammer hatte der außenpolitische Revisionismus bis zu seinem Höhepunkt, dem Berliner Vertrag von 1926,
gebildet. In der Endphase Weimars wirkte diese Klammer nicht länger, statt dessen trieb die revisionistische Hetze die Republik endgültig in den Untergang.

3. Das Ende Weimars als Konsequenz der Verweigerung

Der Generalangriff auf die Weimarer Republik erfolgte von den vereinten Kräften der Wirtschaft und der konservativen politischen Eliten bereits 1929 vor dem Einsetzen der Weltwirtschaftskrise, nachdem der ideologische Boden für den Umsturz überreif war. Die grassierende Ablehnung der Republik hatte ein solches Ausmaß erreicht, daß ein Systemwechsel allgemein, selbst von vielen überzeugten Demokraten, als notwendig und unmittelbar bevorstehend angesehen wurde. Die Saat der nationalistischen Agitation war aufgegan-
gen, fortan holte die Straße die Politik ein. Außenpolitische Erfolge,
wie die vorzeitige Räumung des Rheinlandes (30. Juni 1930) durch
die Franzosen, das Ende der Reparationen (9. Juli 1932) auf der Lau-
sanner Konferenz oder das Genfer Zugeständnis der militärischen
Gleichberechtigung (11. Dez. 1932) konnten die vom Revisionis-
musfieber benebelten Massen nicht länger beruhigen.

Politisch blies die nationale Rechte, vor allem die Deutsch-Natio-
nale Volkspartei unter ihrem neuen Vorsitzenden Hugenberg, im
Zusammenhang mit der Neuregelung der Reparationen im Young-
Plan zum Sturm auf das System. Das von der Rechten eingeleitete
Volksbegehren gegen die »Versklavung« Deutschlands verfehlte
zwar sein Ziel, führte jedoch erstmals die Nationalsozialisten, mit
zwölf Abgeordneten im Reichstag noch immer eine Splittergruppe,
und die übrigen Rechtskräfte zusammen. Die Spitzenvertreter der
Wirtschaft sekundierten diesem nationalen Aufbegehren und verlangten in einer Denkschrift ›Aufstieg oder Niedergang‹ [24] (2. Dez.
1929) eine Sanierung der Industrie zu Lasten der ihrer Meinung

[24] Veröffentlichungen des Reichsverbandes der Deutschen Industrie Nr. 49. Berlin
1929.

nach bislang zu großzügig bemessenen Sozialleistungen. Dieser Frontalangriff auf die Arbeiterschaft und die sozialen Errungenschaften, eine der größten Leistungen der Republik, führte letztlich zum Sturz der letzten republikanischen Regierung, der von der SPD angeführten großen Koalition unter Hermann Müller (27. März 1930). Die anschließende Berufung des Fraktionsvorsitzenden der Zentrumspartei, Heinrich Brüning, durch Hindenburg zum Reichskanzler stellt die eigentliche Zäsur in der Geschichte Weimars dar. Fortan regierte ein bürgerliches Minderheitenkabinett, ausschließlich gestützt auf das Vertrauen des Reichspräsidenten und dessen in Artikel 48 der Weimarer Reichsverfassung festgelegte Sondervollmachten. Der Parlamentarismus war beendet.

Der mit Brüning einsetzende tiefgreifende politische Wandel manifestierte sich nicht allein im äußerlichen System, sondern vor allem im Inhalt der Politik. Der neue Kanzler hatte sein Amt mit dem erklärten Ziel angetreten, die nationalistische Rechte wieder an den Staat heranzuführen und diesen langfristig in eine Monarchie umzugestalten – was in der damaligen Situation womöglich als innenpolitische Überwindung von Versailles weitgehend begrüßt worden wäre. Brüning griff daher die sich ohnehin überschlagende revisionistische Agitation auf, um mit Hilfe einer Generalbereinigung des Versailler Vertrages und seiner Folgen das Reich wieder in seiner alten Größe herzustellen. Die Auswirkungen der Weltwirtschaftskrise haben den in Wirtschaftsfragen überaus kundigen Kanzler nicht etwa zum Gefangenen, einer Art Konkursverwalter werden lassen. Sondern Brüning nutzte die Krise für seine politischen Zwecke. Sämtliche innen- und folglich auch wirtschaftspolitischen Entscheidungen erfolgten unter dem Primat der Außenpolitik, das Reich ein für allemal von den wirtschaftlichen und militärischen Folgelasten des Krieges zu befreien. Die Krise wurde vom Kanzler sogar bewußt verschärft, um der Welt die Zahlungsunfähigkeit Deutschlands zu demonstrieren und die Streichung der Reparationen zu erreichen. Die innenpolitischen Wirrnisse sollten außenpolitisch genutzt werden, wie der damalige Staatssekretär im Auswärtigen Amt, Bernhard von Bülow, etwas später eingestand. Eine randalierende nationalistische Rechte, wie die mit den Septemberwahlen 1930 erstmals zu einer politischen Kraft avancierten Nationalsozialisten, paßte ausgezeichnet in dieses Konzept, die Siegermächte mit dem Schreckgespenst einer offenen Diktatur unter Druck zu setzen. Brüning hat die Rolle des nationalen Agitators Hitler mehrfach angetragen, doch dieser zog die Alleinherrschaft seiner Partei den Handlangerdiensten zur Wiederherstellung der Monarchie vor.

Im Gegensatz zu Stresemann zielte die Außenpolitik des Präsidialkanzlers auf die Restauration der internationalen Mächtekonstellation aus der Zeit vor dem Weltkrieg. Nicht an einem Ausgleich mit den Nachbarnationen, etwa mit Frankreich, war Brüning gelegen, sondern allein am Ausbau einer deutschen Machtposition, die sich auch wieder auf eine starke Armee stützen sollte. Der Sturz Brünings, angeblich hundert Meter vor dem Ziel, hat dieses machtpolitische Konzept nicht beendet, sondern eher radikalisiert. Seine Nachfolger im Amt des Reichskanzlers, Franz von Papen und Kurt von Schleicher, vollstreckten zwar außenpolitisch die Hinterlassenschaft Brünings binnen eines halben Jahres, bekamen aber die radikalisierten Massen, das durch bürgerkriegsähnliche Zustände und materielle Not weiter verunsicherte Volk, nicht wieder in den Griff. Auf Kosten der Parteien der bürgerlichen Mitte wurde die NSDAP bei den Wahlen 1932 (31. Juli) mit 230 Mandaten (37,4 Prozent) zur stärksten Partei im Reichstag. Die braune Flut nunmehr durch eine gezielte Belebung der Wirtschaft und durch Uniformverbot, wie unter Papen, einzudämmen, bzw. die Arbeiterschaft und die Reichswehr in einer Art »Querfront« zu organisieren, was dem »Sozialisten in Generalsuniform« Schleicher vorschwebte, mißlang. Selbst Demokraten und Gewerkschaftler erwarteten von diesem Staat nichts mehr, wie die Haltung der DDP und des ADGB belegen, die beide nach dem 30. Januar 1933 Vertrauen zu dem neuen Staatswesen und seinem Führer Hitler bekundeten. Der Weimarer Staat stellte lediglich noch eine leere Hülle dar, als die Nationalsozialisten die Macht antraten, die demokratische Substanz hatte sich längst verflüchtigt. Wenn in diesem Prozeß der politischen Selbstentäußerung der Deutschen ein Datum festgemacht werden soll, an dem die Republik unterging, so war dieses mit dem Bruch der Großen Koalition am 27. März 1930 gegeben. Die noch knapp dreijährige Folgezeit war Nachspiel des Alten und Vorlauf des Neuen zugleich.

Schluß: Chancenlosigkeit

Die Republik von Weimar hatte niemals große Chancen, da ihr eine politische Kultur entgegenstand, die eine Akzeptanz des parlamentarischen Systems ausschloß. Auch ohne die Weltwirtschaftskrise und den durch sie forcierten Aufstieg der Nationalsozialisten wäre die Demokratie, die schon seit 1920 nicht länger funktionierte und die nie gelebt hat, durch eine andere Ordnung, die Monarchie oder eine Präsidialdiktatur oder ein anderes autoritäres System, abgelöst worden.

»Bonn ist nicht Weimar«, obgleich die Gründungsgeschichte der Bundesrepublik in dem Schlagschatten der untergegangenen ersten Republik erfolgte. Weimar war und ist die Negativfolie, an der unser heutiges Staatswesen gemessen wird. Doch Weimar taugt nur bedingt, nur in seinen wenigen positiven Aspekten zur historischen Legitimation demokratischer Strukturen und Traditionen. Die Reverenz, welche die Politiker in der Anfangsphase der Bundesrepublik Weimar entgegenbrachten und die ihr manche Historiker noch immer zollen, erfolgt am falschen Objekt, war jedoch auch eine Form der Abgrenzung des demokratischen Westdeutschland von der DDR, wo Weimar als die »Republik auf Zeit« vollständig diskreditiert wurde. Eine neue unbefangenere Sicht des ersten deutschen Experiments mit der Demokratie dürfte in Zukunft geboten sein, um nicht nochmals dem Irrationalen, dem Mythos zu verfallen, damit nicht anstelle Bonns Berlin noch ein zweites Mal Weimar wird.

Literaturhinweise

Bereits 1975 waren über 4500 Titel zur Geschichte Weimars seit dem Ende des Zweiten Weltkrieges erschienen, die in der einzigen bisherigen Gesamtbibliographie von Peter D. Stachura; The Weimar Era and Hitler. Oxford 1977, aufgelistet sind. Diese Zahl dürfte sich mittlerweile bald verdoppelt haben; vgl. die Bibliographie für Zeitgeschichte, München. Bester aktueller Stand der Forschung und ausgewählte bibliographische Angaben zu allen Bereichen in dem Standardwerk von Eberhard Kolb, Die Weimarer Republik. München 2. Aufl. 1988. Eine überschaubare Dokumentensammlung haben Wolfgang Michalka u. Gottfried Niedhart, Die ungeliebte Republik. Dokumentation der Innen- und Außenpolitik Weimars 1918–1933. München 1980, herausgegeben. An weiteren »klassischen« Gesamtdarstellungen sind zu nennen: Hagen Schulze, Weimar. Deutschland 1917–1933. Berlin 1982; Hans Mommsen, Die verspielte Freiheit. Der Weg der Republik von Weimar in den Untergang 1918 bis 1933. Frankfurt a. Main. 1989; als handliches Taschenbuch Helmut Heiber, Die Republik von Weimar. München 19. Aufl. 1990 und – als ältestes Werk – Arthur Rosenberg, Geschichte der Weimarer Republik. Frankfurt a. Main, 20. Aufl. 1980. Als brauchbarste, umfassende Anthologien können gelten: Karl Dietrich Bracher, Manfred Funke u. Hans-Adolf Jacobsen (Hg.): Die Weimarer Republik 1918–1933. Politik – Wirtschaft – Gesellschaft. Düsseldorf 1987 und Michael Stürmer (Hg.), Die Weimarer Republik. Belagerte Civitas. Königstein 1980.

An Gesamtdarstellungen zu wichtigen Aspekten: Heinrich August Winkler, Arbeiter und Arbeiterbewegung in der Weimarer Republik. Bd. 1: Von der Revolution zur Stabilisierung; Bd. 2: Der Schein der Normalität; Bd. 3: Der Weg in die Katastrophe. Berlin 1984–1987, die einzige neuere, umfangreiche Studie zur Außenpolitik, stark diplomatiegeschichtlich an den Akten gearbeitet: Peter Krüger, Die Außenpolitik der Republik von Weimar. Darmstadt 1985. Kürzere, handbucharige Abhandlung der Außenbeziehungen Weimars unter dem Aspekt machtpolitischer Kontinuitäten: Bernd Martin, Weltmacht oder Niedergang? Deutsche Großmachtpolitik im 20. Jahrhundert. Darmstadt 1989. Zur politischen Kultur die für den vorliegenden Beitrag unverzichtbaren Anregungen von Kurt Sontheimer in dem Aufsatz: Die politische Kultur der Weimarer Republik. In: Bracher, Funke, Jacobsen, Die Weimarer Republik, S. 454–464, auch die Pionierstudie desselben Autors: Antidemokratisches Denken in der Weimarer Republik. Die politischen Ideen des deutschen Nationalismus zwischen 1918 und 1933. München 4. Aufl. 1983.

Gesamtdarstellungen zur deutschen Universität und ihrem gesellschaftspolitischen Einfluß fehlen sowohl für Weimar als auch für die Zeit des Nationalsozialismus. Zur Rolle der Hochschullehrer Fritz K. Ringer, Die Gelehrten. Der Niedergang der deutschen Mandarine 1900–1933. Stuttgart 1983, und Klaus Schwabe (Hg.), Deutsche Hochschullehrer als Elite 1815–1945. Boppard 1988; zur Situation in Freiburg: Wolfgang Kreutzberger, Studenten und Politik 1918 bis 1933. Der Fall Freiburg im Breisgau. Göttingen 1972 und das vom Vf. besorgte Kompendium: Martin Heidegger und das »Dritte Reich«. Darmstadt 1989; zum »heimatlichen Helden« Schlageter siehe die von Manfred Franke verfaßte, mit zahlreichen Dokumentationsauszügen versehene kleine Abhandlung: Albert Leo Schlageter. Der erste Soldat des Dritten Reiches. Die Entmythologisierung eines Helden. Köln 1980.

Zum Versailler Frieden allgemein: Gerhard Schulz, Revolutionen und Friedensschlüsse 1917–1920. München 6. Aufl. 1985; handliche Darstellung und Dokumentation zugleich bei Peter Krüger: Versailles. Deutsche Außenpolitik zwischen Revisionismus und Friedenssicherung. München 1986, sowie den Aufsatz von Peter Grupp, Vom Waffenstillstand zum Versailler Vertrag (in: Bracher, Funke, Jacobsen, Die Weimarer Republik, S. 285–302), für das Vorgehen des Außenministers: Udo Wengst, Graf Brockdorff-Rantzau und die außenpolitischen Anfänge der Weimarer Republik. Frankfurt a. Main 1973; zur inneren Situation in Deutschland: Ulrich Kluge, Die deutsche Revolution 1918/19. Staat, Politik und Gesellschaft zwischen Weltkrieg und Kapp-Putsch. Frankfurt a. Main 1985.

Aus den zahlreichen Spezialstudien zu Stresemann ragen die Monographie von Michael-Olaf Maxelon, Stresemann und Frankreich 1914–1929. Deutsche Politik der Ost-West-Balance. Düsseldorf 1972, und das Sammelwerk von Wolfgang Michalka u. Marshall M. Lee (Hg.), Gustav Stresemann. Darmstadt 1982, heraus.

Zur geistigen Krise der Deutschen und den Anfängen Weimars der lesenswerte Aufsatz von Ernst-Wolfgang Böckenförde, Der Zusammenbruch der Monarchie und die Entstehung der Weimarer Republik. In: Bracher, Funke, Jacobsen, Die Weimarer Republik, S. 17–43; zum Versagen der politischen Parteien Hans Fenske, Wahlrecht und Parteiensystem. Frankfurt a. Main 1972. Aufschlußreich zur gesteuerten Agitation gegen den Versailler »Schandfrieden« Ulrich Heinemann, Die Last der Vergangenheit. Zur politischen Bedeutung der Kriegsschuld- und Dolchstoßdiskussion. In: Bracher, Funke, Jacobsen, Die Weimarer Republik, S. 371–386. Zur publizistischen Rechten und ihren »Reichs-Mythen« das Standardwerk von Armin Mohler, Die konservative Revolution in Deutschland 1918–1932. Grundriß ihrer Weltanschauungen. Stuttgart 2. Aufl. 1972; neuere Darstellung von Jost Hermand, Der alte Traum vom neuen Reich. Völkische Utopien und Nationalsozialismus. Frankfurt a. Main 1988.

›Das Dritte Reich‹ von Arthur Moeller van den Bruck erschien 1923 erstmals in Berlin (2. Aufl. 1926); aufschlußreicher die Aufsatzsammlung ›Das Recht der jungen Völker‹. Berlin 1919 bzw. die um spätere Aufsätze erweiterte Edition unter dem gleichen Titel, hg. von Hans Schwarz. Berlin 1932, sowie die gleichfalls von Hans Schwarz hg. Aufsätze Moeller van den Brucks aus dem Zeitraum 1919 bis 1923 unter dem Titel ›Sozialismus und Außenpolitik‹, Breslau 1933. Zum geistigen und persönlichen Werdegang Moellers (1876 bis Selbstmord 1925), der viele Parallelen zu Hitlers Lebensweg aufweist – z. B. drückten sich beide vor dem Militärdienst und betrachteten sich als verkannte Künstler –, die aufschlußreiche Abhandlung von Fritz Stern, Moeller van den Bruck und das Dritte Reich. In: Ders., Kulturpessimismus als politische Gefahr. Eine Analyse nationaler Ideologie in Deutschland. München 1986, S. 223–317. Die politischen Vorstellungen des Philosophen Oswald Spengler, ähnlich krude wie die Moellers, sind ebenfalls am besten in einer Aufsatzsammlung ›Preußentum und Sozialismus‹. München 1920, zu greifen.

Die Rolle der Reichswehr in der Republik noch immer überzeugend: Francis L. Carsten, Reichswehr und Politik 1918–1933. Köln 1964, über die der Staatsdiener: Hermannjosef Schmahl, Disziplinarrecht und politische Betätigung der Beamten in der Weimarer Republik. Berlin 1977. Für die nationalkonservative Ausrichtung der Geschichtswissenschaft siehe Bernd Faulenbach, Ideologie des deutschen Weges. Die deutsche Geschichte in der Historiographie zwischen Kaiserreich und Nationalsozialismus. München 1980.

Empfehlenswert an Kulturgeschichten die beiden ursprünglich englischen Abhandlungen: Peter Gay, Die Republik der Außenseiter. Geist und Kultur der Weimarer Zeit 1918–1933. Frankfurt a. Main 1970, und Walter Laqueur, Weimar. Die Kultur der Republik. Frankfurt a. Main 1976; zum linken intellektuellen Lager speziell: Istvan Deak, Weimar Germany's Leftwing Intellectuals. A political history of the Weltbühne and its circle. Berkeley 1968.

Zum nationalen Bolschewismus: Ernst Niekisch, Die Entscheidung. Berlin 1930, und die ausgewählten Aufsätze aus der von Niekisch hg. Zeitschrift ›Widerstand‹ von Uwe Sauermann. Krefeld 1982; zur Rolle des Deutschland-Experten der Komintern Karl Radek die Dokumentation von Dietrich Moeller, Revolutionär, Intrigant, Diplomat. Karl Radek in Deutschland. Köln 1976, die verschiedenen Richtungen zusammenfassend: Louis Dupeux, »Nationalbolschewismus« in Deutschland 1919–1933. Kommunistische Strategie und konservative Dynamik. München 1985.

Für die letzten Jahre der Republik, den Untergang Weimars und den Aufstieg des Nationalsozialismus, die Sammelwerke von Gotthard Jasper (Hg.), Von Weimar zu Hitler. Köln 1968, und, auf einem neueren Forschungsstand, Wolfgang Michalka (Hg.), Die nationalsozialistische Machtergreifung. Köln 1984. Beste Darstellung zur Rolle der Großindustrie von Reinhard Neebe, Großindustrie, Staat und NSDAP 1930–1933. Paul Silverberg und der Reichsverband der Deutschen Industrie in der Krise der Weimarer Republik. Göttingen 1981. Zur Außenpolitik Josef Becker u. Klaus Hildebrand (Hg.), Internationale Beziehungen in der Weltwirtschaftskrise 1929–1933. München 1980, und den Aufsatz von Hermann Graml, Präsidialsystem und Außenpolitik. In: Vierteljahrshefte für Zeitgeschichte 21 (1973), S. 134–145. Aufschlußreich in jeder Hinsicht die Memoiren von Heinrich Brüning. 2 Bde, München 1972, zu dessen Wirtschaftspolitik unter dem Primat der Außenpolitik Carl-Ludwig Holtfrerich, Alternativen zu Brünings Wirtschaftspolitik in der Weltwirtschaftskrise? In: Historische Zeitschrift 235 (1982), S. 605–631.

Zum ruhmlosen Untergang der Gewerkschaften siehe den Aufsatz des Vf.: Die deutschen Gewerkschaften und die nationalsozialistische Machtübernahme. Von der Anpassungspolitik während der Präsidialkabinette zur Selbstausschaltung im totalitären Staat. In: Geschichte in Wissenschaft und Unterricht 36 (1985, S. 605–631), und zum ähnlich klanglosen Untergang der liberalen Demokraten: Reinhard Opitz, Der deutsche Sozialliberalismus 1917–1933. Köln 1973.

Zu den politischen Nachwirkungen des Scheiterns der Republik siehe den aufschlußreichen Aufsatz von Hans Mommsen, Der lange Schatten der untergehenden Republik. Zur Kontinuität politischer Denkhaltungen von der späten Weimarer Republik zur frühen Bundesrepublik. In: Bracher, Funke, Jacobsen, Die Weimarer Republik, S. 552–586. Die Republik aus der Sicht der DDR-Geschichtsschreibung: Wolfang Ruge, Weimar. Republik auf Zeit. Berlin 1982.

Das »Dritte Reich«
Die Perversion der Reichsidee
von HANS FENSKE

Als in den frühen dreißiger Jahren immer häufiger vom Dritten
Reich geredet wurde, wollte der Bildhauer und Dichter Ernst Barlach »endlich mal theoretisch Bescheid ... wissen«, was es damit auf
sich habe, denn der Nazi-Rummel schien es ihm doch zu bös zu treiben. Er griff deshalb zu dem Buch seines Freundes Arthur Moeller
van den Bruck, das neun Jahre zuvor unter dem Titel ›Das Dritte
Reich‹ erschienen war und das er damals nur überflogen und als
überschwenglichen Aufschrei empfunden hatte. Jetzt, bei fleißige-
rer Lektüre, war der Eindruck vernichtend. »Im Ernst, ich las und
versuchte es redlich ... Aber es stellte sich als unlesbar heraus.«[1]
    Diesem Urteil werden die meisten zustimmen, die in der zweiten
Hälfte unseres Jahrhunderts Moeller van den Bruck zu lesen versuchen. Sie finden eine unpräzise, überfrachtete Diktion, assoziativ zu-
sammengefügte Gedanken ohne logische Stringenz, Behauptungen
ohne den leisesten Ansatz eines Beweises, mit einem Wort: ein hoch-
gradig ideologisiertes Werk. Gleichwohl, hier muß ansetzen, wer
sich mit der Reichsidee in der jüngeren Vergangenheit und mit ihrer
Pervertierung durch den Nationalsozialismus befassen will.
    Zu sprechen ist über Moellers Konzept und seine Resonanz so-
wie über die parteiamtliche Einstellung zum Schlagwort »Drittes
Reich«, über Hitlers Grundanschauungen, über die Werbekraft der
NS-Propaganda, über die Struktur des Hitler-Staates und über den
nationalsozialistischen Ansatz zu einer Neuordnung Europas. Der
Bogen ist also von der Ideen- zur Realgeschichte zu schlagen.

I.

»Reich« war für die Mehrheit der Deutschen im Kaiserreich und zu
Beginn der zwanziger Jahre nichts anderes als der Name des deutschen Staates, ein ideell nicht weiter belasteter Terminus. Ein
»Reichsgedanke« existierte allenfalls latent. Moellers im Frühjahr
1923 vorgelegtes Buch war der erste gewichtige Beitrag zu einer sich
allmählich entfaltenden und ab 1930 schnell Breite gewinnenden

[1] Ernst Barlach, Aus seinen Briefen. München 1947, S. 78.

210

Diskussion über das Wesen des Reiches, und viele der Teilnehmer an dieser Debatte orientierten sich an Moeller.

Das Werk, das ab 1920 entstand und in Vorstudien in der jungkonservativen Zeitschrift ›Das Gewissen‹ erschien, war eine Reaktion auf die Niederlage von 1918 und ein Versuch, in jener Situation Ansatzpunkte zu Neuem und Größerem zu finden. Die Erörterung der Reichsidee war Flucht vor der Wirklichkeit. Moeller rechnete scharf mit den Kräften ab, die das 19. Jahrhundert bestimmt hatten, mit Konservativismus, Liberalismus, Demokratie und Sozialismus. Dabei erschien ihm der Liberalismus als Kern allen Übels. Er habe Kulturen untergraben, Religionen vernichtet, Vaterländer zerstört, er sei die Selbstauflösung der Menschheit, »Ausdruck einer Gesellschaft, die nicht mehr Gemeinschaft ist«[2]. Sein Ziel sei die große Internationale, in der die Unterschiede der Völker und Staaten, der Rassen und Kulturen aufgehoben und gänzlich verwischt seien.

Über die alten Begriffe wollte Moeller hinweg zu neuen Positionen durchstoßen. Er suchte einen Standort jenseits alles Reaktionären und jenseits alles vordergründig Revolutionären. Die Anhänger dieser neuen Denkweise verstand er als dritte Partei und verkündete sodann lapidar: »Die dritte Partei will das Dritte Reich.«[3] Die Ordnungszahl bezog sich, wohlgemerkt, nicht auf die Abfolge der deutschen Reiche, sondern auf den gänzlich neuen politischen Standort, den es zu finden galt. Ursprünglich hatte das Buch deshalb ›Die dritte Partei‹ heißen sollen, bis man aus Werbegründen den griffigeren Titel wählte.

Die dritte Partei in Deutschland, das waren diejenigen, die sich in die Kontinuität deutscher Geschichte stellten, die der tausendjährigen deutschen Sendung nachlebten, dem Reich. Das von ihnen gewollte Dritte Reich, »unser Aller Reich«, aber werde »nur leben können, wenn es nicht Abschrift ist, sondern Neuschöpfung«[4]. Der Autor definierte dieses Reich freilich nur vage. Er sah es nicht ausgedehnt, »so weit die deutsche Zunge klingt«, wie das die Nationalisten des 19. Jahrhunderts gesehen hatten, sondern verstand es als Wertungsgemeinschaft. Ihm konnte angehören, wer sich zu deutschen Werten bekannte. Das Reich war mithin übernational, weshalb Moeller denn auch die Notwendigkeit eines föderalen Aufbaus betonte. Sein Kern sei zwar mit Deutschland und Österreich gegeben, dem sollten sich aber die jungen Völker des Ostens angliedern;

[2] Arthur Moeller van den Bruck, Das Dritte Reich. Berlin 1923. S. 97.
[3] Ebd., S. 300.
[4] Ebd., S. 242.

insgesamt war es »durchaus auf das europäische Ganze« gerichtet[5]. Natürlich durfte dieses Reich keinerlei liberale Strukturen haben. Nur eine schmale Elite vermochte den Reichsgedanken nach Moeller wirklich zu erfassen. Die Bewegung für das Reich war eine Sache der Elite, deshalb war eine aristokratische Führung über einer berufsständisch-körperschaftlichen Gliederung nötig. Die Reichsidee sei ein Weltanschauungsgedanke, der weit über die Wirklichkeit hinausgehe. Das Dritte Reich, so wurde dem Leser schließlich offenbart, sei das Reich der Einheit, der Überwindung der inneren Gegensätze, des ewigen Friedens. Das Ziel sei zwar gänzlich nie zu verwirklichen, aber ihm sei doch ständig nachzustreben. »Der deutsche Nationalismus« – so Moellers Sammelbezeichnung für die von ihm geforderte Elite – »ist Streiter für das Endreich«, für »das Vollkommene, das nur im Unvollkommenen erreicht wird«[6]. Hier bediente der Autor sich ohne Scheu der bald zweitausendjährigen chiliastischen Traditionen, er ließ kurz eine sakrale Einbindung seines Reichsgedankens aufleuchten. Daß das Reich die Mission der Deutschen sei, schien ihm leicht beweisbar: Nirgends sonst dränge die nationale Wertungsgemeinschaft so sehr auf Einheit wie bei ihnen; sie lebten mithin in größter Nähe zum Reich. Folglich bedeute das Dritte Reich »den Anbruch eines deutschen Zeitalters, in dem das deutsche Volk erst seine wahre Bestimmung auf der Erde erfüllen« werde. Und ebenso lapidar: »Es gibt nur ein Reich, wie es nur eine Kirche gibt.« Die anderen großen Völker strebten zwar ebenfalls nach dem Reich, aber vergeblich. »Was sonst diesen Namen beansprucht, das ist Staat«[7], das gehört, wie man Moeller paraphrasieren kann, in den Bereich der Gesellschaft, des zersetzenden Liberalismus, nicht aber in den der Gemeinschaft.

II.

Das Buch fand zunächst wenig Beachtung, aber das Schlagwort »Drittes Reich« machte Schule. Der Bund Oberland benutzte es häufig und nannte so auch seine Zeitschrift. Die Inanspruchnahme des Ausdrucks für die Ziele des Nationalsozialismus begann früh, sie wurde besonders vermittelt durch Otto Straßer, den jüngeren Bruder des Reichsorganisationsleiters der NSDAP, Gregor Straßer, einst Mitglied des jungkonservativen Juniklubs, in dem Moeller

[5] Ebd., S. 302.
[6] Ebd., S. 320.
[7] Ebd., S. IX und S. 321.

eine so große Rolle gespielt hatte. Insofern konnte Joseph Goebbels, als 1931 eine dritte, sehr preiswerte und weitverbreitete Auflage von Moellers Buch erschien, mit guten Gründen sagen, er begrüße den Neudruck dieses »für die politische Ideengeschichte des Nationalsozialismus so bedeutenden Werkes«[8].

Für gut ein Jahrzehnt war »das Dritte Reich« ein beliebtes Schlagwort des Nationalsozialismus. Der Terminus wurde so oft benutzt und schlug deshalb so tiefe Wurzeln, daß er auch heute noch vielfach als zusammenfassende Benennung der deutschen Geschichte zwischen 1933 und 1945 verwendet wird. Der NSDAP wurde die – niemals offizielle – Bezeichnung freilich allmählich unliebsam. Es war symptomatisch, daß 1939 eine Studie erschien, die Moellers Ausführungen als wirklichkeitsfremd abqualifizierte und daran namentlich kritisierte, daß sie den Kern der nationalsozialistischen Weltanschauung, den Rassegedanken, verwässerten. Ebenfalls 1939, Mitte Juni, erging eine Verfügung der Parteikanzlei, die lapidar und ohne weitere Begründung sagte: »Der Führer wünscht, daß die Bezeichnung und der Begriff ›Drittes Reich‹ nicht mehr verwendet werden.«[9] Das war nicht Konsequenz der Erweiterung des Deutschen Reiches zum Großdeutschen Reich, denn dann wäre die parteiamtliche Anordnung 1938 ergangen, als Österreich dem Reiche angeschlossen wurde. Der Grund für die Weisung ist wohl darin zu suchen, daß in der Aufzählung »Erstes«, »Zweites«, »Drittes« Reich, die jedermann einschließlich der Lexikonautoren als zeitliche Abfolge sah, eine Relativierung lag. Daran konnte auch nichts ändern, daß man diesem »dritten« Reich eine besondere Dauer zuschrieb, wie der synonyme, den Millenarismus aufgreifende Ausdruck »Tausendjähriges Reich« besagte. Die Parteikanzlei wollte jeden Relativierungsansatz unterbinden, sie wollte die Einmaligkeit des Reiches, so wie es die Nationalsozialisten geprägt hatten, unmißverständlich herausstellen. Das wurde sehr deutlich in einer Redner-Schnell-Information der Reichsleitung nach den ersten Monaten des Rußlandfeldzugs. Es müsse, so hieß es hier unter Hinweis auf das britische Empire, »unser Bestreben sein, unter dem Begriff ›Das Reich‹ künftig das neue Deutschland in all seinen Besitzungen vor der Weltöffentlichkeit als geschlossene staatliche Einheit aufzuzeigen. Künftig soll bei der Erwähnung anderer Nationen niemals ›Reich‹ gebraucht

---

[8] Zit. bei Hans-Joachim Schwierskott, Arthur Moeller van den Bruck und der revolutionäre Nationalismus in der Weimarer Republik. Göttingen 1962, S. 111, Anm. 49.
[9] Weisung vom 13. 6. 1939. Verfügungen, Anordnungen, Bekanntgaben. Bd. 1., hg. von der Parteikanzlei. München o.J. (= 1943), S. 206.

werden. Es gibt Staaten und Nationen, aber es gibt nur ein Reich, und das ist Deutschland.«[10]

III.

Dieser Satz hätte auch von Moeller sein können. Wenn Goebbels auf die Bedeutung des Buches von 1923 für die nationalsozialistische Geistesgeschichte verwies, so war das nicht falsch: Es gab zahlreiche Parallelen zwischen jungkonservativem und nationalsozialistischem Denken. Es ist aber nachdrücklich hervorzuheben, daß die Intentionen Hitlers, des wichtigsten Autors der nationalsozialistischen Weltanschauung, sehr viel klarer und kompromißloser waren als die schwammigen der Reichsideologen vor 1933. Auch gingen sie weiter. Was Moeller in einem ganzen Buch umständlich deduzierte, konnte Hitler auf wenigen Seiten einhämmern. Man lese dazu seinen Leitartikel im ›Völkischen Beobachter‹ am 1. 1. 1921, wenige Tage nach der Übernahme des Blattes durch die Partei. Der Trommler der jungen NSDAP klagte über die »unselige Zerreißung der Nation in zwei sich heute todfeindlich gegenüberstehende Klassen«, prangerte die Juden als Keim dieser Rassenvergiftung an und forderte »eine Bewegung, die nicht mehr proletarisch sein will und nicht mehr bürgerlich sein darf, sondern einfach deutsch sein soll«. Hitler predigte die Notwendigkeit völliger nationaler Einheit, wie er das in seinen Reden und Schriften in den folgenden 20 Jahren immer wieder tat, und pries den engen Zusammenschluß der Deutschen als »Brunnen der Kraft unseres Volkes«, als Voraussetzung für die Bewältigung der den Deutschen gestellten Aufgaben: »Zur Befreiung unserer Rasse im Innern, zur Lösung der Krise nach Außen.« Der Bewegung stellte er das große Ziel, zu »schaffen ein Germanisches Reich deutscher Nation«[11].

Wie dieses Reich aussehen sollte, legte Hitler niemals zusammenfassend und prägnant dar, aber er gab immer wieder einzelne Hinweise.

Seine Weltanschauung hatte er sich zu Beginn des 20. Jahrhunderts in Linz und Wien aus rassistisch-antisemitisch-sozialdarwinistischen Quellen geholt. Besonderen Eindruck hatte ihm dabei Richard Wagner gemacht, bei dem er Antisemitismus, Antikapitalismus, die Frontstellung gegen das vermeintlich falsche Christentum

[10] Auszug aus: Redner-Schnell-Information der Reichsleitung, Folge 27, 21. 3. 1942.
[11] Die drei Zitate bei: Adolf Hitler, Der völkische Gedanke und die Partei. In: Völkischer Beobachter, Jg. 35, 1. Hartung (Januar) 1921, S. 1.

der Realität, die Klage über gegenwärtige Entartungen, die Forderung nach einer grundlegenden Regeneration des Lebens und die Sehnsucht nach einer Führergestalt finden konnte. Als er sich unter dem Eindruck von Niederlage und Revolution 1918 entschloß, in die Politik zu gehen, begann er seine Vorstellungen zu systematisieren, zunächst in Reden und Artikeln, 1925 und 1927 sodann in den beiden Bänden von ›Mein Kampf‹.

In klarer sozialdarwinistischer Sicht war Leben für Hitler ständiger Kampf, in dem sich stets der Beste und Stärkste durchsetzte. »Wer leben will, der kämpfe also, und wer nicht streiten will in dieser Welt des ewigen Ringens, verdient das Leben nicht.«[12] Stärke entsprang seiner Ansicht nach der Rasseeinheit; wer diesen Grundsatz mißachte, verhindere den Siegeszug der besten Rasse und damit allen menschlichen Fortschritt. Daß die Arier die eigentlichen Kulturbringer und damit das höchste Menschentum darstellten, hielt Hitler für unzweifelhaft. Sie nämlich besäßen den stärksten Aufopferungswillen und seien am meisten bereit, das eigene Ich dem Leben der Gesamtheit willig unterzuordnen. Im gewaltigsten Gegensatz dazu sah Hitler die Juden. Sie seien bestimmt von nacktem Egoismus, ohne jede kulturschöpferische Kraft, bestrebt, das Rasseniveau ihrer Gastvölker durch dauernde Vergiftung zu senken, sie durch Krieg oder Revolution zu schwächen, denn anders könnten sie ihr Ziel der wirtschaftlichen Unterjochung der Welt nicht erreichen.

Für Hitler war die Folgerung daraus klar: Der Staat muß ein völkischer Organismus sein mit dem einzigen Zweck, der Entfaltung aller in der Rasse liegenden Kräfte zu dienen. Für die Deutschen hieß das, einen germanischen Staat deutscher Nation aufzubauen. Hitler verwandte viel Platz auf die Beschreibung der dabei zu beachtenden Notwendigkeiten. Er sprach über Eugenik, über die Erziehung zum Einsatz für das Volksganze, über die Verpflichtung zur sozialen Gerechtigkeit, er wies den Juden eine Stellung unter Sonderrecht zu und meinte im Rückblick auf den Ersten Weltkrieg, eine verantwortungsvolle Regierung hätte schon damals die Aufgabe gehabt, die jüdischen Volksvergifter – gemeint waren Journalisten und Marxisten – »unbarmherzig auszurotten«[13].

Wie unter den Völkern das stärkste siege, so müsse es logischerweise innerhalb jedes Volkes nach dem gleichen aristokratischen Prinzip gehen. Den besten Köpfen stehe die Führung und der höchste Einfluß zu. Die Staatsorganisation dürfe nicht auf der Majorität

[12] Adolf Hitler, Mein Kampf. Zwei Bände in einem Band. Ungekürzte Ausgabe. München 11. Aufl. 1932, S. 316.
[13] Ebd., S. 185.

beruhen, sie müsse vielmehr »auf dem Gedanken der Persönlichkeit« aufbauen[14]. Das skizzierte Hitler nur sehr knapp. Er war davon überzeugt, daß die zur Führung besonders Befähigten sich im Lebenskampf von selbst über die Masse erheben würden. Sie würden sich zwar beratende Gremien beiordnen, aber Mehrheitsentscheidungen werde es nicht mehr geben.

Als erstes außenpolitisches Ziel bezeichnete Hitler die Wiedergewinnung von Macht und Unabhängigkeit. Er warnte vor Frankreich, für ihn der Todfeind Deutschlands, und unterstrich, daß das französische Hegemonialstreben unter allen Umständen gebrochen werden müsse, selbst unter Einsatz größter Opfer. Nur dann habe Deutschland den nötigen politischen Bewegungsraum. In Großbritannien und Italien sah er die einzig möglichen Partner. Dabei betonte er, daß Bündnisse nur zum Kampf geschlossen würden.

An eine Großmachtpolitik alten Stils dachte er nicht. Er steckte die Ziele viel höher. Das deutsche Volk müsse heraus aus der Beengtheit seines Lebensraumes und zu neuem Grund und Boden geführt werden. Nur so werde es für immer von der Gefahr befreit, »auf dieser Erde zu vergehen oder als Sklavenvolk die Dienste anderer besorgen zu müssen«[15]. Deutschland werde entweder Weltmacht oder gar nicht sein, der Kampf für die Weltmachtposition rechtfertige einen hohen Bluteinsatz. Für den Erwerb des den Deutschen vermeintlich gebührenden Bodens verwies Hitler auf den Osten. Das Russische Reich sah er vor dem Zusammenbruch stehen. Statt des germanischen Rassekerns, der dort bisher die staatliche Existenz gewährleistet habe, herrsche nach dem Sieg des Bolschewismus nun das zur Staatlichkeit unfähige Judentum, das Ferment der Dekomposition. Einen Krieg im Osten hielt Hitler auf keinen Fall für vermeidbar, denn die Bolschewiki seien erfüllt von dem triebhaften Streben nach der Weltherrschaft. Er unterstellte damit, ohne das hier allerdings wörtlich zu formulieren, daß die Sowjetunion über kurz oder lang den Westen angreifen werde.

Wendung zunächst gegen die französische Hegemonialpolitik in Europa und dann ausgreifender Bodengewinn in Osteuropa – das war die Zukunftsperspektive, die Hitler seinen Lesern in seinem zweiten Bande von ›Mein Kampf‹ 1927 entwickelte. Das überbot die Weltmachtsträume, denen manche deutschen Nationalisten im 19. Jahrhundert und vor 1914 angehangen hatten, durchaus. Aber damit war Hitler nicht zufrieden. Seine Gedanken gingen viel weiter, wie der vorletzte Satz seines Buches zeigt, eine Bemerkung übri-

[14] Ebd., S. 493.
[15] Ebd., S. 732.

216

gens, die neuerlich verdeutlicht, welch hohen Wert das Rassedenken für ihn hatte. Ein Staat, der im Zeitalter der Rassenvergiftung seine besten rassischen Elemente pflege, so hieß es hier, »muß eines Tages zum Herren der Erde werden« [16]. Hitler sah die Deutschen in fernerer Zukunft im Besitz der Weltherrschaft – ein Gedanke, über den er immer wieder reflektierte, so in seinem 1928 niedergeschriebenen sogenannten Zweiten Buch.

IV.

Durch das allgemeine historische Bewußtsein geistert die These, vor 1933 habe niemand ›Mein Kampf‹ gelesen. Das kann so nicht stimmen, denn bis zum Januar 1933 waren immerhin 287 000 Exemplare abgesetzt, und die Käufer hatten das Werk sicher nicht stracks in den Bücherschrank gestellt. Man konnte somit wissen, welche Revolution in den äußeren und inneren Verhältnissen Deutschlands mit der Machtübertragung an Hitler verbunden sein würde. Aber die These geht sicher fehl, die Riesenwählerschaft der NSDAP habe das tatsächlich gewußt. Sie dürfte sich für Hitlers Programmschrift schwerlich interessiert haben – abgesehen von einer fanatischen völkischen Minderheit. Aus diesem nicht gerade kleinen Kreise vor allem kamen später die Mitarbeiter, ohne die die Diktatur gar nicht hätte etabliert werden können und die dann ihre wesentlichen Träger waren.

Aber womit bewirkte die Partei ihren raschen Aufstieg? Wie konnte sie die rechtsextreme Wählerschaft zwischen Mai 1928 und September 1930 versechsfachen und dann bis Juli 1932 wieder mehr als verdoppeln? 1928 hatten die drei völkischen Parteien, NSDAP, Völkisch-Nationaler Block und Deutsch-Soziale Partei, zusammen 1,1 Millionen Stimmen, 1930 die NSDAP 6,4 Millionen, im Sommer 1932 sogar 13,7 Millionen, das waren ziemlich genau 31 Prozent aller Wahlberechtigten.

Die NSDAP holte sich ihre Wähler, wie die Forschungen von Jürgen Falter gezeigt haben, aus allen sozialen Schichten, aus den beiden großen konfessionellen Milieus und aus allen politischen Lagern, wenn auch in unterschiedlichem Ausmaß. Am resistentesten blieben die Kommunisten und der politische Katholizismus, am erfolgreichsten war Hitlers Partei bei ihrer Stimmenjagd in den alten liberalen Revieren, die sie fast vollständig für sich gewinnen konnte.

[16] Ebd., S. 782.

Besonders sprach sie die protestantische Landbevölkerung an. Warum konnte sie gerade das zu Beginn der Weimarer Republik noch recht breite liberale Spektrum so aushöhlen? Hier war – vielleicht parallel zur Durchsetzung liberaler Postulate – die weltanschauliche Bindung am wenigsten ausgeprägt, hier waren zudem die psychologischen Belastungen durch Niederlage und Nachkriegsgeschehen am stärksten. Der Wechsel der Staatsform und der machtpolitische Sturz des Reiches wurden hier besonders tief empfunden, hatten doch gerade die Nationalliberalen das Reich von 1871 im besonderen Maße als ihren Staat empfunden, und hatten sie doch stets ein inniges Verhältnis zu einer starken auswärtigen Machtstellung gehabt. Die materiellen Einbußen, die die Inflation gerade diesen Schichten brachte, verstärkte die Distanzierung vom Staat, und das drückte sich primär in der Abkehr von den bisherigen Parteiorientierungen aus. Der Abmarsch nach rechts vollzog sich häufig über neugegründete Interessenparteien, führte aber schließlich durchweg zum Votum für die NSDAP. Die Akzeptanz des Nationalsozialismus stieg sprunghaft an, als sich die wirtschaftliche Lage des Reiches ab Winter 1929/30 schnell verschlechterte und sich generell dazu die chronische politische Krise verschärfte. Nun wurde der Verfall des Liberalismus reißend.

Die Schnelligkeit und die Entschiedenheit, mit der ab 1930 gerade in diesem Milieu die Parteipräferenz gewechselt wurde, sprechen dafür, daß die nun Millionen NSDAP-Wähler nicht eigentlich aus Überzeugung abstimmten. Es handelte sich vorwiegend um Protestwähler, die den traditionellen Parteien einen Denkzettel verpassen wollten, da sie der Malaise der Zeit nicht hatten beikommen können. Sie wandten sich der NSDAP zu, nicht weil sie der Propaganda vollen Glauben schenkten, sondern weil sie sie am ehesten als befähigt zur Herbeiführung eines Wandels einschätzten. Die Entschlossenheit zum Handeln, die Tatkraft, der jugendliche Schwung, die die pausenlose Aktivität der Partei suggerierte, verbunden mit partieller Zustimmung zum angebotenen Programm, das motivierte zum Votum für die NSDAP.

Eine große Rolle spielte auch ein Faktor, den man die Suggestivkraft des Erfolgs nennen kann. Es gibt ja die weit verbreitete Neigung, nicht gegen die Trends der Zeit zu stehen, sondern mit ihnen zu gehen. Diese Tatsache wirkte sich in kleinen Gemeinden, in denen die NSDAP generell sehr erfolgreich war, besonders aus; sie brachte ihr hier viele Mitläufer. So sind etwa die vielen hundertprozentigen Ergebnisse 1932 in kleinen Orten zu erklären. Das sei an einem Beispiel illustriert. Im pfälzischen Darstein stimmten im September 1930 106 von 108 Wahlberechtigten ab, und zwar einhellig für die NSDAP. Im Dezember 1924 hatten dort alle 100 Männer und Frauen gewählt, 81 die DVP, 16 die DDP, 3 andere Parteien. Aus einem liberalen Votum von 97 Prozent war in knapp sechs Jahren eines von 100 Prozent für die NSDAP geworden. Man wird das schwerlich als Zustimmung zu Hitlers Sozialdarwinismus deuten können.

Vermochten die Parteien des liberalen Bereichs und, weniger ausgeprägt, die Konservativen ihre Altwähler nicht zu halten, so hatten sie noch größere Schwierigkeiten, die neu hinzukommenden Wählerjahrgänge an sich zu binden. Von 1920 bis 1932 stieg die Zahl der Wahlberechtigten von 36 auf 44 Millionen an. Da in diesem Zeitraum 18 Prozent der 1920 Wahlberechtigten starben, ergibt sich eine sehr beachtliche generationsbedingte Änderung des Wahlkörpers. Von den 44 Millionen, die im Juli 1932 zum Reichstag wählen durften und das zu 84 Prozent auch taten, hatten fast 15 Millionen erst seit Sommer 1920 das Wahlrecht erlangt, waren also erst in der Weimarer Zeit politisch sozialisiert worden. Ob unter ihnen die Neigung zur NSDAP größer war als unter den Altwählern, läßt sich mangels exakter Daten nicht entscheiden, es steht aber zu vermuten. Nach der Mitgliederschaft war die NSDAP vor 1933 eine überdurchschnittlich junge Partei. So dürfte auch in diesem Sektor der Wahlberechtigten die Zustimmung zur NSDAP größer gewesen sein als bei den Altwählern, und vielleicht wurde die Programmatik von den Jungwählern breiter rezipiert.

Aber womit warb die Partei für sich? Sie konzentrierte sich lange auf Prinzipielles. Sie polemisierte gegen die Juden und den von ihnen angeblich angeheizten Klassenkampf, gegen die vermeintliche Bank- und Börsendiktatur, gegen den Marxismus, gegen das ihres Erachtens den Deutschen wesensfremde jüdisch-römische Recht und die ebenso wesensfremde Demokratie, gegen die angebliche Futterkrippenwirtschaft der Parteien und gegen den Versailler Vertrag. Neben dem Kampf gegen Versailles spielten außenpolitische Aspekte in der Wahlwerbung keine Rolle, und Hitlers Ostprogramm wurde schon gar nicht zur Diskussion gestellt. Die NSDAP wurde mit innen- und nicht mit außenpolitischen Gesichtspunkten gewichtig. Ab 1930 war ihre Agitation etwas substantieller als bis dahin, namentlich 1932, als sie den Kampf gegen Arbeitslosigkeit, Not und Elend ganz in den Mittelpunkt stellte und damit einen erheblichen Teil ihrer neuen Wähler gewann. Ein Arbeitsbeschaffungsprogramm, die Einführung eines Arbeitsdienstes, die Errichtung von Nebenerwerbsstellen und die Verhängung von Importbeschränkungen, das waren Parolen, die wirkten. All das ließ sich auf einen ganz einfachen Nenner bringen, und die NSDAP tat das auch: »Gebt Hitler die Macht, und er wird euch Brot und Arbeit geben.« [17]

Daneben proklamierte die Partei durchgehend die heile Welt: Die innere Einheit des Volkes, die Herstellung einer wahren Volksgemeinschaft unter Aufhebung des Klassenkampfes, die Beseitigung der Armut und, gleichsam als Voraussetzung für die inneren Reformen, die Wiederherstellung der völligen deutschen Unabhängigkeit. Es gelte, so schrieb eine frühe NS-Tageszeitung 1927, »das freie Deutsche Volk in ein drittes und gerechtes deutsches Reich zu führen« [18].

Derlei Postulate motivierten die Wähler zwischen 1930 und 1933 mehr als Hitlers rassistischer Expansionismus. Zwischen dem Germanischen Reich deutscher Nation Hitlers und dem Dritten Reich, das sich viele Deutsche erträumten, bestand eine große Diskrepanz.

V.

Die NSDAP konnte sich nicht an die Macht wählen, aber mit 31 Prozent der Wahlberechtigten hinter sich war sie ein Faktor von Gewicht. Es wird immer erstaunlich bleiben, daß ein so isolierter Mann wie Papen oder der auf die zusammenschmelzende DNVP gestützte Hugenberg meinen konnten, Hitler werde ihnen als nützlicher Esel dienen und sich in kurzer Zeit an die Wand drücken lassen. Tatsächlich verhielt es sich umgekehrt.

Kaum war Hitler die Macht übertragen, begann er zielstrebig und rücksichtslos eine totalitäre Diktatur aufzubauen. Es hieße, eine Geschichte des Hitlerstaates zu geben, sollte das hier auch nur kursorisch skizziert werden. Das ist ganz und gar unmöglich. Es muß mit einigen typisierenden Bemerkungen sein Bewenden haben.

Totalitäre Herrschaft ist mehr als nur Diktatur. Sie ist gekennzeichnet durch folgende Kriterien: Eine straff geführte Massenbewegung befindet sich in ausschließlichem, durch die Beherrschten nicht kontrollierbarem Besitz der Macht und übt sie durch eine zentralisierte Apparatur rücksichtslos aus. Dabei erhebt sie den Anspruch, in alle gesellschaftlichen Bereiche nach Gutdünken hineinzuwirken und Freiräume, in die sich die Individuen zurückziehen können, möglichst einzuengen und tendenziell ebenfalls zu beein-

[17] NSZ-Rheinfront, Nr. 159, 19. 7. 1932; vgl. Fenske, Keine verschworene Gemeinschaft, S. 602.
[18] Der Werktag, Nr. 1, 2. 6. 1927, S. 1, J. Geiger, Zum Geleit.

flussen. Sie will die Gesellschaft nach den Grundsätzen ihrer Ideologie prägen und sie damit gleichschalten. Deshalb strebt sie nach der Verfügung über alle Teilapparate. Sie okkupiert das Erziehungs-, Bildungs- und das Informationswesen und greift in das künstlerische Leben ein. Die politische Willensbildung erfolgt straff von oben nach unten, und im Zentrum der Macht steht eine kleine Gruppe, die sich selbst als Elite sieht und sich durch Kooptierung ergänzt. Charakteristisch für totalitäre Herrschaft ist das kompromißlose Denken in den Kategorien von Freund und Feind, wobei der Feind – nach Carl Schmitt der existentiell und wesensmäßig Fremde – vernichtet werden muß. Zur Kontrolle der Beherrschten, zur Erkennung, Isolierung und Vernichtung des Feindes dient eine terroristisch vorgehende umfangreiche Geheimpolizei, die an sich der totalitären Massenbewegung untergeordnet sein soll, tatsächlich sich jedoch bald neben sie schiebt und schließlich sich über sie stellt, wobei sie nur vor dem innersten Zirkel der Mächtigen halt macht – und vielleicht nicht einmal das. Wesentlich für totalitäre Herrschaft ist schließlich der hohe Stellenwert der Ideologie, in der allgemein verbindlich festgelegt ist, was dem Volke dient. Freund ist nur, wer sich zu dieser Lehre bekennt. Am NS-Staat ist all das zu beobachten.

Eine völlige Verwirklichung von Totalitarismus gab es bisher glücklicherweise nicht. Die nationalsozialistische Herrschaft jedenfalls vermochte nicht alle Freiräume zuzuschütten, obwohl der NS-Staat mit großer Härte gegen diejenigen vorging, die sich den Ansprüchen von Partei und Staat widersetzten oder die ihm, aus welchem Grunde auch immer, nicht gefielen. Man konnte in Deutschland nach 1933 durchaus in Frieden leben, wenn man nicht unangenehm auffiel und insofern zu den »Freunden« gerechnet werden konnte. Das Nicht-Auffallen war keineswegs nur Duckmäuserei. Der normale Mensch will ja nichts weiter als seinen Alltag friedlich gestalten. Im übrigen wurde dem Regime in den ersten Jahren auch viel guter Wille entgegengebracht, und über dunkle Punkte ging man mit dem Satz »Wenn das der Führer wüßte« hinweg.

Über die Stellung Hitlers in Deutschland nach 1933 gibt es einen lebhaften Streit der Experten. »Starker« oder »schwacher« Diktator steht auf den Bannern, um die sich die Kombattanten sammeln. Die Vertreter der These vom schwachen Diktator verwiesen und verwiesen darauf, daß das nationalsozialistische Deutschland durch ein Kompetenzenchaos charakterisiert war. Es habe verschiedene Machtzentren gegeben, so daß man von Polykratie sprechen müsse. Die monolithische Geschlossenheit des Systems habe nur in der Propaganda existiert. Das geht, wie Dieter Rebentisch vor zwei Jahren überzeugend nachgewiesen hat, an der Wirklichkeit vorbei. Hitler, dem die Notwendigkeit eines geordneten und übersichtlichen Behördenaufbaus und der Regelhaftigkeit von Verwaltung kaum zu vermitteln war, ließ seinen Unterführern gewiß weiten Spielraum, und er hielt ihr Gerangel um Kompetenzen und Machtpartikel nach seinen sozialdarwinistischen Grundauffassungen für selbstverständlich und förderlich: dabei werde der Stärkste und daher Effizienteste siegen. Aber er war in der tagtäglichen Praxis des Systems die letzte Instanz. Für Außenpolitik, Rüstungswirtschaft und Arbeitsmarkt, für das Ernährungswesen, für Propaganda und Rechtsprechung und vor allem für die Kriegführung ist zu konstatieren, daß er – so Rebentisch zusammenfassend – »entgegen anderslautenden historischen Darlegungen ... die ›Richtlinien der Politik‹ bestimmte, und zwar in dem Sinne, daß die wichtigen Ressortangelegenheiten in den von Hitler gewiesenen Bahnen blieben und Kursänderungen gegen seinen unmißverständlichen Willen und ohne seine ausdrückliche Zustimmung ausgeschlossen waren«[19]. Er konnte zudem in jeden anderen Bereich zu jeder Zeit persönlich eingreifen. Hitler war ein starker Diktator – was natürlich nicht heißt, daß er regelmäßig Entscheidungen von durchschnittlichem Wert selbst getroffen hätte. Er beschränkte sich üblicherweise auf die großen Fragen.

Als seine besondere Domäne betrachtete Hitler die Außenpolitik und ab 1939 die Kriegführung. Schon wenige Tage nach seiner Ernennung zum Reichskanzler ließ er in seiner ersten Besprechung mit den Befehlshabern der Reichswehr am 3. 2. 1933 seine Absichten durchblicken. Nach den Aufzeichnungen des Generalleutnants Liebmann erklärte er einleitend: »Ziel der Gesamtpolitik allein: Wiedergewinnung der pol. Macht« – darauf müßten alle Ressorts eingestellt sein. Schließlich fragte er, wie die politische Macht, wenn sie erst wiedergewonnen sei, angewandt werden solle, und meinte, das könne man jetzt noch nicht sagen. Aber er wollte sich doch nicht in Schweigen hüllen und formulierte deshalb eine Alternative: »Vielleicht Erkämpfung neuer Export-Mögl., vielleicht – und wohl besser – Eroberung neuen Lebensraums im Osten und dessen rücksichtslose Germanisierung.«[20] Hier trug er sein in ›Mein Kampf‹ entwickeltes Konzept erstmals in amtlicher Eigenschaft vor. In den

[19] Dieter Rebentisch, Führerstaat und Verwaltung im Zweiten Weltkrieg. Verfassungsentwicklungen und Verwaltungspolitik 1939–1945. Stuttgart 1989, S. 403 f.
[20] Aufzeichnung des Generalleutnants Liebmann, 3. 2. 1933, Thilo Vogelsang, Neue Dokumente zur Geschichte der Reichswehr 1930–1933. In: Vierteljahrshefte für Zeitgeschichte 2 (1954), S. 397–437, hier S. 434 f.

folgenden Jahren kam er immer wieder auf die Lebensraum-Pläne zurück – daß seine Außenpolitik schließlich zum Kriege führte, war konsequent und zielstrebig gewollt.

Der Krieg führte die Pervertierung der Staatlichkeit, die mit dem Aufbau der totalitären Diktatur unlösbar verbunden war, schnell zu außerordentlichen Dimensionen. Das zeigt beispielhaft die Entwicklung der Konzentrationslager.

Die neuen Machthaber hatten zugleich nach dem 30. Januar 1933 mit der Verfolgung politischer Gegner begonnen. Im März 1933 hatte es allein in den Lagern Preußens – ohne die in den wilden Lagern der SA Festgehaltenen – 25 000 Schutzhäftlinge gegeben, vier Monate später im ganzen Reich 27 000. Im Zeichen der innenpolitischen Stabilisierung des Regimes war die Häftlingszahl bis Anfang 1937 auf 7 500 gesunken, 1938 allerdings wieder angestiegen. In den Konzentrationslagern fanden sich jetzt nicht nur erklärte politische Gegner, sondern Menschen, die die Partei für Volksschädlinge hielt, rückfällige Straftäter etwa oder Asoziale, im Anschluß an die Reichspogromnacht zudem 35 000 Juden, so daß die Lager Anfang 1939 etwa 60 000 Insassen hatten; bis Mitte des Jahres sank die Belegung dann wieder auf 25 000 Menschen ab.

Mit dem Beginn des Krieges wurde die Herrschaftsschicht gegenüber dem eigenen Volk noch mißtrauischer als vorher schon, das Strafrecht wurde materiell wie verfahrensrechtlich verschärft, und das bedeutete eine steigende Zahl von Verhaftungen. Die Lager wurden mehr noch als in den letzten Friedensjahren Orte der Justizkorrektur. Hier fanden sich häufig und unversehens aus normaler Strafhaft ordnungsgemäß Entlassene wieder, und Hitler gab dem Reichsführer SS Himmler zudem die Weisung, in schweren Fällen Häftlinge ohne Beiziehung der Justiz zu liquidieren. Nach dem Angriff auf die Sowjetunion ging die Zahl der Verhaftungen sprunghaft in die Höhe. Sie betrug im Reich allein im Oktober 1941 10 800. So hatten die Konzentrationslager im März 1942 insgesamt 100 000 Insassen, im August 1944 524 000 und im Januar 1945 714 000 aus zahlreichen Nationen. Diese Zahlen geben keinen Begriff von der wirklichen Dimension der Einweisungen. Die Todesquote war hoch – im zweiten Halbjahr 1942 lag sie beispielsweise bei 60 Prozent –, und die so entstehenden Lücken mußten immer wieder gefüllt werden, da die Lager nun der Unterbringung von Arbeitssklaven dienten. Während des Krieges starben in den Konzentrationslagern – ohne diejenigen, die ausschließlich der Ermordung der Juden dienten – an Krankheiten und Entkräftung mindestens 1,5 Millionen Menschen.

Daß der sozialdarwinistische Wahnglaube bei den führenden Nationalsozialisten alle moralischen Bremsen löste, zeigt ebenso die Vernichtungsaktion gegen Geisteskranke, die Hitler am ersten Tage des Krieges genehmigte und die unter dem Tarnnamen Euthanasie (»schöner Tod«) bis 1944 etwa 130 000 Opfer forderte. Intern sprachen die Nationalsozialisten von der »Tötung lebensunwerten Lebens«. Sie konnten sich dabei auf ältere Diskussionen berufen, etwa auf die 1920 publizierte Schrift des Leipziger Juristen Karl Binding und des Freiburger Psychiaters Alfred Hoche ›Die Freigabe der Vernichtung lebensunwerten Lebens‹. Das Datum 1. 9. 1939 war nicht zufällig. Im Schatten des Krieges würde die Aktion weniger auffallen, und sie beseitigte sogenannte unnütze Esser. Der Bezug zum Kriege ergibt sich auch aus der weiteren Verwendung der geräumten Nervenheilanstalten. Sie wurden der Wehrmacht oder der Waffen-SS überlassen und dienten später, mit der Verschärfung des Krieges, als Lazarette.

Ihren Höhepunkt erreichte die nationalsozialistische Unmenschlichkeit in dem neuerlich Holocaust genannten Bemühen, das europäische Judentum auszurotten. Für dieses seit Beginn des Rußlandfeldzuges im großen Stil, seit 1942 systematisch und fabrikmäßig betriebene Mordunternehmen steht der Name Auschwitz, Ort des Todes für mehr als 1 Million Menschen und größtes Vernichtungslager, als unauslöschliches Symbol. Die Gesamtzahl der Opfer betrug annähernd 6 Millionen.

Das Dritte Reich, verheißen als Reich der Gerechtigkeit, war in Wahrheit ein Reich der Menschenverachtung und des Schreckens.

VI.

Die Blitzkriege und Feldzüge der ersten Kriegshälfte brachten weite Gebiete Europas unter deutsche Botmäßigkeit: Polen, Dänemark und Norwegen, die heutigen Beneluxländer und Frankreich, Griechenland und Jugoslawien, große Teile der europäischen Sowjetunion, sie allein mit rund 70 Millionen Einwohnern. Andere europäische Staaten, Italien, Ungarn, Bulgarien, Rumänien, waren mit dem Großdeutschen Reich verbündet. Das war das Rohmaterial für das Germanische Reich deutscher Nation. Hitler hatte es allerdings nicht eilig, definitive Strukturen zu schaffen, das blieb der Zeit nach dem erhofften Endsieg vorbehalten. Einstweilen galten Interimslösungen. Es war ihm aber nicht zweifelhaft, daß der Zusammenschluß des Kontinents »der Erfolg des Lebenskampfes der kraftvollsten Nation in Europa« sein würde [21], daß also eine straffe deutsche Hegemonie bestehen müsse, die weit über das hinauszugehen hatte, was herkömmlicherweise unter Hegemonie verstanden wurde. Im Vorgriff auf die definitive Lösung wurden offene oder verschleierte Annexionen vorgenommen: Danzig-Westpreußen, Warthegau, Kattowitz, Bialystok, Luxemburg, Elsaß, Lothringen, Untersteiermark, Kärnten und Krain. Teil des Großdeutschen Reiches wurde der Sache nach ab August 1940 das Generalgouvernement, das bis dahin Generalgouvernement für die besetzten polnischen Gebiete geheißen hatte; es galt nun als Nebenland des Reiches. Böhmen und Mähren waren, um daran zu erinnern, schon vor dem Kriege zum Reichsprotektorat gemacht worden. Andere Teile Europas warteten als Reichskommissariate auf ihre Zukunft: Norwegen, wo es eine Kollaborationsregierung unter Vidkun Quisling gab, die Niederlande, im Osten die baltischen Staaten, die mit Teilen Weißrußlands zum Reichskommissariat Ostland zusammengefaßt waren, und die Ukraine. Die übrigen, von deutschen Truppen besetzten Teile der UdSSR waren rückwärtiges Heeresgebiet. Den Status eines besetzten Landes hatten auch Dänemark, Belgien, Frankreich, Griechenland und Serbien.

Alle in die deutsche Botmäßigkeit gelangten Gebiete hatten wirtschaftlich in hohem Maße zu den Kriegsanstrengungen beizutragen, auch durch die Stellung von Arbeitskräften. Widerstand wurde mit äußerster Rücksichtslosigkeit bekämpft. Die Herrschaftspraxis in den Reichskommissariaten und den besetzten Ländern war mit dem Völkerrecht nicht vereinbar. Allerdings bestanden erhebliche Unterschiede zwischen Ost- und Westeuropa. Im Osten, wo für Hitler und seine Gesinnungsfreunde Untermenschen wohnten, war der Druck viel härter als im Westen. Am glimpflichsten kam Dänemark davon, das sich 1940 kampflos ergeben hatte.

Kräftige deutsche Einwirkungen mußten sich auch die Satellitenstaaten Slowakei und Kroatien gefallen lassen, und Ungarn, Rumänien und Bulgarien blieben von krasser Einflußnahme gegebenenfalls nicht verschont.

Welches Verhältnis West- und Nordeuropa zum künftigen Reich haben würden, war offen. Im Osten würde die Grenze weit hinausgeschoben werden, vielleicht an den Ural, und der Riesenraum würde mit deutschen Siedlungsinseln gefüllt werden. Hitler sah hier zahlreiche blonde und blauäugige Herrenmenschen ansässig werden; er rechnete in nicht allzu ferner Zukunft mit 200 Millionen

[21] Hitlers zweites Buch. Ein Dokument aus dem Jahre 1928. Eingeleitet u. kommentiert von Gerhard L. Weinberg. Stuttgart 1961. S. 130.

Deutschen. Seine Tischgespräche im Führerhauptquartier werfen mannigfache Schlaglichter darauf, wie es künftig hier aussehen sollte. Himmler wollte die neue Ostgrenze offenhalten. Generation für Generation müsse in der Lage sein, neue Bauerntrecks auszurüsten, um vorzustoßen in das noch nicht unmittelbar beherrschte Gebiet und neue Siedlungsschwerpunkte anzulegen. Der Reichsführer SS träumte – noch im August 1944 – von einer permanenten Landnahme und sah den Osten ansonsten als Manövergelände, »wo wir jeden Winter ... in Eis und Schnee und Kälte üben werden«; das werde der Gefahr der Verweichlichung für Jahrhunderte vorbeugen[22].

Aber auch das übrige Europa würde in der einen oder anderen Form im Reich aufgehen. Das »Kleinstaatengerümpel«, so Hitler im Mai 1943, müsse »so schnell wie möglich liquidiert werden«. Goebbels, der dieses Wort überlieferte, schrieb damals in sein Tagebuch: »Der Führer gibt seiner unumstößlichen Gewißheit Ausdruck, daß das Reich einmal ganz Europa beherrschen wird ... Von da ab ist praktisch der Weg zu einer Weltherrschaft vorgezeichnet. Wer Europa besitzt, der wird damit die Führung der Welt an sich reißen.«[23]

Knapp zwei Jahre später entzog sich Hitler unter den Trümmern der Reichskanzlei durch Selbstmord der irdischen Verantwortung für seine Politik. Die Koalition Englands und der USA mit der Sowjetunion hatte das nationalsozialistische Deutschland in hartem Ringen niedergeworfen, und die angloamerikanischen Staaten waren in langen Phasen des Krieges entschlossen, Deutschland als Ganzes nicht mehr bestehen zu lassen, sondern es aufzuteilen. So fehlte nicht viel daran, daß sich eine Vorahnung Moeller van den Brucks erfüllte. In der Widmung seines Buches von 1923 hatte er davon gesprochen, daß das deutsche Volk zu Selbsttäuschungen neige: »Der Gedanke des Dritten Reiches könnte die größte aller Selbsttäuschungen werden, die es sich je gemacht hat ... Es könnte daran zugrunde gehen.«[24]

---

[22] Die Rede Himmlers vor den Gauleitern am 3. August 1944, in: Vierteljahrshefte f. Zeitgeschichte 1 (1953), S. 357–394, das Zitat S. 394; die Rede galt weniger der Ostexpansion als vielmehr der Abrechnung mit den Männern des 20. Juli.

[23] Joseph Goebbels, Tagebücher aus den Jahren 1942 bis 1943. Hg. v. Louis P. Lochner. Zürich 1948, S. 326.

[24] Moeller van den Bruck, Das Dritte Reich, S. IX.

Literaturhinweise

Das Gesamtwerk von Arthur Moeller van den Bruck wird erörtert von Hans-Joachim Schwierskott, Arthur Moeller van den Bruck und der revolutionäre Nationalismus in der Weimarer Republik. Göttingen 1962; eine nationalsozialistische Polemik gegen Moeller liefert Helmut Roedel, Moeller van den Bruck. Standort und Wertung. Berlin 1939. Die erste kritische Gesamtdarstellung des revolutionären Nationalismus in der Weimarer Zeit findet sich bei Jean F. Neurohr, Der Mythos vom Dritten Reich. Zur Geistesgeschichte des Nationalsozialismus. Stuttgart 1957 – das Werk war im wesentlichen 1933 abgeschlossen, wurde wegen der Zeitumstände aber nicht mehr gedruckt. Immer noch anregend, aber natürlich ganz im Strom der Zeit stehend, ist die kritische Sondierung des katholischen Publizisten Waldemar Gurian, Um des Reiches Zukunft. Nationale Wiedergeburt oder politische Reaktion? Freiburg i. Br. 1932, veröffentlicht unter dem Pseudonym Walter Gerhart. Von den jüngeren Darstellungen sind vor allem Kurt Sontheimer, Antidemokratisches Denken in der Weimarer Republik. München 1962, sowie Klemens von Klemperer, Konservative Bewegungen. Zwischen Kaiserreich und Nationalsozialismus. München o. J. (amerik. Originalausgabe Princeton N. J. 1957) zu nennen, zudem Otto Ernst Schüddekopf, Linke Leute von rechts. Die nationalrevolutionären Minderheiten und der Kommunismus in der Weimarer Republik. Stuttgart 1960. Materialreich, aber unübersichtlich – wiewohl als Systematisierung gedacht –, ist Armin Mohler, Die konservative Revolution in Deutschland 1918–1932. Grundriß ihrer Weltanschauungen. Stuttgart 1950, 2. Aufl. Darmstadt 1987.

Eine sehr gründliche Einführung in die Geschichte des Reichsbegriffs liefern Peter Moraw, Notker Hammerstein, Elisabeth Fehrenbach u. Werner Conze, Artikel ›Reich‹. In: Geschichtliche Grundbegriffe, Bd. 5. Stuttgart 1984, S. 423–508. Viele Hinweise auch bei Emil Meynen, Deutschland und Deutsches Reich. Sprachgebrauch und Begriffswesenheit des Wortes Deutschland. Hamburg 1935. Sehr stark dem Zeitgeist verhaftet sind: Heinz Hertel, Das dritte Reich in der Geistesgeschichte. Hamburg 1934; Julius Petersen, Die Sehnsucht nach dem Dritten Reich in deutscher Sage und Dichtung. Stuttgart 1934; Frieda Eckrich, Die Idee des Reiches in der national-politischen Literatur seit Beendigung des Weltkrieges. Phil. Diss. Heidelberg 1937; Oswald Torsten, Rîche. Geschichtliche Studien über die Entwicklung der Reichsidee. München 1943; Paul Goedecke, Der Reichsgedanke im Schrifttum von 1919–1935. Phil. Diss. Marburg 1951; alle diese Arbeiten stehen ihrem Thema mit sehr geringer Distanz gegenüber und gehören damit selbst noch in den Komplex, den sie beschreiben wollen. Vor allem das Buch von Torsten ist ein gutes Quellenzeugnis für den nationalsozialistischen Gebrauch des Reichsbegriffs.

Aus theologischer Sicht instruktiv Hans Bietenhard, Das tausendjährige Reich. Eine biblisch-theologische Studie. Zürich 1955.

Die gültige Hitler-Biographie ist Joachim C. Fest, Hitler. Eine Biographie. Berlin, Wien 1973, Neuausgabe 1987, zu den ersten Jahren des politischen Kampfes zudem Albrecht Tyrell, Vom »Trommler« zum »Führer«. Der Wandel von Hitlers Selbstverständnis zwischen 1919 und 1924 und die Entwicklung der NSDAP. München 1975. Eberhard Jäckel, Hitlers Weltanschauung. Entwurf einer Herrschaft. Tübingen 1969, 2. Aufl. 1981, konzentriert sich besonders auf die außen- und rassenpolitischen Ziele. Demgegenüber unterstreicht Rainer Zitelmann, Hitler. Selbstverständnis eines Revolutionärs. Stuttgart 1987, das Gewicht von Hitlers sozial-, wirtschafts- und innenpolitischen Vorstellungen. Zitelmann hat seine Sicht auch in gedrängter Kürze vorgetragen: Rainer Zitelmann, Adolf Hitler. Eine politische Biographie. Göttingen 1989.

Einen sehr informativen Überblick über die Hitler-Forschung bietet Gerhard Schreiber, Hitler-Interpretationen 1923–1983. Ergebnisse, Methoden und Probleme der Forschung. 2. verb. u. durch eine annotierte Bibliographie für die Jahre 1984–1987 erw. Aufl. Darmstadt 1988.

Daß Hitlers letztes Ziel die Weltherrschaft einer arischen Elite sei, wurde schon 1937 von Konrad Heiden, Adolf Hitler. Das Zeitalter der Verantwortungslosigkeit. Bd. 2, Zürich 1937, betont. Mit viel Material stützte diese Ansicht Günter Moltmann, Weltherrschaftsideen Hitlers. In: Otto Brunner, Dietrich Gerhard (Hg.), Europa und Übersee. Festschrift für Egmont Zechlin. Hamburg 1961, S. 197–240. Weitere Belege dafür brachte Jochen Thies bei: Jochen Thies, Architekt der Weltherrschaft. Die »Endziele« Hitlers. Düsseldorf 1976, 3. Aufl. 1980. Andreas Hillgruber, zum Forschungsstand über die Geschichte des Nationalsozialismus. In: Auswärtiges Amt. Informationsdienst für die Auslandsvertretungen 240–312, 73, Beilage zum Blauen Dienst VII, Nr. 23, Nr. 87, 1971, S. 1–21, sprach von einem Stufenplan: Über das zunächst zu schaffende Ostimperium und Ergänzungen in Übersee sollte im späten 20. Jahrhundert im Bunde mit Japan die Weltvorherrschaft gegen Amerika erstritten werden.

Zur Verbreitung von Hitlers ›Mein Kampf‹: Hermann Hammer, Die deutschen Ausgaben von Hitlers ›Mein Kampf‹. In: Vierteljahrshefte f. Zeitgeschichte 4 (1956), S. 161–178. Zu den Wahlerfolgen der NSDAP vor allem Jürgen W. Falter, Hitlers Wähler. München 1991; ferner Peter Manstein, Die Mitglieder und Wähler der NSDAP 1919–1939. Frankfurt a. Main, Bern, 3. erg. Aufl. 1990. Zur lokalen und regionalen Entwicklung der NSDAP bis 1933 liegt inzwischen eine Fülle von Literatur vor. Sehr anschaulich schildert Auftreten und Erfolg der Partei William Sheridan Allen, »Das haben wir nicht gewollt«. Die nationalsozialistische Machtergreifung in einer Kleinstadt 1930–1935. Gütersloh 1966 (amerik. Original Chicago 1963). Zum pfälzischen Beispiel mit Überlegungen zur Erosion des Liberalismus Hans Fenske, Keine verschworene Gemeinschaft. Die pfälzischen Nationalsozialisten in der Weimarer Zeit. In: Zeitschrift für bayerische Landesgeschichte 73 (1989), S. 598–608. Zur Position Straßers Udo Kissenkoetter, Gregor Strasser und die NSDAP. Stuttgart 1978.

Klassiker des Totalitarismus-Konzepts sind Hannah Arendt, Elemente und Ursprünge totaler Herrschaft. Frankfurt a. Main 1955, und Carl J. Friedrich, Totalitäre Diktatur. Stuttgart 1957, zusammenfassend jetzt Hans-Joachim Lieber, Zur Theorie totalitärer Herrschaft. In: Hans-Joachim Lieber (Hg.), Politische Theorien von der Antike bis zur Gegenwart. Bonn und München 1991, S. 881–932. Der Totalitarismus-Begriff war von Anfang an umstritten, vgl. etwa Herbert Spiro, Totalitarianism. In: Encyclopedia of the Social Sciences, Bd. 16. New York 1968, S. 106–113; Totalitarismus und Faschismus. Eine wissenschaftliche und politische Begriffskontroverse. Hg. vom Institut für Zeitgeschichte. München 1980.

Eine knappe Gesamtdarstellung des nationalsozialistischen Deutschland mit breiter Diskussion der Forschungsprobleme und umfangreicher Bibliographie bietet Klaus Hildebrand, Das Dritte Reich. 3. überarb. u. erw. Aufl. München 1987. Grundlegend für die inneren Strukturen Dieter Rebentisch, Führerstaat und Verwaltung im Zweiten Weltkrieg. Verfassungsentwicklung und Verwaltungspolitik. Stuttgart 1989; das Buch behandelt breit auch die Vorkriegsjahre seit 1933. Das Polykratie-Konzept in gedrängter Zusammenfassung bei Peter Hüttenberger, Nationalsozialistische Polykratie. In: Geschichte und Gesellschaft 2 (1976), S. 417–442. Der Begriff der Polykratie wurde ursprünglich von Gerhard Schulz, Die Anfänge des totalitären Maßnahmenstaates. In: Karl Dietrich Bracher, Wolfgang Sauer, Gerhard Schulz, Die nationalsozialistische Machtergreifung. Köln, Opladen 1960, Taschenbuchausgabe Frankfurt a. Main 1974, eingeführt, war dort allerdings anders gemeint als in der späteren Verwendung durch verschiedene Autoren. Eine Gesamtgeschichte der NSDAP-Herrschaft in Deutschland, die verdeutlicht, daß und warum viele Deutsche dem Regime lange positive Seiten abgewinnen konnten, ist Hans-Jürgen Eitner, Hitlers Deutschland. Das Ende eines Tabus. Gernsbach 1990.

Zu Terror, Verfolgung, Euthanasie und Ermordung der Juden sind heranzuziehen: Martin Broszat, Nationalsozialistische Konzentrationslager 1933–1945. In: Hans Buchheim, Martin Broszat, Hans-Adolf Jacobsen, Helmut Krausnick, Anatomie des SS-Staates. Taschenbuch-Ausgabe München 1967, Bd. 2, S. 11–133; Kurt Nowak, »Euthanasie« und Sterilisation im »Dritten Reich«. Die Konfrontation der evangelischen und katholischen Kirche mit dem Gesetz zur Verhütung erbkranken Nachwuchses und der »Euthanasie«-Aktion. Göttingen 1980, 3. Aufl. 1984; Raul Hilberg, Die Vernichtung der europäischen Juden. Die Gesamtgeschichte des Holocaust. Berlin 1982 (amerik. Original 1961); Gideon Hausner, Die Vernichtung der Juden. Das größte Verbrechen der Geschichte. München 1979; Martin Gilbert, Endlösung. Die Vertreibung und Vernichtung der Juden. Ein Atlas. Reinbek 1982; Eberhard Jäckel, Jürgen Rohwer (Hg.), Der Mord an den Juden im Zweiten Weltkrieg. Entschlußbildung und Verwirklichung. Stuttgart 1985.

Zur Außenpolitik: Wolfgang Michalka (Hg.), Nationalsozialistische Außenpolitik. Darmstadt 1978. Überblick über die Konzeptionen für ein neues Europa und den Ansatz zur Verwirklichung bei Lothar Gruchmann, Nationalsozialistische Großraumordnung. Die Konstruktion einer deutschen »Monroe-Doktrin«. Stuttgart 1962. Zum Zweiten Weltkrieg die reichhaltige

Aufsatzsammlung Wolfgang Michalka (Hg.), Der Zweite Weltkrieg, Analysen, Grundzüge, Forschungsbilanz. München 1989; Alexander Dallin, Deutsche Herrschaft in Rußland 1941–1945. Düsseldorf 1958 (engl. 1957). Vgl. schließlich Adolf Hitler, Monologe im Führerhauptquartier 1941–1945. Aufzeichnungen Heinrich Heims 1941–1945. Hg. v. Werner Jochmann. Hamburg 1980; Hugh R. Trevor Roper (Hg.), Hitler's Table-Talks 1941–1944. London 1953; Hitlers Tischgespräche im Führerhauptquartier 1941–1942. Aufgezeichnet von Henry Picker. Hg. v. Percy Ernst Schramm in Zusammenarbeit mit Andreas Hillgruber u. Martin Vogt. 2. Aufl. Stuttgart 1965.

Das Reich in den Konzeptionen der Siegermächte
des Zweiten Weltkrieges und im
politisch-rechtlichen Verständnis der Bundesrepublik
von HANS-ERICH VOLKMANN

Den nationalsozialistischen Machthabern wurde bereits nach dem
Überfall auf Polen das Risiko eines verlorenen Krieges vor Augen
geführt. Dann drohte das, was z. B. die in Großbritannien erschienene ›Picture Post‹ Anfang 1940 forderte: »Wenn dieser Krieg aus ist,
muß Deutschland in kleine Staaten zerschlagen werden.« [1] Als sich
die Niederlage von Stalingrad abzeichnete, westalliierte Truppen in
Afrika erfolgreich operierten, trafen sich der amerikanische Präsident Franklin D. Roosevelt und der britische Premier Winston
Churchill Anfang 1943 in Casablanca (14.–26. 1. 1943), wo sie beschlossen, den Krieg gegen das sogenannte Dritte Reich nur auf der
Grundlage einer bedingungslosen Kapitulation zu beenden, um
sich alle Optionen für dessen politische und staatlich-territoriale
Neuordnung offenzuhalten.

In der um Stalin erweiterten ersten Verhandlungsrunde der »Großen Drei« in Teheran Ende 1943 (28. 11.–1. 12. 1943) zur Gestaltung Nachkriegsdeutschlands versuchte man, die entsprechenden
Präliminarien mit der Maßgabe festzulegen, Europa zukünftig vor
dem seit Bismarck immer verheerendere Formen annehmenden *furor teutonicus* zu schützen. Um das Übel an der Wurzel zu packen,
darüber gab es keinen Dissens, mußte man den Gegner entnazifizie-
ren, demilitarisieren und industriell demontieren. Mit darüber hin-
ausreichenden sicherheitspolitisch begründeten Bestrebungen verband jeder der drei alliierten Spitzenpolitiker jedoch unterschiedliche politische Perzeptionen.

Roosevelt war es, der die Initiative hinsichtlich der Zerschlagung Deutschlands ergriff, den Terminus »Reich« aus Bewußtsein
und Sprache der Deutschen getilgt wissen wollte [2], und der, mit
Churchill übereinstimmend, die Isolierung Preußens, als der
Keimzelle des deutschen Militarismus, und darüber hinaus die Bildung von fünf weiteren unabhängigen deutschen Staaten zur De-

---

[1] Picture Post, Januar 1940, zit. n. Helmut Lübke, Die Zerschlagung Deutschlands.
Verträge und Kriegsziele 1648, 1919 und 1940. Berlin 1940, S. 14.
[2] Bohlen Minutes, 28. 11. 1943. In: Foreign Relations of the United States. Diplomatic
Papers: The Conferences at Cairo and Teheran 1943. Washington 1961, S. 509–514, hier
S. 510.

batte stellte. Wenn er die Verwaltung bzw. Kontrolle maritim bedeutender Teile Norddeutschlands sowie des Ruhr- und Saargebietes durch die Vereinten Nationen vorschlug, war dies der Versuch, seiner den Kriegseintritt der USA moralisch rechtfertigenden Vision von einer durch ihn entscheidend mitzugestaltenden Weltfriedensordnung wenigstens ansatzweise einen realistischen Zug zu verleihen.

Churchills Teilungsvariante sah mit Variablen den Zusammenschluß Süddeutschlands mit Österreich und Ungarn zu einer Donauföderation vor. Begründung wörtlich: »Die Menschen, die im Donaugebiet leben, sind nicht die Ursache des Krieges ... Die Süddeutschen werden keinen neuen Krieg anzetteln«[3], wobei er wohl vergaß, daß Hitler Österreicher war und die nationalsozialistische Bewegung von München aus ihren Siegeszug angetreten hatte. »Wir alle fürchteten die Macht eines geeinten Deutschlands«, bekannte Churchill in seinen Memoiren. »Preußen hatte seine eigene große Vergangenheit. Ich hielt es für möglich, einen harten und dennoch ehrenvollen Frieden mit diesem Staat zu schließen und gleichzeitig eine modernisierte Auflage des alten Österreich-Ungarn zu schaffen.«[4] Der alte Mann aus Downingstreet No. 10 verband offenbar emotionale Reminiszenzen gegenüber Österreich-Ungarn mit Plänen zur Schaffung anderer Konföderationen als Vorstufe eines vereinten Europas. Letztlich ging es ihm in Konkurrenz zu Stalin um einen Rest von Einfluß auf dem Balkan.

Über die Haltung der Sowjetunion zur Zerstückelung Deutschlands wurde eine kontroverse wissenschaftliche Diskussion geführt, die in der bipolaren Nachkriegskonstellation des Kalten Krieges eindeutig unter politischem Vorzeichen stand und vor geschichtsklitternder Quellenbehandlung nicht zurückschreckte. Einerseits gaben sich westliche Autoren unter dem Eindruck der von Stalin konsequent durchgeführten Sowjetisierung Ost- und Südosteuropas und der Abtrennung der deutschen Ostgebiete sowie der unter ganz anderen politischen Vorzeichen erfolgten staatlichen Zweiteilung Deutschlands in Bundesrepublik und DDR alle Mühe, den Kreml-Chef als Inkarnation des Nachkriegsbösen schlechthin mit in den westlichen Kreis der Protagonisten einer Auflösung des Deutschen Reiches zu ziehen. Andererseits such-

---

[3] Aufz. üb. d. 4. Sitzung, 1. 12. 1943, 2. T. In: Ministerium für Auswärtige Angelegenheiten der UdSSR (Hrsg.), Teheran, Jalta, Potsdam. Konferenzdokumente der Sowjetunion. Bd. 1: Die Teheraner Konferenz 1943. Köln 1986, S. 133–138, hier S. 137.
[4] Winston S. Churchill, Der Zweite Weltkrieg. Stuttgart, Hamburg (1952), Bd. V, 2, S. 102.

ten Politiker und Historiker aus dem sowjetmarxistischen Lager, die nicht weniger eigensüchtigen, wenngleich andersartigen Deutschlandpläne Moskaus hinter einem verbalen Schleier zu verbergen. In der westlichen Standardliteratur wird bereits auf früh, d. h. noch vor den alliierten Nachkriegskonferenzen bekundete sowjetische Absichten zur Zerschlagung des Deutschen Reiches hingewiesen, wobei man Informationen aus zweiter Hand auswertete. So wußte der Freund und Berater von Präsident Roosevelt, Harry Hopkins, von einem Gespräch mit dem sowjetischen Botschafter in Washington Maximovič Litvinov vom März 1943 zu berichten, bei dem der Diplomat erklärt haben soll: »Rußland werde bestimmt dafür sein, Deutschland aufzuteilen; natürlich müsse Preußen vom übrigen Deutschland getrennt werden, und man müsse noch außerdem 2 oder 3 weitere Staaten schaffen.«[5] Der britische Außenminister Anthony Eden erzählte wiederum Hopkins von einem Gespräch mit dem sowjetischen Botschafter Ivan Michailovič Maiskij, während dessen dieser seine mit Moskau nicht abgestimmte Auffassung äußerte, »Deutschland müsse aufgeteilt werden, aber er schloß die Möglichkeit nicht aus, die verschiedenen Teile in einer Art Föderation zu vereinigen«[6]. Verwiesen wird dann auf die das Teheraner Treffen der Regierungschefs vorbereitende Moskauer Außenministerkonferenz vom Oktober 1943, wo zwar, so der Münchener Historiker Ernst Deuerlein, Konsens darüber geherrscht habe, daß »Deutschland auf den Gebietsstand vom 1. Januar 1937 beschränkt werden sollte«. Suggeriert wird aber gleichzeitig, unter Berufung auf die Memoiren des US-Außenministers Hull, eine Übereinstimmung aller drei Mächte an politischer Spitze, wenn er zitiert, »von hoher Stelle«[7] sei eine Zerstückelung favorisiert worden, wobei er allerdings den absolut sinnverändernden vollen Wortlaut der Quelle verschweigt, in der es heißt: »In high quarters in the United States ...«[8]

Den britischen Aufzeichnungen ist – in Übereinstimmung mit dem von den drei alliierten Außenministern verabschiedeten Kommuniqué über die Moskauer Konferenz – zu entnehmen, »daß sich keiner der drei Verhandlungspartner zu diesem Zeitpunkt definitiv festlegen wollte«, soweit es um die Auflösung des Deutschen Reiches

[5] Zit. n. Robert E. Sherwood, Roosevelt und Hopkins. Hamburg 1950, S. 584.
[6] Ebd., S. 358.
[7] Ernst Deuerlein, Die Einheit Deutschlands. Ihre Erörterung und Behandlung auf den Kriegs- und Nachkriegskonferenzen 1941–1949. Darstellung und Dokumentation. Frankfurt a. M., Berlin 1957, S. 35.
[8] The Memoirs of Cordell Hull. London 1948, Vol. 2, 1287.

ging[9]. Sowjetischen Quellen zufolge war die Kreml-Führung auf der Moskauer Außenministerkonferenz bezüglich der Auflösung Deutschlands »noch zu keinem Schluß gelangt«[10].

Zu Fehlinterpretationen hat zudem geführt, daß zahlreiche Historiker die in den politischen Papieren über die alliierten Nachkriegskonferenzen allerdings bewußt differenziert verwendeten Begriffe *divide* – untereinander teilen, aufteilen z.B. in Zonen bzw. Einflußsphären – und *dismember* – zerstückeln – synonym im Sinne von »auflösen« verwendet haben. Mit diesem Blick in die Werkstatt des Historikers, den ich doch den Nichthistorikern hier bieten wollte, mag es denn sein Bewenden haben, um sich von der thematischen Schwierigkeit meines Vortrages ein Bild zu verschaffen.

Die in der Phase des Kalten Krieges entstandenen westlichen Studien gehen, im einzelnen modifiziert, von einer bereits in Teheran prinzipiell einvernehmlich bekundeten Teilungsabsicht aus: »Es wurde Einmütigkeit über die Absicht festgestellt, Deutschland aufzuteilen«[11]; oder eine andere Stimme: »Nachdem aber im ... Verlauf der Gespräche die sowjetische Tendenz, das Reich zumindest aufzuteilen, klar hervorgetreten war, machte Roosevelt seinerseits den Vorschlag, Deutschland in fünf selbständige Staaten aufzugliedern. Stalin hat das prompt akzeptiert.«[12]

Eine 1989 erschienene Schrift über die Deutschlandplanung der britischen Regierung kommt unter Auswertung der noch nicht publizierten britischen Akten allerdings zu einem vorsichtigeren Urteil: Stalins Standpunkt, »wie er sich auf Grund der Andeutungen gegenüber den westlichen Gesprächspartnern in Teheran darstellt, läßt sich folgendermaßen beschreiben: Die nicht näher skizzierte Auflösung des Reiches.«[13] Dem Kreml-Chef werden, wenn auch keine konkreten, so doch prinzipiell Teilungsabsichten unterstellt. Den veröffentlichten sowjetischen Aufzeichnungen über Teheran zufolge hat sich Stalin aber auch dort auf eine Zerstörung des Reiches nicht festgelegt, sogar eingewendet, daß man auf Dauer eine Wiedervereinigung Deutschlands nicht unterbinden könne.

[9] Lothar Kettenacker, Krieg zur Friedenssicherung. Die Deutschlandplanung der britischen Regierung während des Zweiten Weltkrieges. Göttingen, Zürich 1989, S. 231.

[10] Vgl. V. J. Sipols, Die sowjetische Diplomatie im 2. Weltkrieg. Antihitlerkoalition, Teheran, Jalta, Potsdam. Köln 1985, S. 177.

[11] Deuerlein, Einheit, S. 44.

[12] Hermann Graml, Die Alliierten und die Teilung Deutschlands. Konflikte und Entscheidungen 1941–1948. Frankfurt a. M. 1985, S. 29.

[13] Kettenacker, Krieg zur Friedenssicherung, S. 235f.

Westlicherseits wird behauptet, die Moskauer Editoren der Protokolle hätten Stalins Zustimmung »aus den sowjetischen Dokumenten gelöscht«, oder man erweckt beim Leser den Eindruck [14], die Akten seien unkontrollierbar selektiert und unnachprüfbar gekürzt worden. Dies läßt sich bewerkstelligen, indem man unkritisch die Aussagen der amerikanischen Protokolle für wahrheitsgemäß hält und ungeprüft Aussagen Dritter über den Inhalt der britischen Aufzeichnungen in die Argumentation aufnimmt: »Die ausdrückliche Zustimmung Stalins zur Zerstückelung Deutschlands bezeugt auch der amerikanische Finanzminister Henry Morgenthau, dem Eden bei einem Besuch in London im August 1944 Einblick in die britischen Protokolle der Konferenz von Teheran gewährte ... Hingegen fehlt in den sowjetischen Protokollen jeder Hinweis auf die Zustimmung Stalins zur Aufgliederung des Deutschen Reiches.« [15] Erst der Zutritt zu den noch unzugänglichen sowjetischen Archiven wird hier Klarheit schaffen.

Sowjetische Historiker führen bislang dagegen die Rede Stalins anläßlich des 25. Jahrestages der Oktoberrevolution vom 6. November 1942 argumentativ ins Feld, wo ausdrücklich darauf hingewiesen wird, daß man sowjetischerseits den Hitlerfaschismus, den Hitlerstaat und die Hitlerarmee auszulöschen gedachte. »Wir haben es uns aber nicht zur Aufgabe gemacht«, so der Kreml-Chef, »Deutschland zu vernichten, wie auch Rußland unmöglich vernichtet werden kann.« [16] Ähnlich hatte er sich im vorausgegangenen Februar anläßlich des 24. Jahrestages der Gründung der Roten Armee geäußert: »In der ausländischen Presse wird manchmal darüber geschwätzt, daß die Rote Armee das Ziel habe, das deutsche Volk auszurotten und den deutschen Staat zun vernichten ... Es wäre aber lächerlich, die Hitlerclique mit dem deutschen Volke, mit dem deutschen Staate gleichzusetzen. Die Erfahrungen der Geschichte besagen, daß die Hitler kommen und gehen, aber das deutsche Volk, der deutsche Staat bleibt.« [17]

Die Beschränkung auf die Vernichtung des sogenannten Hitler-Faschismus ist vor dem Hintergrund sowjetmarxistischer Ideologie nur stringent. War der Faschismus als höchste und letzte Stufe des Kapitalismus beseitigt, dann mußte zwingend der Sozialismus fol-

[14] Graml, Die Alliierten, S. 217, Anm. 34.
[15] Alexander Fischer, Sowjetische Deutschlandpolitik im Zweiten Weltkrieg 1941–1945. Stuttgart 1975, S. 196, Anm. 37.
[16] Zit. n. Sipols, Die sowjetische Diplomatie, S. 164.
[17] J. Stalin, Über den Großen Vaterländischen Krieg der Sowjetunion. Moskau, 3. Aufl. 1946, S. 49–50.

gen. Die Voraussetzungen hierfür zu schaffen, gebot sich um so mehr, als schon nach Lenins Auffassung der eigentliche Schlüssel zur kommunistischen Weltrevolution in Deutschland lag. Moskau wollte, wie es in der sowjetischen Fachliteratur nachzulesen ist, daß am Ende seiner militärischen Siege die Errichtung eines friedliebenden, demokratischen Deutschlands stehe, das per definitionem ein sozialistisches sein mußte, weil sich ein kapitalistischer Staat stets imperial-aggressiv und niemals demokratisch verhalte. »Sozialismus ist Demokratie«, so eine spätere Definition Robert Havemanns [18]. Welchen Sinn konnte unter einer derartigen argumentativen Prämisse sowjetischer Nachkriegsplanungen ein zerstückeltes und daher dem Einfluß Moskaus weitgehend entzogenes Deutschland haben? Und ein letztes Argument, das gegen sowjetische Auflösungsabsichten spricht: Für Stalin verbarg sich hinter Churchills Plan, die staatlichen Trümmer des Deutschen Reiches in einer wie auch immer gearteten Konföderation im Rahmen eines größeren Europas wieder zu sammeln, das Bestreben, das deutsche Territorium unter westlichen Einfluß zu bringen und in ein antisowjetisches Bollwerk einzufügen.

So verwundert es auch nicht, daß man in dem Entwurf einer Deutschland betreffenden Kapitulationsurkunde, die die alliierte European Advisory Commission den »Großen Drei« auf ihrem zweiten Treffen Anfang Februar 1945 in Jalta unterbreitete, Begriffe wie Auflösung bzw. Zerstückelung vergeblich sucht.

Obwohl sich Roosevelt und Churchill im Spätsommer 1944 auf den die Zerstückelung und Reagrarisierung Deutschlands beinhaltenden Plan des US-Finanzministers Morgenthau verständigt hatten, rückten sie in Jalta im Sinne des Kapitulationspapiers der European Advisory Commission bereits von der Aufteilungsabsicht ab. In Washington wie London hatten die Generalstäbe des längeren und öfteren auf die Gefahr aufmerksam gemacht, daß der nach Westen in Bewegung geratene russische Koloß eine ideologisch und machtpolitisch bedingte Eigendynamik entfalten, ganz Deutschland überrollen und vor dem Atlantik nicht mehr zum Stehen gebracht werden könnte. Mögliche Interessenkonflikte in Europa, wie sie sich zwischen Großbritannien und der UdSSR bereits abzeichneten, bargen den Keim einer westöstlichen Konfrontation in sich, und daß die Sowjetunion in dem von ihr militärisch besetzten ostmittel- und südosteuropäischen Raum nach Gutdünken schal-

---

[18] Zit. n. Wolfgang Leonhard, Die Dreispaltung des Marxismus. Ursprung und Entwicklung des Sowjetmarxismus, Maoismus und Reformkommunismus. Düsseldorf, Wien 1970, S. 427.

ten und walten würde, das wurde Diplomaten und der Auswärtigen Administration aufgrund der von Moskau erhobenen territorialen Ansprüche und des unverkennbaren Bemühens, die polnische Emigrationsregierung durch eine sowjethörige kommunistische zu verdrängen, beispielhaft deutlich. Solche Überlegungen ließen eine über territoriale Abtretungen im Osten hinausgehende Parzellierung Deutschlands allmählich wenig sinnvoll, ja gefährlich erscheinen. Und wenn man Reparationsforderungen Frankreichs und Großbritanniens für unverzichtbar hielt, aber von einem zersplitterten Deutschland eintreiben wollte, dann band man die Gläubiger an den Schuldner als an einen toten Mann.

Ordnet man die überlieferten publizierten Stalinschen Äußerungen in den Zusammenhang seines kriegspolitischen Kalküls ein, wird man schwerlich zu der Auffassung gelangen, der Kreml-Chef habe ein primäres Interesse an dem Untergang des Deutschen Reiches gezeigt. Eines ist sicher: Jeder Protokollant hat den Verlauf der alliierten Kriegs- und Nachkriegskonferenzen aus seinem subjektiven Verständnis heraus und aus der Sicht der Politik seines Landes festgehalten. Das merkt man besonders den publizierten amerikanischen Aufzeichnungsversionen aus unterschiedlicher Feder an.

Auffällig ist jedenfalls, daß die amerikanischen Texte viele Bezugnahmen des Kreml-Chefs auf westliche Teilungspläne enthalten, während Roosevelt und Churchill sich umgekehrt niemals auf ähnliche Äußerungen Stalins beziehen. Mehr noch: Konkrete Zerstückelungsvorstellungen Moskaus sind in westlichen wie in den veröffentlichten östlichen Protokollen nicht zu finden. Nachdenklich stimmt auch, daß Stalin in Teheran und Jalta bezüglich seiner politischen und territorialen Forderungen bestens präpariert war und als derjenige, der die Kriegswende bewirkte und sich anschickte, Berlin zu erobern, alle ihm bedeutsam erscheinenden Forderungen durchsetzte. Demgegenüber erschien er auch in Jalta bezüglich einer Parzellierung des Reiches ohne Konzept, wollte wissen, ob man eine kapitulierende Hitlerregierung an der Macht oder eine andere Zentralgewalt zulassen oder aufgrund von Aufteilungsabsichten mehrere Regierungen zu installieren gedenke.

In der jüngsten, auf anglo-amerikanischen Akten beruhenden Publikation wird denn auch die Ernsthaftigkeit sowjetischer Absichten zu einer Zerstückelung des Deutschen Reiches bezweifelt. Der Sowjetunion sei es hauptsächlich um ihren politischen Einfluß und um die Verwirklichung ihrer Reparationsforderungen gegangen; Außenminister Molotov sei bereits in Jalta »für eine föderalistische

Konzeption« eines Nachkriegsdeutschlands »gewonnen« worden[19].

Fest steht, daß Stalin in Jalta hinsichtlich des Fortbestandes des Deutschen Reiches auf eine prinzipielle Entscheidung drängte, die dann auch in Form einer Ergänzung des Artikels 12 des bereits erwähnten Kapitulationsentwurfs der European Advisory Commission wie folgt getroffen schien: Die Siegermächte »werden … Maßnahmen ergreifen, die sie für den zukünftigen Frieden und die Sicherheit für notwendig erachten, wozu die vollständige Entwaffnung, Entmilitarisierung und Aufteilung Deutschlands gehören«[20]. Es handelt sich hier, in verklausulierter diplomatischer Diktion, um eine unverbindliche Absichtserklärung, zudem noch dilatorischen Charakters, weil eine Dismemberment Commission Ausführungsbestimmungen erarbeiten sollte. Da Churchill und Roosevelt bereits in Jalta deutlich Zweifel an der politischen Durchsetzbarkeit der Auflösungsabsichten zu Hause in ihren Parlamenten, Kabinetten und bei den Militärs äußerten, hat Stalin, dessen Politik des Fait accompli im Rücken der Roten Armee auf immer größere Kritik bei seinen westlichen Verbündeten stieß, diesen ein völlig risikofreies Zugeständnis gemacht. Daß diese Interpretation nicht völlig neben der Wirklichkeit liegt, verdeutlicht die Initiative des britischen Außenministers Anthony Eden, der bereits kurz nach Jalta den dort um das Wort *dismemberment* ergänzten Maßnahmenkatalog des Kapitulationsentwurfs dahingehend einschränkend auslegte, man habe sich auf Entwaffnung, Zerstörung und Kontrolle der deutschen Industrie geeinigt und darauf, »falls nötig«, eine Aufteilung des Reiches im Sinne von *dismemberment* vorzunehmen. Befriedigt schloß sich Moskau dieser Version an: »Die sowjetische Regierung versteht den Beschluß der Krim-Konferenz … nicht als eine unbedingte Verpflichtung, sondern nur als eine Möglichkeit, um Druck auf Deutschland auszuüben.«[21]Nachdem sich auch die amerikanische Regierung in diesem Sinne geäußert hatte, unterschrieb die Wehrmacht Anfang Mai 1945 zwei militärische Kapitulationsurkunden, in denen von einer Teilung des Reiches keine Rede mehr war.

Allerdings behielten sich die Westalliierten vor, die von Hitler am Tage vor seinem Selbstmord am 30. April 1945 eingesetzte Regierung Dönitz darüber hinaus noch eine die bedingungslose politi-

[19] Kettenacker, Krieg zur Friedenssicherung, S. 495.
[20] Zit. n. Josef Foschepoth, Britische Deutschlandpolitik zwischen Jalta und Potsdam. In: Vierteljahrshefte für Zeitgeschichte 30 (1982), S. 675–714, hier S. 677/678.
[21] Zit. ebd., S. 691.

sche Kapitulation beinhaltende Urkunde unterschreiben zu lassen, die ihnen in Anlehnung an den Beschluß von Jalta zumindest die Möglichkeit eines *dismemberment* offenhalten sollte. Als Stalin jedoch einen Tag nach der bedingungslosen militärischen Kapitulation am 9. Mai erklärte: »Die Sowjetunion hat nicht die Absicht, Deutschland aufzuteilen oder zu zerstören« [22], weil er – was er natürlich verschwieg – Vorkehrungen getroffen hatte, mit Hilfe spezieller Einsatzkommandos, so beispielhaft unter der Leitung Walter Ulbrichts, in ganz Deutschland den Boden zur Einführung einer antifaschistischen und sozialistischen Grundordnung vorzubereiten, rückten die USA und Großbritannien unschwer von ihrem Vorhaben ab. Knapp einen Monat später trafen sich die führenden KPD-Funktionäre mit Stalin, um die Weichen für die Schaffung eines sozialistischen deutschen Einheitsstaates zu stellen. Der KPD-Vorsitzende Wilhelm Pieck machte sich Gesprächsnotizen, die bestätigten, daß der Kreml-Chef auf den alliierten Kriegskonferenzen gegen eine Auflösung Deutschlands war: »Plan der Zerstückelung Deutschland[s] bestand bei Englisch-Amerikanischer Teilung in Nord- und Süddeutschland[,] Rheinland-Bayern mit Österreich[.] Stalin war dagegen[.]« Und Pieck hielt als verbindliche Intention Moskaus fest: »Einheit Deutschlands sichern durch einheitliche Partei der Werktätigen, im Mittelpunkt einheitliche Partei.« Offenbar kamen den Konferenzbeteiligten angesichts der inneralliierten Spannungen aber Zweifel an den Durchsetzungsmöglichkeiten eines solchen Konzeptes: »Perspektive – es wird zwei Deutschlands geben – trotz aller Einheit der Verbündeten.« [23]

Was als politische Kapitulationsurkunde gedacht war, geriet so zu einer bloßen Deklaration der Siegermächte, in der sie die Übernahme der Regierungsgewalt zum Zwecke der Durchführung bereits an anderer Stelle genannter Maßnahmen – wie die Einrichtung von Besatzungszonen und -verwaltungen – verkündeten.

Für die Alliierten war damit die Frage der Auflösung des Deutschen Reiches zunächst einmal vom Tisch. Nicht so bei den westdeutschen Juristen. Eine numerisch unbedeutende Minderheit unter den Staats- und Völkerrechtlern setzte *unconditional surrender* mit *debellatio* gleich, was nach anglo-amerikanischer Völkerrechtslehre totale militärische Niederwerfung eines Staates mit nachfolgender Annexion bedeutete, die man in den Besatzungszonen in Form eines Kondominiums vollzogen wähnte, was gleichbedeu-

[22] Erklärung Stalins, 9. 5. 1945; zit. ebd., S. 694.
[23] Handschriftliche Notizen von Wilhelm Pieck über ein Treffen mit Stalin, 4. 6. 1945. In: »Es wird zwei Deutschlands geben«. Frankfurter Allgemeine Zeitung, 30. 3. 1991.

tend mit der Auflösung des Deutschen Reiches gewesen wäre – eine irrige Interpretation schon insofern, als die Alliierten in ihrer bereits erwähnten Kapitulationsdeklaration ausdrücklich festgestellt hatten, die Übernahme der Regierungsgewalt »bewirkt nicht die Annektierung Deutschlands«[24].

In den Schwanengesang auf das Deutsche Reich stimmten auch prominente Historiker ein, so Friedrich Meinecke, Michael Freund und die Schule von Karl-Dietrich Erdmann. Doch deren These, mit der Regierungsgewalt sei auch das Staatsterritorium zerfallen, ist von einer eindrucksvollen Mehrheit aus dem Lager westdeutscher Juristen argumentativ überzeugend – wie ich meine – widersprochen worden. Wendet man nämlich den Terminus der *debellatio* in der gängigen kontinental-europäischen Begriffsbestimmung an, dann meint er lediglich die totale militärische Unterwerfung eines Staates, zumal das Völkerrecht eine politische Kapitulation gar nicht kennt. So gesehen handelte es sich bei der Besetzung Deutschlands um eine *occupatio bellica* und nicht um seine Vernichtung. Nach dieser Rechtsauffassung übernahmen die Alliierten im Rahmen der Besatzungsmacht vorübergehend die Regierungsfunktionen. Der deutsche Staat war damit weiterhin rechtsfähig geblieben, hatte allerdings seine Willens- und Handlungsfähigkeit zunächst einmal eingebüßt. Nach dieser Interpretation konnte über das staatliche und territoriale Schicksal des Deutschen Reiches lediglich in einem Friedensvertrag entschieden werden, und genau diese Haltung haben die Alliierten dann auch eingenommen.

Auf der Potsdamer Konferenz im Juli und August 1945 einigten sich die »Großen Drei« formal darauf, Deutschland ungeachtet der Aufteilung in Besatzungszonen als staatliches Gebilde in den Vorkriegsgrenzen von 1937 zu definieren, und zwar als Vorgabe für eine spätere endgültige friedensvertragliche Regelung. US-Präsident Harry S. Truman und der während der Konferenz Churchill ablösende Clement Attlee trafen mit Stalin diese Absprache, wohl wissend, daß die mit dem Kreml-Chef vereinbarte lediglich verwaltungsmäßige Abtretung der deutschen Ostgebiete jenseits von Oder und westlicher Neiße an Polen Fakten schuf, die in einem Friedensvertrag nur noch rechtlich sanktioniert, aber nicht mehr revidiert werden konnten. Dies machten sie konkret deutlich mit dem

---

[24] Erklärung in Anbetracht der Niederlage Deutschlands und der Übernahme der obersten Regierungsgewalt hinsichtlich Deutschlands durch die Regierungen des Vereinigten Königreichs, der Vereinigten Staaten von Amerika und der Union der Sozialistischen Sowjet-Republiken und durch die Provisorische Regierung der Französischen Republik, 5. 6. 1949. In: Ursachen und Folgen. Berlin o. J., Bd. 23, S. 308–314, hier S. 309.

Beschluß zur Wiederherstellung eines einheitlichen deutschen Wirtschaftsgebietes auf der Grundlage der vier Besatzungszonen. Die Anglo-Amerikaner, zu denen sich nach Potsdam auch die Franzosen als gleichberechtigte alliierte Partner gesellten, schwebten in der Oder-Neiße-Frage zwischen Scylla und Charybdis. Einerseits war ihnen – mit unterschiedlicher Intensität – an einem möglichst großen industriellen Reparationsgebiet gelegen, das gleichzeitig in der Lage sein sollte, seine ernährungswirtschaftlichen Grundbedürfnisse halbwegs selbst zu befriedigen. Die getroffene Oder-Neiße-Regelung trennte aber nicht nur hochwertige Agrargebiete von Deutschland ab, sondern belastete die Versorgung in den Besatzungszonen noch um zusätzlich rund 9 Millionen Vertriebene. Auch wollte man den sowjetischen Einflußbereich so weit begrenzen, wie irgend möglich und, Versailles vor Augen, deutsches Revisionsbegehren als erneute Weltkriegsgefahr gar nicht erst aufkommen lassen. Auf der anderen Seite war nur ein kleines Deutschland, so glaubten vor allem die Franzosen, ein militärisch und weltpolitisch gefahrloses Deutschland. Mit der getroffenen provisorischen Regelung der Oder-Neiße-Frage war nicht nur zwischen den Westmächten und der Sowjetunion, sondern auch im Blick auf die hier skizzierte innerwestlich-ambivalente Haltung der kleinste gemeinsame deutschlandpolitische Nenner gefunden.

Deutlich wurde dies spätestens, als Adenauer Ende 1951 die westlichen Okkupationsmächte auf eine Wiedervereinigung im Rahmen der Grenzen von 1937 ansprach: Der amerikanische Hochkommissar John McCloy erklärte brüsk abschlägig: »Wir können keine Verpflichtung zur Wiedererlangung der Gebiete jenseits der Oder-Neiße übernehmen. Darauf bezieht sich unsere gemeinsame Politik nicht. Das alles muß eine Frage des Friedensvertrages bleiben.« Und sein französischer Kollege André François-Poncet fügte bekräftigend und konkretisierend hinzu: »McCloy hat die Wiedervereinigung klar definiert.« Sie »meint nur die Ost- und die Westzonen, nichts anderes«[25].

Adenauer ging es 1951 nicht um territoriale Revision. Damals wollte er die politische, wirtschaftliche und vor allem militärische Westintegration, letztere in Form der Europäischen Verteidigungsgemeinschaft, und konnte dies gegen den Willen breiter Bevölkerungsschichten nur mit einer höchstens ganz dünnen parlamentarischen Mehrheit durchsetzen. Als Gefangener seiner rechten und

---

[25] Aufz. Grewes über die Besprechung Adenauers am 14. 11. 1951 mit den Alliierten Hohen Kommissaren. In: Hans-Peter Schwarz (Hrsg.), Akten zur Auswärtigen Politik der Bundesrepublik Deutschland. München 1989, Bd. 1, S. 570–579, hier S. 575.

aus dem Lager der Vertriebenen stammenden Wahlklientel hat Adenauer damals, aber auch später, öffentlich niemals auf die Oder-Neiße-Gebiete verzichtet.

Anders noch 1951 gegenüber dem amerikanischen Außenminister Dean Acheson: »Die Bundesregierung stelle keine Ansprüche und verlange keine Bindungen der Alliierten hinsichtlich der Gebiete östlich der Oder-Neiße. Sie erwarte aber, daß auch die Alliierten keinerlei Bindungen gegenüber Dritten, sei es z.B. gegenüber Polen, eingingen. Dieses Problem müsse der Friedensregelung vorbehalten bleiben.«[26] Staatssekretär Walter Hallstein hat diese Verzichtshaltung bei gleicher Gelegenheit gegenüber dem amerikanischen Außenminister durch eine Kompromißformel unterstrichen: Man denke nicht »an eine einseitige, den deutschen Interessen dienende Lösung, sondern an eine vernünftige, gerechte Lösung des gesamten Territorialproblems, auch unter Berücksichtigung polnischer Wünsche«[27].

Worum es Adenauer bei diesem Vorbehalt ging, war eine in Friedensverhandlungen möglichst starke Position. Sein Vertrauter und Rechtsberater, der Freiburger Professor Grewe, der an zahlreichen Verhandlungen mit den Westalliierten teilnahm, hat in einem Zeitungsartikel im Herbst 1989 diese von mir hier skizzierte Linie bestätigt: Man müsse »geltend machen, daß auch Adenauer davon überzeugt war, die Westverschiebung Polens lasse sich nicht rückgängig machen«. Aber »staatsmännischer Realismus kann auch darin bestehen, daß man nicht vorzeitig Trümpfe aus der Hand gibt, auch wenn man weiß, daß sie nur in begrenztem Umfang verwertbar sind«[28].

Zwar hieß es im Blick auf Friedensverhandlungen bereits in Adenauers erster Regierungserklärung vom September 1949: »Wir werden nicht aufhören, in einem geordneten Rechtsgang unsere Ansprüche auf diese Gebiete weiter zu verfolgen«, doch fügte er einschränkend hinzu, die Bundesrepublik könne sich unter »keinen Umständen mit einer von Sowjetrußland und Polen später einseitig vorgenommenen Abtrennung dieser Gebiete abfinden«[29]. Was konnte dies aber anderes bedeuten als die Nichtanerkennung einseitiger Festschreibungen bei gleichzeitiger Offerte eines völkerrechtlich fixierten Verzichts. Gefragt, wie er es angesichts seiner forcier-

[26] Verlaufsprotokoll über die Besprechung Adenauers am 21. 11. 1951 mit Acheson. Ebd., S. 526–528, hier S. 527.
[27] Ebd.
[28] Frankfurter Allgemeine Zeitung, 19. 10. 1989.
[29] Verhandlungen des Deutschen Bundestages, 20. 9. 1949. Sten. Berichte, Bd. 1, S. 28.

ten Politik der Westintegration denn mit der deutschen Frage halte, entwickelte der Kanzler sein deutschlandpolitisches Konzept der Stärke, einer Stärke, die aus dem Bündnis eines integrierten Westeuropas mit den Vereinigten Staaten erwachsen mußte. Adenauers Politik der Stärke basierte auf der Überzeugung, daß die Sowjetunion zu einem sie ökonomisch ruinierenden und politisch destabilisierenden Rüstungswettlauf gezwungen werden müsse. »Wir müssen darauf vertrauen«, so der Kanzler im engen politischen Kreis, »daß die westliche Welt so aufgerüstet wird, daß Rußland eines Tages bereit sein muß zu verhandeln« [30]. Dann werde der Augenblick kommen, »wo Sowjetrußland sich fragen muß, ... lohnt es sich, ... mit den Westmächten zu einem Modus vivendi zu kommen, der es mir gestattet, meine Kräfte und mein Kapital zu verwenden für die ungeheuren Aufgaben, die im Innern Rußlands vorhanden sind, ohne deren Erfüllung auf die Dauer Sowjetrußland nicht bestehen kann« [31] – Äußerungen, die schon als visionär bezeichnet werden und die die natürlich nicht ungefährliche Politik der Konfrontation während des Kalten Krieges zu rechtfertigen scheinen.

Im Kontext der Politik der Stärke sah Adenauer auch die Oder-Neiße-Frage: »Nur mit einem starken Europa haben wir auch die Aussicht, die Sowjetzone und die Gebiete jenseits der Oder und Neiße für die Freiheit zurückzugewinnen.« [32] Dieser auf den ersten Blick so eindeutige Satz erweist sich bei näherem Hinsehen als ausgesprochen sibyllinisch. Hier ist nämlich von den besagten Ostgebieten nur im Zusammenhang mit Europa und Freiheit, nicht aber mit Deutschland und Wiedervereinigung die Rede.

Die Restitution Deutschlands in den Grenzen des Jahres 1937 hat Adenauer als Denkmodell des 19. Jahrhunderts den sich dahinter verbergenden Nationalismus als Krebsgeschwür des 20. Jahrhunderts bezeichnet. Seine Oder-Neiße-Politik war eingebettet in die Konzeption zur territorialen und politischen Neugestaltung eines später einmal nicht mehr unter kommunistischer Herrschaft befindlichen Osteuropas insgesamt. »Erst wenn der Westen stark ist«, so Adenauer, »ergibt sich ein wirklicher Ausgangspunkt für friedliche

---

[30] Protokoll der 5. Sitzung des Bundesparteiausschusses der CDU, 4. 7. 1951. Zit. n. Hans-Erich Volkmann, Die innenpolitische Dimension Adenauerscher Sicherheitspolitik in der EVG-Phase. In: Anfänge westdeutscher Sicherheitspolitik. München 1990, Bd. 2, S. 283.
[31] Ausz. aus dem Wortprotokoll der Sitzung des Bundesparteiausschusses der CDU, 14. 6. 1952. In: Konrad Adenauer, Reden 1917–1967. Eine Auswahl. Hrsg. v. Hans-Peter Schwarz. Stuttgart 1975, S. 249.
[32] Protokoll des Bundesparteiausschusses der CDU, 12. 2. 1951. Zit. n. Volkmann, Die innenpolitische Dimension Adenauerscher Sicherheitspolitik, S. 282.

Verhandlungen mit dem Ziel, nicht nur die Sowjetzone, sondern das ganze versklavte Europa östlich des Eisernen Vorhangs zu befreien, in Frieden zu befreien.«[33] Eine territoriale Neugestaltung mußte sich im Rahmen einer allgemeinen Europäisierung vollziehen. Der Kanzler vor den Spitzengremien der CDU: »Wenn die Neuordnung Europas kommt..., dann wird man aber auch nicht vorbeigehen können an einer Neuordnung im europäischen Osten, auch bei den Satellitenstaaten.«[34] Adenauer suchte letztlich eine Auflösung der Oder-Neiße-Problematik im europäischen Rahmen.

Dennoch trat die Bundesregierung in der Oder-Neiße-Frage öffentlich kompromißlos auf. Das Bundesministerium für gesamtdeutsche Fragen machte sich zum Sprachrohr und Interessenvertreter der Vertriebenenverbände.

Staatssekretär Thedieck äußerte Ende 1952 auf dem Bundestreffen der Landsmannschaft der Westpreußen: »Die wesentliche Aufgabe der Landsmannschaften und den tiefsten Sinn im Zusammenwirken mit allen Stämmen und Gliedern unseres Volkes sehen wir in der Wiedergewinnung des deutschen Ostens.«[35] Intern, innerhalb der Koalitionsparteien sprach man allerdings darüber, »daß es politisch unklug und sachlich unvertretbar sei, im Verhältnis zum Osten auf einer starren Wiederherstellung der deutschen Grenzen von 1937 zu bestehen. Eine Anerkennung der Oder-Neiße-Linie ... komme zwar für keinen deutschen Politiker in Betracht. Das schließe aber keineswegs eine ganz neuartige Regelung der östlichen Territorialfragen aus, die sowohl dem deutschen Rechtsanspruch als auch der Tatsache Rechnung trägt, daß inzwischen Millionen von Polen auf deutschem Boden angesiedelt worden sind.«[36] Im Wahlkampf 1953 gewährte der Regierungschef vorsichtig Einblick in sein die Oder-Neiße-Gebiete betreffendes Gedankenspiel, dies aber ausdrücklich für den Fall eines nicht mehr kommunistisch regierten Polens, wenn er ausführte: »Wenn Polen wieder frei wird, dann ist es der östlichste Staat in Europa mit westlicher Kultur. Mit der freien Regierung eines solchen Polen müßten wir gute Beziehungen unterhalten. Die deutschen Ostgebiete könnten dann möglicherweise als deutsch-polnisches Kon-

[33] Interview mit Ernst Friedlaender, 5. 3. 1952. In: Bulletin des Presse- und Informationsamtes der Bundesregierung, 6. 3. 1952, S. 262.
[34] Adenauer vor dem CDU/CSU-Bundestagsfraktionsvorstand. Zit. n. Hermann Pünder, Von Preußen nach Europa. Lebenserinnerungen. Stuttgart 1968, S. 488, Anm.
[35] Ausz. aus der Rede Thediecks in Lübeck, 21. 9. 1952. In: Polen, Deutschland und die Oder-Neiße-Grenze. Berlin (Ost) 1959, S. 668.
[36] Hamburger Freie Presse, 18. 3. 1952, üb. die Rede Adenauers in Siegen, 16. 3. 1952. Zit. ebd., S. 666.

dominium verwaltet oder den Vereinten Nationen unterstellt werden.«[37] In einem Interview mit Associated Press stellte er noch einmal sein Europa-Modell zur Diskussion und betonte, daß bezüglich des deutschen Ostens eine Lösung »nur im Geiste freundschaftlicher Zusammenarbeit im Rahmen einer gesamteuropäischen Struktur – einschließlich eines zukünftig freien Polens – gefunden werden könne«[38].

Die Bundesrepublik konnte allerdings in der Vergangenheit keine Deutschlandpolitik auf eigene Faust betreiben, weil die alliierten Siegermächte sich die Verantwortung für Deutschland als Ganzes bis zu einem Friedensvertrag vorbehielten, festgeschrieben in dem 1955 in Kraft getretenen Deutschlandvertrag zwischen Bonn und den Westmächten, der das Besatzungsstatut aufhob und die Bundesrepublik – Berlin ausgespart und abgesehen von wenigen Vorbehaltsrechten – souverän machte. Wenn Deutschland in den Grenzen von 1937 schon für Adenauer eine Fiktion war, dann erst recht für die Regierung Brandt/Scheel, die es an Versuchen nicht hat fehlen lassen, erste Voraussetzungen für eine Regelung der Oder-Neiße-Frage zu schaffen. Diesen Weg markierte als erster Meilenstein der Moskauer Vertrag vom August 1970, in dem die Bundesrepublik sich verpflichtete, die bestehenden Grenzen in Europa zu respektieren. Sie betrachtete die europäischen Grenzen, damit unausgesprochen auch die polnischen, als »unverletzlich«[39]; das bedeutete: keine gewaltsame Änderung. Damit war keine völkerrechtlich bindende Anerkennung ausgesprochen. In diesem Zusammenhang schrieb der sowjetische Außenminister Andrej Gromyko an seinen Bonner Kollegen Walter Scheel: »Wir sind Ihnen entgegengekommen in der Grenzfrage, als wir den Begriff Anerkennung fallen gelassen haben. Das war für uns ein sehr komplizierter und politisch schmerzhafter Prozeß.«[40]

Im Warschauer Vertrag von Ende 1970 – zweiter Meilenstein in Richtung Verzicht auf Deutschland in den Grenzen von 1937 – stellten Bonn und Warschau »übereinstimmend fest, daß die bestehende«, vorläufige Linie »die westliche Staatsgrenze der Volksrepublik Polen bildet«[41]. Dies war bereits eine Konzession, weil sie eine be-

[37] Interview Adenauers mit AP, 8. 9. 1953. Zit. ebd., S. 669.
[38] Schnelldienst des Pressedienstes der Heimatvertriebenen, 10. 9. 1953. Zit. ebd., S. 669.
[39] Vertrag v. 12. 8. 1970. Zit. n. Bulletin Nr. 107/12. 8. 1970, S. 1057.
[40] Brief vom 29. 7. 1970. Zit. n. Von Teheran bis zum Grundlagenvertrag. Eine Dokumentation über die offene deutsche Frage (hektographiert). Archiv des Bundesministeriums für innerdeutsche Beziehungen.
[41] Vertrag vom 7. 12. 1970. Zit. n. Bulletin Nr. 171/8. 12. 1970, S. 1815.

stätigende Zustandsbeschreibung bedeutete, wenngleich keine völkerrechtliche Anerkennung.

Die Vertragspartner erklärten, »daß sie gegeneinander keinerlei Gebietsansprüche haben und solche auch in Zukunft nicht erheben werden«. Die Feststellung, ein wiedervereinigtes Deutschland werde diesen Vertrag nicht »außer Betracht lassen können«, intendierte die Begrenzung eines wiederzuvereinigenden Deutschlands bereits auf die Territorien von Bundesrepublik und DDR.

Empörung in konservativen und Vertriebenen-Kreisen! Auf eine Klage hin bestritten die Richter in Karlsruhe allerdings, »daß die Gebiete östlich von Oder und Neiße mit dem Inkrafttreten der Ostverträge aus der rechtlichen Zugehörigkeit zu Deutschland entlassen … worden seien«[42] und begründeten dies mit der im Deutschlandvertrag vorgesehenen friedensvertraglichen Regelung aufgrund der Viermächteverantwortung für Deutschland als Ganzes.

Sie nahmen allerdings den späteren Grundlagenvertrag mit der DDR vom Dezember 1972 zum Anlaß, den Politikern unmißverständlich ins Merkbuch zu schreiben, daß das Deutsche Reich 1945 nicht untergegangen sei, »weder mit der Kapitulation, noch durch Ausübung fremder Staatsgewalt durch die … Okkupationsmächte«[43], noch später durch die Gründung zweier deutscher Staaten. Es bestehe in den Grenzen von 1937 fort. Aufgrund der Forderung der Präambel des Grundgesetzes, »in freier Selbstbestimmung die Einheit und Freiheit Deutschlands zu vollenden«, konstruierte das Bundesverfassungsgericht sogar ein Wiedervereinigungs*gebot*: »Die Bundesrepubulik darf auf keinen Rechtstitel (keine Rechtsposition) verzichten, mittels dessen sie in Richtung auf eine Wiedervereinigung wirken kann, … auch keinen einem Friedensvertrag vorgreifenden Rechtsverzicht auf Gebiete des Deutschen Reiches nach dem Gebietsstand vom 31. 12. 1937 aussprechen.«[44]

Der jetzige Präsident des Bundesverfassungsgerichts, Roman Herzog (CDU), hat Ende 1989, um die in den Wirren der DDR in Reichweite gekommene Vereinigung von DDR und Bundesrepublik nicht um eines unerreichbaren größeren Deutschlands willen wieder zur Fata morgana werden zu lassen, die Bereitschaft des Bundesverfassungsgerichts signalisiert, den territorialen und politischen Fakten der Nachkriegsordnung Rechnung zu tragen. Jetzt vertrat er die Meinung, es gäbe »keine Rechtsprechung des Bundes-

---

[42] Beschluß des BVG, 7. 7. 1975. Zit. n. Von Teheran bis zum Grundlagenvertrag, S. 18.
[43] Urteil des BVG, 31. 7. 1973. Zit. ebd., S. 19.
[44] Karl-Heinz Seifert, Dieter Hömig (Hrsg.), Grundgesetz für die Bundesrepublik Deutschland. Baden-Baden 3. Aufl. 1988, S. 25.

verfassungsgerichts dazu, daß die Wiedervereinigung, noch dazu 45 Jahre nach dem Ende des Zweiten Weltkrieges, sich unbedingt auf das Deutsche Reich von 1937 erstrecken« müsse. »Wenn Sie sich vorstellen«, so seine Interviewaussage, »was seit 1945, seit der Austreibung der Deutschen aus den Gebieten jenseits von Oder und Neiße alles geschehen ist, sowohl an Integration in der Bundesrepublik Deutschland als aber auch an Ansiedlungen von Polen in den Oder-Neiße-Gebieten und an dort ›Eingeboren-Werden‹ von ganz neuen Generationen, dann wird man wohl nicht sagen können, daß eine Wiedervereinigung, die sich heute nur auf Bundesrepublik Deutschland und DDR beziehen würde und dabei die Oder-Neiße-Grenze in den völkerrechtlich gebotenen Formen und unter den völkerrechtlich gebotenen Voraussetzungen anerkennen würde, deshalb gegen den Wiedervereinigungsauftrag des Grundgesetzes verstoßen würde.«[45] Damit war staatsrechtlich der Weg zum Verzicht auf die Gebiete jenseits von Oder und Neiße geebnet.

In diesen Äußerungen kommt die Überzeugung zum Ausdruck, daß aufgrund der historisch-politischen Entwicklung Verfassungsrecht der politischen Wirklichkeit angepaßt werden muß. Der Präsident des Karlsruher Gerichts hat die Bereitschaft seines Hauses signalisiert, das Wiedervereinigungsgebot auf die vier ehemaligen Besatzungszonen zu beschränken, weil jedes darüber hinausgehende Postulat eine politische Fiktion bleiben mußte.

Trotz dieses Winkes aus Karlsruhe konnte der Bundestag in seiner Deklaration vom März 1990 nicht mehr tun, als mehrheitlich die Empfehlung der CDU/CSU-Fraktion aussprechen, »daß die beiden frei gewählten deutschen Parlamente und Regierungen möglichst bald nach den Wahlen in der DDR eine gleichlautende Erklärung abgeben« möchten, und zwar im Sinne einer Garantie der bestehenden polnischen Westgrenze[46]. Forderte doch die Präambel des Grundgesetzes »das gesamte deutsche Volk« auf, seinen Willen zur Wiedervereinigung kundzutun. Wer war das gesamte deutsche Volk?

Zwar hat das Bundesverfassungsgericht der Bundesrepublik ausdrücklich bescheinigt, daß sie »gesamtdeutsche Verantwortung und Aufgaben hat« und »als alleinhandlungsfähiger und handlungswilliger Teil des Reiches … berechtigt« sei, »für die Interessen des gesamtdeutschen Volkes einzutreten«[47], doch hätte man dann die

---

[45] Manuskript eines Interviews im Deutschlandfunk, 31. 12. 1989; v. Prof. Roman Herzog freundlicherweise zur Verfügung gestellt.
[46] Bulletin Nr. 34/9. 3. 1990, S. 268.
[47] Seifert u. Hömig (Hg.), Grundgesetz, S. 24/25.

DDR-Bevölkerung, die den Einigungsprozeß in Gang gebracht hatte, politisch entmündigt. Darum haben dann beide frei gewählten Parlamente ihre Entschlossenheit bekräftigt, nach der Vereinigung den Verlauf der polnischen Westgrenze anzuerkennen, und zwar gemäß der von der DDR-Regierung bereits 1950 vertraglich mit Polen getroffenen Regelung.

Wie aber sah es mit der Viermächteverantwortung für Deutschland als Ganzes aus? Wenn Roman Herzog konstatierte, das Deutsche Reich bestehe bis zu einem Friedensvertrag oder aber bis zu »einem vergleichbaren Instrument, das muß nicht unbedingt ein Friedensvertrag sein«, dann hat der Zwei-plus-Vier-Vertrag (12. 9. 1990) als einem Friedensvertrag vergleichbar in diesem Sinne alle Hindernisse aus dem Weg geräumt. Die Okkupationsmächte machten in ihm die Vereinigung von Bundesrepublik und DDR vom Verzicht auf die deutschen Ostgebiete abhängig. Dem trägt der Einigungsvertrag Rechnung. Dort steht unter Artikel 4: »Das Grundgesetz ... wird wie folgt geändert: ... Die Deutschen in den [nachfolgend aufgeführten] Ländern« aus Bundesrepublik und DDR »haben in freier Selbstbestimmung die Einheit und Freiheit Deutschlands vollendet« [48].

»45 Jahre«, so Roman Herzog, »nachdem die Waffen schweigen, ... kann man das Deutsche Reich auflösen. Es gibt kein Verfassungsgebot, um es um jeden Preis aufrechtzuerhalten.« [49] Das war nun wiederum leichter gesagt als getan. Zwar hat das vereinigte Deutschland den Begriff Reich im Namensregister der Staaten dieser Welt löschen lassen, ist das Reich aber damit auch untergegangen? Ich meine: nein! Nach überwiegender Rechtsauffassung ist die Bundesrepublik Deutschland vielmehr mit dem Deutschen Reich identisch, wenn auch in engeren Grenzen. Dies ist so zu verstehen, daß jemand, der seinen Namen ändert, dadurch nicht seine Identität verliert, ebensowenig derjenige, dem man beispielsweise ein Bein amputiert. Die Bundesrepublik Deutschland ist keine staatliche Neuschöpfung; sie ist vielmehr das alte Reich in gewandelter Form, das u. a. die politische, wirtschaftlich-soziale und völkerrechtliche Verantwortung für das alte Reich übernommen hat, so beim Lastenausgleich, bei der Entschädigung für Israel, den Pensions- und anderen Rechtsansprüchen. Die Bundesrepublik trägt aber auch die moralische Hypothek in Form der geschichtlichen Belastung durch den ehemals hypertrophen Militarismus, Nationalismus und Rassismus ab, und zwar als Verpflichtung, daß von Deutschland nie wieder

[48] Das Parlament Nr. 38/14. 9. 1990, S. 31.
[49] Interview, 31. 12. 1989.

Krieg ausgehen soll, und durch ein aktives Mitgestalten an einem Europa, das nationale Gegensätze nivelliert, zu dessen Gunsten nationale Souveränitätsrechte abgebaut werden und zu dem der europäische Osten perspektivisch dazugehört. Das neue nationale Selbstverständnis muß dort seine Grenze finden, wo europäische Identität gefordert ist. Adenauer hat stets versichert, sein europäisches Integrationsbestreben schaffe die Bedingungen einer Wiedervereinigung. Diese Politik warb im Westen wie im Osten um Vertrauen und war dank Gorbačov letztlich erfolgreich. Weil Deutschland zwar in engeren Grenzen als 1937, wohl aber als staatliches Ganzes, ungeachtet seiner zerstörerischen Dynamik während der NS-Zeit, wieder zusammengefügt wurde, ist auch zukünftig der Europagedanke ein Leitprinzip seiner Politik. Deshalb verpflichtet die Präambel des Einigungsvertrages dazu, »durch die deutsche Einheit einen Beitrag zur Einigung Europas und zum Aufbau einer europäischen Friedensordnung zu leisten, in der Grenzen nicht mehr trennen und die allen europäischen Völkern ein vertrauensvolles Zusammenleben gewährleistet«[50]. Bundespräsident Richard von Weizsäkker schrieb anläßlich des 50. Jahrestages des deutschen Überfalls auf Polen an den polnischen Staatspräsidenten Jaruzelski: »Heute bieten sich für Europa große Chancen wie nie zuvor seit dem Ende des Zweiten Weltkrieges. Es liegt an uns, sie nicht ungenutzt verstreichen zu lassen, denn die Geschichte pflegt ihre Angebote nicht zu wiederholen.«[51]

Literaturhinweise

Die Vereinigten Staaten haben frühzeitig Aktenpublikationen vorgenommen: U. S. Department of State (Hg.), The Conferences at Cairo and Teheran. Washington, D. C. 1961; ders., The Conferences at Malta and Yalta. Ebd. 1955; ders., The Conferences of Berlin. 2 Bde, ebda. 1960. In deutscher Übersetzung liegen vor: Die Konferenzen von Malta und Jalta. Düsseldorf o. J. Die Sowjetunion publizierte drei Aktenbände, herausgegeben vom Ministerium für Auswärtige Angelegenheiten der UdSSR, unter dem Titel: Teheran, Jalta, Potsdam. Konferenz-Dokumente der Sowjetunion. Köln 1986, ebenfalls in deutscher Sprache. Die Dokumente wurden mit den amerikani-

[50] Das Parlament Nr. 38/14. 9. 1990, S. 31.
[51] Botschaft v. Weizsäckers an Jaruzelski. Zit. n. Frankfurter Allgemeine Zeitung, 29. 8. 1989, S. 4.

schen und britischen verglichen. Eine veröffentlichte britische Dokumentensammlung gibt es nicht.

Im Blick auf die Sowjetunion ist ein Teil der Sekundärliteratur veraltet. Vom Interpretationsansatz her gilt dies generell für Ernst Deuerlein, Die Einheit Deutschlands. Ihre Erörterung und Behandlung auf der Kriegs- und Nachkriegskonferenz 1941–1949. Darstellung und Dokumentation. Frankfurt a.M., Berlin 1957. Empfehlenswerter ist die Studie von Hermann Graml, Die Alliierten und die Teilung Deutschlands. Konflikte und Entscheidungen, 1941–1948. Frankfurt a.M. 1985. Auf zwei materialreiche Dissertationen ist hinzuweisen: Paul David Mayle, Agreement in Principle. The Anglo-Soviet-American Alliance and the Teheran Conference of 1943. University of Ann Arbor, Michigan, 1982, und Ilse Dorothee Pautsch, Die territoriale Deutschlandplanung des amerikanischen Außenministeriums 1941–1943. Frankfurt a.M., Bern, New York, Paris 1990. Die Geschichte der sowjetischen Deutschlandpolitik bedarf eines Neuansatzes, sobald Archive der UdSSR zugänglich sind. Bislang ist zu verweisen auf Alexander Fischer, Sowjetische Deutschlandpolitik im Zweiten Weltkrieg 1941–1945. Stuttgart 1975. Die Studie des lettischen Historikers V. J. Sipols, Die sowjetische Diplomatie im 2. Weltkrieg. Antihitlerkoalition, Teheran, Jalta, Potsdam. Dt. Ausg. Köln 1985, ist nach wie vor unbefriedigend. Für die britische Seite gilt zunächst als Standardwerk Lothar Kettenacker, Krieg zur Friedenssicherung. Die Deutschlandplanung der britischen Regierung während des Zweiten Weltkrieges. Göttingen, Zürich 1989.

Den neuesten Diskussionsstand zur Deutschlandproblematik bildet in der Bundesrepublik der Sammelband von Josef Foschepoth (Hg.), Adenauer und die Deutsche Frage. 2. Aufl. Göttingen 1990. Weit über die sicherheitspolitische Problematik hinaus reicht die Untersuchung von Hans-Erich Volkmann, Die innenpolitische Dimension Adenauerscher Sicherheitspolitik in der EVG-Phase. In: Anfänge westdeutscher Sicherheitspolitik 1945–1956, Bd 2. München 1990, S. 235–604.

Westintegration – Ostintegration – Wirtschafts»nation«
Das geteilte Deutschland 1945–1989
von ULRICH KLUGE

Wer wüßte ohne Zögern zu sagen, was sich vor Jahresfrist in der Diskussion um die Deutsche Frage abgespielt hat? Nur ein kurzer
Blick in die politischen Tagesmeldungen von damals belehrt uns
über die Schnellebigkeit unserer Zeit.

I. Politisches Tagesgeschehen im Blick der Geschichte

Die Geschichte des Jahres 1989 von Deutschland-Ost und Deutsch-
land-West, von der unsere Betrachtungen ausgehen, erscheint als
Kettenreaktion politischer, gesellschaftlicher und wirtschaftlicher
Problemkomponenten. Die Reagenzien sind gemischt und in ihrer
Zusammensetzung äußerst heikel.

Die Schlüsselszene. Die politische Dramaturgie von 1989 ist kompliziert; vergeblich sucht der Zeitgenosse nach einer Schlüsselszene
des Geschehens. Stellte sie das Telefongespräch zwischen Honek-
ker-Nachfolger Krenz und Bundeskanzler Kohl am 26. Oktober
1989 dar? Es fand kurz nach der größten freien Demonstration in
der Geschichte der DDR, in Leipzig, statt. Hierin war auf Bonner
Seite von den »vielen guten Anfängen« in den deutsch-deutschen
Beziehungen die Rede. Was darunter zu verstehen war, stand wenig
später, am 28. November 1989, im ›Zehnpunkte-Programm‹ der
Bundesregierung, und zwar in der oberen Hälfte der Skala von Vor-
schlägen zur künftigen Gestaltung des deutsch-deutschen Verhältnisses. Hierin war die Rede von einer »Vertragsgemeinschaft«; die
Bundesregierung versicherte, diesen DDR-Vorschlag aufzugreifen,
»denn die Nähe und der besondere Charakter der Beziehungen zwischen den beiden Staaten in Deutschland erfordern ein immer dich-
teres Netz von Vereinbarungen in allen Bereichen und auf allen Ebenen«.
    »Vertragsgemeinschaft« als eine Form einer Kooperation zwi-
schen beiden deutschen Wirtschaftsgebieten? Ein neuer Name für
einen alten Plan? War nicht in der Ära Ulbricht die Rede von einer
»Konföderation«? Diese Fragen stellten sich dem aufmerksamen Beobachter sofort. Aus der aktuellen Situation vom Herbst 1989 erge-

251

ben sich hinreichend Gründe, die deutsch-deutschen Beziehungen Revue passieren zu lassen. In der Tat war häufig, besonders in den 50er und 60er Jahren in der DDR, dann wieder seit 1987 in der Bundesrepublik, die Rede von einer Konföderation. Liegt in dieser Zwei-Staaten-Verbindung der Schlüssel zum Verständnis des Umbruchs von 1989? Wird man mit diesem Begriff der Logik historischer Entwicklung des geteilten Deutschland am ehesten auf die Spur kommen?

Die neue Perspektive. Versuchen wir eine Antwort zu finden: Der Umbruch von 1989 in der DDR zwingt dem Historiker bei seiner Analyse der deutsch-deutschen Entwicklung eine neue Perspektive auf. Vordem war es einfach und uneingeschränkt plausibel, die Geschichte Deutschlands als die Geschichte der Teilung und der entgegengesetzten Integration in die beiden Machtblöcke zu begreifen. Woran wurden bis zur 89er »Wende« die deutschlandpolitischen Werturteile festgemacht?

Im Mittelpunkt standen die Teilung und ihre Konsequenzen für Gesellschaft, Wirtschaft und Kultur, und zwar unter dem Gesichtswinkel der Ereignisse von 1945 (Potsdamer Konferenz), 1949 (staatliche Doppelgründung), 1953 (»Volksaufstand«) und 1961 (Mauerbau). Zwingt nun die »Wende« von 1989 zu einem Paradigmenwechsel? Erscheint der mechanische Vergleich der unterschiedlichen Staats-, Wirtschafts- und Gesellschaftsordnungen der komplizierten deutsch-deutschen Entwicklung überhaupt angemessen? Welche Bewertungsmaßstäbe müßten gewählt werden, um nicht von vornherein Deutschland-Ost gegen Deutschland-West intellektuell auszuspielen? Wie müßten die neuen Lehrbücher geschrieben werden? Sollte hierin politischer Erfolg gegen politisches Desaster gestellt werden, parteienstaatlicher Pluralismus gegen dominierende Staatspartei SED, Bundeswehr gegen Nationale Volksarmee, soziale Marktwirtschaft gegen sozialistische Planwirtschaft? Gewiß nicht, denn diese Vergleiche wären weder erkenntnisfördernd noch identitätsstiftend.

Es ist die elementare Erfahrung des politischen Konflikts zwischen den beiden Teilen Deutschlands, die als Ausgangspunkt für alle weiteren Überlegungen zu wählen ist. Wie läßt sich nun daraus ein praktikabler Weg zum Verständnis eines äußerst komplexen Geschichtsverlaufs entwickeln? Hier der Versuch einer Antwort: Zwei politische Systemkonzepte von elementarer Gegensätzlichkeit und eingebettet in den übergreifenden Konflikt der Supermächte prallten in Deutschland hart aufeinander. Beide Konzepte beruhten zwar auf unterschiedlichen Ideologien, aber beide besaßen – und das ist der entscheidende Punkt in der Überlegung – ein und denselben historischen Ort: die Weimarer Republik, die erste deutsche Demokratie mit ihren Strukturschwächen, mit den brutalen Folgen ihres Untergangs und mit dem unerfüllt gebliebenen Auftrag der modernen Nachkriegsgesellschaft an die Politik: die Stabilisierung der Demokratie durch die soziale Absicherung ihrer Gesellschaftsbasis.

Das gesamtdeutsche Geschichtserbe. Demokratischer Rechtsstaat, demokratischer Verfassungsstaat und demokratisch legitimierter Sozialstaat erscheinen in Nachkriegsdeutschland seit 1945 als einzulösende Hinterlassenschaft aufs engste miteinander verwoben. Die bisherige Geschichte der beiden Teile Deutschlands konzentrierte sich weitgehend auf die uneingelöste Nationalstaatlichkeit, von der defizitären Rechtsstaatlichkeit in der DDR ganz zu schweigen. Unter nationalgeschichtlichem Aspekt war die deutsche Geschichte vor allem die Geschichte der vermeintlich oder tatsächlich verpaßten Einheitschancen. Stalins Einheits-Offerte von 1952 wurde damit zum prekären Dauerthema, an dem sich die Geister der Zeitgenossen schieden. Aber die historische Entwicklung der letzten Jahre hat uns belehrt: Erst die sowjetische Systemschwäche entließ die DDR aus der östlichen Hegemonie.

Mit anderen Worten: Es macht konzeptionell wenig Sinn, die wiedergewonnene Nationalstaatlichkeit zum Ausgangspunkt historisch-politischer Überlegung zu wählen. Andernfalls wäre die deutsch-deutsche Geschichte vom Standpunkt des Jahres 1989 aus betrachtet nur aus der Geschichte der Sowjetunion zu verstehen. Im Gegensatz dazu bietet die Besinnung nicht auf das Ende, sondern auf Ursachen und Vorgeschichte des Teilungsprozesses einen erkenntnisfördernden Ansatz. Dieser Ansatz thematisiert das gesamtdeutsche Erbe aus der Geschichte der Weimarer Republik: die demokratisch legitimierte Sozialstaatlichkeit.

Diese Überlegungen sind keine intellektuelle Spielerei, denn es waren die Ereignisse vom Herbst 1989, die den überraschten Zeitgenossen auf dieses zentrale Problemfeld stießen. Der Sturz des SED-Regimes – und das ist die zentrale These – galt in erster Linie der schnellen Rekonstruktion eines einheitlichen Wirtschaftsraumes zur Lösung der sozialen Probleme in der DDR. Die soziale Frage stellte sich, bevor die Massendemonstrationen die nationale Frage berührten. Der Ruf »Wir sind *das* Volk« galt der Errichtung von Rechtsstaatlichkeit, ohne damit die Eigenstaatlichkeit der DDR in Frage zu stellen. Aber dann wurde die nationalstaatlich gefärbte Forderung »Wir sind *ein* Volk« mit der kollektiven Drohung verbunden »Kommt die DM bleiben wir. Kommt sie nicht geh'n wir zu ihr!« Willy Brandt konnte sich bestätigt fühlen, denn er hatte am 16. November 1989 prophezeit: »Die Einheit wächst von den Menschen her.«

Nehmen wir die deutsch-deutsche Geschichte unter dem Aspekt der 89er Ereignisse in den Blick, so erscheint der Umbruch in erster Linie als gesellschaftliche Reaktion auf die uneingelöste Sozialstaatlichkeit des SED-Regimes. Die kollektive Erinnerung an das gemeinsame sozialstaatliche Erbe hielt die meisten Deutschen auf Dauer zusammen. Die leistungsfähige Modernität von Wirtschaft und Gesellschaft entschied letztlich über die Legitimität des politischen Systems in Deutschland-West und Deutschland-Ost. Ausschlaggebend für die Modernität blieben die Qualität der beiden Wirtschaftsordnungen und ihre sozialstaatliche Kompetenz.

Der kollektive Aufbruch der DDR-Bevölkerung war Ausdruck eines neuen, legitimen, überwiegend sozialökonomisch akzentuierten Bedürfnisses nach deutsch-deutscher Gemeinsamkeit. Diese Art von Nationalismus war – im Sinne der Interpretation von Karl W. Deutsch – die Antwort auf ein steigendes soziales Mobilitätsbedürfnis, für das die Strukturen wirtschaftlicher Kommunikation in der DDR immer unzureichender erschienen. Daß die Antwort allein im Westen gesucht wurde, hing mit den Strukturschwächen des Ostpaktsystems (Rat für gegenseitige Wirtschaftshilfe RGW) zusammen. Daß die Antwort im Westen so schnell gefunden wurde, hing mit der Wirtschaftseinheit von Bundesrepublik Deutschland und Deutscher Demokratischer Republik auf der Basis des Innerdeutschen Handels (IDH) zusammen. Die deutsch-deutsche Wirtschafts»nation« hatte die politisch-territoriale Teilung überstanden.

Der Paradigmawechsel. Damit wäre in unseren Überlegungen der Punkt erreicht, für die gemeinsame Aufarbeitung der deutschen Nachkriegsgeschichte einen Paradigmawechsel einzuleiten: Weder die Teilung der Staatsnation noch die Teilung der Kulturnation brachten das SED-Regime gegenüber der DDR-Bevölkerung in Legitimationszwänge. Mit dieser doppelten Teilung ließ sich – auch im Bewußtsein der meisten Deutschen in Ost und West – leben, solange die deutsche Einheit von der weltpolitischen Machtkonstellation abhing. Anders dagegen die Teilung des deutschen Wirtschaftsraums als Fundament ökonomischer Modernität und integrierender Sozialstaatlichkeit. Die Teilung dieses auf die Weimarer Republik zurückgehenden gemeinsamen Erbes begründete die deutsch-deutsche Konkurrenz von Anfang an. Ihr Ausgang entschied über die Lösung der deutschen Frage.

Im Mittelpunkt des wissenschaftlichen Interesses stehen nun Beginn, Entwicklung und Zusammenbruch der deutsch-deutschen Wirtschafts»nation« sowie die Konsequenzen des Zusammenbruchs für die Existenz des DDR-Staates. Damit wird – unter dem massiven Eindruck der »Wende« des Jahres 1989 – dem Thema dieses Buches »Deutschland in Europa« in besonderer Weise Rechnung getragen: Nicht die Teilung Deutschlands durch Integration-Ost und Integration-West steht zur Debatte, sondern die erhalten gebliebene Kernsubstanz der deutsch-deutschen Gemeinsamkeiten trotz entgegengesetzter Integration bildet das Thema. Unter diesem Aspekt geben die Integrationsprozesse zwangsläufig nur den Hintergrund für das deutsche Szenarium ab. Es erscheint hier unter Fragen wie diesen: Wie wirkten sich Integration-Ost und Integration-West auf die deutsch-deutsche Wirtschaftskooperation aus? Wo lagen die Grenzen der Gemeinsamkeiten und wo ihre Möglichkeiten, die Teilung Deutschlands zu überwinden? Was verband Wirtschaftskooperation, Konföderation, Sozialstaatlichkeit und den kollektiven Aufbruch vom Herbst 1989 miteinander?

II. Zwei Staaten – eine Wirtschafts»nation«

Die beiden deutschen Staaten, die 1949 entstanden, erhoben Alleinvertretungsanspruch und verschafften ihm zu unterschiedlichen Zeiten, mit unterschiedlichen Mitteln und mit unterschiedlicher Zwecksetzung politische Geltung. Die doppelten Staatsziele jedoch verdeckten weitgehende Übereinstimmung im wirtschaftlichen Bereich, speziell im Warenaustausch. Seine Entwicklung stellte eine Nebengeschichte zur nationalen Hauptgeschichte dar.

Wirtschaftslage 1945–1949. Wie veränderte sich Deutschland als Wirtschaftsraum, und wie entwickelte sich der Interzonenhandel bis zur Gründung der beiden deutschen Staaten? Bis zum Ende des Zweiten Weltkrieges bildeten die beiden späteren deutschen Teilstaaten ein stark arbeitsteiliges, ineinander funktional verzahntes und industriell modernes Volkswirtschaftssystem. Die innere Wirtschaftslage der Westzonen unterschied sich von der wirtschaftlichen Situation der Sowjetischen Besatzungszone grundlegend: Der westdeutsche Wirtschaftsraum verfügte über ausreichend Energie- und Rohstoffvorkommen, so daß die Industrie nur in begrenztem

Umfang auf Außenmärkte angewiesen war. Demgegenüber verfügte der mitteldeutsche Wirtschaftsraum zwar über eine hochspezialisierte Industrie, blieb aber infolge knapper Energie- und Rohstoffvorkommen auf die außerhalb liegenden Absatz- und Bezugsmärkte angewiesen. Die Anti-Hitler-Koalition begann den interzonalen Warenaustausch für die Zukunft zu regeln: Seit dem Potsdamer Abkommen vom August 1945 galt das Wirtschaftsgebiet des besetzten Deutschland als Einheit (»a single economic unit«), solange das Land besetzt sein würde. Gemeinsam versuchten die Alliierten 1946, einen Modus gemeinsamer Wirtschaftspolitik gegenüber dem besetzten Deutschland zu finden.

Indessen spaltete die Konfrontation zweier Weltsysteme Europa in zwei Teile. Das geteilte Deutschland blieb eine problematische Größe im europäischen Koordinatensystem. Deutschland-West und Deutschland-Ost wurden in gegensätzlicher Weise in das geteilte Europa integriert. Während mit den Vereinten Nationen unmittelbar nach dem Zweiten Weltkrieg eine Organisation auch mit dem Ziel entstand eine neue, liberale Weltwirtschaftsordnung zu begründen, verquickte Stalin in seinen Plänen für Mittel- und Osteuropa sozialrevolutionäre Pläne mit nationalstaatlichen Zielen. Eine weltwirtschaftliche Perspektive besaß diese Politik nicht. Statt dessen bestimmten der kommunistische Putsch in Prag 1948 und die fortschreitende Konsolidierung der sowjetischen Herrschaft in Mittel- und Osteuropa die Grenzen des Wirtschaftsraums Ost und des Wirtschaftsraums West. Für das Viermächte-Deutschland entstand eine bedrohliche Situation, als sich auf der Pariser Außenministerkonferenz (Frühjahr 1946) der Zwiespalt zwischen dem westlichen und dem östlichen Wirtschaftssystem als unüberbrückbar erwies. Schließlich einigte man sich auf das »Konzept des streng überwachten Tauschhandels« (Haendcke-Hoppe) als Kompromißformel.

Die »Geburtsurkunde« des Warenaustausches zwischen der am 1. Januar 1947 begründeten Bizone und der SBZ stellte das »Mindener Abkommen« vom Januar 1946 dar. Die handelspolitischen Beziehungen basierten zunächst auf einem Tauschhandelssystem, das die staats- und verfassungspolitisch auseinanderdriftenden Besatzungszonen wirtschaftlich verklammerte. Ob dieses Vorhaben gelingen würde, stand zunächst dahin. Jedoch nur kurzfristig gerieten die Beziehungen in die Ost-West-Spannungen durch die Berlin-Blockade 1948/49. Nach Aufhebung der sowjetischen Absperrung verständigten sich die Westmächte und die UdSSR in einem Spezialabkommen (»Jessup-Malik-Abkommen«) über ein Junktim: Freier Zugang zum westlichen Berlin und ungehinderter Interzonenhandel blieben fortan die beiden Seiten der deutsch-deutschen Handelspolitik. Trotz erneuter Zuspitzung des Kalten Krieges empfahlen die Außenminister der Alliierten den deutschen Behörden in West und Ost das einheitsbetonende Handelssystem dringend der weiteren Pflege und Entwicklung. Parallel dazu begann der Wiederaufbau des Wirtschaftssystems in der Ostzone und in den Westzonen nach Ordnungskonzepten, die miteinander nicht kombinierbar waren.

Wirtschafts»nation« 1950–1958. Wie entwickelte sich die deutschdeutsche Wirtschafts»nation« in der Zeit des Wiederaufbaus (1949/50–1958)? Am Ende der ersten Phase des politischen, sozialen und wirtschaftlichen Umbruchs in den Volksdemokratien (1950) befehligte Moskau ein international vernetztes Wirtschaftsimperium in Mittel- und Osteuropa; hierzu gehörten die Gründung des »Kominform« (bereits 1947), des Rates für gegenseitige Wirtschaftshilfe (RGW) im Jahre 1949 sowie die Inkorporierung der DDR in dieses internationale Vertragssystem (1949/50). Wachstum und Strukturpolitik der DDR wurden langfristig von den sowjetischen Wirtschaftszielen bestimmt; der Spielraum in der Außenwirtschaftspolitik war sehr gering. Der RGW stellte bis zur Mitte der 50er Jahre keine Institution für eine enge wirtschaftliche Zusammenarbeit dar, sondern er camouflierte die sowjetische Ausbeutungspolitik in den Volksdemokratien. Die DDR und die osteuropäischen Länder standen unter dem Einfluß einer Supermacht, deren Wirtschaftsprobleme in die Gemeinschaft, die kaum Verbindungen zum Weltmarkt unterhielt, exportiert wurden.

West- und Osteuropa wurden ohne Verzögerung in die jeweilige politisch-wirtschaftliche Interessenzone der Supermächte integriert. Die Integration in den Westen geschah im Rahmen einer modernen Weltwirtschaftsordnung, die entscheidend vom ökonomischen Hegemonialanspruch der USA bestimmt wurde. Die USA vermieden – im Gegensatz zur UdSSR – Kostgänger in dieser globalen Partnerschaft mit Westeuropa zu sein. Die politische Ordnung Europas gelangte mit dem Beitritt der Bundesrepublik zur NATO und der DDR zum Warschauer Pakt in einen stabilisierenden Entwicklungsabschnitt.

Wie entwickelte sich unter diesen globalen Bedingungen der Innerdeutsche Handel (IDH)? Trotz der doppelten Staatsgründung kam das »Frankfurter Abkommen« am 8. Oktober 1949 zustande, und zwar nur einen Tag nach dem Inkrafttreten der DDR-Verfassung. Ein wesentlicher Kommunikationszusammenhang, der deutsch-deutsche Warenaustausch, überstand die staatliche Teilung. Politik und Wirtschaft ließen sich von Anfang an unter den Bedingungen der Teilung nicht voneinander separieren. Das »Berliner Abkommen« vom 20. 9. 1951 (auf der Basis des »Frankfurter Abkommens«) stellte über viele Jahre den einzig geregelten Bereich zwischen den beiden deutschen Staaten dar. Es regelte den Waren- sowie den kommerziellen Dienstleistungs- und Zahlungsverkehr auf der monetären Basis der Verrechnungseinheit (VE). Das Abkommen galt für beide Teile Deutschlands einschließlich beider Teile Berlins. Die geteilte Stadt besaß aufgrund ihrer Standortvorteile im deutsch-deutschen Handelsverkehr eine bevorzugte Stellung. Ursprung inmitten der Teilung und Rechtsbasis inmitten neuer Rechtsordnungen machten den solchermaßen begründeten Innerdeutschen Handel zu einem »Unikum ohne Parallele« (Haendcke-Hoppe). Das »Frankfurter Abkommen« umfaßte jene Grundlagen, die in dem bis 1989 gültigen »Berliner Abkommen« (September 1951) von beiden deutschen Regierungen bekräftigt wurden. Als die Bundesrepublik Deutschland 1951 dem Allgemeinen Zoll- und Handelsabkommen (GATT) beitrat, erhielt der Sonderstatus des Innerdeutschen Handels sogar internationale Anerkennung.

Nach Aufnahme der Bundesrepublik Deutschland in die NATO sowie nach Eingliederung der DDR in das System der Warschauer Paktstaaten entwickelten die beiden Supermächte USA und UdSSR sich zu Garantiemächten der europäischen Stabilität. Beide sahen ihre jeweilige Einflußsphäre als endgültig an und zeigten sich daran interessiert, den Status quo politisch abzusichern und die Nachkriegsbalance des europäischen Staatensystems nicht in Frage stellen zu lassen.

Die »Europäisierung« Westdeutschlands. Der Schuman-Plan für eine Europäische Kohle- und Stahl-Gemeinschaft (1950) schuf für die Bundesrepublik Deutschland die Voraussetzungen einer – wie es verschiedentlich in der Literatur heißt –»kontrollierenden Partnerschaft« zwischen den sechs Staaten der Europäischen Wirtschaftsgemeinschaft (1957). Dagegen öffnete das marxistische Selbstverständnis der SED-Staats- und Parteiführung dem anderen deutschen Staat keineswegs sofort den Weg in die »sozialistische Staatengemeinschaft«. Ein deutscher Staat blieb bei Politikern und Bevölkerung in den osteuropäischen Staaten ein deutscher Staat – ungeachtet der kommunistischen Wahlverwandtschaft. Die UdSSR machte eine Ausnahme: Zwischen Moskau und Ost-Berlin entwikkelte sich ein vertrauensvolles Verhältnis, das auch an der Stalinschen Wiedervereinigungsofferte von 1952 keinen ernsthaften Schaden nahm.

Ende 1956 lotete Ulbricht mit seinem Vorschlag, eine deutsch-deutsche Konföderation zu bilden, die Möglichkeiten aus, den wirtschaftlichen Kommunikationszusammenhang auf eine breitere und damit effektivere Basis zu stellen. Die Bundesregierung interpretierte das Angebot in seiner wirtschaftspolitischen Absicht und reagierte in nationalstaatlichem Sinne: Der Innerdeutsche Handel fand Aufnahme in das Vertragswerk der Europäischen Wirtschaftsgemeinschaft (EWG) von 1957. Der deutsch-deutsche Warenaustausch blieb trotz der internationalen Verklammerung der Bundesrepublik Deutschland durch die Römischen Verträge Binnen-, nicht Außenhandel. Auch wenn die DDR nicht zum »stillen« EWG-Mitglied wurde, so doch zum »stillen Teilhaber« an allen Vorteilen des gemeinschaftlichen Warenverkehrs.

Welche Veränderungen ergaben sich in den deutsch-deutschen Wirtschaftsbeziehungen in den Jahren der forcierten ökonomisch-sozialen Modernisierung Westeuropas (1959 bis 1973)? Moskau verfolgte mit der Integration die »internationale Arbeitsteilung«, woran die DDR überdurchschnittlich beteiligt war, und zwar vor allem durch Abkommen mit der UdSSR. Innerhalb des RGW-Systems bestimmte die außenhandelspolitische Dominanz der Sowjetunion die Position der DDR; ca. 35 Prozent des gesamten DDR-Außenhandels gingen an die UdSSR. Während dieser Zeit zeigte sich jedoch, daß die DDR nicht ohne Importe aus dem »kapitalistischen Wirtschaftsgebiet« auskam. Der Außenhandel mit dem Westen wuchs zwischen 1960 und 1970 überdurchschnittlich.

Wie paßten die Ost-Politik Bonns und der Innerdeutsche Handel zusammen? Die Geschichte der deutsch-deutschen Beziehungen in den fünfziger Jahren war nicht nur die Geschichte der ideologischen und politischen Konfrontation; es war auch die Geschichte der wirtschaftlichen Kooperation. Die Bundesrepublik entwickelte gegenüber der DDR eine wirtschaftspolitische Konzeption mit dem Ziel, die bestehende Teilung Deutschlands unter den ungünstigen Rahmenbedingungen des tiefgreifenden Ost-West-Konfliktes zu überbrücken. »Anfang der fünfziger Jahre (stand) die Milderung der Not der Menschen im anderen Teil Deutschlands im Vordergrund ... Später wurde der Handel als Instrument des ›Kalten Krieges‹ angesehen bzw. Anfang der sechziger Jahre als Hebel für einen ungestörten Zugang nach Berlin (West) benutzt.« (Rösch)

Innerdeutscher Handel: Die 60er Jahre. Das spezifische Profil der sechziger Jahre läßt sich nur schwer bestimmen. Politisch stellte diese Zeit das Jahrzehnt der endgültigen deutschen Spaltung dar. Aber diese Jahre waren auch die Inkubationszeit für die Neuorientierung deutscher Politik in den verschiedensten Bereichen: im auswärtigen Bereich mit der Entkrampfung des West-Ost-Verhältnisses, im wirtschaftlichen Bereich des Westens mit der Verfeinerung von Planungsinstrumenten und der Entwicklung effektiverer Formen sozialstaatlicher Daseinsvorsorge.

Wie gelang es, die ersten Ansätze einer deutsch-deutschen Wirtschafts»nation« weiterzuentwickeln? Die ökonomische Schwäche der DDR bestimmte hierbei zwangsläufig Richtung und Absicht: Der zweite Fünfjahrplan für die Jahre 1956 bis 1960 mußte aufgekündigt werden, noch bevor er sein Ende erreicht hatte; er wurde durch einen Siebenjahrplan (für die Jahre 1958 bis 1965) ersetzt. Seit 1960 funktionierte der deutsch-deutsche Warenaustausch auf der verbesserten Basis des »Berliner Abkommen« von 1951. Der Versuch der SED-Staats- und Parteiführung, sich im Vorfeld des 13. August 1961 aus den innerdeutschen Wirtschaftsbeziehungen zu lösen, scheiterte bereits 1962 an sowjetischen Wirtschaftsproblemen.

Der bis 1965 gültige DDR-Siebenjahresplan litt wegen seiner hohen Leistungsansprüche vor allem an der Exportschwäche gegenüber dem westlichen Ausland. Die Zeit des wirtschaftsexperimentellen Lavierens begann: Eine Abkehr vom bisherigen Wirtschaftskurs mit der Einführung des »Neuen Ökonomischen Systems« (NÖS) verkoppelte die SED-Staats- und Parteiführung mit dem Ziel, den »umfassenden Aufbau des Sozialismus« ab 1963 in die Wege zu leiten. Mit dem »Neuen Ökonomischen System« wurde die DDR innerhalb des RGW zum Vorreiter für Reformen, ohne damit eine Periode effektiverer Integration einzuleiten.

Der Alleinvertretungsanspruch der Bundesrepublik Deutschland blieb auch in der Nachfolge Adenauers bestehen, jedoch sollte er nun ohne jede politische Bevormundung der DDR verfochten werden. Die Regierung Erhard (1963–1966) führte die Handelspolitik als Instrument der Deutschland-Politik noch stärker als bisher ein. Die strenge Devisenbewirtschaftung und -erwirtschaftung (bereits seit Mitte der sechziger Jahre) bestätigte die wachsende Kapitalschwäche der DDR-Staatswirtschaft. Wiederum übte in dieser Lage der Innerdeutsche Handel Klammerfunktion aus: Die Dynamisierung des zinslosen Überziehungskredits (»Swing«) und der Nachlaß von Mehrwertsteuer auf DDR-Waren befreite die Planbürokratie davon, ihre Fehlkalkulationen öffentlich eingestehen zu müsen.

Die DDR wandelte ab 1964 die deutschlandpolitischen Prämissen der Bundesrepublik Deutschland in lukrative Ware-Geld-Beziehungen um. Das Zusammengehörigkeitsbedürfnis der Deutschen geriet in das Handelsangebot der DDR an den Westen. Spätestens die Große Koalition (1966–1969) instrumentalisierte und finanzierte den Innerdeutschen Handel aus nationalstaatlichen Gründen. Die Regierung Kiesinger-Brandt verständigte sich auf die pragmatische Politik der Nicht-Wiedervereinigung. Sie sollte ab 1969 den Kern der Deutschlandpolitik der Sozialliberalen Koalition bilden.

Ab Mitte der sechziger Jahre sollte der deutsch-deutsche Handel die Beziehungen zwischen beiden Teilstaaten stärken; die Bundesregierung pflegte die Handelsbeziehungen hauptsächlich aus nationalen Gründen, während ökonomische eine zweitrangige Rolle spielten. Aber genauso wichtig war die andere Funktion des deutsch-deutschen Handels: Seine reibungslose Entwicklung garantierte die gesicherten Zufahrtswege von und nach Berlin-West. Währenddessen verdeckte die Anti-Einheitskampagne der DDR mit Rücksicht auf die osteuropäischen Gemeinschaftspartner die sich strukturell verfestigende deutsch-deutsche Wirtschafts»nation«. Der Schock von Prag 1968 reichte nicht aus, um die westdeutschen Kostenausgleichszahlungen an die DDR in Millionenhöhe zu stoppen. Der Gefahr, den Bonner Außenwirtschaftsbeziehungen zu den RGW-Staaten hinterrücks zum Opfer zu fallen, setzte die DDR in Umkehrung der Hallstein-Doktrin 1967 die Ulbricht-Doktrin entgegen. Die schrittweise Stabilisierung der deutsch-deutschen Wirtschafts»nation« hatte inzwischen ihre eigene Dialektik entwickelt: Je stärker die DDR sich in ihren Wirtschaftsplänen auf westdeutsche Hilfe verließ, um so deutlicher – wie durch die Verfassungsrevision 1968 – profilierte sie sich als »sozialistischer Staat deutscher Nation«.

Die »neue« Ostpolitik. Die Sozialliberale Koalition attestierte der DDR nicht nur erstmals Staatsqualität, sondern befreite auch die Wirtschaftsbeziehungen erstmals von westdeutschen Unwägbarkeiten. Trotz aller Hilfen blieb die Wirtschaftsentwicklung der DDR bis zum Ende der 60er Jahre langfristig von reduziertem Wachstum des privaten Verbrauchs und einer überproportionalen Aufstockung der Anlageinvestitionen in den Führungsbranchen Kohle, Stahl und Chemie bestimmt, und zwar wie immer auf Kosten der Konsumgüter-Industrie. Die diplomatischen Erfolge der frühen siebziger Jahre, d. h. der Moskauer und der Warschauer Vertrag, leiteten jene neue Ära in den West-Ost-Beziehungen ein, die 1989/90 mit der Beendigung der deutschen Teilung zum Abschluß gelangen sollte. Die notwendige Ergänzung zum Moskauer Vertrag, das Viermächte-Abkommen über Berlin (1971), brachte schließlich auch Stabilität in die langfristig bedrohte Existenzfähigkeit des Westteils der Stadt. Damit endete auch die Sonderrolle der DDR im Ostpaktsystem. Die SED-Staats- und Parteiführung sah sich genötigt, mit der Bundesregierung Verhandlungen aufzunehmen, die in den Grundlagenvertrag (1972) mündeten. »Mit Abschluß des Grundlagenvertrages wurde die staatliche Existenz der DDR durch die Bundesrepublik Deutschland anerkannt, jedoch am politischen Ziel der Wiedervereinigung festgehalten« (Kühn). Der Vertrag bestätigte den Grundgedanken der deutsch-deutschen Wirtschaftseinheit, wie er bereits im Berliner Abkommen (1951) bestimmend war.

Das Ende der Ära Ulbricht (1971) fiel zusammen mit einem generellen Wandel der internationalen und deutschlandpolitischen Rahmenbedingungen, die für die gesamten 70er Jahre bestimmend wurden: die Ökonomisierung der Weltpolitik und die davon beeinflußte Bereitschaft in Ost und West zur Entspannung. Die strukturellen Verbesserungen der EWG, u.a. durch den gemeinsamen Zolltarif (ab Mitte 1969), die in Osteuropa mehr und mehr als langfristige Herausforderung begriffen wurde, nötigten den RGW-Staaten eine bisher unbekannte wirtschaftspolitische Flexibilität ab. Für die geplante Errichtung der handelspolitischen »Festung Europa« waren zumindest schon die Wälle aufgeschüttet; zu ihrer Bewältigung mußte die DDR neue Hilfsquellen erschließen. Mit dem Regierungsantritt Honeckers (1971) begab sich die SED auf einen neuen Kurs kostspieliger Industrie- und Sozialpolitik – trotz finanzieller und wirtschaftsstruktureller Schwächen.

Deutsch-deutsche Wirtschaftsbeziehungen: Die siebziger Jahre. Auf den vorsichtigen Revisionsversuchen der 60er Jahre aufbauend formulierte die Bundesregierung unter Brandt und Scheel die deutsche Frage neu; die deutsche Frage stand mithin gänzlich im europäischen Rahmen, und damit bekamen Fragen der Menschenrechte und der innerdeutschen Kontakte einen neuen Stellenwert. Nach der Präambel des Vier-Mächte-Abkommens von 1971 blieben alle früheren Vereinbarungen unberührt, dementsprechend auch das Jessup-Malik-Abkommen von 1949, wenngleich überlagert durch die Vier-Mächte- und Transit-Abkommen. Eine Anzahl von Wirtschafts- und Währungsabkommen (u.a. durch langfristige Bedarfskreditvereinbarungen) verminderten die Probleme der DDR erheblich, jedoch nicht nachhaltig. Für den IDH galt also nicht das Außenwirtschaftsgesetz. Maßgebende Rechtsbasis bildeten die alliierten Devisenwirtschaftsgesetze, wonach eine materielle Rechtseinheit zwischen Berlin (West) und der übrigen BRD bestand. Nach dem Zusatzprotokoll des Grundlagenvertrages von 1972 wurde der deutsch-deutsche Handel auf der Basis bestehender Abkommen weitergeführt. Damit war das Berliner Abkommen von 1951, das von der wirtschaftlichen Einheit ausging, Bestandteil des Grundlagenvertrages. Der Sonderstatus des Innerdeutschen Handels ohne Zölle und Abschöpfungen erhielt 1973 durch das Urteil des Bundesverfassungsgerichts zum Grundlagenvertrag eine zusätzliche Bestätigung. Die wirtschafts»nationale« Dimension der deutsch-deutschen Beziehungen war damit jedem Kurswechsel künftiger Bundesregierungen entzogen.

In der Regierungsära Schmidt-Genscher erhielt die Ostpolitik neue Entwicklungsimpulse. Wirtschafts- und währungspolitische Interessen bestimmten mehr denn je die internationalen Rahmenbedingungen für die deutsche Außenpolitik. In der Zeit nach 1973 wurden die Rahmenbedingungen, die der Grundlagenvertrag setzte, durch praktische Vereinbarungen mit der DDR ausgefüllt, u.a. durch den Ausbau des Innerdeutschen Handels. Wenngleich die westeuropäische Gesellschaft durch die deutsche Teilung in politische Mitleidenschaft gezogen wurde, empfand man die Teilung Deutschlands nicht als unbedingt lösungsbedürftig. Vielfach weckte die Aussicht auf ein vereinigtes Deutschland eher die Erinnerung an ein übermächtiges als an ein selbstgenügsames Deutschland. In der Wirtschaftsordnung der Europäischen Gemeinschaft (EG) fanden beide deutschen Wirtschaftssysteme und Handelsinteressen in ihren aktuellen Beziehungen einen unangefochtenen Platz. Als die nationale Handelspolitik der EG-Staaten in der Gemeinschaft aufging (1975), wurde der Innerdeutsche Handel zum Bestandteil des veränderten EG-Vertrags. Aus der Sicht späterer Jahre bestimmten der freie Zugang nach Berlin und die deutsch-deutsche Verklammerung die Interessen der Bundesregierungen von Konrad Adenauer bis Helmut Kohl am Innerdeutschen Handel. Die Analyse der deutschen Frage unter dem Aspekt der wirtschaftlichen Verklammerung berechtigt zur Beschreibung des Verhältnisses beider Staaten untereinander durch die Formel der »doppelten« Staatlichkeit bei »halber« Teilung.

Ölpreiskrise und Wirtschaftsverflechtung. Wie veränderte sich das deutsch-deutsche Bezugssystem in der Periode der ökonomischen »Strukturbrüche« (Helmstädter), also in den Jahren 1974 bis 1987?

Die Ölpreiskrise traf die rohstoffarme DDR besonders hart, da die ostdeutsche Wirtschaft Rohstoffe in überwiegendem Maße aus der Sowjetunion einführte. Die Preise stiegen innerhalb einer Fünfjahrplan-Periode und beschränkten das Liefervolumen entgegen langfristig festgelegter Handelsverpflichtungen. Die Sowjetunion akzeptierte Preiserhöhungen für DDR-Halb- und Fertigprodukte nicht. Mit dem wachsenden Außenhandelsdefizit nach dem ersten Ölpreisschock bestimmten mehr und mehr außenwirtschaftliche Faktoren die DDR-Wirtschaftsentwicklung. Die DDR-Planwirtschaft, insbesondere auf dem Energiesektor, kam durcheinander; intern stieß die sowjetische Wirtschaftspolitik auf Kritik. Die einst starren Bindungen zwischen der DDR und der UdSSR begannen sich zu lockern, die allmähliche Umorientierung nach dem Westen setzte ein.

Seit 1976 begann die DDR das industriewirtschaftliche Planungs- und Lenkungssystem zu reorganisieren. Es entstanden produkt- und branchenorientierte »Kombinate« mit der Absicht, in diesen überdimensionierten Produktionseinheiten staatlichen Dirigismus und wirtschaftliche Eigenverantwortung in ein effektives Verhältnis zu bringen. Ob allerdings die DDR-Wirtschaft im Vergleich zur Wirtschaft der RGW-Partner besser in der Lage war, dem Modernisierungsdruck zu entsprechen, darauf gab es keine gesicherte Antwort. Seit 1976 bereits experimentierte die DDR-Wirtschaftsführung fast Jahr für Jahr auf dem Felde der Preispolitik, ohne einen entscheidenden Durchbruch zu erzielen. Die Dialektik der Destabilisierung begann zwar nicht unmittelbar im Wirtschaftsbereich, aber sie fand dort ihren Abschluß. Die Nettoverschuldung der DDR erreichte am Ende der Fünfjahrplan-Periode 1976–1980 über 10 Milliarden $. Spätestens die zweite Ölpreiskrise (1979) zerstörte jeden Ansatz einer wirtschaftlichen Grundkonzeption. Insbesondere die Defizite im Handel mit der UdSSR wuchsen bedrohlich an. Etwa 33 Prozent der hierbei erzielten Exporterlöse mußten 1980 für Erdöleinfuhren aufgewendet werden. Die Terms of Trade der DDR gerieten mehr und mehr in die roten Zahlen. Bereits seit Mitte der 70er Jahre ergaben sich in der Entwicklung des Lebensstandards deutlich geringere Wachstumsschübe.

Die Krise der RGW-Länder. Die polnische Wirtschaftskrise brach 1980 offen aus, bald darauf gerieten Rumänien und Jugoslawien an den Rand der Zahlungskrise. Die westlichen Kreditgeber zögerten mit weiteren Abschlüssen im Ostgeschäft; die DDR geriet dadurch in Mitleidenschaft. Nur ein Ausweg bot sich an: »Exportsteigerung soweit möglich und Einfuhrbeschränkung auf das Unentbehrliche« (Thalheim). Das bedeutete auch Verzicht auf verbesserte Versorgungsstrukturen für den Massenkonsum. Nach einem Stabilisierungskonzept versuchte die DDR-Wirtschaftsführung, die wachsenden Schulden unter Kontrolle zu bekommen. Als dieser Krisenplan bereits 1981 in die Brüche ging, schaltete Ost-Berlin zu Lasten der RGW-Verpflichtungen gegenüber der UdSSR auf Westexporte um. Nach den Zahlen auf der 1980er Preisgrundlage sank das Investitionsvolumen; seit 1982 waren die Anlageinvestitionen um 7 Prozent geschrumpft; die Investitionsquote am Nationaleinkommen nahm ab. »Angesichts weiterhin sinkender Importe aus den westlichen Industrieländern gewannen die Wirtschaftsbeziehungen zur Bundesrepublik wachsende Bedeutung« (Thalheim).

Die unter Gorbatschow in Gang gekommenen Reformen der sowjetischen Wirtschaft brachten seit 1987 Bewegung in das starre Außenwirtschaftssystem, von der die DDR (neben Rumänien) unter den RGW-Staaten zuerst erfaßt wurde. »Mit dem Gedanken eines gesamteuropäischen Hauses versucht Gorbatschow, Anschluß an die Entwicklung in Westeuropa zu behalten und eine Vertiefung der wirtschaftlichen Spaltung Europas in EG und RGW zu verhindern« (Winters). Das sowjetische Haushaltsdefizit betrug 1988 49 Mrd. Rubel, im Westen beziffert man die Summe auf 100 Mrd., die Auslandsschulden betrugen 1988 39 Mrd. $. Die SED-Partei- und Staatsführung lehnte 1986 strikt ab, die angekündigten Reformen der UdSSR für die DDR als vorbildhaft zu übernehmen. Bereits 1988 erwiesen sich die Wachstumsziele nach dem bis 1990 geltenden Fünfjahrplan als unrealisierbar; die materielle Basis der Planvorgaben reichte nicht aus, dazu kam die unzureichende Technikausstattung.

Eine neue Etappe der ökonomischen West-Ost-Beziehungen in Europa begann, als die EG mit dem Projekt, bis 1992 einen Binnenmarkt zu schaffen, dem RGW-System die größte Herausforderung seiner Existenz schuf. Der Wettkampf konnte von östlicher Seite nur gewonnen werden, das war allen Beteiligten klar, wenn es der Sowjetunion und ihren Partnern gelänge, Zutritt zum westeuropäischen Markt mit seinen vielfältigen technologischen Ressourcen zu erhalten. Die RGW-Staaten verfügten aber 1989 über kein konkurrenzfähiges Handelspotential.

Deutsch-deutsche Wirtschaftsbeziehungen: Eine Bilanz. Wie hatten sich die deutsch-deutschen Wirtschaftsbeziehungen in den 70er und 80er Jahren weiterentwickelt? Gerieten sie in den Gegensatz zur ökonomischen Ost- bzw. West-Integration? Wenngleich das internationale System der 70er Jahre sehr problematisch strukturiert war, gab es konstruktive Ansätze zur Entspannungsbereitschaft zwischen Ost und West, vor allem durch die Ökonomisierung der internationalen Beziehungen. Insbesondere hierdurch wurde die Richtung der deutsch – deutschen Politik weitgehend vorgezeichnet. Die SED-Staats- und Parteiführung befürchtete von einer Vertragsgemeinschaft seit dem Verkehrs- und Grundlagenvertrag eine »Aufweichung« ideologisch-politischer Grundpositionen der Partei im Herrschaftssystem der DDR. Der Verfassungsrevision von 1974 fielen alle gesamtdeutschen Bezüge zum Opfer, aber nur so waren die »Falken« in der DDR-Regierung bereit, in die deutsch-deutschen Beziehungen mehr Normalität zu bringen. Honecker entwickelte ein ehrgeiziges Programm; seit 1975 galt als programmatische »Hauptaufgabe« die »Einheit von Wirtschafts- und Sozialpolitik«. Dieses Programm blieb jedoch nicht von den ökonomischen Krisenerscheinungen unberührt. Der Wohnungsbau wurde mit allen Mitteln forciert. Als die Ressourcen aller Art der laufenden Beanspruchung nicht standhielten, setzte der SED-Staat zwangsläufig neue, engere Schwerpunkte, vor allem aus politisch-ideologischen Motiven. Die Erneuerung der DDR-»Hauptstadt« Berlin gehörte – auf Kosten anderer Bauplätze im Lande – dazu.

Die Regierung Schmidt-Genscher ging von vornherein mit geringer Hoffnung in eine neue Runde deutsch-deutscher Beziehungen, nachdem der Status quo in Europa mit der KSZE-Konferenz und der Schlußakte von Helsinki 1975 allseits anerkannt worden war. Die deutsche Teilung war kein Thema in Europa. Die DDR als typische »Status-quo-Macht« ging mit dem »Vertrag über Freundschaft, Zusammenarbeit und gegenseitigen Beistand« (Oktober 1975) eine Art blockpolitischer Rückversicherung ein. Sie beschloß, für »immer und unwiderruflich mit der Union der Sozialistischen Sowjetrepubliken (sich) zu verbünden«. Für die DDR jedoch waren die Mittel zur Realisierung der propagierten Sozialstaatlichkeit eher im West- als im Osthandel zu holen. Die weitere Öffnung zur Bundesrepublik schien angezeigt, ohne die Verbindung zum RGW-System aus pragmatischen Erwägungen zu vernachlässigen. Weniger der wirtschaftlichen als der ideologisch-politischen Verklammerung diente das 1975 so spektakulär beschworene Bündnis mit der UdSSR.

Über zahlreiche Einzelabkommen ist andererseits der Grundlagenvertrag inhaltlich ausgefüllt worden; insbesondere der Reiseverkehr wirkte sich gesellschaftlich stabilisierend aus. Der DDR-Führung stellten sich indessen vermehrt Probleme, die über eine stärkere Abgrenzungspolitik behoben werden sollten. Nach dem Regierungswechsel in Bonn (1982) symbolisierten die Milliardenkredithilfen von 1983 und 1984 einen neuen deutschlandpolitischen Ansatz. Hierzu zählte u. a. auch die Transitpauschale aus dem Bundeshaushalt in Höhe von 850 Millionen DM jährlich nach der Festlegung von 1986. Die Sonderkonditionen im Innerdeutschen Handel verhinderten sehr wahrscheinlich den binnenwirtschaftlichen Kollaps. Jene beiden Euro-Kredite öffneten der DDR wieder die internationalen Kreditmärkte und verhalfen der Gesamtbilanz schließlich zu schwarzen Zahlen. Folgende Zahlen bedürfen keines Kommentars: In der zweiten Hälfte der achtziger Jahre wurde der jährliche Devisenzufluß an DM auf ca. 3 Mrd. geschätzt. Ende 1985 betrug das Finanzvolumen des IDH 17 Mrd. Verrechnungseinheiten (VE). Die westliche DDR-Forschung war sich seit der zweiten Hälfte der achtziger Jahre in ihrem Urteil über die deutsch-deutschen Wirtschaftsbeziehungen einig: »Gewichtigster, ältester und stabilster Bestandteil der gesamten innerdeutschen Beziehungen ist der IDH« (Haendcke-Hoppe). »Zwar gibt es mit der DDR keine inhaltliche Interessenidentität, wohl aber ... eine generelle Übereinstimmung bezüglich der Aufrechterhaltung und Pflege dieses Handels, hier vor allem aus politischen, dort aus wirtschaftlichen Gründen. Diese Interessenverbundenheit bleibt auch künftig ein stabiles Fundament.« (Rösch)

III. Die »Wende« und die historischen Gemeinsamkeiten

Die Lage am Ende der achtziger Jahre. Bis 1988/89 schienen die Wachstumschancen des Innerdeutschen Handels erschöpft zu sein. Das im Inland verwendete Nationaleinkommen stagnierte, langfristige Investitionen unterblieben. Bereits drei Jahre vor der »Wende« belief sich die Gesamtverschuldung der DDR auf mindestens 12 Mrd. $, die Verschuldung gegenüber der UdSSR nicht einbezogen. Seit 1986/87 zog sich die DDR immer stärker aus den Handelsbeziehungen mit den sozialistischen Staaten des RGW-Bereichs zurück, ohne die kommerziellen Beziehungen mit dem Westen in nennenswertem Maße ausbauen zu können. Wirtschaftspolitik und Sozialpolitik, die die SED-Partei- und Staatsführung als »untrennbare Einheit« ausgegeben hatte, brachten die DDR-Führung in einen Legitimationszwang, dem man sich im Zeichen der wirtschaftlichen Desintegration nicht per Widerruf entziehen konnte.

Der Ausweg eines Rückzugs der DDR auf sich selbst war illusorisch in einer Zeit, in der wirtschaftliche Beziehungen, ökologische Zusammenhänge, kultureller Wandel und kollektives Bedürfnis nach sozialer Sicherheit längst keine nationalen, sondern europäische Dimensionen besaßen. Währenddessen waren die Deutschen in West und Ost ungeachtet der einseitig eingeschränkten Freizügigkeit auf Dauer aufeinander bezogen geblieben. Die Bundesrepublik Deutschland, insbesondere ihre ökonomische Modernität und ihre demokratisch legitimierte Sozialstaatlichkeit stellte die Bewertungs- und Vergleichsgröße für den überwiegenden Teil der DDR-Gesellschaft dar. Rasch wachsende Gruppen Jugendlicher zeigte sich seit dem ersten Aufbegehren gegen den Wehrzwang in den frühen 80er Jahren nicht geneigt, ihre Daseinswirklichkeit auf das Arrangement zwischen SED-Staat und Bevölkerung zu begründen. Wäre – wie bis zum Mauerbau 1961 – die Freizügigkeit von Ost nach West erhalten geblieben, hätte die DDR noch mehr Menschen an die Bundesrepublik verloren. Immerhin waren bis zum 13. August mehr als 2,6 Millionen abgewandert, und zwar in der Mehrzahl Jugendliche. Das Land hatte im Zeichen rudimentärer Sozialstaatlichkeit unter dem gesellschaftlichen Primat eines »Arbeiter- und Bauernstaates« jeden 5. Erwerbstätigen an den Westen verloren.

Das Desaster des SED-Staates. Obwohl mit dem Regierungsantritt Honeckers (1971) Partei und Staat erstmals in der Geschichte der DDR die Sozialpolitik systematisch als Mittel gesellschaftlicher Integration eingesetzt hatten, blieb Sozialpolitik stets wachstums- und produktivitätsorientierte Schutz- und Sicherungspolitik mit Anreizfunktion für den Arbeitsmarkt. Sie war zu keiner Zeit Ausgleichs- und Stabilisierungspolitik in gesamtgesellschaftlichem Sinne. Sozialpolitik behielt ihren ursprünglichen Charakter bei: Sie war »Privilegierung der Arrivierten«, und wer sich als arriviert betrachten durfte, darüber entschied der Staat in seinem Bestreben, die strategischen Positionen der SED in allen Politik- und Gesellschaftsbereichen abzusichern. Aber die Rechnung ging nicht auf: »Für die Sozialpolitik fehlte uns die notwendige Produktivität. Damit begann der Anfang vom Ende der DDR«, mußte Krenz in einem Rückblick auf das Regime seines Vorgängers 1991 zugeben.

Ein weiteres Desaster erlebte die SED-Partei- und Staatsführung auch mit ihrer Deutschland- und Friedenspolitik. Beide dienten legitimatorischen Zwecken. Aber die geringen Popularitätsgewinne hielten dem wachsenden Druck aus Gesellschaft und Wirtschaft nicht stand. Der »Wohlfahrtssozialismus« der Honecker-Zeit setzte Staat und Partei einer gesellschaftlichen Leistungskontrolle aus. Unberechenbar bleibt indessen das antilegitimatorische Potential aus dem sprunghaft ansteigenden deutsch-deutschen Reiseverkehr; bezifferbar hingegen sind die wachsenden Finanzmittel aus der systematischen Vermarktung des Zusammengehörigkeitsgefühls der Deutschen. Bis 1988/89 ging die Kosten-Nutzen-Rechnung immer mehr zu Lasten der von der SED verfochtenen DDR-Identität. Mehr Devisen für die DDR bedeuteten aber nicht zwangsläufig mehr DDR-Identität für den SED-Staat. Die einheitliche deutsche Staatsangehörigkeit erwies sich als wesentliche Klammer der Deutschen in beiden Teilen des Landes. Im Bewußtsein, am Rechtsinstitut des Sozialstaates teilhaben zu dürfen und in der Bundesrepublik Deutschland nicht als Ausländer behandelt zu werden, flüchteten 1989 300 000 Personen aus der DDR.

»Vertragsgemeinschaft« als Einheits-Ersatz. Binnen eines halben Jahres zerfiel vor dem Hintergrund wachsender Desintegration osteuropäischer Staaten in dem Ost-Pakt-System der SED-Staat in seinen äußeren Machtstrukturen. Wenngleich die Mauer zunächst indirekt – bei Sopron an der ungarisch-österreichischen Grenze – fiel, blieb die Frage der deutschen Einheit offen. Das war die Lage, als Honecker-Nachfolger Krenz und Bundeskanzler Kohl miteinander telefonischen Kontakt aufnahmen, wovon eingangs die Rede war. Nun bot sich die Wiederbelebung der bisherigen Wirtschaftsverbindungen und deren entschiedene Ausweitung als »kleine« Lösung der nationalen Frage an, solange die »große« Lösung, die Einheit Deutschlands, im Zuständigkeitsbereich der Siegermächte von einst blieb. Die Konföderations-Idee der 50er und 60er Jahre als Grundmuster deutsch-deutscher Zusammengehörigkeit ohne Wiedervereinigung feierte politische Urständ'. Im engsten Kreis um Gorbatschow war bereits im Herbst 1987 über eine deutsche Konföderation nachgedacht worden. In der Bundesrepublik hatte zu dieser Zeit die Konföderation begrifflich schärfere Konturen erhalten, danach unterschied sie sich nur graduell von der »Vertragsgemeinschaft«, wie sie DDR-Regierungschef Modrow der Bundesregierung vorgeschlagen hatte.

In Bonn schien man bereit zu sein, das Angebot einer deutschdeutschen »Vertragsgemeinschaft« anzunehmen. Die »kleine« Lösung der deutschen Frage, verkörpert von der Wirtschaftseinheit auf der Basis des Innerdeutschen Handels, versprach der DDR-Bevölkerung jenes Maß an Sozialstaatlichkeit, das der SED-Staat ihr schuldig geblieben war. Daß die neuen Machthaber weiterhin in der sozialstaatlichen Schuld bleiben würden, stand nach der Verfassungsrevision vom 1. Dezember 1989 zu befürchten, denn die Deutsche Demokratische Republik war danach noch immer ein »sozialistischer Staat der Arbeiter und Bauern«. Aber wie waren gleiche Sozialchancen in Ost und West möglich ohne eine gleiche Wirtschafts- und Gesellschaftsordnung, lautete die bange Frage. Willy Brandt trat am 19. Dezember 1989 jedem Gedanken an eine Wiedervereinigung entgegen, während sich der Bundeskanzler und DDR-Ministerpräsident Modrow zur selben Zeit über die Gründung einer »Vertragsgemeinschaft« verständigten. Parallel dazu beschlossen die EG-Staaten ein großzügiges Handels- und Kooperationsabkommen mit der DDR. Indessen verfiel die Glaubwürdigkeit des Konföderations-Konzeptes, weil zu seiner Realisierung eine unversehrte DDR-Identität notwendig gewesen wäre. Die Bundesregierung stellte sich mit der projektierten »Vertragsgemeinschaft« gegen wachsende Teile der DDR-Bevölkerung, die jener Identität keine sozialstaatliche Kompetenz zutrauten. Hierin lag der Ursprung der massenhaften Forderung: »Deutschland – einig Vaterland«. Die deutsche Teilung war nicht mehr zu retten; der Weg zum gemeinsamen Erbe der ersten deutschen Demokratie war gefunden worden.

Quellen- und Literaturverzeichnis

Bulletin des Presse- und Informationsamtes der Bundesregierung. Bonn 1949 ff.

Materialien zum Bericht zur Lage der Nation im geteilten Deutschland. Deutscher Bundestag, 11. Wahlperiode, Drucksache 11/11. Bonn 1987.

Robert Dean, West German Trade with the East. The Political Dimension. New York 1974.

Heinrich End, Zweimal deutsche Außenpolitik. Internationale Dimensionen des innerdeutschen Konflikts 1949–1972. Köln 1973.

Hermann Graml, Die Alliierten und die Teilung Deutschlands. Konflikte und Entscheidungen 1941–1948. Frankfurt a. Main 1985.

Gernot Gutmann u. Gottfried Zieger (Hg.), Außenwirtschaft der DDR und innerdeutsche Wirtschaftsbeziehungen. Berlin 1986 (hierin die Beiträge von F. Rösch und K. C. Thalheim).

Christian Hacke, Weltmacht wider Willen. Die Außenpolitik der Bundesrepublik Deutschland. Stuttgart 1988.

Jens Hacker, Die deutsche Frage aus der heutigen Sicht der Sowjetunion. In:

H. Horn u. S. Mampel (Hg.), Die deutsche Frage aus der heutigen Sicht des Auslandes. Berlin 1987, S. 91–113.

Maria Haendcke-Hoppe, Die Wirtschaftsbeziehungen zwischen beiden deutschen Staaten. In: Dies. u. E. Lieser-Triebnigg (Hg.), Vierzig Jahre innerdeutsche Beziehungen. Berlin 1990, S. 119–140.

Wolfram H. Hanrieder, Deutschland, Europa, Amerika. Die Außenpolitik der Bundesrepublik Deutschland 1949–1989. Paderborn 1991.

Hannelore Horn (Hg.), Berlin als Faktor nationaler und internationaler Politik. Berlin 1988.

Wolfgang Jäger, Werner Link, Republik im Wandel 1974–1982. Die Ära Schmidt. Stuttgart 1987.

Detlef Kühn, Die innerdeutschen Beziehungen seit dem Grundlagenvertrag. In: Haendcke-Hoppe u. Lieser-Triebnigg (Hg.), 40 Jahre, S. 89–98.

Wolf-Rainer Leenen, Sozialpolitik. In: DDR-Handbuch, Bd. 2, 3, überarb. u. erw. Auflage. Köln 1985, S. 1212–1218.

Wilfried Loth, Der Weg nach Europa. Geschichte der europäischen Integration 1937–1957. Göttingen 1990.

Hans-Peter Schwarz (Hg.), Berlin-Krise und Mauerbau. Bonn 1985.

Theodor Schweisfurth, Die Deutsche Konföderation – der große nationale Kompromiß als tragendes Element einer neuen europäischen Friedensordnung. In: Aus Politik und Zeitgeschichte, B 50/87, S. 19–35.

Werner Weidenfeld, 30 Jahre EG. Bilanz der Europäischen Integration. Bonn 1987.

Werner Weidenfeld u. Hartmut Zimmermann (Hg.), Deutschland-Handbuch. Eine doppelte Bilanz 1949–1989, München 1989 (hierin hauptsächlich die Beiträge von E. Helmstädter, D. Cornelsen, F.-X. Kaufmann, H. Vortmann, E. Jesse, G.-J. Glaesssner, Ch. Hacke, J. Kuppe, M. Haendcke-Hoppe, W. Weidenfeld und H. Zimmermann).

Peter Jochen Winters, Zwischen Annäherung und Abgrenzung. Die innerdeutschen Beziehungen aus der Sicht der DDR. In: Haendcke-Hoppe u. Lieser-Triebnigg (Hg.), Vierzig Jahre, S. 179–193.

Deutschland in Europa
Rückblick und Ausblick
von GOTTFRIED SCHRAMM

Auf der letzten Wegstrecke unseres Ganges durch die deutsche Geschichte bleibt noch einiges zu tun übrig. Wir sollten erstens bedenken: Was heißt es, ein Teil Europas zu sein? Was ist denn eigentlich
Europa? Zweitens gilt es zu prüfen, was denn im europäischen Rahmen, im Vergleich mit den anderen europäischen Völkern und Ländern, das Besondere der deutschen Geschichte ausmacht. Unser drittes Thema lautet: Was bedeutet die Wende vom 9. November 1989?
Und schließlich viertens: Welche Aufgaben liegen vor uns?

Also *erstens:* Wir Deutsche waren und sind ein Teil Europas, eines unter den anderen europäischen Völkern. Was unser Leben
prägt, was wir – im guten und im schlechten – als Erbe mit uns her-
umtragen, ist zum weitaus größten Teil Gesamtbesitz unseres Erd-
teils. Denken wir an Freiburg. Ein Münster steht in der Mitte, nicht
weit davon das alte Rathaus. Man erkennt noch die mittelalterliche
Stadtanlage. Innerhalb des Mauerrings – in der Stadtluft, die frei
machte – lebte, in Kaufmannschaft und Handwerkertum geteilt,
jene Bürgergesellschaft europäischen Zuschnitts, aus der unsere moderne Welt hervorgegangen ist. Wir sind hier in einer Universität.
Die Größen, die ich da eben als Beispiele genannt habe – Kathedra-
le, Rathaus, Bürgerfreiheit, Universität – sie alle sind europäische
Gemeinsamkeiten. Besonders ist gleichsam nur das Detail oder das
Design. In der Toskana sind die Kirchtürme meistens flach. Unser
Freiburger Münsterturm trägt eine Spitze aus Maßwerk und Lö-
chern. Die Löcher geben keinen Sinn, aber sie sind einmalig schön.
An unserer Universität verblaßt eine Inschrift: »Dem ewigen
Deutschtum«. Auch die werden wir in der Toskana vergeblich suchen. Aber dafür läßt sich dort vermutlich, ebenfalls ein bißchen un-
scheinbar geworden, noch entsprechender Unsinn aus Mussolini-
schem Geiste aufstöbern. Das scheinen bisher Selbstverständlichkei-
ten. Aber es lohnt doch, an sie zu erinnern, weil es in unserer Vergangenheit leider Zeiten gegeben hat, in denen man aus der deutschen
Kultur, aus dem deutschen Wesen etwas ganz Besonderes, Erhabe-
nes machen wollte. Man wollte es über alles in der Welt heben. Da
gehört es nicht hin. Wer wirklich groß war in unserer Tradition, der
hat noch genauer als die anderen gewußt, daß wir Deutsche in einem jahrtausendalten europäischen Strom schwimmen. Goethe

und Thomas Mann sind nur Beispiele für die vielen, die bis in jede Faser europäisch fühlten und gerade deshalb deutsche Kultur verkörperten. Vielleicht ist es uns als Volk in der Mitte Europas aufgegeben, dies noch genauer wahrzuhaben als die übrigen Völker: Was es an Wertvollem irgendwo in Europa gibt, ist zunächst einmal europäisch, und das Nationale darin ist nicht der Kern.

Aber, so müssen wir fragen, ist Europa nicht nur eine Laienvorstellung oder eine Sonntagsideologie, die dem Fachmann, wenn er sie auf den Prüfstand legt, unter den Händen zerbricht? Um geographisch zu beginnen: Wo sollen denn die Grenzen Europas verlaufen? Scheidet der Kamm des Urals, einer vergleichsweise bescheidenen Erhebung, wirklich Europäer links von Asiaten rechts, beide, wohlgemerkt, mit russischer Sprache? Und gibt es einen Sinn, wenn die Türkei bei Istanbul zu Europa gehören soll, aber jenseits des Bosporus zu einem ganz anderen Erdteil? Nun, die Begriffe, mit denen der Historiker arbeitet, sind selten so scharf definierbar wie die Begriffe der Naturwissenschaft. Aber man lernt sehr wohl zu unterscheiden zwischen Begriffen, bei denen man immer im Auge behalten muß, daß sie nur problematische Hilfskonstruktionen sind, und solchen Begriffen, die sich bewährt haben, weil sie eine Sache treffen. Zum Bewährten zählt auch der Begriff Europa. Von seiner ehrwürdigen Tradition, von seiner Verankerung in der antiken und frühmittelalterlichen Tradition haben wir gehört. Wo Europa geographisch endet, ist nur an seinem Ostrand problematisch. Ein gleiches gilt auch, wenn wir Europa nicht als bloßen ausmeßbaren Raum, sondern als ein Bündel historischer Entwicklungsketten, als Prägung unserer Lebensart verstehen. Der orthodoxe Osten Europas hat an einigen sehr wesentlichen Prägeprozessen nicht oder nur wenig teilgenommen. Wir lassen ihn, um unsere ohnehin komplizierte Aufgabe nicht noch komplizierter zu machen, im folgenden beiseite. Als Europa soll für uns das römisch-katholische, lateinische Europa des Mittelalters gelten, das sich dann in der Neuzeit in ein katholisches und ein protestantisches Europa gabelte. Das so verstandene Europa hat Merkmale ausgebildet, die sich mit aller Eindeutigkeit von den übrigen Hochkulturen des Mittelalters und der Neuzeit, also vom muslimischen Orient, von Indien und Ostasien unterscheiden.

Ein Teil dieser Merkmale stammt bereits aus der Antike. Denn das Europa des Mittelalters, das haben wir am Anfang unserer Reihe zur Kenntnis genommen, steht in der Nachfolge des Römischen Reiches. Die geographischen Konturen mögen erheblich verschoben sein, aber von den geistigen Grundlagen ist sehr Wesentliches geblieben. Ja, immer neue Schübe der Rückbesinnung auf die antike Herkunft haben dieses Erbteil gefestigt. Der gesamte Sockel unserer Bildung ist aus griechischen, lateinischen und, nicht zu vergessen, aus jüdischen Bausteinen gemauert. Das römische Recht war im Mittelalter und in der Neuzeit nicht mehr schlicht und einfach verbindlich, aber, wo immer in Europa Recht sich verfeinerte und einem steigenden Zivilisationsniveau Rechnung trug, da geschah das im Rückbezug auf jene römische Rechtskultur, hinter die Europa in der Rebarbarisierung des frühen Mittelalters zunächst einmal zurückgefallen war.

Ein sehr wichtiger Traditionsstrang, der aus dem Römischen Reich bis zu uns hinüberreicht, ist die christliche Religion. Ja, in der katholischen Kirche besteht bis auf den heutigen Tag eine Institution fort, die sich innerhalb des Römischen Reiches und in vielem parallel zu dessen weltlicher Reichsorganisation ausgebildet hat: ein erstaunliches Beispiel für Dauerhaftigkeit. Ich möchte, um uns herauszufordern, zuspitzen: Die christliche Religion, ihre frohe Botschaft, läßt sich auch, wohlgemerkt: *auch* als ein Produkt des Römischen Reiches verstehen. Solange die erhabene Tradition der jüdischen Religion noch mit der Grundtatsache zu rechnen hatte, daß auf Erden so leicht kein Frieden eintreten würde, konnte in Palästina, dieser Wetterecke der Welt, noch kein Glaube formuliert werden und eine riesige Anhängerschaft finden, der die Friedfertigkeit in einem Maße zum obersten Prinzip menschlichen Handelns erhoben hat, wie das vielleicht der Buddhismus, aber in unserem Kulturkreis keine andere geistige Bewegung jemals wagte. Jesus hat um 30 n. Chr. gelehrt und den Tod erlitten. Das bedeutet: er verkündete seine Lehre rund sechzig Jahre, nachdem Augustus in einem bis dahin kaum vorstellbaren Ausmaß Friede auf Erden gestiftet hatte. Und zwei Generationen nach Augustus hatte sich die Masse der Reichsuntertanen bereits an diesen Zustand gewöhnt – am wenigsten allerdings in Israel, wo viele noch von der Wiederherstellung des Davidreiches träumten und die christliche Botschaft der Friedfertigkeit mehr Anstoß erregte als in jenen anderen Reichsteilen, in denen das Evangelium erst später verbreitet wurde. Wir sollten uns gerade in einem Jahr, das uns wieder mit dem Schrecken des Krieges konfrontiert hat, daran erinnern, daß Friede auf Erden möglich ist. Er wurde – zum Beispiel im Römischen Reich – schon gelebt und liegt unserer geistigen Tradition als Kerngedanke zugrunde.

Aber nun zum Mittelalter. In unserer Stunde über die Antike haben wir gehört, das Römische Reich sei keineswegs so vereinheitlicht gewesen, wie man es sich manchmal vorstellt. Aber verglichen mit der Vielfalt des Römerreiches war das Mittelalter noch bei weitem vielfältiger und in seiner Kultur vielsprachiger. Ja, der Zerfall der Reichseinheit, die Ausbildung von vielen Territorien und Staaten macht ein Grundmuster des Mittelalters aus, das es von der Antike unterscheidet. In vielem will das Mittelalter zunächst einmal als Rückfall, als Kulturtragödie erscheinen. Nur die glänzendsten mittelalterlichen Städte haben jemals an den Glanz herangereicht, den antike Städte zu entfalten vermochten. Vor dem Stadttor von Milet, das heute im Berliner Pergamon-Museum steht, ist mir das vor einigen Monaten augenfällig geworden. Aber das Römische Reich hat nur im Osten, in Byzanz, noch ein Jahrtausend lang überlebt. In seinem Westteil ist es zerfallen, aus abnehmender Funktionsfähigkeit zusammengebrochen. Dem europäischen Mittelalter ist das nie und nirgends widerfahren. Es hat sich schließlich als unerhört funktionsfähig erwiesen und dauert bruchlos bis in unsere Tage fort. Es muß eine Genialität eigener Art in sich getragen haben. Die läßt sich natürlich nicht auf einfache Formeln bringen. Aber es läßt sich wenigstens andeuten, warum die Gesellschaft des Mittelalters selbst überschattete Jahrhunderte – wie das 14. mit seinem schlechten Klima und der Pest – ohne heftiges und durchgängiges Abknicken der Fortschrittskurve überstanden hat.

Schon im Geographischen organisierte sich das Mittelalter, verglichen mit dem Römischen Reich, kleinräumiger. Zu dieser geographischen Teilung trat dann eine geordnete Teilung der Macht zwischen Herrscher, Kirche und Adel. Erst allmählich und nicht überall erweiterte sich diese Trias um das Bürgertum, das, wenn es zum Wettbewerb um die Macht kam, meist den kürzeren zog. Mit der Ausbildung der mittelalterlichen Stadt teilten sich auch die Wirtschaftssphären. Das flache Land blieb feudal organisiert, die Stadt war das von vornherein nicht. Bauern mußten für Herren Dienste leisten oder Geld zinsen. Ein Handwerker dagegen diente und zinste nicht dem Kaufmann, sondern verkaufte ihm seiner Hände Arbeit. Wenigstens im nordalpinen Raum klarer vom Umland abgehoben, als das für die antike Stadt gilt, hat sich in einem rund 800jährigen Erprobungsvorgang das herausgebildet, was dann als kapitalistische Wirtschaft vom 18. Jahrhundert an allmählich zum Gemeinprinzip der Gesellschaft werden konnte. An diese lange Erprobung sollte man sich erinnern, wenn heute die kommunistischen Systeme in Europa zusammenbrechen. Sie sind von Leuten aufgerichtet worden, die ihren Grundgedanken nie im Kleinversuch, nie im überschaubaren Rahmen ausprobiert hatten. Vielmehr traten sie erfahrungslos gleich an die Spitze ganzer Staaten, ja in Rußland an die Spitze eines Riesenreiches. Sie scheiterten schließlich daran, daß ihre Erfindung nicht ausgereift war, bevor sie in den Großversuch überführt wurde.

Europa – das bedeutet Teilung, Teilung im geographischen wie im sozialen Raum. Und zwar festgeschriebene Teilung: in Grenzen durch den Raum und in unterschiedlichen verbrieften Rechten für unterschiedliche Gruppen innerhalb der Gesellschaft. Mittelalterlich gesprochen: in Privilegien. Bevor man daran dachte, allgemeine Menschen- und Bürgerrechte festzuschreiben, wurden Sonderrechte für den Klerus, für den Adel, für Bürger verbrieft. Das hat die Ausbildung allgemeiner Rechte gerade nicht verhindert, sondern vorbereitet. Europa bedeutet: Konkurrenz, bedeutet ständigen Wettbewerb, so wie er einmal zwischen griechischen Poleis bestanden hatte, aber dann durch die hellenistischen Reiche und vollends durch das Römische Imperium befriedet und zum Stillstand gebracht wurde. Erst allmählich hat sich dieses dynamische Prinzip, diese Sprungfeder in Leistungen umgesetzt, die Europa in einen deutlichen Vorsprung zu den anderen Hochkulturen brachten. Noch lange war das äußere Erscheinungsbild, waren die technischen Hochleistungen anderswo – denken wir nur an China – beeindruckender, raffinierter. Aber dem Bündel von Entwicklungsprinzipien, das sich im europäischen Mittelalter allmählich zusammengeschnürt hat, sollte die Zukunft gehören, im guten wie im schlechten Sinne.

Die gesunde Vielfalt, die lebendige Konkurrenz des Mittelalters, sie haben ihre düstere Kehrseite. Während das römische Imperium, das chinesische Reich den Frieden in weiten Räumen durchgesetzt haben, wo die Städte keine Mauern brauchten und die Masse der Bewohner nie eine Waffe trug, ja, selten genug Waffenträger sah, war das nachantike Europa immer ein kriegerischer Erdteil, vielleicht der kriegerischste von allen. Erst die Ritter, dann die Landsknechte, dann die großen stehenden Heere, über die allgemeine Wehrpflicht weiter bis zur Einbeziehung der Zivilbevölkerung in den Krieg: Europa ist eingeübt ins Militärische. Das unter anderem macht uns und unsere Tochterkultur in Nordamerika, aber zugleich die Ableger unserer Kriegskultur im Nahen Osten so durchsetzungsstark und bisweilen so gemeingefährlich. Wir stehen in der Tradition des Christentums, das in der Bergpredigt das Prinzip der Friedfertigkeit bis zum radikalen Ende durchdacht und vertreten hat. Aber dieses Christentum fand seine hauptsächliche Heimstatt in einem kriegerischen Erdteil. Darin liegt die Grundspannung Europas beschlossen, mit der wir und die Welt fertig werden müssen.

Aber nun zu unserer *zweiten* Frage: Was ist das Besondere an der deutschen Geschichte? Aus einem ganzen Bündel von Eigentümlichkeiten seien gerade zwei ausgewählt. Die erste wollen wir »Limes-Translimes« und die zweite »das Reich« nennen. Beginnen wir mit dem Sondermerkmal, daß wir ein Land diesseits und jenseits des Limes sind: Durch unser heutiges Land verlief einmal die römische Reichsgrenze. An der Dreisam, am Rhein und an der Mosel wohnen die Deutschen auf einem Boden, dessen Einbeziehung in das Imperium gut zum Reichsentwurf und zur Reichszivilisation der Römer paßte. Hier wächst noch Wein, ohne den ein Römer schwer leben konnte. Auf einem Boden, in dem, wenn auch arg ausgedünnt, antikes Erbe fortwirkte, lagen später die Hauptstützpunkte der Karolinger und der Salier. Aber schon im 6. Jahrhundert hat sich das Frankenreich Teile der Thüringer und im 9. Jahrhundert, wie wir hörten, die Sachsen einverleibt. Damit griff es weit über die Grenzen des Römischen Reiches aus: auf eine Barbarenwelt ohne den Humus mittelmeerischer oder doch mittelmeerisch durchmischter Kultur. Mancher Franzose und Italiener, mancher stolze Nachfahre der Römer hätte das über lange Strecken der Vergangenheit vermutlich noch schärfer gesagt: Die Deutschen wohnen zum guten Teil auf einem Boden ohne Kultur.

Ein Volk, ein Staat diesseits und jenseits des antiken Limes, Alteuropa und Neueuropa zugleich: das ist eine deutsche Besonderheit. Aber bei Lichte besehen stellen wir damit doch nur einen Spezialfall in einem gesamteuropäischen Vorgang dar. Überall wo immer möglich zeigte die europäische Kultur die Tendenz, von entwickelten Kernräumen in rückständigere Außenräume zu expandieren. (Zöge man China zum Vergleich heran, dann würde sich dort ein sehr anderes Bild ergeben.)

Der Ausgriff nach Osten war, so haben wir in einer eindrucksvollen Stunde gehört, ein zumindest vier Jahrhunderte füllender, erst in der Zeit der großen Pest auslaufender Vorgang. Überall führte er dazu, daß dank entwickelterer Agrar- und Sozialtechniken, wie sie im westlichen Europa ausgebildet worden waren, erheblich mehr Menschen auf dem Quadratkilometer ernährt werden konnten. Die Ostkolonisation wurde von einer Binnenkolonisation in den Altländern ergänzt, die die Ackerfläche durch Abholzen und Trockenlegen erweiterte. Landesausbau und Ostwanderung haben – jeder kann sich selber ausrechnen, wieso – dazu geführt, daß Arbeitskraft in Deutschland tendenziell knapp blieb. Bei Lichte besehen war das in ganz Europa ähnlich. Und eben dieser Umstand hat die Entwicklung muskelkraftsparender Arbeitstechniken vorangetrieben: den Einsatz von Wind- und Wassermühlen oder von Pumpen in Bergwerken. Ein Mangel wurde also, wie Mangel manchmal, der Schlüssel zum künftigen Überfluß. Weil Arbeitskraft bei uns knapper war als in den übrigen Hochkulturen, haben wir – wohlgemerkt in einem begrenzten, aber für den Wettbewerb entscheidend wichtigen Sektor – die anderen Hochkulturen überholt.

In einem Neuland wohnen bedeutet auch: nicht derartig fest eingebunden in uralte Traditionen zu sein, nicht so tief in der Ehrwürdigkeit des Überkommenen zu wurzeln wie im Altland. Darin steckt die Möglichkeit, auch in einem übertragenen Sinne Neuland zu gewinnen, aber hier verbergen sich auch Gefahren. Der Mann, der es als erster nachantiker Astronom um das Jahr 1500 wagte, das Zentrum des Planetensystems von der Erde in die Sonne zu versetzen, war aus Thorn an der Weichsel gebürtig, ein Neulandsproß. Und Luther, der kurz nach der Pioniertat des Kopernikus aus dem theologischen Weltbild des katholischen Mittelalters ausbrach, stammte aus Eisleben in Thüringen und wurde Professor an der ganz jungen Universität Wittenberg, irgendwo weit weg in der tiefsten Provinz, fernab von den alten Zentren europäischer Kultur. An den alten Universitäten Deutschlands, in unserer ehrwürdigsten Stadt Köln etwa, hat man seine Lehre zunächst einmal scharf abgelehnt. Dem Urteil der alten Universitäten folgten zunächst alle Fürsten, in deren Territorien alte Universitäten lagen.

Ein Neuerer im Neuland war auch Friedrich Wilhelm von Brandenburg, der als Großer Kurfürst in die Geschichte eingegangen ist. In der Mitte des 17. Jahrhunderts verwandelte er einen zerstückelten Streubesitz mit einem vergleichsweise armen Kernland Brandenburg, im Dreißigjährigen Krieg an den Bettelstab geraten, in ein Wunderwerk von funktionierendem Staat mit ausgeglichener Haushaltsführung, der sich bald anschicken konnte, Juniorpartner unter den europäischen Großmächten zu werden.

An einem der Abende, auf die wir zurückblicken, war davon die Rede, wie die Deutschen um 1500 von ihren italienischen Nachbarn im Süden beurteilt wurden. Auf eine Kurzformel gebracht: als Barbaren. Für die Südländer steckte im deutschen Wesen zuviel Neuland, zuviel Abstand vom Mittelmeer, zuviel nördlicher Urwald. Ja, Luther erschien ihnen geradezu als Erzbarbar. Nun, selbst einen Protestanten mit hoher Achtung für Luthers Größe und Notwendigkeit beschleicht gelegentlich der Verdacht, daran könne etwas Wahres sein. Etwa, wenn Luthers Sprachgewalt gegen die aufbegehrenden Bauern oder gegen die Juden wetterte. Sogar in dem Wunderwerk des Großen Kurfürsten – in Preußen, wie man später statt Brandenburg sagte – steckte etwas Barbarisches, steckte der Wurm. Aber davon später. Jetzt soll es uns ein zweites Mal um das Bild gehen, das unsere Nachbarn sich von den Deutschen machten.

Um 1800 mußten alle einigermaßen gebildeten Italiener und Franzosen ihr Urteil über unser Volk berichtigen. Denn in Deutschland hatte sich ein Kulturwunder vollzogen. Und dieses Wunder ist ziemlich ungesäumt von den Nachbarn zur Kenntnis genommen und anerkannt worden. Madame de Staël – wir erinnern uns, daß von ihr einmal die Rede war – hat 1810 ihren französischen Landsleuten ausführlich und eindringlich klargemacht, daß die Deutschen, so ungeschlacht und ungeschliffen sie noch immer wirken mochten, mit dem hohen Flug ihrer Dichtung und der Tiefgründigkeit ihrer Philosophie mittlerweile Großes, Bewundernswertes geleistet hatten. Der Stern Goethes, das Sternbild der Goethezeit, ging über ganz Europa auf. In der Gründlichkeit der Bildung erkannte die Welt den Kern des deutschen Wunders. Aber die Goethezeit endete 1832. Und dann folgten allmählich Zeiten, in denen die Deutschen oder viele Deutsche in Europa wieder, und zwar schmerzlicher als zuvor, den Eindruck erweckten, sie seien eben doch Barbaren, nur, was der Sache in Zukunft alles Tölpelhaft-Komische nahm, mittlerweile hochtechnisierte Barbaren. Das hängt mit der politischen Entwicklung Deutschlands zusammen. Zu der wollen wir jetzt übergehen.

Die zweite Besonderheit der deutschen Geschichte ist »das Reich«. Im Auge habe ich dabei, daß die Deutschen zweimal, das erste Mal vom 10. Jahrhundert bis 1806 und dann nach Zwischenphasen wieder von 1871 bis 1945, in ein Gebilde eingebunden waren, das den Namen Reich (lateinisch *Imperium*) trug. Neben dem Ersten und dem Zweiten Reich gibt es für mich kein Drittes. Denn die Nazizeit war nur das dritte Stadium in der Pathologie des Zweiten Reiches. Den Ausdruck »Drittes Reich« sollten wir aus unserer historischen Terminologie wieder herauswerfen. Er ist bei dem Wirrkopf Moeller van den Bruck und bei dem Volksverführer Hitler besser aufgehoben. Diese beiden traurigen Gestalten endeten übrigens nacheinander durch Selbstmord: der Künder eines sogenannten »Dritten Reiches« 1925, sein vermeintlicher Erbauer erst 1945.

Beide deutschen Reiche waren durch Merkmale gekennzeichnet, die in Europa einmalig sind. Aber wohlgemerkt: es handelt sich um zwei sehr verschiedene Bündel von Merkmalen. Das so betont nationale Reich, das 1871 begann, war in vielem das glatte Gegenteil von dem nationenübergreifenden Reich, das 1806 sang- und klanglos von der Bühne der Geschichte abtrat.

Für eine Gesamtwertung des Ersten Reiches dürfen wir uns in unserer Schlußstunde auf grobe Umrisse beschränken. Nach einem denkwürdigen, aber kurzfristigen Vorspiel unter den Karolingern gelang es Heinrich I. und seinem Sohn Otto dem Großen, die deutschen Stämme in einem Königreich zu einen, das *regnum Teutonicum* genannt wurde. Daneben begegnen uns auch andere Titulierungen. Seitdem Otto I. 962 in Rom von Johann XII. zum Kaiser gekrönt wurde, gab es neben oder über diesem deutschen Königreich, das, modernisierend und arg vereinfacht ausgedrückt, ein nationales Königreich war, ein übernationales Kaiserreich der Römer *(Imperium Romanorum)*. Deutschland war in diesem Gebilde mit Burgund und großen Teilen Italiens unter einem Oberherrn zusammengeschlossen. Das Reich war für damalige europäische Verhältnisse riesig groß, nur Rußland kam ihm in seinen Dimensionen gleich. Das Reich war zudem, was im Mittelalter weniger bedeutete als heute, vielsprachig. Vor allem wurde darin Deutsch, Französisch und Italienisch gesprochen. Anlaß zum Kopfschütteln gibt, daß sich quer durch diese Riesenkonstruktion die Riesenmauer der Alpen zog. Das Reich hing also nur über ein paar gewundene Straßen, über den St. Gotthard, den Julier, den Brenner und noch ein paar weitere Pässe zusammen. Die Seefahrt, die sich im Mittelalter über antikes Niveau hinaus entwickelte, kam dem Zusammenhalt des Reiches überhaupt nicht zugute. Dafür hatte es die Bleilast der Bedingungen des Landverkehrs zu tragen, die sich bis zum 18., ja vielerorts bis zum 19. Jahrhundert nicht wesentlich verbesserten. Vor diesem düsteren Verkehrshintergrund ist und bleibt erstaunlich, daß der Grundentwurf eines alpenübergreifenden Ersten Reiches so viele Jahrhunderte überdauerte. Er hat sich nach Einbrüchen immer wieder erneuert, sage und schreibe bis ins 19. Jahrhundert, ja in letzten Resten noch bis 1918 durcherhalten. So lange waren italienische Gebiete (und zwar niemals alle) mit deutsch bewohnten Territorien politisch verklammert.

Das Erste Reich war kein Staat wie andere Staaten. Wir Historiker rätseln immer neu, wieviel an diesem merkwürdigen, zählebigen Reich Realität und wieviel Fiktion, frommer Traum oder, wie in den deutschen Reichsstädten, nur herausgeputzter Lokalpatriotismus war. Für unseren Zusammenhang dürfen wir uns damit bescheiden, daß, weil es das Reich (und in Italien außerdem den Papst) gab, zwei große Völker, die Deutschen und die Italiener, sich bis ins 19. Jahrhundert nicht – wie Frankreich, England und Polen etwa – zu Nationalstaaten zusammengeschlossen haben. Viele Intellektuelle in beiden Völkern haben das schließlich bitter beklagt. Aber wir sollten nicht vergessen, daß beide Völker gerade während ihrer territorialen Zersplitterung den Höhepunkt ihrer Kultur erreichten.

Die Vielstaaterei, die sich unter der Reichsdecke entfaltete, war in Italien längere Zeit, allerdings mit abnehmender Tendenz, ziemlich unfriedlich. Das spiegelt sich etwa im Denken Machiavellis wider, der einer der klügsten Köpfe war, die Italien hervorgebracht hat. Die im Königreich der Deutschen zusammengeschlossenen Territorien waren untereinander, wenn man die Maßstäbe eines kriegerischen Zeitalters anlegt, überwiegend friedlich, bemerkenswert friedlich. Sie hatten, anders als Reichsitalien, ein wenn auch nur dünnes institutionelles Dach, das namentlich aus dem Reichstag und dem Reichskammergericht bestand. Der Friedensverband, den der deutsche Teil des Reiches darstellte, erschien denen, die dazugehörten, als ein hoher Wert. Er überdauerte – erstaunlich genug – den Auseinanderfall der Deutschen in zwei oder sogar drei Glaubensparteien und wurde nach den Schrecken des Dreißigjährigen Krieges 1648 erneuert. Das Erste Reich ist in seiner Spätphase belächelt worden, aber niemand hatte Grund, es zu hassen. Den Deutschen blieb es bei all seinen Schwächen lieb und wert, wenn sie sich auch diese Wertschätzung immer weniger kosten ließen. Manche auswärtigen Beobachter haben die ausgleichende, friedensichernde Leistung dieses merkwürdigen Gebildes Reich hoch gelobt. Einer von ihnen, Rousseau, sogar mit einem Überschwang, der übers Ziel hinausschoß.

Das Zweite Reich, von Bismarck geschaffen, war ganz anders. An vier Abenden wurde ein durchweg kritisches Bild von Deutschland und seiner Rolle in Europa zwischen 1871 und 1945 gezeichnet. Ich schließe mich dieser Kritik an, ja könnte sie hier und da noch verschärfen. Wir brauchen bei dieser Negativeinschätzung keineswegs zu vergessen, daß es in dieser Zeit, zumindest bis 1933, in Deutschland auch erstaunlich Gelungenes, weltweit Bewundertes gab. Vor 1914 etwa die Wissenschaft, die Technik und mit der SPD die größte Arbeiterpartei der Welt, eine Autorität für das ganze sozialistische Lager. Mit Bismarcks Sozialversicherung, deren Lasten zu einem gewichtigen Teil der Staat übernahm, wurde Deutschland beispielgebend für andere Staaten. Aber in diesem Zweiten Reich steckte von Anfang an der Wurm, dieses Gebilde war eine Fehlkonstruktion. Wenn Bäume die Fähigkeit zeigen, manchmal krumm anzufangen und sich dann zurechtzuwachsen, so darf man von einem falsch konstruierten Haus kein Gleiches erwarten. Hier nur eine Blütenlese von Verfehltem. Nicht die Deutschen schlossen sich 1871 zusammen, sondern ihre Fürsten. Und es blieb bei einem Fürstenstaat, der in Fürstenstaaten untergliedert war. Zum Ort der Reichsgründung mußte der Spiegelsaal von Versailles herhalten. Diese Symbolik hat unsere französischen Nachbarn aufs tiefste und anhaltend verwundet. Preußens Vormachtsrolle und Übergröße, die eigentlich 1871 ausgedient hatten, wurden in Bismarcks raffiniert ausgedachter Verfassung festgeschrieben. Und mit dieser Vormacht verband sich in Preußen das Dreiklassenwahlrecht, die Fortdauer der Führungsrolle überlebter Eliten, der Militarismus, ein Kaiserhof, wir hörten es, *sans aucune bonhomie.* In dem spätgeborenen deutschen Nationalstaat machte sich erschreckend viel nationale Intoleranz breit, die auf dem Rücken von Dänen, Polen, Elsässern und Lothringern ausgetragen wurde. Preußen besaß auch gute Traditionen, aber im neuen deutschen Kaiserreich haben sich die schlechten Traditionen kräftiger entfaltet als die guten. Eine Großmannssucht, ein Imponiergehabe griffen um sich, die den preußischen Idealen von Nüchternheit und Schlichtheit hohn sprachen. Ein Obrigkeitsstaat, auf Reichsebene bemäntelt durch das damals hochfortschrittliche allgemeine Wahlrecht für Männer, ließ die liberalen, demokratischen Ansätze von 1848 verkümmern und das Weimar von 1919 zu einer Demokratie mit viel zu wenig Demokraten werden. Das Ende vom Lied war der Totalitarismus. Ich bleibe bei diesem Etikett, obwohl es in einer unserer Diskussionen kritisiert wurde.

In einer Runde tschechischer und deutscher Historiker bot sich mir vor kurzem die Gelegenheit, über den anderen Strang deutscher Geschichte nachzudenken, der über dem wilhelminischen nicht vergessen werden sollte. Ich meine das ausgehende Habsburgerreich. Wie herrlich war das, was in Wien um 1900 gebaut, gemalt, gedacht und gedichtet wurde! Und wie klug, wie vorsichtig gingen hier die hohen Beamten mit einem komplizierten Reichsgebilde und seinen Empfindlichkeiten um! Sie wußten sehr wohl, daß schwierige Probleme, wenn überhaupt, nur mit behutsamer Hand, mit bedächtiger Staatsklugheit gelöst werden können. (Einigen Wiener Spitzenmilitärs und Außenpolitikern gebührt dieses Lob freilich nicht.) Mir will rückschauend scheinen, der österreichische Strang deutscher Tradition sei besser geglückt als der preußische. Aber das ist Ansichtssache.

Am schlimmsten, da am gemeingefährlichsten war, wie das geeinte Deutschland sich – spätestens nachdem Bismarck abgetreten war – in den europäischen Rahmen einfügte oder genauer: wie es sich aus Europa auskreiste. Bismarcks kunstvolles außenpolitisches Spiel war, schon bevor er 1890 stürzte, im Grunde ausgespielt. Schon Bismarck verankerte als Dauerübel, daß mit Frankreich, dem man Elsaß-Lothringen entrissen hatte, nie wirklich nachbarschaftliche, ausgeglichene Beziehungen zu knüpfen waren. Und 1890 hinterließ Bismarck derartig ausgeleierte Beziehungen zum Zarenreich, daß die französisch-russische Annäherung – Rückversicherungsvertrag hin, Rückversicherungsvertrag her – nur noch eine Frage der Zeit war. Seine verblendeten Nachfolger haben diese Annäherung beschleunigt. Statt nun um Großbritannien zu werben, mit dem man es gerade jetzt auf keinen Fall verderben durfte, hat das Reich, mit dem taktlos-großmäuligen Wilhelm II. als Kaiser, den Engländern immer wieder auf die Füße getreten und ihnen Schrecken eingejagt. 1914 wurden sie mit dem Einmarsch in Belgien in die Front unserer Kriegsgegner geradezu hineingezwungen. Wenn ich das Ergebnis einer langen Historikerdiskussion, die mir viel ergiebiger scheinen will als der über weite Strecken müßige Historikerstreit der letzten Jahre, auf eine kurze Formel bringen darf, so hat sich ergeben, daß die Hauptschuldigen am Ersten Weltkrieg in Berlin saßen. Welche genauen Absichten die deutsche Führung im Juli 1914 verfolgte, ist schon an dem Abend, als davon die Rede war, offengeblieben. Auch ich möchte es offenlassen. Sicher scheint mir, daß sich aus einer Politik, wie sie die Spitzen des Reiches im Juli 1914 verfolgten, nichts anderes ergeben konnte als der Weltkrieg. Der 1. August 1914 hat Europa aus seiner Bahn geworfen. Das Verhängnis, das er heraufbeschwor, sollte weit über 1918 hinaus fortwirken. Ja, in Rußland, im zerbrechenden Jugoslawien setzt sich seine unselige Spur bis heute fort.

1918 war Deutschland niedergekämpft. Aber es dauerte buchstäblich nur 19 Jahre, bis dasselbe Deutschland die Welt ein zweites Mal herausforderte. Als 1945 dann der Störenfried wiederum am Boden lag und eine neue Weltordnung anstand, da war eines von vornherein klar und unbestritten: Uns Deutschen mußte für alle Zukunft das schlimme Handwerk gelegt werden. Wir mußten nun endlich eingebunden, an die Zügel gelegt werden. In welcher Form das geschehen sollte, darüber gingen, wie wir gehört haben, die Meinungen auseinander. Roosevelt wollte die Sowjetunion gerade auf deutschem Boden in die Mitverantwortung für Weltaufgaben einbeziehen. Herausgekommen ist bei dem Tauziehen um Deutschland schließlich, wir wissen es alle, die deutsche Teilung. Die schien 45 Jahre lang eine der festesten, unverrückbarsten Teile der Friedenskonstruktion von 1945. Bei Lichte besehen entsprach sie den Interessen der überwältigenden Mehrheit aller jener Partner, für die eine vernünftige Regelung der deutschen Frage lebenswichtig war. Ja, selbst die Westdeutschen erfuhren zunehmend mehr, wie gut es sich mit der Teilung leben ließ. Die Teilung machte die Europäische Gemeinschaft möglich, denn sie stutzte den deutschen Partnerstaat auf ungefähr die gleiche Zahlenstärke zusammen, wie Italien, Frankreich, ja auch der potentielle, vorerst noch draußen bleibende Partner England sie aufwiesen. Das Problem der *vingt millions de trop,* das die Franzosen auch dann noch erschauern ließ, als die Deutschen 1918 am Boden lagen, schien nun endlich und endgültig gelöst.

Aber 1989 stellten sich die Dinge während eines einzigen Monats auf den Kopf. Eine Demonstration in Leipzig blieb am 9. Oktober unbehelligt, und bereits am 9. November brach in Berlin die Mauer. Mit ihr stürzte das SED-Regime. Und gleich schloß sich ein weiteres Wunder an. Die Vereinigung der Deutschen vollzog sich nämlich, ohne daß ein einziger Staat, eine einzige große Partei, eine einzige gewichtige Stimme in der Welt Verwahrung gegen die Ungeheuerlichkeit eines Wiederzusammenschlusses der Deutschen eingelegt hätte: Verwahrung gegen eine Lösung, die eben noch jeder Weltvernunft, jeder internationalen Gerechtigkeit widersprochen hatte. Wie sind diese aufeinanderfolgenden Wunder zu erklären? Sie ergaben sich, das eine nach dem anderen, aus der Tatsache, daß der Kommunismus hoffnungslos und nunmehr offenkundig falsch konstruiert war, daß er morsch und funktionsuntüchtig dastand. Unsere eigene Regierung in Bonn, die Verbündeten, die Sowjetunion: sie alle wollten eigentlich nicht über eine liberalisierte, mit Westdeutschland nur konföderierte DDR hinausgehen. Und als die Würfel für die Einheit gefallen waren, warb Oskar Lafontaine noch für die Variante einer langsameren, durchdachteren, kostensparenden Vereinigung. Es half alles nichts. Die Pfeiler des Hauses DDR brachen zusammen, und auf dem Trümmerhaufen war im Rahmen der bisherigen Staatsgrenzen keine Reform möglich. Der volle staatliche Zusammenschluß mit Westdeutschland ließ sich nicht hinausschieben. Blieb als einzig mögliche Lösung die rasch vollzogene Einheit.

In der vergangenen Stunde blieb offen, wo und von wem dem Honecker-Staat der Garaus gemacht wurde. Fiel er dem Volk von Leipzig und Berlin zum Opfer, oder kam der Hauptstoß von außen? Nun, ein falsch konstruiertes Haus, ein morscher Baum – beide können irgendwann einmal zusammenstürzen, ohne daß es wichtig zu wissen wäre, wer es angeblasen hat. Unter den Ursachen des Mauerbruchs ist die innere Fäulnis des Kommunismus wichtiger als alles andere. Aber, wohlgemerkt, das Haus fiel nicht eines schönen Tages von allein in sich zusammen, sondern man hat wiederholt und kräftig dagegengetreten. Unter »Haus« verstehe ich jetzt nicht nur die DDR, sondern das ganze kommunistisch regierte Osteuropa. Am häufigsten, am kräftigsten trat man in unserem Nachbarland Polen.

Hier hat eine Volksbewegung schon 1980 den Staat zum Nachgeben gezwungen. Die Regierung mußte einer über Nacht entstandenen autonomen Gewerkschaft genau diejenigen Rechte verbriefen, die sie forderte. Damit legitimierte der Staat zähneknirschend eine von ihm unabhängige Organisation. Er mußte ihr – mittelalterlich gesprochen – ein Privileg ausstellen. Das bedeutete Teilung der Macht. Teilungen vergleichbarer Art, Privilegien, haben, wir hörten es schon, im europäischen Mittelalter wunderbare Früchte getragen. Aber mit dem Bauprinzip, das dem real existierenden Sozialismus seit Lenin zugrunde liegt, ist Teilung der Macht unvereinbar. Kommunistische Machthaber müssen sie fürchten wie die Pest. Jaruzelski hat – vom Standpunkt eines Kommunisten folgerichtig – im Dezember 1981 seine Truppen marschieren lassen, um das Resultat des Augusts 1980 rückgängig zu machen. Aber die Solidarität, die, bei Lichte besehen, das polnische Volk in organisierter Gestalt war, ließ sich das Rückgrat nicht brechen. Im Frühjahr 1989 mußten die Kommunisten, weil ihnen die Last zu schwer wurde, selber die Teilung der Macht vorschlagen. Ich erinnere mich von meinem letzten Besuch in Polen noch an die Diskussion vor den Wahlen, bei denen die Prozentanteile für Kommunisten und die bisherige Opposition vorher festgelegt waren: ist uns, den bis auf verschwindende Ausnahmen antikommunistischen Polen, eine Teilung 35 zu 65 zumutbar? In Wirklichkeit kam es gar nicht auf die Prozentzahlen an. Jeder verbriefte, privilegierte Verzicht auf Staatsmacht tötet den Kommunismus. Die Drahtscheren in Ungarn, die den Grenzzaun für DDR-Flüchtlinge öffneten, die Leipziger Demonstration vom 9. Oktober 1989, all das sind Durchbrüche, die durch die erste, in Polen geschlagene Bresche möglich wurden. Wir sollten das den Polen, unseren Nachbarn und Freunden im Osten, nicht vergessen.

In der Protestbewegung der DDR ging es zunächst um Freiheit. Eine Gesellschaft wollte endlich selbst über ihr Schicksal bestimmen. So versteht sich die Losung: »Wir sind das Volk.« Daran schloß sich ohne Säumen der Anspruch auf soziale Gleichstellung mit Westdeutschland. Und erst im dritten Schritt hieß es: »Wir sind *ein* Volk.« Der Wunsch nach Einheit war nicht der Urwunsch, aus dem alles andere sich ableitete, sondern die logische Konsequenz aus dem Drang, das doppelte Joch von Unfreiheit und wirtschaftlicher Benachteiligung abzuschütteln. Nationalen Überschwang gab es Gott sei Dank nur an den Rändern, nicht er hat Geschichte gemacht.

Und nun, *viertens* und letztens: Vor welcher Lage stehen wir jetzt? Die Welt hat unsere neue Einheit hingenommen. Wer auf dem runden Globus hat auch nur ein bloß verkniffenes Lächeln zum bösen Spiel aufgesetzt? Nein, alle haben uns beglückwünscht: *avec beaucoup de bonhomie.* Vielen Dank! Aber wir müssen uns darauf einstellen, daß wir mit unserer gewachsenen Größe den anderen europäischen Staaten, ja der ganzen Welt lästig fallen. Das dürfte sich immer von neuem in gelegentlichen antideutschen Wellen entladen. Dabei werden Vorwürfe, die wir zurecht verdienen – wie der, daß deutsche Firmen Giftgasanlagen in den Irak verkauft haben –, anderen Vorwürfen durcheinandergehen, die wir für ungerechtfertigt ansehen, etwa die Verunglimpfung von Friedensdemonstrationen während des Golfkrieges. Die gerechtfertigten Vorwürfe sollten wir sehr ernst nehmen, die anderen ohne Rechthaberei ertragen, wegstecken. Gewisse Argumente, mit denen man uns angreift, mögen mit guten Gründen widerlegbar sein. Aber sie wurzeln in Gefühlen, die wir zu respektieren haben. Sie haben mit den unseligen Teilen unserer Vergangenheit zu tun, aber auch mit unserem neuen, vergrößerten Gewicht.

Was kann Europa machen, wo wir Deutschen so stark geworden sind? Genau das, was es längst getan hat: es kann uns in die Tasche greifen. Wir zahlen am meisten in die europäischen Kassen, und dabei wird es bleiben. Wir sind dabei nicht arm geworden und brauchen es auch für die Zukunft nicht zu fürchten. Dabei müssen wir nicht nur den bisherigen Ansprüchen weiterhin gerecht werden. Nein, riesige neue Erwartungen kommen auf uns zu. Wir machen in Nordostdeutschland vor, wie man ein Land mit zusammengebrochenem Kommunismus wieder flott macht, etwa so, wie ein Autofahrer den anderen ins Schlepptau nimmt, wenn der Wagen mit leergelaufener Batterie stehengeblieben ist. Die Polen, die Tschechen und Slowaken, die Ungarn, die Slowenen, Kroaten und Balten und viele andere: Sie alle sehen genau zu, was sich in den neuen Bundesländern abspielt. Sie sehen es nicht etwa mit Mißgunst, sondern mit Hoffnung. In einem glücklich gelagerten Einzelfall, wo Landsleute von Landsleuten in die Pflicht genommen werden, wird ihnen vorgeführt, wieviel durch Ankoppeln gelingen kann. Auch sie möchten ins Schlepptau genommen werden, und zwar nicht erst dann, wenn die Probleme in Deutschland gelöst sind. Von den Deutschen erwarten sie noch mehr als von den anderen Europäern, weil wir reich und nah sind, ja viele Erfahrungen mit ihnen gemeinsam haben.

Ob uns das gelingen wird? Niemand kann das voraussagen. Könnte nicht der Nationalismus, der Größenwahn wieder über uns kom-

men? Sollte, wenn es einmal wirtschaftlich bergab geht, das barbari-
sche, das totalitäre Erbe wieder durchschlagen? Vielleicht! Aber es
gibt vorerst keinen erkennbaren Grund, der uns diesmal zu tun hin-
dert, was wir anderen Völkern schuldig sind. In unserem Haus
steckt diesmal, so will es mir scheinen, kein verhängnisvoller Kon-
struktionsfehler. Schön für uns, schön für Europa und die Welt,
wenn wir uns nützlich machen würden.

Literaturhinweise

In meiner Göttinger Studentenzeit beeindruckten mich Gedanken zur Verankerung Europas in Antike und Mittelalter meines Freundes Jürgen Fischer, Oriens – Occidens – Europa. Begriff und Gedanke »Europa« in der
späten Antike und im frühen Mittelalter (1957) – und eines verehrten Leh-
rers, Hermann Heimpel, Europa und seine mittelalterliche Grundlegung.
In: Ders: Der Mensch in seiner Gegenwart (1954), S. 67–86.
    Den Gedanken, daß die nie gebrochene Produktivität des abendländi-
schen Mittelalters auf der politischen Teilung des Raumes und der ständischen Teilung der Macht beruht, habe ich genauer ausgeführt in dem Essay:
Europas vorindustrielle Modernisierung. In: Deutschland und Europa. Festschrift f. Karl Otmar Frh. von Aretin, hg. v. Ralph Melville u. a. (1988), S.
205–222. Grundlegend zu den Ständen als welthistorisch bahnbrechende
Schöpfung des mittelalterlichen Abendlandes: Otto Hintze, Typologie der
ständischen Verfassung des Abendlandes (1930) und: Weltgeschichtliche Bedingungen der Repräsentativverfassung (1931) in seinem: Staat und Verfassung. Gesammelte Abhandlungen zur allgemeinen Verfassungsgeschichte.
Hg. v. Gerhard Oestreich (1962), S. 120–185.
    Zur Unterscheidung von Räumen »diesseits und jenseits des Limes« auf
deutschem Boden und Luthers Prägung durch ein Neuland sowie durch eine
junge Universität s. Herbert Schöffler, Die Reformation (1936) in seinen:
Wirkungen der Reformation. Religionssoziologische Folgerungen für England und Deutschland (1960), S. 105–188.
    Zur abwägenden Staatskunst des Großen Kurfürsten und seinem Glau-
bensernst, der nicht dem im 17. Jahrhundert verbreiteten Eiferertum erlag, s.
Klaus Deppermann, Die Kirchenpolitik des Großen Kurfürsten. In. Pietismus und Neuzeit 6 (1980), S. 99–114. Zu seiner Rolle als Grundleger der
Macht und Sonderart des brandenburg-preußischen Staates s. Otto Hintze,
Die Hohenzollern und ihr Werk. Fünfhundert Jahre vaterländischer Geschichte (1915). Schon die Frühphasen der durch den Großen Kurfürsten ge-
stifteten Tradition werden kritisch beurteilt von Hans Rosenberg, Bureau-
cracy, aristocracy and autocracy. The Prussian experience 1660–1815 (1958);

Francis L. Carsten, Die Entstehung Preußens (1954, dt. 1968). Beide Werke sind durch die Erfahrungen der Hitlerzeit, die ihre Verfasser aus Preußen in die Emigration trieb, mitgeprägt.

Der Gedanke, das Reich von 1871–1918 stelle eine verhängnisvolle Fehlkonstruktion dar, wurde knapp, packend und provozierend entwickelt von Hans-Ulrich Wehler, Das Deutsche Kaiserreich 1871–1918. Göttingen 1988 als Bd. 9 der Deutschen Geschichte in der Kleinen Vandenhoeck-Reihe. Dieser Sicht ist (etwa von Thomas Nipperdey und Hans-Günter Zmarzlik) vorgeworfen worden, sie färbe eine bunte, an unterschiedlichen Ansätzen reiche Phase deutscher Geschichte schwarz ein und verstehe sie allzu einlinig als Wegbereitung für 1933. Selbst wenn man solchen Kritikern abnehmen darf, daß das Reich von 1871 auch anders gesehen werden kann, so bleibt ein »Negativmodell« sinnvoll. Denn langandauernde Fehlentwicklungen mit aufeinanderfolgenden Katastrophen wie 1914, 1930–33 und 1939 lassen sich nicht ohne engen Zusammenhang mit der Staatskonstruktion von 1866–71, der Person des Gründers Bismarck und der Elitenstruktur des Reiches, verstehen.

Zum Sommer 1914 s. neuerdings die verblüffend einfache, vermutlich richtige Beurteilung von John C. G. Röhl: Kaiser, Hof und Staat Wilhelms II. und die deutsche Politik (1988), S. 14–16: Ohne den unseligen Entschluß der deutschen Führung, den Krieg zu wagen, wäre er wohl kaum ausgebrochen. Statt dessen hätte Deutschlands beispielloser wirtschaftlicher, wissenschaftlicher und kultureller Aufstieg weitergehen können.

Daß Polen im August 1980 eine Revolution erlebte, die sich nur, um kein bewaffnetes Eingreifen der Sowjets zu provozieren, selbst beschränkte und nicht nach der ganzen Macht griff, ist von sorgfältigen Interpreten der Ereignisse (wie der Soziologin Jadwiga Staniszkis) ohne Verzug aufgewiesen worden; s. etwa die bewundernswert abgewogene, gleich nach der Heimkehr aus der Internierung durch das Militärregime verfaßte Synthese von Jerzy Holzer: »Solidarität«. Die Geschichte einer freien Gewerkschaft in Polen (dt. 1985) und den Tagungsband: Gesellschaft und Staat in Polen. Historische Aspekte der polnischen Krise. Hg. Hans Henning Hahn u. Michael G. Müller (1988). Mit Gorbatschows Aufkündigung der »Breschnewdoktrin« war das Tor für Revolutionen, die aufs Ganze gingen, aufgestoßen.

Die Autoren

BORGOLTE MICHAEL, geb 1948, Dr. phil., ist seit 1987 Professor für Mittlere und Neuere Geschichte und Historische Hilfswissenschaften an der Universität in Freiburg i. Br.
Veröffentlichungen u. a.: Der Gesandtenaustausch der Karolinger mit den Abbasiden und mit den Patriarchen von Jerusalem (1976); Geschichte der Grafschaften Alemanniens in fränkischer Zeit (1984); Die Grafen Alemanniens in merowingischer und karolingischer Zeit. Eine Prosopographie (1986); Petrusnachfolge und Kaiserimitation. Die Grablegen der Päpste, ihre Genese und Traditionsbildung (1989); Die mittelalterliche Kirche (im Druck). Mitherausgeber der Sammelbände Subsidia Sangallensia I (1986) und Litterae Medii Aevi (1988).

FENSKE, HANS, geb. 1936, Dr. phil., ist seit 1977 Professor für Neuere und Neueste Geschichte an der Universität Freiburg i. Br.
Veröffentlichungen u. a.: Konservativismus und Rechtsradikalismus in Bayern nach 1918 (1969); Wahlrecht und Parteiensystem. Ein Beitrag zur deutschen Parteiengeschichte (1972); Strukturprobleme der deutschen Parteiengeschichte (1974); Der liberale Südwesten (1981); Deutsche Verfassungsgeschichte vom Norddeutschen Bund bis heute (1981); Bürokratie in Deutschland (1985).

HOLECZEK, HEINZ, geb. 1930, Dr. phil., ist seit 1981 Privatdozent für Neue und Neueste Geschichte an der Universität Freiburg i. Br.
Arbeiten vornehmlich zum Verhältnis von Humanismus und Reformation (Humanistische Bibelphilologie als Reformproblem, Thomas More und die englische Bibel, Erasmus und Luther), zur Verbreitung und Rezeption des Erasmus in der reformatorischen Öffentlichkeit (Erasmus deutsch. Bibliographie der volkssprachlichen Erasmusausgaben im 16. Jahrhundert; Erasmus als Autor von Reformationsflugschriften) und zur Entstehung der bürgerlichen Gesellschaft im 18. und 19. Jahrhundert (Septemberkrise der 48er Revolution, inner- und außerparlamentarische Bewegungen im Vormärz und 1848).

KLUGE, ULRICH, geb. 1935, Dr. phil., seit 1986 Professor für Neuere und Neueste Geschichte an der Universität Freiburg i. Br.; seit 1991 Gastprofessor an der Technischen Universität Dresden.
Veröffentlichungen u. a.: Der österreichische Ständestaat (1984); Die deutsche Revolution (1985); Vierzig Jahre Agrarpolitik in der Bundesrepublik Deutschland. 2. Bde (1989).

KRUMEICH, GERD, geb. 1945, Dr. phil., ist seit 1990 Professor für Neuere und Neueste Geschichte an der Universität Freiburg i. Br.

Veröffentlichungen u.a.: Aufrüstung der Innenpolitik: Frankreich vor dem 1. Weltkrieg (1980); Jeanne d'Arc in der Geschichte (1990); weitere Veröffentlichungen zur politischen Geschichte Frankreichs, zur Geschichte des Ersten Weltkrieges und zur vergleichenden Militärgeschichte Europas im 19. Jahrhundert.

MARTIN, BERND, geb. 1940, Dr. phil., ist seit 1976 Professor für Neuere und Neueste Geschichte an der Universität Freiburg i. Br.
Forschungsschwerpunkte: Ostasiatische und deutsche Zeitgeschichte.
Veröffentlichungen: Deutschland und Japan im Zweiten Weltkrieg (1969); Friedensinitiativen und Machtpolitik im Zweiten Weltkrieg (2. Aufl. 1976); Martin Heidegger und das »Dritte Reich« (1989). Herausgeber: Die deutsche Beraterschaft in China (1981); Japans Weg in die Moderne. Ein Sonderweg nach deutschem Vorbild? (1987); zus. mit Ernst Schulin: Die Juden als Minderheit in der Geschichte (4. Aufl. 1989).

MARTIN, JOCHEN, geb. 1936, Dr. phil., ab 1976 Professor für Alte Geschichte in Bielefeld, seit 1980 an der Universität Freiburg i. Br.
Veröffentlichungen u.a.: Die Popularen in der Geschichte der späten Republik (1965); Zur Genese des Amtspriestertums (1972); Spätantike und Völkerwanderung (2. Aufl. 1990). Herausgeber: Atlas zur Kirchengeschichte (1970, zus. mit H. Jedin und K.S. Latourette); Zur Sozialgeschichte der Kindheit (1986, zus. mit A. Nitschke); Aufgaben, Rollen und Räume von Frau und Mann (1989, zus. mit R. Zoepffel); Christentum und antike Gesellschaft (1990, zus. mit B. Quint).

MORDEK, HUBERT, geb. 1939, Dr. phil., Professor für mittelalterliche Geschichte in Tübingen, seit 1978 in Freiburg i. Br., 1991 Fellow, University of California, Berkeley.
Veröffentlichungen u.a.: Die Rechtssammlungen der Handschrift von Bonneval – ein Werk der karolingischen Reform (1969); Kirchenrecht und Reform im Frankenreich (1975); Bibliotheca capitularium manuscripta (1992); Herausgeber u.a.: Überlieferung und Geltung normativer Texte des frühen und hohen Mittelalters (1986); Freiburger Beiträge zur mittelalterlichen Geschichte (seit 1990) und mehrere Festschriften; Mitherausgeber: Lexikon des Mittelalters (seit 1978); Quellen und Forschungen zum Recht im Mittelalter (seit 1982); zahlreiche Aufsätze in Fachzeitschriften und Sammelbänden.

OTT, HUGO, geb. 1931, Dr. phil., ist seit 1971 Inhaber des Lehrstuhls für Wirtschafts- und Sozialgeschichte an der Universität Freiburg i. Br.
Forschungsgebiete: Wirtschafts- und Sozialgeschichte, Landesgeschichte des deutschen Südwestens, Universitätsgeschichte, Katholische Kirche und Nationalsozialismus, Reichskanzler Joseph Wirth, Martin Heidegger.

REINHARDT, VOLKER, geb. 1954, Dr. phil., ist seit 1989 Privatdozent für Neuere und Neueste Geschichte an der Universität Freiburg i. Br.
Forschungsschwerpunkte: Italienische Sozial- und Kulturgeschichte, Deutschland am Ende des 18. Jahrhunderts.
Veröffentlichungen u. a: Kardinal Scipione Borghese. Vermögen, Finanzen und sozialer Aufstieg eines Papstnepoten (1984); Florenz zur Zeit der Renaissance (1990); Überleben in der frühneuzeitlichen Stadt. Annona und Getreideversorgung in Rom 1563–1797 (1991).

SCHRAMM, GOTTFRIED, geb. 1929, Dr. phil., ist seit 1965 Professor für Neuere und Osteuropäische Geschichte an der Universität Freiburg i. Br.
Veröffentlichungen u. a.: Der polnische Adel und die Reformation 1548–1607 (1965); Nordpontische Ströme. Namenphilologische Zugänge zur Frühzeit des europäischen Ostens (1973); Eroberer und Eingesessene. Geographische Lehnnamen im 1. Jahrtausend n. Chr. (1981). Herausgeber und Mitautor des Handbuchs der Geschichte Rußlands. Bd. 3 (1855–1945). Zahlreiche Aufsätze zur osteuropäischen Geschichte, besonders Polens und Rußlands.

SCHULIN, ERNST, geb. 1929, Dr. phil., Professor für Neuere Geschichte 1967–1974 an der TU Berlin, seither an der Universität Freiburg i. Br.
Veröffentlichungen u. a.: Die weltgeschichtliche Erfassung des Orients bei Hegel und Ranke (1958); Handelsstaat England. Das politische Interesse der Nation am Außenhandel vom 16. bis ins frühe 18. Jahrhundert (1969); Traditionskritik und Rekonstruktionsversuch. Studien zur Entwicklung von Geschichtswissenschaft und historischem Denken (1979); Walther Rathenau. Repräsentant, Kritiker und Opfer seiner Zeit (1979); Die Französische Revolution (1988). Herausgeber: Universalgeschichte (1974); Deutsche Geschichtswissenschaft nach dem Zweiten Weltkrieg (1989); Mitherausgeber der Walther Rathenau-Gesamtausgabe.

VOLKMANN, HANS-ERICH, geb. 1938, Dr. phil., seit 1971 Professor für Neuere und Neueste Geschichte, zunächst an der Universität Mainz, seit 1982 an der Universität Freiburg i. Br.
Veröffentlichungen u. a.: Die russische Emigration in Deutschland 1919 bis 1929 (1966); Die deutsche Baltikumpolitik zwischen Brest-Litovsk und Compiègne (1970); Die NS-Wirtschaft in Vorbereitung des Krieges. In: Das Deutsche Reich und der Zweite Weltkrieg. Bd. 1 (1979); Die innenpolitische Dimension Adenauerscher Sicherheitspolitik in der EVG-Phase In: Anfänge westdeutscher Sicherheitspolitik. Bd. 2 (1990). Zahlreiche Aufsätze zur Zeitgeschichte und modernen Wirtschaftsgeschichte.

ZOTZ, THOMAS, geb. 1944, Dr. phil., ist seit 1989 Professor für mittelalterliche Landesgeschichte des deutschsprachigen Südwestens an der Universität Freiburg i. Br.

Veröffentlichungen u.a.: Der Breisgau und das alemannische Herzogtum. Zur Verfassungs- und Besitzgeschichte im 10. und beginnenden 11. Jahrhundert (1974); Aufsätze zur Geschichte von Adel, Ministerialität, Rittertum und Bürgertum im Mittelalter, zur Königs- und zur Grundherrschaft im frühen und späten Mittelalter. Mitbetreuung des vom Max-Planck-Institut für Geschichte in Göttingen herausgegebenen Repertoriums der deutschen Königspfalzen. Mitherausgeber der Reihe Archäologie und Geschichte. Freiburger Forschungen zum ersten Jahrtausend in Südwestdeutschland.

Deutsche Geschichte der neuesten Zeit

vom 19. Jahrhundert bis zur Gegenwart

Originalausgaben,
herausgegeben von
Martin Broszat,
Wolfgang Benz und
Hermann Graml
in Verbindung mit
dem Institut für Zeit-
geschichte, München

Michael Stürmer:
Die Reichsgründung
Deutscher National-
staat und europäisches
Gleichgewicht im
Zeitalter Bismarcks
dtv 4504

Wilfried Loth:
Das Kaiserreich
Liberalismus, Feuda-
lismus, Militärstaat
dtv 4505 (i. Vorb.)

Richard H. Tilly:
**Vom Zollverein zum
Industriestaat**
Die wirtschaftlich-
soziale Entwicklung
Deutschlands 1834 bis
1914
dtv 4506

Helga Grebing:
Arbeiterbewegung
Sozialer Protest und
kollektive Interessen-
vertretung bis 1914
dtv 4507

Hermann Glaser:
**Bildungsbürgertum
und Nationalismus**
Politik und Kultur
im Wilhelminischen
Deutschland
dtv 4508 (i. Vorb.)

Wolfgang J. Mommsen:
Imperialismus
Deutsche Kolonial- und
Weltpolitik 1880 – 1914
dtv 4509 (i. Vorb.)

Gunther Mai:
**Das Ende des
Kaiserreichs**
Politik und Kriegführung
im Ersten Weltkrieg
dtv 4510

Peter Burg:
Der Wiener Kongreß
Der Deutsche Bund
im europäischen
Staatensystem
dtv 4501

Wolfgang Hardtwig:
Vormärz
Der monarchische Staat
und das Bürgertum
dtv 4502

Hagen Schulze:
**Der Weg zum
Nationalstaat**
Soziale Kräfte und
nationale Bewegung
dtv 4503

Klaus Schönhoven:
**Reformismus und
Radikalismus**
Gespaltene Arbeiter-
bewegung im Weimarer
Sozialstaat
dtv 4511

Horst Möller:
Weimar
Die unvollendete
Demokratie
dtv 4512

Peter Krüger:
Versailles
Deutsche Außenpolitik
zwischen Revisionismus
und Friedenssicherung
dtv 4513

Corona Hepp:
Avantgarde
Moderne Kunst,
Kulturkritik und
Reformbewegungen
nach der Jahrhundert-
wende
dtv 4514

Deutsche Geschichte der neuesten Zeit
vom 19. Jahrhundert bis zur Gegenwart

Jean Améry
im dtv

Jenseits von Schuld und Sühne
Bewältigungsversuche eines Überwältigten

»Übrigens geht es mir in diesem Augenblick so wenig wie ehedem um das Dritte Reich. Was mich beschäftigt und wovon ich zu reden qualifiziert bin, das sind die Opfer dieses Reiches. Kein Denkmal will ich ihnen setzen, denn Opfer sein allein ist noch nicht Ehre. Nur ihre Kondition wollte ich beschreiben, die ist unveränderbar.« dtv 10923

Unmeisterliche Wanderjahre

Den »Versuch einer Selbstbefragung« nannte Jean Améry diesen Aufsatzzyklus, der aus der Perspektive des jüdischen Schriftstellers vierzig Jahre europäischer Geistesgeschichte resümiert und, zusammen mit seinen früheren Schriften gesehen, eine Art »essayistisch-autobiographischen Roman« ergibt. Unbestechlich im Urteil und voll aphoristischer Schärfe fragt Améry nach den geistigen Bedingungen des Menschseins in unserer Zeit. Ein nach wie vor aktueller Beitrag zur gegenwärtigen Diskussion über das Phänomen »Zeitgeist«. dtv 11162

Widersprüche

Dieser Band vereinigt Aufsätze aus den Jahren 1967 bis 1971, in denen Jean Améry Stellung nimmt zu philosophischen Fragen, zu politischen und gesellschaftspolitischen Ereignissen sowie zum Judentum. »Ein solcher Autor läßt sich nicht festlegen, er hat die Widersprüche des Zeitgeistes akzeptiert, er hat sie wieder und wieder reflektiert, und es fehlt ihm die Arroganz, uns mitzuteilen, er habe sie bewältigt.« (Ivo Frenzel in der ›Süddeutschen Zeitung‹) dtv 11322

Über das Altern
Revolte und Resignation

Améry läßt sich nicht ein auf Harmonisierung oder Verklärung. Er beschreibt das Altern als einen fortschreitenden Prozeß der Entfremdung von den Zeitgenossen, von der Welt und von sich selbst. Was bleibt, ist Revolte und Resignation, Kampf also, trotz der Einsicht, das man unterliegen wird. »Ein einzelner hat hier für einzelne geschrieben, die dazu bereit sind, in letzten Sachen bis ans Ende zu denken.« (H. Krüger in ›Die Zeit‹) dtv 11470